MW00609710

ELISEO COLÓN ZAYAS

LITERATURA DEL CARIBE ANTOLOGIA

SIGLOS
XIX y XX

PUERTO RICO
CUBA
REPUBLICA DOMINICANA

PLAZA MAYOR

Literatura del Caribe

Diseño de cubierta: J. A. Pérez Fabo

TERCERA EDICIÓN, 2006

1500 Avda. Ponce de León, Local 2
El Cinco
San Juan, Puerto Rico 00926
P.O. Box 3148
Guaynabo, P.R. 00970-3148
www.editorialplazamayor.com
e-mail: ventas@editorialplazamayor.com
ISBN: 1-56328-081-7
Impreso en España / Printed in Spain
Talleres Gráficos Peñalara
Ctra. Villaviciosa a Pinto, km 15,180
Fuenlabrada (Madrid)
Depósito legal: M-26911-2006

ÍNDICE

NOVELA

CUENTO

SEGUNDA PARTE

SIGLO XX

POESÍA

ENSAYO

NOVELA

CUENTO

TEATRO

INTRODUCCIÓN

El espacio literario caribeño surge a partir de la vasta frontera geopolítica creada por España, Francia, Holanda, Inglaterra y más recientemente los Estados Unidos de América. De la conquista llevada a cabo por estas naciones surge una región completamente heterogénea, desde el punto de vista lingüístico y político; sin embargo, delineada por un denominador común: la plantación como enclave económico. Exterminada virtualmente toda población indígena desde comienzos de la conquista, las Antillas dejaron de regir sus destinos y se incorporaron a las grandes esferas metropolitanas para convertirse en productoras-exportadoras de materia prima hacia los mercados europeos.

El azúcar y la esclavitud son hasta finales del siglo XIX ejes de toda la producción caribeña. Las sociedades caribeñas eran según las describe el historiador Darcy Ribeiro:

> más prósperas y avanzadas tecnológicamente y por su alto grado de especialización desafiaban la comparación con otras formas de producción agrícola. Conducían también a una alta concentración de la renta, lo que permitía remunerar de manera pingüe los capitales invertidos[1].

A partir del siglo XIX comienzan las incipientes burguesías criollas a delinear los rasgos culturales específicos de las diferentes islas. Se da la formación del estado-nación en Haití (1804), República Do-

[1] Darcy Ribeiro, *Las Américas y la civilización.* Tomo 1.°, (Chile: Cuadernos Latinos, 1969), pág. 218.

minicana (1865), y Cuba (1902). Ya entrado el siglo XX el Caribe (Cuba, República Dominicana, Puerto Rico, Haití, Martinica, Guadalupe, Dominica, Jamaica, Trinidad y Tobago, Granada, Curazao, Aruba y otras tantas islas del archipiélago antillano), se ha ido caracterizando por una alta especialización, con la concomitante modernización de sus ramas fundamentales de acuerdo a las demandas impuestas por los grandes centros metropolitanos.

Al plantearse la posibilidad de una antología de la literatura caribeña, hay que establecer algunos rasgos particulares debido a la heterogeneidad lingüística y cultural de la región. Una demarcación del Caribe nos apunta, no sólo hacia las islas de la región sino, además, a las áreas de Sur y Centroamérica con costa en el Caribe. En lo que concierne a la narrativa de esta región, si observamos la temática de lo real maravilloso vemos cómo se emparentan el colombiano Gabriel García Márquez y el cubano Alejo Carpentier. Por lo tanto es válido que al hablar de una literatura del Caribe se observe la región en su totalidad como un espacio literario cuyo centro de enlace es el enclave de la plantación. De aquí surge un discurso, el cual por su hibridez (europeo-americano) pone en relieve a una naturaleza la cual ha sido transgredida por unos valores totalmente externos a ella. Sin dejar a un lado esta coyuntura que sirve para hacer homogéna una región tan heterogénea, nuestra antología se limitará a aquellos textos de las tres Antillas cuyo trasfondo cultural es el hispano: Cuba, Santo Domingo y Puerto Rico.

La antología parte de un momento histórico específico, el siglo XIX. Es durante este siglo cuando las diferentes burguesías criollas cobran fuerza como poderes económicos. Estas burguesías basan su poder en los centros de importación-exportación cuyos proveedores son las plantaciones de caña, tabaco y café.

I

Los comienzos

Es el Caribe donde por primera vez llega el español. Es aquí donde éste comienza a nombrar una nueva realidad hasta entonces totalmente desconocida. Ya Colón en su *Diario* encuentra la necesidad de relacionar esta nueva realidad con su referente europeo. Así del clima nos dice: «¡En abril como en Andalucía!». Frase que, sin embargo, expresa la traslación de un referente cultural que acabará por definir a toda América desde una perspectiva europeo-renacentista. Así comparten Cuba, Santo Domingo y Puerto Rico a cronistas como el propio Colón, Gonzalo Fernández de Oviedo y Fray Bartolomé de las Casas. Quedan los textos de estos tres y otros tantos como una literatura testimonial cuyo discurso, ora mitifica (como es el caso de Colón), ora desmitifica (como en Las Casas) la realidad americana. Recordemos, además, la función de esta literatura de la conquista (y aquí incluimos crónica, relación, historia y cartas relatorias) de proveer a la corona española una especie de boletín informativo de lo acontecido en el Nuevo Mundo. De aquí muchas veces su estructura, como es el caso de la *Relación,* en donde el compilador contestaba una serie de preguntas establecidas por la corona. En otros casos, el texto escrito sirve para que perdure la fama de la hazaña o hazañas que han ocurrido.

Un texto de gran importancia es la *Relación acerca de las antigüedades de los indios* de Fray Ramón Pané. A través de este texto el Caribe recupera su historia precolonial. Pané llega con Colón a La Española (Santo Domingo) para aprender de los indios de las islas del Caribe y escuchar de ellos la historia de sus creencias y mitos, y para observar cómo vivían:

> Yo, fray Ramón, pobre ermitaño de la Orden de San Jerónimo, por mandato del ilustre Almirante y virrey y gobernador de las Islas y de la Tierra Firme de las Indias, escribo lo que he podido aprender y saber de las creencias e idolatrías de los indios, y de cómo veneran a sus dioses[2].

Esta cosmogonía taína que nos ofrece Pané es además el primer texto escrito en el Nuevo Mundo en un idioma europeo. A partir de estos primeros textos, y de la necesidad de nombrar la nueva realidad presenciada por estos hombres, la literatura de la conquista suple una cronología virtual de aquella construcción-deconstrucción que fueron los hechos de los conquistadores en un Nuevo Mundo que (re)nace en pleno renacimiento del Viejo Mundo; siendo el Caribe el punto de partida de ese (re)nacer.

Un segundo texto de gran importancia durante los primeros años de la historia de las Antillas es el poema épico de Juan de Castellanos, *Elegías de varones ilustres de Indias.* El proceso de reconstrucción a partir de unos hechos concretos hace de este texto un índice detallado de una empresa colectiva y abarcadora como lo fue la conquista de América. Cuba, Santo Domingo y Puerto Rico se convierten en el escenario de algunas de las elegías. El texto refleja el peregrinar del autor desde su llegada a Puerto Rico de un modo incesante

[2] Fray Ramón Pané, *Relación acerca de las antigüedades de los indios,* José Juan Arrom, ed., (México: Siglo XXI, 1974), pág. 21.

por las costas del Caribe del continente meridional americano e islas adyacentes. Los elementos de lascivia que el crítico italiano Giovanni Meo-Zilio observa en el texto sirven para enmarcar a la obra de Castellanos dentro de toda una tradición de descripciones de la naturaleza americana y de los hechos de los conquistadores que nos acercan a ese realismo mágico o real maravilloso de la literatura latinoamericana actual, y muy especialmente presente en el área del Caribe.

II

Siglos XVII y XVIII

La importancia del Caribe durante el siglo XVI disminuye entrado ya el siglo XVII y se acentúa más con la llegada del XVIII. Durante el siglo XVII se establecen y se consolidan los enclaves coloniales ingleses, franceses y holandeses en el Caribe. En el ambiente literario el Caribe hispano es opacado por las corrientes literarias de la Nueva España (México). Los antagonismos del Barroco encuentran en la Nueva España cauce fructífero para su desarrollo.

Se puede observar la influencia cultural de personajes como Bernardo de Balbuena, quien fuera obispo de Puerto Rico y cuya biblioteca fue de gran ayuda para la difusión cultural en la isla; y Tirso de Molina quien vivió en Santo Domingo. Hecho singular es la aparición en Cuba del poema heroico-religioso *Espejo de paciencia*. Aunque el autor, Silvestre de Balboa Troya y Quesada, no era cubano, el tema sí lo era claramente. Este texto se contrapone a toda una literatura de circunstancia y de mala imitación gongorina como es el caso de Francisco de Ayerra y Santa María, puertorriqueño quien vive la mayor parte de su vida en México, o el de los dominicanos Francisco Melgarejo Ponce de León, José Clavijo, Miguel Martínez y Mosquera y otros tantos.

Espejo de paciencia tiene como referente la condición de vida cubana influida por el absolutismo del gobierno colonial y el monopolio mercantil de éste. Su autor comienza con este texto toda una tradición dentro de la literatura cubana la cual llega hasta nuestros días, la «literatura testimonio». Así cuando el novelista cubano Miguel Barnet intentó recientemente dar una definición sobre la novela testimonio como un texto que debe, «proponerse un desentrañamiento de la realidad, tomando los hechos principales, los que más han afectado la sensibilidad de un pueblo y describirlos por boca de uno de sus protagonistas más idóneos»[3], no se aleja mucho de la concepción literaria de Balboa. *Espejo de paciencia* sirve para desmitificar toda la cultura clásica por medio de la realidad cubana.

Tal vez lo más importante dentro del ámbito literario de las tres islas durante estos dos siglos sea el surgimiento de una poesía popular autóctona a partir de la utilización de la métrica española. Así, décimas y romances, cuartetas y redondillas se transmiten oralmente a través de los sectores populares. Esta poesía popular es de carácter festivo con una temática bastante heterogénea. Aunque muy difícil de catalogar por su aspecto oral, tal vez los siguientes tres textos sean representativos de esta tradición por su estructura y su condición de ser textos anónimos: las composiciones satíricas de *Capacho* (Cuba), la *Relación anónima* (Puerto Rico) y los *Lamentos de la isla española de Santo Domingo* (Santo Domingo).

Durante los siglos XVII y XVIII la isla de Santo Domingo vivió unos sucesos desastrosos para su desarrollo cultural. Durante el siglo XVII Felipe II ordena la devastación del litoral dominicano por donde se hacía el comercio con el extranjero. Esto trajo consigo el empobrecimiento cultural y una serie de emigraciones de familias importantes de la región. Otro suceso de gran importancia fue la cesión, en 1795, de la parte oriental de la isla a Francia; aumentando con esto el proceso migratorio de las familias importantes del país dentro del plano intelectual.

III
Siglo XIX

Durante el siglo XIX se manifiesta un florecer en el ámbito literario y cultural del Caribe hispano fomentado en parte por las reformas borbónicas que habían comenzado durante el siglo anterior. Diferentes grupos y sociedades, tales como los Ateneos y Sociedades de Amigos del País, que promovían la tribuna política y literaria, surgieron durante este siglo. El desarrollo de la prensa sirve de cauce para las primeras jornadas literarias en las tres islas. Será en ésta donde surgirán las polémicas en torno a los movimientos separatistas vs. autonomistas por parte de una burguesía criolla, que demandaba una serie de derechos basados en el pensamiento liberal ilustrado.

El desarrollo de ciertos factores históricos repercuten en el ámbito cultural dominicano durante este siglo. Como mencionáramos,

[3] Miguel Barnet, *La canción de Rachel* (Apéndice del autor: *La novela testimonio: socio-literatura),* 2.ª ed., (Barcelona: Editorial Laia, 1979), pág. 135.

el 22 de julio de 1795 España traspasa a Francia la parte oriental de la isla. En 1800 se traslada a Cuba la Real Audiencia y Cancillería. Un año después Toussain Louverture, caudillo haitiano, invadía la parte española de la isla. No es hasta 1809 cuando los dominicanos obtienen otra vez su territorio.

Una vez que se logra la reconquista de Santo Domingo para España en 1809, se reinstaura la administración colonial hasta el 1.º de diciembre de 1821. En esta fecha José Núñez de Cáceres proclama la primera independencia dominicana y constituye el Estado Independiente de Haití Español. No obstante, el 9 de febrero de 1822 el propio Núñez de Cáceres entregaba por segunda vez el territorio dominicano al general haitiano Jean Pierre Boyer. Este período de dominación haitiana dura de 1822 a 1844. El 27 de febrero de 1844 se proclama finalmente la independencia dominicana.

Cuba y Puerto Rico continuarán siendo parte de la corona española hasta los acontecimientos de la Guerra Hispanoamericana. En ambas islas se dan brotes revolucionarios tales como el Grito de Lares en Puerto Rico y los de Yara y Baire en Cuba.

A partir de comienzos de siglo aparece una peculiar e importante corriente de opinión pública cuya aportación a la literatura de las tres Antillas fue lo suficientemente densa y compleja y cuya expresión refleja una definición de su propio ser y la búsqueda de una libertad tanto en el plano literario como en el político. Así encontramos una poesía de tono patriótico, la cual refleja en algunos casos el optimismo ilustrado, que hace de la patria un espacio poético, y por medio del cual la voz poética define toda una realidad circundante. Es éste el caso, por ejemplo, de los siguientes versos de la dominicana Salomé Ureña de Henríquez:

¡Patria desventurada! ¿Qué anatema
cayó sobre tu frente?
Levanta ya de tu indolencia extrema:
la hora sonó de redención suprema
y ¡ay! si desmayas en la lid presente.

Pero en vano temor: ya decidida
hacia el futuro avanzas;
ya del sueño despiertas a la vida,
y a la gloria te vas engrandecida
en alas de ruiseñas esperanzas.

Lucha, insiste, tus títulos reclama:
que el fuego de tu zona
preste a tu genio su potente llama

y entre el aplauso que te dé la fama
vuelve a ceñirte la triunfal corona.

Otros escritores encuentran en el romanticismo el vehículo para expresar su situación particular ante el momento que les toca vivir. La voz poética, inconforme con la realidad inmediata, se refugia en ambientes oscuros y en la naturaleza salvaje (a lo Rousseau), para poder llegar a la realización plena de la búsqueda de la plenitud utópica. Dentro de esta vertiente encontramos al poeta cubano José María Heredia:

...Niágara undoso,
Tu sublime terror sólo podría
Tornarme el don divino, que ensañada
Me robó del dolor la mano impía.

En búsqueda de una utopía encontramos también al poeta puertorriqueño Santiago Vidarte. Las imágenes de su poema *Insomnio* nos conducen desde un «aquí aterrador y lleno de tinieblas», por un viaje en donde la mujer (ente salvador) acompaña a la voz poética hacia ese lugar mítico que es Puerto Rico, para despertar con un «poder de Dios si estoy soñando».

De gran importancia literaria durante este siglo es el surgimiento de una narrativa insular. Surge ésta como derivación de la literatura criollista-costumbrista que se desarrolla para esta época. La literatura criollista tiene sus orígenes en lo que el filósofo alemán Herder llamó el «Volkgeist» o «Espíritu del pueblo». Recordemos que para finales del siglo XVIII surgen en Europa las polémicas entre el concepto mecánico de la historia que promulgaban los ilustrados, y el concepto orgánico de la historia que va a dar impulso a toda una línea de seguidores románticos, especialmente en la novela histórica. En España será José Cadalso quien, en sus *Cartas marruecas,* expondrá las nuevas ideas de Herder. Cadalso utiliza la imagen del árbol cuyas raíces son lo suficientemente profundas y las cuales no hay que desdeñar para darle vitalidad a éste. El árbol, nos dice Cadalso, lo podemos podar e injertarle ramas para darle vitalidad pero nunca arrancarle sus raíces.

Dentro de esta corriente costumbrista encontramos al puertorriqueño Manuel Alonso, autor de *El jíbaro.* Alonso en el prólogo al libro nos recuerda que su intención es la de «corregir las costumbres deleitando». A partir de esta premisa, estructura Alonso su libro para proponer una serie de cambios en el carácter del campesino puertorriqueño a través de la educación.

Dentro del ideal histórico-romántico surgen dos de las más importantes novelas de este género en Hispanoamérica: *Enriquillo* del dominicano Manuel Galván y *Cecilia Valdés* del cubano Cirilo Villaverde. La estructura de ambas novelas resalta sobre cualquier otro aspecto. En ambas el *corpus* narrativo se subdivide en episodios particulares, pero siempre en función de la trama principal. Además, ambas intentan plantear las bases de una nacionalidad a partir de un pasado histórico el cual hay que superar.

Un tercer novelista de gran importancia durante este siglo, enmarcado dentro de la narrativa naturalista que se desarrolla en Hispanoamérica, es Manuel Zeno Gandía, autor de la tetralogía *Crónicas de un mundo enfermo, (Garduña, La charca, El negocio* y *Redentores). Garduña* y *La charca,* las mejores, presentan una crítica social del ambiente rural puertorriqueño de fines del XIX. La primera tiene como referente la sociedad azucarera del interior isleño, la segunda la cafetalera, ambas presentan a un grupo de personas sumidas en la inercia, incapaces de salir adelante, a no ser por medio de la corrupción y la inmoralidad. Permeados por un determinismo social, en ningún momento se plantea una respuesta al problema que no sea el de algunas reformas de índole social.

En muy pocos hombres, vida y obra están tan entrelazadas como en el caso de Eugenio María de Hostos y en el de José Martí. Ambos fueron coyunturas importantes del pensamiento hispanoamericano del siglo XIX. Promotor de la Confederación Antillana, Hostos escribía con gran convicción por la liberación de su patria. Uno de los fundadores de la sociología en el continente americano, Hostos recoge en su *Moral social* los fundamentos krausistas para el establecimiento de los diferentes órganos de la sociedad. Para Hostos, el individuo es parte de todo un andamiaje social cuyo funcionamiento se debe a la relación perfecta de las partes con la totalidad. En Santo Domingo, Hostos fundó la primera Escuela Normal, introduciendo en ésta nuevos principios de la pedagogía. Viaja también a Chile para trabajar en la reforma educativa de ese país.

Es José Martí quien sintetiza toda la literatura hispanoamericana de su tiempo. Es Martí la figura primordial en una transformación de las letras latinoamericanas que llega hasta el presente. Su estética se puede definir como de «acción y libertad», según palabras del crítico Alfredo Roggiano. Su destierro en España le hace palpar el anquilosamiento de la literatura española frente a la frescura de la francesa y la sajona. El lenguaje martiano expresa con verbos y adjetivos la ruptura ante las circunstancias adversas de las cuales es protagonista y desencadena un ansia por lograr posibilidades expresivas desconocidas hasta aquel entonces en Hispanoamérica.

El modernismo de Martí nace de su vivencia particular, en donde el drama cubano y el de Hispanoamérica son ejes centrales de toda su obra. Tanto en su poesía como en la prosa su lenguaje expresa un gran dinamismo creador.

El siglo XIX termina con el «año del desastre», como lo llamaría don Miguel de Unamuno. Las consecuencias de la Guerra Hispanoamericana de 1898 estarán presentes en todo momento en la vida cultural y económica del Caribe durante el siglo siguiente. En pleno modernismo literario, las literaturas nacionales de las tres Antillas hispanas se moverán hacia el siglo XX con rasgos específicos que reflejan la situación particular de cada una.

IV

Siglo XX

La región caribeña ha vivido durante el siglo XX la fuerza de los sucesos más importantes acaecidos hasta el presente. La gran crisis de 1929 tuvo grandes repercusiones económicas, políticas y sociales en la región. Ésta experimentó grandes cambios en el comercio, la producción y los niveles de vida.

Un recuento de la literatura puertorriqueña durante el siglo XX nos hace ver una preocupación por la problemática económica, social y cultural del país. Esto lo encontramos en la ensayística de Antonio S. Pedreira *(Insularismo),* Tomás Blanco *(Prontuario histórico de Puerto Rico),* José Luis González *(En el país de los cuatro pisos);* en el cuento de Abelardo Díaz Alfaro *(Terrazo, Mi isla soñada),* José Luis González *(En la sombra, Cinco cuentos de sangre, El hombre de la calle, En este lado),* René Marqués *(En una ciudad llamada San Juan),* Pedro Juan Soto *(Spicks),* Luis Rafael Sánchez *(En cuerpo de camisa),* Ana Lydia Vega y Carmen Lugo Filippi *(Vírgenes y mártires),* Rosario Ferré *(Papeles de Pandora);* en la novela de Enrique Laguerre *(La resaca* y otras), René Marqués *(La víspera del hombre* y *La mirada),* Luis Rafael Sánchez *(La guaracha del Macho Camacho),* Emilio Díaz Valcárcel *(Figuraciones en el mes de marzo* y *Mi mamá me ama),* Pedro Juan Soto *(Usmail, El francotirador),* Edgardo Rodríguez Juliá *(La noche oscura del Niño Avilés);* en el teatro de René Marqués *(Los soles truncos* y otras), Gerald Paul Marín *(Al final de la calle),* Luis Rafael Sánchez *(La pasión según Antígona Pérez* y otras), Myrna Casas *(Eugenia Victoria Herrera),* y en la poesía de Luis Palés Matos, Francisco Matos Paoli, Félix Franco Oppenheimer, Julia de Burgos, Joserramón Meléndez,

Clemente Soto Vélez, Áurea María Sotomayor, Rosario Ferré, Vanesa Droz, Luz Ivonne Ochart y Lilliana Ramos.

En la República Dominicana una serie de escritores se reúnen en *La cueva,* lugar de reunión de toda una generación de escritores dominicanos. Concurrentes de *La cueva* eran Juan Bosch, Ramón Marrero Aristy y Andrés Francisco Requena. De todos estos narradores será Juan Bosch quien con sus *Cuentos escritos en el exilio* renueve la narrativa dominicana. Un grupo de poetas: Manuel Llanes, Franklin Mieses Burgos, Héctor Incháustegui Cabral, Manuel del Cabral y Juan José Llovet, recoge toda una tradición vanguardista para imponerse la tarea de incorporarse a las corrientes poéticas europeas de comienzos de siglo.

Durante la década de los setenta aparece la novela de Pedro Mir *Cuando amaban las tierras comuneras,* la cual enlaza a la narrativa dominicana con el resto de la narrativa hispanoamericana. La novela recoge el hecho histórico de la quema y devastación de las llamadas tierras comuneras y el desajuste económico y social que trajo consigo esto. Mir cuenta además con una trayectoria poética, comprometida la lucha del pueblo dominicano.

La literatura cubana ha estado durante el siglo XX a la vanguardia de la literatura caribeña y, en parte, del resto de Hispanoamérica. En el acontecer poético será el grupo *Orígenes,* dirigido por José Lezama Lima, quien moverá una literatura creadora de un espacio verbal de grandes gestos rituales y simbólicos. La curiosidad barroca, como escribe el propio Lezama, los lleva (e incluimos en este grupo a Virgilio Piñera, Gastón Baquero, Ángel Gaztelu, Eliseo Diego y Cintio Vitier) a la búsqueda de un lenguaje capaz de expresar las propiedades kinésicas de los cuerpos, y que les permita la significación en el mundo externo. Este lenguaje neo-barroco va a desencadenar una de las más ricas vertientes literarias hispanoamericanas.

José Lezama Lima *(Paradiso),* Alejo Carpentier *(El reino de este mundo, Los pasos perdidos, El recurso del método, Consagración de la primavera,* y otras), Guillermo Cabrera Infante *(Tres tristes tigres, La Habana para un infante difunto),* Reynaldo Arenas *(El mundo alucinante),* y Severo Sarduy *(De dónde son los cantantes, Cobra, Colibrí),* son los mayores exponentes de la literatura neo-barroca en Hispanoamérica. El espacio verbal se construye por medio de la acumulación lingüística y ésta a su vez desencadena unos significantes en donde toda referencialidad queda aparentemente anulada; sin embargo, es a través de esa apariencia donde el plano referencial aparece vinculado con lo real y lo cotidiano del escritor.

Este apetito por la literatura barroca lo afirma Lezama en su ensayo «Sierpe de Don Luis de Góngora». Aquí Lezama afirma lo siguiente:

> La luz de Góngora es un alzamiento de los objetos y un tiempo de apoderamiento de la incitación. En ese sentido, se puede hablar de goticismo de su luz de alzamiento. La luz que suma el objeto y que después produce la irradiación. La luz oída, la que aparece en el acompañamiento angélico, la luz acompañada de la transparencia de los ángeles al frotarse las alas. Los objetos en Góngora son alzados en proporción al rayo de apoderamiento que reciben. Solamente que ese rayo y alzamiento se ven obligados a vicisitudes renacentistas. El furor de ese rayo metafórico impulsor gótico, apagado por un reconocimiento en fabulario y usanzas grecolatinas[4].

Así esa luz cuyo rayo explota, sirve para la creación de todo un sistema verbal basado en la acumulación de esas partículas significantes, que han quedado flotando después de la explosión. Lo que tenemos son unos textos que se destruyen y se construyen a sí mismos a partir de ese punto cero; y que a su vez son la aglomeración de textos que se intersectan.

V

Conclusión

Ésta antología no pretende ser exhaustiva. Lo que con ella se pretende es que sirva de guía a todo lector, para que luego éste haga un estudio más profundo de la región. Esperamos que el lector confronte estos textos con sus contextos para que así pueda obtener significados más objetivos sobre los mismos.

ELISEO COLÓN
San Juan, Puerto Rico

[4] José Lezama Lima, «Sierpe de Don Luis de Góngora», en *Órbita de Lezama Lima,* Armando Álvarez, ed., (La Habana: Ediciones Unión, 1966), pág. 258.

Primera Parte
Siglo XIX

POESÍA
PUERTO RICO

José Gualberto Padilla
(1829-1896)

Nació en San Juan, Puerto Rico, el 12 de julio de 1829 y murió en Vega Baja el 26 de marzo de 1896. Muy joven se trasladó a España, donde estudió Medicina en la Universidad de Barcelona. Llamado «El Caribe» por su manifiesta inclinación hacia la poesía vernácula, fue, además de poeta, un activo periodista. Su obra más ambiciosa es sin duda el Canto a Puerto Rico, *que dejó inconcluso. Sus poemas fueron recogidos y publicados por su hija en dos tomos:* En el combate *y* Rosas de pasión. *Aparecieron en 1912.*

La pitahaya o Apólogo

A mi joven amigo
don M. Soler Martorell

Brotando en la rüina
del viejo paredón de una muralla
al halago del aura vespertina
el botón desplegó la pitahaya.

El nácar de su seno
reflejaba los rayos de la luna,
como refleja el sol en día sereno
el límpido cristal de la laguna;

Y a los suaves fulgores
de luz tan melancólica y tan pura,
realzaba de la flor los esplendores
la virgen majestad de la espesura.

Su cándida corola
en copa de alabastro se expandía,
vistiéndose de espuma, cual la ola
que de menudo aljófar se atavía;

Cual búcaro de plata,
que de flores el cóncavo festona,
sus mil estambres nítidos desata
para bordarse a franjas la corona.

Topacios y diamantes
la engarzan como rica pedrería;
las antenas en polen abundante
y la gota que el pétalo rocía.

Y en el sencillo trono
do la sostiene próvido sarmiento,
colúmpiase la flor en abandono
al voluptuoso afán del manso viento.

El aura vagarosa
besando enamorada su capullo,
al verla tan garrida y tan hermosa
así la dijo en plácido murmullo:

«¿Por qué de la maleza
te escondes en el áspero recinto
y la pompa gentil de tu belleza
confundes en su tosco laberinto?

¿Por qué del claro día
la esplendorosa luz, así desdeñas,
y en la noche perenne de la umbría
los escombros habitas y las breñas?

¿No ves a tus hermanas,
que al rayo de la luz generadora,
abren su cáliz frescas y lozanas
a la primera caricia de la aurora?

¿No ves con cuánto duelo
cierran esquivas el pintado broche,
cuando el disco solar huye del cielo
y vierte sombras tétricas la noche?

Y tú, tan rica y bella,
¿cómo así sepultada en el egido
no te lanzas altiva por su huella
saliendo de la tumba del olvido?

¡Ven!, pósate en mis alas,
y al blando impulso de mi soplo leve
a la lumbre del sol lleva tus galas
y a su fuego vivaz brille tu nieve.

Y en tus regios planteles
rosas, camelias, nardos y jazmines,
dente perfumes, cíñante laureles,
y por reina te aclamen los jardines.»

Tan gárrulo lenguaje
oyó la flor al aura lisonjera
y rizando a sus besos el ropaje
la respondió después de esta manera:

«Aquí do solitaria
de la luz me preservo y del cultivo
al amor de la selva centenaria
vivo feliz, porque tranquila vivo.

Los recios vendavales
que esotras flores ajan y marchitan
encuéntranme segura entre jarales
donde nada me dan... nada me quitan.

En esta ruda cuenca
jugo vital a mis entrañas hallo
y a la roca cerril fija la penca
yérguese en ella varonil mi tallo.

Aquí, por mi fortuna,
ni de vulgar capricho soy juguete,
ni me seco al calor de mano alguna,
ni en corona me doy, ni en ramillete.

Huraña, indiferente,
en mi peciolo montaraz, bravío,
mi noche vivo libre, independiente
y soy reina también, de mi albedrío.

Deja, pues, que serenas
mis horas cuente en plácido destierro,
que aun de flores labradas las cadenas,
cadenas son al fin... ¡y al fin de hierro!»

En esto su sonrisa
dibujó el alba en blanquecina raya,
y sus alas al par plegó la brisa
y su botón la esquiva pitahaya ■

José Gautier Benítez
(1848-1880)

Es el representante lírico más sobresaliente del romanticismo puertorriqueño. Fue estudiante de la Academia Militar de Toledo, en España, pero enseguida abandonó la carrera de las armas. Desempeñó el cargo de escribiente de la Diputación Provincial de Puerto Rico y ejerció el periodismo. En Gautier Benítez se aúnan la tradición romántica y el amor por la patria. Entre lo más logrado de sus creaciones se encuentran los tres poemas que dedicó a Puerto Rico. Recibió el premio del Ateneo Puertorriqueño por su Canto a Puerto Rico *en 1879. Toda su obra poética está contenida en el volumen* Poesías.

A Puerto Rico

(Regreso)

Por fin, corazón, por fin
alienta con la esperanza,
que entre nubes de carmín,
del horizonte al confín,
ya la tierra a ver se alcanza

Luce la aurora en oriente,
rompiendo pardas neblinas,
y la luz, como un torrente,
se tiende por la ancha frente
de verdísimas colinas.

Ya se va diafanizando
de la mar la espesa bruma;
el buque sigue avanzando,
como Venus de la espuma
y va la tierra brotando.

Y allá sobre el fondo oscuro
que sus montañas le dan,
bajo un cielo hermoso y puro,
cerrada en su blanco muro
mi bellísima San Juan.

Y aunque esa ciudad amada
mis afecciones encierra,
con el alma entusiasmada,
ya no me acuerdo de nada
sino de ver esa tierra.

Perdonadle al desterrado
ese dulce frenesí;
vuelvo a mi mundo adorado,
y yo estoy enamorado
de la tierra en que nací.

Para poder conocerla
es preciso compararla,
de lejos en sueños verla;
y para saber quererla
es necesario dejarla.

¡Oh!, no envidie tu belleza,
de otra inmensa población
el poder y la riqueza,
que allí vive la cabeza
y aquí vive el corazón.

Y si vivir es sentir,
y si vivir es pensar,
yo puedo, patria, decir
que no he sabido vivir
al dejarte de mirar.

Que aunque templado y suave
no vive, no, en el ambiente
el pez de las ondas nave,
ni entre las ondas el ave,
ni yo de mi patria ausente.

¡Patria!, jardín de la mar,
la perla de las Antillas,
¡tengo ganas de llorar!,

¡tengo ganas de besar
la arena de tus orillas!

Si entre lágrimas te canto,
patria mía, no te asombre.
porque es de amor ese llanto,
y ese amor es el más santo
de los amores del hombre.

Tuya es la vida que aliento,
es tuya mi inspiración,
es tuyo mi pensamiento,
tuyo, todo sentimiento
que brote en mi corazón.

Que haya en ti vida primero,
cuanto ha de fijarse en mí,
y en todo cuanto venero,
y en todo cuanto yo quiero
hay algo patria de ti.

No, nada importa la suerte
si tengo que abandonarte,
que yo sólo aspiro a verte,
a la dicha de quererte
y a la gloria de cantarte ■

Luis Muñoz Rivera
(1859-1916)

Poeta, periodista y político, fue llamado en algún momento «campeón de las libertades insulares». En 1890 fundó en Ponce el periódico La Democracia, *en el cual se dio a conocer como articulista notable. En política llegó a ser el dirigente máximo del autonomismo puertorriqueño, desempeñando en el breve gobierno autónomo de 1897 la secretaría de Gracia, Justicia y Gobernación. Es un poeta eminentemente civil, de verso patriótico y político. Son suyos, entre otros, los libros de poesías* Retamas *(en colaboración con J.A. Negrón Sanjurjo), (1891) y* Tropicales, *(1902).*

Minha Terra

Borinquen, pobre cautiva
del mar que sus costas bate;
garza dormida entre brumas
como en lecho de azahares,
no vio nunca en sus collados
el humo de los combates,
ni el somatén en sus villas,
ni el tumulto en sus ciudades.

Borinquen, la pobre tierra
de las angustias tenaces,
de las danzas gemidoras,
y de los tristes cantares,
no vengó, loca de furia
como una virgen salvaje,
las esquimosis del látigo,
las cicatrices del sable.

Borinquen tiene en su escudo
un peñasco entre dos mares
y un cordero solitario
con un pálido estandarte.
Símbolo fiel de su historia
que, a través de las edades,
no escribió jamás en rojas
tintas el nombre de un mártir.

Borinquen, la cenicienta,
no puede romper su cárcel,
porque faltan, vive Cristo,
mucho nervio en su carácter,
mucho plomo en sus colinas
y mucho acero en sus valles,
porque en sus campos no hay pueblo;
porque en sus venas no hay sangre ■

José de Diego
(1866-1918)

Nació en Aguadilla, Puerto Rico, pero estudió en España y murió en Nueva York. Abogado, periodista y poeta, se distinguió además como orador. Ocupó en su país los cargos de Subsecretario de Justicia, Fiscal de Mayagüez, Delegado a la Cámara de Representantes, Presidente de la Cámara de Delegados, del Ateneo Puertorriqueño y de la Sociedad de Escritores y Artistas. Como hombre público se destacó por ser un ardiente independentista y en poesía fue uno de los precursores del modernismo insular. Publicó los libros de poemas: Sor Ana *(1887),* Cantos de pitirre *(1905) y* Cantos de rebeldía *(1916), entre otros.*

Pomarrosas

En las orillas de los viejos ríos,
que llevan sus corrientes rumorosas
por los bosques recónditos y umbríos,
nacen las pomarrosas
pálidas, escondidas, aromosas,
lejos del sol, como los versos míos...

En el suelo feraz, que el agua inunda,
yérguese el tronco en la raíz profunda,
al son perpetuo del raudal sonoro:
¡y absorbe, en cada poro,
el jugo que le nutre y le fecunda
y el resplandor de sus manzanas de oro!

Como los astros, al tocar su meta,
brillan las pomarrosas reflejadas
en el móvil cristal de la onda inquieta...
¡y como las granadas
y como las canciones del poeta
flotan sobre la tierra coronadas!

¡Oh, fruto, en que la flor se transfigura,
sin dejar de ser flor! ¡Tierna hermosura,
que la fragancia con la miel reparte,
y es perfume y dulzura
y símbolo, en que muestra la natura
la virginal maternidad del arte!

¡Cuán misterioso de la tierra el seno!
La sombra de la muerte se difunde
en el abismo, de amarguras lleno...
¡El tártago se hunde
y, en vez de néctar de la vida, infunde
y alza a la flor maléfica el veneno!

Mas, no la pomarrosa, que transmuta
en rica savia y en potencia fuerte
la ponzoña que infiltra la cicuta...
¡Así mi alma convierte,
como el arbusto de la blanca fruta,
la sombra en luz y en navidad la muerte!

¡Amor! ¡Dolor! ¡Corriente combatida!
¡Esperanza inmortal! ¡Anhelo santo!
¡Ondas de mi alma y ondas de mi vida!
¡Fecundidad del llanto!
¡Renacimiento de la fe perdida!
¡Poemas del bien y rosas de mi canto!

¡Bendecid a las áureas pomarrosas,
que en las orillas de los viejos ríos
se elevan escondidas y aromosas!
¡Amad los desvaríos
del alma triste que, en los versos míos,
saca los frutos del abismo en rosas!

Mayagüez, 1903

Última actio

Colgadme al pecho después que muera,
mi verde escudo en un relicario,
cubridme todo con el sudario,
con el sudario de tres colores de mi bandera.

Sentada y triste habrá una Quimera
sobre mi túmulo funerario...
Será un espíritu solitario
en larga espera, en larga espera, en larga espera...

Llegará un día tumultario
y la Quimera, en el silenciario
sepulcro, erguida, lanzará un grito...

¡Buscaré entonces entre mis huesos mi relicario!
¡Me alzaré entonces con la bandera de mi sudario
a desplegarla sobre los mundos desde las cumbres del Infinito!

CUBA

José María Heredia
(1803-1839)

El primer poeta romántico de América en el juicio de José Martí. Poseedor de una asombrosa inteligencia precoz, antes de los diez años leía y comentaba a Homero, y traducía a los poetas latinos. Asimismo sus primeras composiciones datan prácticamente de la adolescencia. Complicado en la conspiración de los Soles y Rayos de Bolívar, que pretendía la libertad de Cuba, tuvo que salir de la Isla clandestinamente en 1825. Nunca más volvería a ella sino para una fugaz estancia en 1836. Marcha primero a los Estados Unidos, donde visita las cataratas del Niágara, y más tarde se establece en México, país en el que muere. Poeta ardientemente romántico —como Byron, como Espronceda—, su poesía es un canto a la naturaleza —«Oda al Niágara»—, a la libertad —«Himno del desterrado»—, a la historia del hombre —«En el teocali de Cholula»—. Se puede decir que con él nace la poesía cubana.

Niágara

Templad mi lira, dádmela, que siento
en mi alma estremecida, y agitada
arder la inspiración. ¡Oh! ¡cuánto tiempo
en tinieblas pasó, sin que mi frente
brillase con su luz...! Niágara undoso,
tu sublime terror sólo podría
tornarme el don divino, que ensañada
me robó del dolor la mano impía.

Torrente prodigioso, calma, calla
tu trueno aterrador: disipa un tanto
las tinieblas que en torno te circundan;
déjame contemplar tu faz serena,
y de entusiasmo ardiente mi alma llena.
Yo digno soy de contemplarte: siempre
lo común y mezquino desdeñando,

ansié por lo terrífico y sublime.
Al despeñarse el huracán furioso,
al retumbar sobre mi frente el rayo,
palpitando gocé: vi el Océano,
azotado por austro proceloso,
combatir mi bajel, y ante mis plantas
vórtice hirviente abrir, y amé el peligro.
Mas del mar la fiereza
en mi alma no produjo
la profunda impresión que tu grandeza.

Sereno corres, majestuoso; y luego
en ásperos peñascos quebrantado,
te abalanzas violento, arrebatado,
como el destino irresistible y ciego
¿qué voz humana describir podría
de la sirte rugiente
la aterradora faz? El alma mía
en vago pensamiento se confunde
al mirar esa férvida corriente,
que en vano quiere la turbada vista
en su vuelo seguir al borde oscuro
del precipicio altísimo: mil olas,
cual pensamiento rápidas pasando
chocan, y se enfurecen,
y otras mil y otras mil ya las alcanzan,
y entre espuma y fragor desaparecen.

¡Ved! ¡llegan, saltan! El abismo horrendo
devora los torrentes depeñados:
crúzanse en él mil iris, y asordados
vuelve los bosques el fragor tremendo.
En las rígidas peñas
rómpese el agua: vaporosa nube
con elástica fuerza
llena el abismo en torbellino, sube,
gira en torno, y el éter
luminosa pirámide levanta,
y por sobre los montes que le cercan
al solitario cazador espanta.

Mas ¿qué en ti busca mi anhelante vista
con inútil afán? ¿Por qué no miro

alrededor de tu caverna inmensa
las palmas ¡ay! las palmas deliciosas,
que en las llanuras de mi ardiente patria
nacen del sol a la sonrisa, y crecen,
y al soplo de las brisas del Océano,
bajo un cielo purísimo se mecen?

Este recuerdo a mi pesar me viene...
nada ¡oh Niágara! falta a tu destino,
ni otra corona que el agreste pino
a tu terrible majestad conviene.
La palma, y mirto, y delicada rosa,
muelle placer inspiren y ocio blando
en frívolo jardín: a ti la suerte
guardó más digno objeto, más sublime.
El alma libre, generosa, fuerte,
viene, te ve, se asombra,
el mezquino deleite menosprecia
y aun se siente elevar cuando te nombra.

¡Omnipotente Dios! En otros climas
vi monstruos execrables,
blasfemando tu nombre sacrosanto,
sembrar error y fanatismo impío,
los campos inundar en sangre y llanto,
de hermanos atizar la infanda guerra,
y desolar frenéticos la tierra,
vilos, y el pecho se inflamó a su vista
en grave indignación. Por otra parte
vi mentidos filósofos, que osaban
escrutar tus misterios, ultrajarte,
y de impiedad al lamentable abismo
a los míseros hombres arrastraban.
Por eso te buscó mi débil mente
en la sublime soledad: ahora
entera se abre a ti; tu mano siente
en esta inmensidad que me circunda,
y tu profunda voz hiere mi seno
de este raudal en el eterno trueno.

¡Asombroso torrente!
¡Cómo tu vista el ánimo enajena,
y de terror y admiración me llena!

¿Do tu origen está? ¿Quién fertiliza
por tantos siglos tu inexhausta fuente?
¿Qué poderosa mano
hace que al recibirte
no rebose en la tierra el Océano?

Abrió el Señor su mano omnipotente;
cubrió tu faz de nubes agitadas,
dio su voz a tus aguas despeñadas,
y ornó con su arco tu terrible frente.
¡Ciego, profundo, infatigable corres,
como el torrente oscuro de los siglos
en insondable eternidad!... ¡Al hombre
huyen así las ilusiones gratas,
los florecientes días,
y despierta al dolor...! ¡Ay! agostada
yace mi juventud; mi faz, marchita;
y la profunda pena que me agita
ruga mi frente, de dolor nublada.

Nunca tanto sentí como este día
mi soledad y mísero abandono
y lamentable desamor... ¿Podría
en edad borrascosa
sin amor ser feliz? ¡Oh! ¡si una hermosa
mi cariño fijase,
y de este abismo al borde turbulento
mi vago pensamiento
y ardiente admiración acompañase!
¡Cómo gozara, viéndola cubrirse
de leve palidez, y ser más bella
en su dulce terror, y sonreírse
al sostenerla mis amantes brazos...!
¡Delirios de virtud...! ¡Ay! ¡Desterrado,
sin patria, sin amores,
sólo miro ante mí llanto y dolores!

¡Niágara poderoso!
¡Adiós! ¡Adiós! Dentro de pocos años
ya devorado habrá la tumba fría
a tu débil cantor. ¡Duren mis versos
cual tu gloria inmortal! ¡Pueda piadoso
viéndote algún viajero,

dar un suspiro a la memoria mía
Y al abismarse Febo en occidente,
feliz yo vuele do el Señor me llama,
y al escuchar los ecos de mi fama,
alce en las nubes la radiosa frente ■

Gertrudis Gómez de Avellaneda (1814-1873)

Nace en Camagüey, Cuba, pero muy joven se traslada a España y allí permanece hasta el fin de su vida. Poetisa, dramaturga y novelista, en realidad desarrolla su obra más importante en los dos últimos géneros, señaladamente en el teatro. Munio Alfonso *(1844),* Saúl *(1846) y* Baltasar *(1858) se cuentan entre sus mejores dramas.*

Sab *(1841) y* Guatimozín *(1846) son dos excelentes novelas suyas en las cuales manifiesta sus sentimientos contrarios a la esclavitud y su admiración por las civilizaciones aborígenes americanas. De temperamento romántico, su poesía, sin embargo, no tiene un acento civil sino que fundamentalmente se vuelca hacia el amor y las pasiones sentimentales, como se transparenta en «A él», de motivaciones autobiográficas. El soneto «A partir» es una pieza antológica de la Avellaneda.*

Al partir

¡Perla del mar! ¡Estrella de Occidente!
¡Hermosa Cuba! Tu brillante cielo
la noche cubre con su opaco velo,
como cubre el dolor mi triste frente.

¡Voy a partir!... La chusma diligente,
para arrancarme del nativo suelo
las velas iza y, pronta a su desvelo,
la brisa acude de tu zona ardiente.

¡Adiós, patria feliz, edén querido!
¡Doquier que el hado en su furor me impela,
tu dulce nombre halagará mi oído!

¡Adiós!... Ya cruje la turgente vela...
El ancla se alza... el buque, estremecido,
las olas corta y silencioso vuela ■

A él

No existe lazo ya; todo está roto:
plúgole al cielo así, ¡bendito sea!
amargo cáliz con placer agoto;
mi alma reposa al fin; nada desea.

Te amé, no te amo ya; piénsolo, al menos.
¡Nunca, si fuere error, la verdad mire!
Que tantos años de amarguras llenos
trague el olvido; el corazón respire.

Lo has destrozado sin piedad; mi orgullo
una vez y otra vez pisaste insano...
mas nunca el labio exhalará un murmullo
para acusar tu proceder tirano.

De graves faltas vengador terrible,
dócil llenaste tu misión; ¿lo ignoras?
no era tuyo el poder que, irresistible,
postró ante ti mis fuerzas vencedoras.

Quísolo Dios, y fue. ¡Gloria a su nombre!
todo se terminó; recobro aliento.
¡Ángel de las venganzas! Ya eres hombre...
ni amor ni miedo al contemplarte siento.

Cayó tu cetro, se embotó tu espada...
mas ¡ay, cuán triste libertad respiro!
Hice un mundo de ti, que hoy se anonada,
y en honda y vasta soledad me miro.

¡Vive dichoso tú! Si en algún día
ves este adiós que te dirijo eterno,
sabe que aún tienes en el alma mía
generoso perdón, cariño eterno ■

Julián del Casal
(1863-1893)

Quizás el poeta cubano modernista por antonomasia. Su breve vida transcurrió entre los centros intelectuales de La Habana y las redacciones de las revistas La Habana Elegante *y* El Fígaro, *de las que fue un frecuente colaborador. No salió jamás de Cuba. Sin embargo, fue amigo personal de Rubén Darío y Paul Verlaine lo elogió con estas palabras: «el talento de Julián del Casal, tiene veinticinco años, es sólido y fresco». Como advertía también Verlaine, sus maestros eran los parnasianos franceses: Leconte de Lisle, Baudelaire, Gautier, Heredia (el autor de* Los trofeos). *De «Nihilismo» ha dicho Lezama Lima que es «uno de los momentos inquietantes más profundos de nuestra poesía». Julián del Casal publicó:* Nieve *(1890),* Hojas al viento *(1890),* Bustos y Rimas *(1893).*

Nihilismo

Voz inefable que a mi estancia llega
en medio de las sombras de la noche,
por arrastrarme hacia la vida brega
con las dulces cadencias del reproche.

Yo la escucho vibrar en mis oídos
como al pie de la olorosa enredadera,
los gorjeos que salen de los nidos,
indiferente escucha herida fiera.

¿A qué llamarme al campo de combate
con la promesa de terrenos bienes,
si ya mi corazón por nada late,
ni oigo la idea martillar mis sienes?

Resevad los laureles de la fama
para aquéllos que fueron mis hermanos;
yo, cual fruto caído de las ramas,
aguardo los famélicos gusanos.

Nadie extrañe mis ásperas querellas;
mi vida, atormentada de rigores,
es un cielo que nunca tuvo estrellas,
es un árbol que nunca tuvo flores.

De todo lo que he amado en este mundo
guardo como perenne recompensa,
dentro del corazón, tedio profundo,
dentro del pensamiento, sombra densa.

Amor, patria, familia, gloria, rango,
sueños de calurosa fantasía,

cual nelumbios abiertos entre el fango
sólo vivisteis en mi alma un día.

Hacia país desconocido abordo
por el embozo del desdén cubierto;
para todo gemido estoy ya sordo,
para toda sonrisa estoy ya muerto.

Siempre el destino mi labor humilla,
o en males deja mi ambición trocada;
donde arroja mi mano una semilla,
brota luego una flor emponzoñada.

Ni en retornar la vista hacia el pasado
goce encuentra mi espíritu abatido;
yo no quiero gozar como he gozado,
yo no quiero sufrir como he sufrido.

Nada del porvenir a mi alma asombra,
y nada del presente juzgo bueno;
si miro al horizonte, todo es sombra,
si me inclino a la tierra, todo es cieno.

Y nunca alcanzaré en mi desventura
lo que un día mi alma ansiosa quiso;
después de atravesar la selva oscura,
Beatriz no ha de mostrarme el Paraíso.

Ansias de aniquilarme sólo siento,
o de vivir en mi eternal pobreza
con mi fiel compañero, el descontento,
y mi pálida novia, la tristeza ■

José Martí
(1853-1895)

La más alta figura literaria y política de Cuba en el siglo XIX y una de las eminencias de la América de habla hispana. A los 16 años, por sus ideas independentistas, sufre presidio político y luego es desterrado a España. Vuelve a América en 1874, radicándose en México, desde donde, ya casado, se traslada a Guatemala. Al concluir la Guerra de los Diez Años se instala de nuevo en Cuba, pero por su labor conspirativa es deportado otra vez a España. Pasa a Francia y después a Nueva York. En 1881 reside en Venezuela, pero la subida al poder del dictador Blanco lo lleva a emigrar. Se fija entonces en Nueva York, ciudad que no abandonará como residencia sino para ir a morir combatiendo en los campos de Cuba en la guerra de independencia de 1895. La obra casi íntegra de Martí se halla en la prensa, para la cual empieza a escribir desde su primera estancia mexicana. A partir de 1880 es corresponsal de los más importantes periódicos hispanoamericanos: La Nación *de Buenos Aires,* El Mercurio *de Chile,* El Partido Liberal *de México,* El Repertorio Colombiano, La Opinión Pública *de Montevideo, etc. Verdadero iniciador del modernismo, su prosa es una de las más ricas que haya manejado escritor alguno de habla española. Es un real renovador del idioma. Sarmiento, Darío, Unamuno no le escatimaron elogios. Y aunque escasa, su obra poética es una de las más intensas y significativas de la lírica americana. Sólo tres poemarios la componen:* Ismaelillo *(1881),* Versos sencillos *(1891) y* Versos libres *(publicados póstumamente). El primero es un cuaderno dedicado a su hijo en el cual ya están en ciernes las características que definirían al modernismo, en el segundo el verso tradicional (la cuarteta de rima consonante) alcanza una belleza y una profundidad supremas y si de alguna obra se puede decir que toca la grandeza es de los* Versos libres. *Lezama Lima lo aprecia así: «Sin duda es el más grande creador que hemos tenido, es también el poeta de obra más honda y bella, más eterna». Sus* Obras Completas *suman hasta la fecha 28 volúmenes.*

Tórtola blanca

El aire está espeso,
la alfombra manchada,
las luces ardientes,
revuelta la sala;
y acá entre divanes
y allá entre otomanas,
tropiézase en restos
de tules o de alas.
¡Un baile parece
de copas exhaustas!
Despierto está el cuerpo,
dormida está el alma;
¡qué férvido el valse!
¡qué alegre la danza!
¡qué fiera hay dormida
cuando el baile acaba!

Detona, chispea,
espuma, se vacia
y expira dichosa
la rubia champaña:
los ojos fulguran,
las manos abrasan;
de tiernas palomas
se nutren las águilas;
don Juanes lucientes
devoran Rosauras;
fermenta y rebosa
la inquieta palabra;
estrecha en su cárcel
la vida incendiada,
en risas se rompe
y en lava y en llamas;
y lirios se quiebran,
y violas se manchan,
y giran las gentes,
y ondulan y valsan;
mariposas rojas
inundan la sala,

y en la alfombra muere
la tórtola blanca.
Yo fiero rehúso
la copa labrada;
traspaso a un sediento
la alegre champaña;
pálido recojo
la tórtola hollada:
y en su fiesta dejo
las fieras humanas;
que el balcón azotan
dos alitas blancas
que llenas de miedo
temblando me llaman ■

Versos sencillos

V

Si ves un monte de espumas,
es mi verso lo que ves:
mi verso es un monte, y es
un abanico de plumas.

Mi verso es como un puñal
que por el puño echa flor:
mi verso es un surtidor
que da un agua de coral.

Mi verso es de un verde claro
y de un carmín encendido:
mi verso es de un ciervo herido
que busca en el monte amparo.

Mi verso al valiente agrada:
mi verso, breve y sincero,
es del vigor del acero
con que se funde la espada ■

¡Oh, Margarita!

Una cita a la sombra de tu oscuro
Portal donde el friecillo nos convida
A apretarnos los dos, de tan estrecho
Modo, que un solo cuerpo los dos sean:
Deja que el aire zumbador resbale,
Cargado de salud, como travieso
Mozo que las corteja, entre las hojas
Y en el pino

Rumor y majestad mi verso aprenda.
Sólo la noche del amor es digna.
La soledad, la oscuridad convienen.
Ya no se puede amar, oh Margarita ■

Dos patrias

Dos patrias tengo yo: Cuba y la noche
¿O son una las dos? No bien retira
Su majestad el sol, con largos velos
Y un clavel en la mano, silenciosa
Cuba cual viuda triste me aparece.
¡Yo sé cuál es ese clavel sangriento
Que en la mano le tiembla! Está vacío
En donde estaba el corazón. Ya es hora
De empezar a morir. La noche es buena
Para decir adiós. La luz estorba
Y la palabra humana. El universo
Habla mejor que el hombre.
Cual bandera
Que invita a batallar, la llama roja
De la vela flamea. Las ventanas
Abro, ya estrecho en mí. Muda, rompiendo
Las hojas del clavel, como una nube
Que enturbia el cielo, Cuba, viuda, pasa... ■

REPÚBLICA DOMINICANA

José Núñez de Cáceres (1772-1846)

Fundador de la primera independencia dominicana con el nombre de Estado Independiente de Haití Español, en 1821, el cual puso bajo el amparo de la Gran Colombia. Tras la invasión haitiana se trasladó a Venezuela, donde recabó ayuda para su patria. Allí fundó y dirigió varios periódicos, al igual que en México, donde murió. Como poeta Núñez de Cáceres escribió un buen número de fábulas en verso, de las cuales se conservan unas doce. Y aunque adolece de un cierto prosaísmo, su poema A los vencedores de Palo Hincado *es un buen ejemplo de su proximidad al romanticismo literario.*

A los vencedores de Palo Hincado

Por más que se atavía
la rubicunda aurora de colores
para anunciar la aparición risueña
de tan plausible día,
sus varios y esmaltados resplandores
son oscuro bosquejo, débil seña
del almo gozo, del placer y gloria
que al suelo patrio causa su memoria.

Otros sus perfiladas
plumas empleen, su talento agudo,
en acertados planes y mejoras;
las espigas doradas
aquél enseñe al labrador forzudo
a cortar con las hoces segadoras;
quién el desorden público y la intriga
con la picante sátira persiga.

Yo envidio al laborioso
afán de tanta abeja artificiosa,
sin poder competir con su desvelo;
mas de zángano ocioso
por evitar la nota indecorosa,
pediré a Clío con ardiente anhelo,
que, embocando su trompa, los campeones,
cante de Palo Hincado, y sus acciones.

Rogaréla se quite
la corona marcial de su cabeza,
y entretejida de olorosas flores
venga, y la deposite
por premio del valor y fortaleza
en la de estos heroicos vencedores,
que de extranjero yugo redimieron
la patria, y dulce libertad le dieron.

Si palaciega mano,
o de grado, o por fuerza en Basilea
firmó la esclavitud de la Española,
hoy del empeño vano
se deshizo, ganada la pelea

de estos guerreros por la virtud sola;
que el áulico servil todo estipula,
y el patriotismo nunca capitula.

Los que pueblos oprimen
perpetúan su fama ensangrentada,
en columnas y en alto capitolio;
para los que redimen
el suelo patrio de opresión forzada,
hay más estable y apreciable solio
erigido en el pecho, y por las manos
de sus reconocidos ciudadanos.

La tierna madre al hijo
que los pueriles años aún no alcanza,
de esta función le explica el aparato;
con cuidado prolijo
le habla de la emboscada, de la lanza,
cómo se venció luego en breve rato,
y el corazón así con lo que aprende,
en ardimiento bélico se enciende.

Esta temprana escuela
enseña a hacer el noble sacrificio
del bien inapreciable de la vida;
por todo nos consuela
de amada libertad el beneficio
venciendo con honor si es adquirida;
que habiendo de morir todo nos sobra,
y todo con vencer después se cobra.

En ella es que se bebe
aquel lenguaje enérgico, aquel brío
con que el jefe a sus tropas así arenga:
«Soldados, hoy se debe
pelear por la Patria, y yo confío
que nadie ceda, ni a partido venga:
la vida pierda quien cobarde huyere;
matadme a mí, si yo la espalda diere.»

Los que con faz serena
a sus pies ponen la europea cerviz,

en Moscou tremolan su estandarte;
los laureles de Jena,
las palmas de Marengo y Austerlitz
aquí marchitan con adverso Marte.
Setecientos soldados aguerridos
como de un rayo al golpe son vencidos.

Collados eminentes,
quebradas y laderas y malezas
y gramas que alfombráis a Palo Hincado,
dad muestras evidentes
de sensibilidad por las proezas
de los que un nombre eterno os han ganado.
Vestíos de verdor alegre y vario
a honor de tan glorioso aniversario.

Cuando pase el viajero
por estas apacibles soledades,
el pie detenga, y con oído atento
al genio placentero
que en torno aquí derrama amenidades,
oiga decir con armonioso acento:
Sánchez Ramírez, Carbajal, Mercedes,
Vázquez y Sosa, Frías y Paredes.

¡Gloria eterna a los bravos
hijos de Yuna, de Casuí, Almirante,
que el natal suelo con valor rescatan!
Yaceríamos esclavos
si ellos con el acero rutilante
las viles ataduras no desatan.
Almas insignes, recibid por fruto
de nuestra gratitud el fiel tributo.

Que la historia perezca,
si no transmite tan ilustres nombres
a la posteridad más apartada,
y la fama enmudezca
de los Leonidas y trescientos hombres,
si el siete de noviembre y su jornada,
a honor perpetuo de los naturales,
el tiempo no grabare en los anales ■

Salomé Ureña de Henríquez (1850-1897)

Madre de tres conocidos intelectuales hipanoamericanos, Camila, Max y Pedro Henríquez Ureña, especialmente el último, ella misma es la poetisa más notable del XIX dominicano. Como poeta, cultiva la lírica patriótica y la de carácter íntimo. Bajo la clara influencia de Hostos, la primera exhorta a la labor civilizadora; la segunda, aunque quizás de menor calidad, posee una sinceridad que la hace conmovedora. De formación y lecturas neoclásicas, por su pasión y vigor, la poesía de Salomé Ureña se inscribe dentro del más acendrado romanticismo, como se advierte en su encendido canto Ruinas.

Ruinas

Memorias venerandas de otros días,
soberbios monumentos,
del pasado esplendor reliquias frías,
donde el arte vertió sus fantasías,
donde el alma expresó sus pensamientos;

al veros ¡ay! con rapidez que pasma
por la angustiada mente
que sueña con la gloria y se entusiasma,
discurre como alígero fantasma
la bella historia de otra edad luciente.

¡Oh Quisqueya! Las ciencias agrupadas
te alzaron en sus hombros
del mundo a las atónitas miradas;
y hoy nos cuenta tus glorias olvidadas
la brisa que solloza en tus escombros.

Ayer, cuando las artes florecientes
su imperio aquí fijaron,
y creaciones tuviste eminentes,
fuiste pasmo y asombro de las gentes,
y la Atenas moderna te llamaron.

Águila audaz que rápida tendiste
tus alas al vacío
y por sobre las nubes te meciste:
¿Por qué te miro desolada y triste?
¿Dó está de tu grandeza el poderío?

Vinieron años de amarguras tantas,
de tanta servidumbre,
que hoy esa historia al recordar te espantas,
porque inerme, de un dueño ante las plantas,
humillada te vio la muchedumbre.

Y las artes entonces, inactivas,
murieron en tu suelo,
se abatieron tus cúpulas altivas,
y las ciencias tendieron, fugitivas,
a otras regiones, con dolor, su vuelo.

¡Oh mi Antilla infeliz que el alma adora!
Doquiera que la vista
ávida gira en su entusiasmo ahora,
una ruina denuncia acusadora
las muertas glorias de tu genio artista.

¡Patria desventurada! ¿Qué anatema
cayó sobre tu frente?
Levanta ya de tu indolencia extrema:
la hora soñó de redención suprema
y ¡ay, si desmayas en la lid presente!

Pero vano temor: ya decidida
hacia el futuro avanzas;
ya del sueño despiertas a la vida
y a la gloria te vas engrandecida
en alas de risueñas esperanzas.

Lucha, insiste, tus títulos reclama:
que el fuego de tu zona
preste a tu genio su potente llama,
y entre el aplauso que te dé la fama
vuelve a ceñirte la triunfal corona.

Que mientras sueño para ti una palma,
y al porvenir caminas,
no más se oprimirá de angustia el alma
cuando contemple en la callada calma
la majestad solemne de tus ruinas ■

José Joaquín Pérez
(1845-1900)

Marcelino Menéndez y Pelayo lo reconoció como poeta de honda vena lírica, gran poder de evocación y rara habilidad descriptiva. Para muchos es el más alto exponente del romanticismo en Quisqueya. Muy ligado a la reforma educativa de Hostos, realizó una prolífica labor periodística dirigiendo diversos periódicos. Según el crítico José Lamarche, fue José Joaquín Pérez «como un preludio escuchado en los campos de la nacionalidad» y valorando su lírica dijo que «no es ya una poesía señorial, sino la poesía misma de América». En 1877 publicó Fantasías indígenas.

Ecos del destierro

¿A dónde vas, humilde trova mía,
así cruzando los extensos mares,
con el eco fatal de la agonía
que lanzo lejos de mis patrios lares?...

¡Ay!, dime si a mi triste afán perenne
darás, volviendo, plácida esperanza,
o si rudo el destino su solemne
sentencia contra el bardo errante lanza.

Di si una pobre, triste, solitaria
madre que llora sin cesar, me augura,
dirigiendo hacia el cielo su plegaria,
penas amargas o eternal ventura.

Di si aún resuena lúgubre en su oído
aquel adiós del alma que le diera,
o si en su seno casto, bendecido,
mañana reclinado verme espera.

¡Ay! ¡Dime, dime! En tan funesto día
dispersas vi mis ilusiones bellas;
campos de flores, do el reflejo ardía
de un cielo azul de nítidas estrellas.

Y hoy... la esperanza en abandono llora
en los escombros y cenizas yertas
de tantas dichas que aún el alma adora,
de tantas dulces ilusiones muertas...

Ve, ráfaga fugaz, del alma aliento,
cruzando abismos a la patria mía,
¡que a ti no puede un sátrapa violento
imponerte su ruda tiranía!

Juega en las linfas del Ozama undoso,
besa los muros do Colón, cautivo,
de negra y vil ingratitud quejoso,
el peso enorme soportara altivo.

Y si en la ceiba centenaria miras
muda ya el arpa que pulsé inspirado,
con los trenos de amor con que suspiras
haz que vibre mi nombre, ya olvidado.

Yo soy el pobre bardo peregrino
que aquellas flores sorprendió en su aurora,
y que al suyo ligando su destino,
cuando ellas mueren, con tristeza llora...

Yo soy aquel cantor que entre su seno
la alondra cariñosa comprimía,
mientras en el nido, de hojas secas lleno,
verdes guirnaldas con afán ponía.

Yo soy el trovador de esas colinas,
que de Galindo en la feraz altura,
velado por las sombras vespertinas,
rindió culto al amor y a la hermosura...

Ve, ráfaga, suspira, gime y canta;
a mi ángel puro con tu incienso aroma;
ella el santuario de mi vida encanta
cuando su imagen en mi mente asoma.

Ve y si junto a mi madre, mi inocente
dulce huérfana implora por mí al cielo,
estampa un beso en su virgínea frente,
signo de amor y paternal desvelo.

Y a todo lleva, humilde trova mía,
así cruzando los extensos mares,
el eco de la angustia y la agonía
que lanzo lejos de los patrios lares... ■

Gastón Fernando Deligne (1861-1913)

Continuador de la obra patriótica y social de Salomé Ureña, se le considera hoy día el poeta más importante de su generación. Según Joaquín Balaguer, «inaugura una sensibilidad diferente en la poesía dominicana» (Historia de la Literatura Dominicana), *y es escritor de gran originalidad y amplios recursos técnicos. Su obra se suele dividir en poesía política, como el célebre poema «¡Ololoi!», de carácter psicológico como «Angustias» y descriptiva, de la cual es ejemplo «En el botado». En vida sólo publica* Soledad *(1887) y* Garalipsos *(1908), pero póstumamente vieron la luz sus colecciones de versos* Romances de la Hispaniola *(1931) y* Páginas olvidadas *(1944).*

¡Ololoi!...

Yo, que observo con vista anodina,
cual si fuesen pasajes de China...

Tú, prudencia que hablas muy quedo,
y te abstienes, zebrada de miedo;
tú, pereza, que el alma te dejas
en un plato de chatas lentejas;
tú, apatía, rendida en tu empeño
por el mal africano del sueño;
y ¡oh tú, laxo no importa! que aspiras
sin vigor, y mirando, no miras...

Él, de un temple felino y zorruno,
halagüeño y feroz todo en uno;
por aquel y el de allá y otros modos,
se hizo dueño de todo y de todos.

Y redujo sus varias acciones
a una sola esencial: ¡violaciones!
Los preceptos del código citas,
y las leyes sagradas no escritas;
la flor viva que el himen aureola,
y el hogar y su honor... ¿qué no viola?...

Y pregona su orgullo inaudito,
que es mirar sus delitos, delito;
y que de ellos murmúrese y hable,
es delito más grande y notable;

y prepara y acota y advierte,
para tales delitos, la muerte.

Adulando a aquel ídolo falso,
¡qué de veces irguióse el cadalso!
Y a nutrir su hemofagia larvada,
¡cuántas veces sinuó la emboscada!

Ante el lago de sangre humeante,
como ante una esperanza constante,
exclamaba la eterna justicia:
¡Ololoi! ¡Ololoi! (¡sea propicia!).

Y la eterna Equidad, consternada,
ante el pliegue de alguna emboscada,
tras el golpe clamaba y el ay:
¡sea propicia!: ¡Ololoi! ¡Ololai!...

Y clamando, clamaban no en vano.
Ya aquel pueblo detesta al tirano;
y por más que indicándolo, actúe,
y por más que su estrella fluctúe,
augurando propincuos adioses,
no lo vio. ¡Lo impidieron los dioses!

Y por mucho que en ganas variables
—no prudentes, mas no refrenables—
estallasen los odios en coro,
como estalla en tal templo sonoro
un insólito enjambre de toses,
no lo oyó. ¡Lo impidieron los dioses!

Y pasó, que la sangre vertida
con baldón de la ley y la vida,
trasponiendo el cadalso vetusto,
se cuajó... se cuajó... se hizo un busto.

Y pasó, que la ruin puñalada,
a traición o en la sombra vibrada,
con su mismo diabólico trazo
se alargó... se alargó... se hizo un brazo,

cuyo extremo, terrífico lanza
un gran gesto de muda venganza.

Y la ingente maldad vampirina
de aquella alma zorruna y felina,
de aquel hombre de sangre y pecado,
viose dentro del tubo argentado
de una maza que gira y que ruge.

¡Y ha caído el coloso al empuje
de un minuto y dos onzas de plomo!

Los que odiáis la opresión, ¡ved ahí cómo!...
Si después no han de ver sus paisanos,
cual malaria de muertos pantanos,
otra peste brotar cual la suya,
¡Aleluya! ¡Aleluya! ¡Aleluya!

Si soltada la Fuerza cautiva,
ha de hacer que resurja y reviva
lo estancado, lo hundido, lo inerte,
¡paz al muerto!; ¡loor a la Muerte! ■

ENSAYO
PUERTO RICO

Alejandro Tapia y Rivera (1826-1882)

De su fecunda obra —que incluye géneros tan diversos como la poesía, el drama, la novela, el cuento, la leyenda, la crítica, etc.—, destacan en el ensayo Conferencias sobre estética y literatura *y* Mis memorias, *que no obstante el carácter autobiográfico contiene no pocas páginas de real calidad ensayística. Con razón ha sido llamado Tapia y Rivera el «patriarca de las letras insulares», pues a su vasta producción une un incansable entusiasmo por la propagación de las letras, y de ello es buena prueba* La Azucena, *revista que funda y dirige en Ponce en 1870 y que constituye un verdadero heraldo de la cultura puertorriqueña. Publicó también el drama* Roberto D'Evreux, *la novela* Cofresí *y el poema épico-simbólico* La Sataniada, *entre otros.*

La superioridad de la poesía sobre las demás artes

La poesía es la Síntesis del Arte, es el Arte emancipado de la línea, del color y del sonido. Superior a la Arquitectura porque es más que el símbolo; a la Escultura, porque da movimiento a la individualidad; a la Pintura, porque no se limita a un solo momento, y a la Música, porque en su expresión caben los sentimientos y las ideas de todo linaje. Va al sentimiento y al pensamiento directamente, determinando el primero por medio de la palabra y sensibilizando el segundo por medio de la imagen; lo que no hace por sí sola la Música, cuyo lenguaje es indeterminado y se presta únicamente, de una manera vaga, a la expresión de los efectos, para cuya determinación necesita indispensablemente de la palabra. La Poesía, además, se emancipa casi de los sentidos, no requiriendo más que uno de ellos para comunicarse con el espíritu.

El ciego la ve cuando la oye, y el sordo la oye cuando la ve: lo que no pasa con la Pintura y demás manifestaciones del diseño, que necesitan forzosamente de la vista, ni con la Música que ha menester del oído para comunicarse; pues no sólo es imposible dar al sordo una simple idea de sus armonías, sino que ni el músico, más consumado, puede discernir los efectos en toda su expresión y valía, si no las oye. Esta circunscripción a un sentido u órgano determinado, prueba inferior grado en la espiritualidad respecto de la Poesía; pues ésta no sólo puede disponer de dos sentidos para la percepción del espíritu, en cualquier forma, sino que casi podría prescindir de todos, si no fuese porque aquél encerrado en el organismo, necesita de alguno de ellos, en su vida de relación con la exterioridad.

La Pintura, aunque va al espíritu, recrea la vista; la Música no es admitida por aquél no lo despierta al sentimiento, si no empieza por ser grata al oído, a cuyo órgano tiene el compositor que pagar tributo; es decir, que son más sensuales que la Poesía. Ésta puede prescindir del verso y de toda expresión rítmica; pues para venir a complacer a la imaginación y al espíritu, le basta la imagen o la idea. De otro modo: las Artes del diseño son más o menos objetivas, porque son las que se atienen a las formas visibles; y la Música, por prescindir de toda forma figurada, es, en grado eminente, más subjetiva que objetiva.

En esto veréis, que unas y otras son parciales o lo que es lo mismo más unilaterales; al paso que la Poesía en sus diferentes géneros y manifestaciones es, más o menos, la síntesis de lo subjetivo y lo objetivo, o sea, de la forma y de la idea; y esto en el grado más completo y absoluto posible.

La Poesía expresa el sentimiento y el pensamiento de una manera inmediata, tal como los elabora la imaginación, ¿Qué es la palabra sino el pensamiento todo entero? ¿Quién podría pensar la idea sin la palabra que es la forma que la individualiza y distingue dentro del intelecto? El que siente sin poder expresarse, es porque no acierta a pensar lo que siente, o lo que es lo mismo: no acierta a fijarlo o individualizarlo con palabras. Por eso el Arte literario no podría llenar toda su necesidad, ni tener vida completa en absoluto, sin convertir el sonido en un signo claro, concreto y distinto, indiferente como sonido y únicamente destinado a transmitir el pensamiento y el sentimiento en su vida íntima.

Cuando oís una nota musical, vuestro ser recibe una impresión y nada más; pero cuando oís una palabra, no sólo recibe vuestro ser una impresión, sino que percibe una idea: por eso el sonido en música es el todo; por eso la palabra no es más que un signo, la representación de una idea. Sonido claro, puesto que habla al pensamiento; concreto, puesto que es determinado; distinto, puesto que se refiere a un objeto y no a otro; pero al mismo tiempo, indiferente, porque en otra lengua, la idea podría presentarse con otra palabra sin variar de significación.

Lo que en la música se llama un *idea,* no viene a ser otra cosa que una melodía o motivo, más o menos complementado por la *armonía:* y aunque corresponda más o menos a la idea, a la inspiración o intento del músico, siempre vendrá a ser una idea de forma, que por más que exprese algún sentimiento, es forzoso, ante todo, que suene bien. El oído, antes que todo, es el primer juez en esta materia, y lo que a aquél no satisfaga, no puede conmover ni ser bello para el alma. No faltará quien juzgando por puras impresiones, confunda lo Bello con lo Agradable, que no es lo mismo, sin pensar que lo bello es agradable para los que tienen sentimiento, al paso que lo agradable no es siempre bello, ni siquiera en la mayor parte de los casos. De paso advertimos, que el lenguaje de la música no es universal como lo creen algunos. Una armonía que para el europeo suena bien, es intolerable para otros pueblos y razas, por estar basado su sistema musical en otras escalas diferentes de la nuestra, que tampoco es la natural, por más que, para nosotros, sea la menos imperfecta...

La palabra es un signo que no se dirige sino al espíritu. La Música de la palabra versificada no es elemento indispensable de la Poesía, es puramente un elemento exterior, llamado a añadirle seducción y encanto, nada más. El lo que la Poesía toma de la Música, como una mujer bella toma del tocado y del traje, atavíos y seducciones de que pudiera prescindir sin perjudicar su belleza.

Así como la plabra es el signo de la Poesía, la imagen es el elemento propio de ésta; elemento inmaterial, y por lo tanto, invisible. La imagen es hija del espíritu y destinada a vivir en él. Ella es para el poeta la materia prima: sus líneas, sus colores, sus sonidos musicales: mejor dicho; así como el Arquitecto y el Escultor expresan su idea con líneas, el Pintor lo verifica con éstas y los colores, y el Músico con los sentidos, el Poeta expresa las ideas con la palabra o con la imagen, que es la forma más bella o artística de la idea. Ésta es otra causa de su excelencia sobre las demás artes.

La palabra puede expresar todas las concepciones del espíritu, todos los sentimientos y situaciones del alma. Conviene a todas las épocas y a cuanto cabe en la esfera de la imaginación. Es decir, que puede expresar el mundo entero del pensamiento y del sentimiento. Por semejante absolutismo, es el arte universal y es el último término en el desarrollo del mismo; pues toca los límites de lo bello con la Religión y la Ciencia, esfera en que el espíritu, desligado de las imágenes sensibles, puede contemplar la verdad abstracta y pura ■

Román Baldorioty de Castro
(1822-1889)

En realidad la obra literaria de Baldorioty es escasa, pues su consagración a la abolición de la esclavitud, a los derechos de Puerto Rico como diputado a las Cortes Españolas, en suma, su entrega al quehacer político, le impidió el desarrollo de una obra literaria mayor. No obstante, ensayos como América *revelan a un escritor sobrio, preciso, justo en el decir, del que no se puede prescindir cuando se estudia la ensayística puertorriqueña del siglo XIX.*

América

[El autor comienza el ensayo con una reflexión sobre el sentido de la historia, pasa a valorar el estado de entonces en África, Asia y Europa para, en consecuencia, desarrollar sus ideas sobre América.]

La *América,* grande como la mitad de los otros continentes, bien situada entre los dos grandes océanos, con infinitos veneros de fortuna, con todos los climas en una cualquiera de sus zonas, sin gente apenas, sin dinastías celosas y contradictorias, y con instituciones amplias y generosas, que echarán con el tiempo fuertes raíces; la América, que no limita las aptitudes, ni fuerza el espíritu de los hombres en ninguna reducción exclusiva, es al parecer la tierra de promisión para la humanidad de los tiempos venideros. [...]

Ciertamente, los resabios de la época de las conquistas subsisten en los gobiernos europeos; pero los pueblos que tan caro han pagado siempre este cruento sistema, no son al presente muy favorables a este *modo* sangriento y costoso de *adquirir;* por otra parte, las últimas tentativas que, bajo nombres diferentes, hemos visto, y que pueden repetirse todavía, prueban que la América de hoy no será fácil presa de estas cacerías. Si el *contrato,* acto moral iniciado por Guillermo Penn, y practicado en grande escala por la Francia, por la España y, en nuestros días, por la Dinamarca y por la Rusia, no estuviera destinado a reemplazar las violencias de la conquista; la emigración espontánea, cuyas proporciones crecen de día en día con los progresos de la navegación, dará, tarde o temprano, este resultado.

Las corrientes pacíficas de la emigración europea están, digamos así, normalizadas hacia la América: las familias del norte, irlandesas y alemanas, se dirigen en gran número con preferencia a los Estados Unidos: la emigración meridional, franceses, españoles e italianos, menos abundante, se encamina con frecuencia a las repúblicas hispanoamericanas. ¿No es probable que una y otra corriente tomen mayores propociones con el tiempo? Los pueblos de oriente, que empiezan a ponerse en movimiento, ¿no llegarán también a fijar su atención en el hermoso porvenir que a todos brinda el Nuevo Mundo?

Un fenómeno social digno de ser analizado nos presenta el vasto continente en sus dos grandes secciones: el *poder de asimilación:* tan fuerte en la una, tan débil en la otra, ¿qué causas reconoce? Al Norte emigran las familias completas, al Sur no van de ordinario sino individuos: las primeras descuajan los bosques, fundan la propiedad agrícola, levantan ciudades, promueven la industria y fomentan la instrucción pública: se radican, en fin, y al cabo de pocos años miran esta patria adoptiva como la patria definitiva. Es un hecho que si recuerdan el suelo natal es para invitar a sus deudos a seguir su ejemplo, y con frecuencia, para proporcionarles los medios indispensables para emigrar. Los segundos no aman en general el trabajo de los campos: se diseminan por las ciudades y los pueblos, y sus ocupaciones son, por lo común, la bodega, las novedades de París, la lencería y algunas veces las artes y los oficios vulgares. La agricultura, la industria, la inventiva, la enseñanza pública y el aumento de la población estable les deben muy poco; es notable que, aun cuando los retengan en el país hasta su muerte, su pensamiento fijo es, casi siempre, redondear una fortuna, grande o pequeña, para abandonarlo.

Atribuir a una virtud del clima este doble fenómeno, nos parece poco acertado: ni los climas del norte son más templados, ni sus terrenos son más feraces que los del sur: la estabilidad política pudiera explicarlo, si ella no fuera parte del mismo hecho que se discute, y en cuanto a la prosperidad económica, ella es, evidentemente, una consecuencia y no una causa del fenómeno. A nuestro juicio, la educación secular de una y otra raza, este *clima moral* mil veces más poderoso que los climas físicos, encierra todo el secreto y la explicación completa de estos hechos. Hubo un tiempo en que las razas del Norte, ignorantes, supersticiosas, y abandonadas, vivían tiranizadas por los vicios, y poco estimadas de sí mismas y de las demás; las meridionales brillaban entonces por las artes, por las ciencias y por las armas; ni el clima de éstos era en aquellas épocas más frío, ni el de aquéllos más tibio que el presente. Un gran concurso de circunstancias favorecía la educación de los unos y los dotaba de perseverancia; mientras que para los otros todo era adverso, y todo contribuía a mantenerlos en la oscuridad y el atraso.

Más tarde, cuando todos los pueblos del mediodía olvidaban sus tradiciones y abdicaban en manos de la fuerza sus derechos, los pueblos del Norte pugnaban por robustecer y afirmar sólidamente los suyos. Las brillantes victorias que aquéllos alcanzaban en los campos de batalla, bajo el imperio de la *obediencia pasiva,* no eran más que las piras siniestras que alumbraban el principio de su decadencia, el oscurecimiento de su razón, la caída de sus libertades; el trabajo sangriento de las revoluciones del Norte, por el contrario, era la dolorosa gestación que anuncia la fecundidad, era la elaboración del libre examen y de la libre manifestación del pensamiento, con todas sus consecuencias. El trono y el altar embargaban el cuerpo y el alma de los unos: «Dios y mi derecho» era la convicción profunda y el resorte inquebrantable de los otros. Las bellas artes y las buenas letras olvidaron al hombre y se lanzaron a las regiones místicas, entre los primeros: la industria se despobló para poblar los conventos; el comercio se redujo a compañías privilegiadas; la navegación, decaída, plegó sus velas; la guerra misma perdió su vigor y su brillo, y la prosperidad meridional, como la población, tocó en los lindes de la bancarrota y de la miseria. Por el contrario, los hombres del Norte, llenos de su personalidad, dueños de su pensamiento y de su actividad y responsables directamente de sus actos, fundaron su gobierno dentro de una esfera limitada de acción, dieron más fuerza a la ley que al funcionario y se lanzaron con fe en la corriente de la discusión y del trabajo. Mientras los unos pasaban la vida rezando en las puertas de las iglesias y de los conventos, o trabajando con la lentitud propia de los reglamentos y de los gremios, los otros oraban en espíritu y en verdad: exploraban atrevidamente, en el orden moral, el mundo de las ideas, y en el orden material, el mundo de las riquezas.

Ambas razas poblaron América y ambas trajeron a ella los efectos de su educación respectiva. La revolución moral de la primera estaba consumada, y al trasplantarse al vasto campo de un nuevo mundo debía dar todos sus frutos: seguridad personal completa; raíces profundas del sentimiento religioso individual, y ancho campo a todas sus formas, es decir, a todos los cultos; respeto ilimitado a la propiedad y, por consiguiente, gobiernos electivos, contribuciones previstas y discutidas, y gastos conocidos y eficaces para el bien de los gobernados; por último, la libertad de reunirse, de pensar, de hablar y de escribir, así como la libertad absoluta del trabajo en todas sus manifestaciones, constituía la vida misma de estos hombres. Ellos la transmitieron íntegra a las sociedades que fundaron en las comarcas de la América del Norte, saliendo todos los males de la caja de Pandora, y dejando en el fondo el deseo ardiente y la esperanza activa de un perfeccionamiento indefinido. ¿Qué obstáculos serán bastante poderosos para torcer o pervertir sus brillantes destinos? Si la madre Inglaterra, por una triste veleidad de los tiempos, se empeña ciegamente en recortar sus libertades, sus hijos engrandecidos por la virtud y por el talento encontrarán aliados, le harán una guerra digna y vigorosa, y victoriosos sabrán marchar con entereza por la senda de las naciones. El parlamento libre de la monarquía inglesa, se convertirá fácilmente en la cámara republicana: el gobierno supremo será más brillante y más puro en las manos de Washington que en las manos de un Jorge. La libertad humana dará un paso hacia adelante, sin vacilaciones y sin crímenes; el pueblo está educado y el triunfo de sus derechos no será un pretexto para abandonar el trabajo, sino un grande estímulo para enaltecerlo y desarrollarlo.

Mas, ¿cómo se había educado este pueblo? En las luchas dolorosas y sangrientas de la revolución inglesa, en las persecuciones religiosas, en las violencias de los partidos políticos, en los combates de la libertad contra los poderes usurpadores: por el martirio en las plazas públicas, por la abnegación en los campos de batalla, por la palabra en las calles y en las tribunas, por la virilidad y el sufrimiento en todas partes y durante un siglo entero. Cuando por estos medios llegaba él a la madurez del pensamiento político, las razas meridionales, sumergidas en los abismos del despotismo, ignorantes de sus derechos, supersticiosas, avezadas a las violencias de la conquista, sin resorte en la conciencia y sin amor al trabajo, comenzaban a despertar de su profundo letargo de tres siglos. En el año 1810 aspiraba Venezuela a la libertad en el nombre de la filosofía, Méjico en el nombre de la religión, Chile a impulsos del masonismo: Bolívar, Hidalgo y San Martín eran, con sus escasos amigos, el cerebro de toda la América de los meridionales: el pueblo seguía a ciegas estos prestigios o los combatía con furor, sin comprenderlos. La guerra civil debía devorar varias generaciones antes de que la antorcha de la libertad alumbrara con sus resplandores los llanos y las pampas de un mundo semisalvaje, y presenciamos en nuestros días los dolores de la regeneración, con todas sus peripecias. Ellos no son, ni tantos ni tan grandes como los que sufrió esa misma raza del norte, antes de abandonar la tierra de Europa, y cuyos progresos actuales, así en el uno como en el otro continente, tanto nos admiran.

Cuando se estudian de cerca y sin pasión pueril los hechos, se reconoce que no hay razón, que no hay justicia alguna en exigir de los americanos del Sur lo que no han podido conseguir en igual tiempo sus propios padres, en ninguno de los pueblos meridionales de la misma Europa. En 1789 comenzó la gran revolución francesa, y esta nación culta, fuerte y populosa no ha llegado a constituirse todavía: ella ha amasado con su propia sangre dos repúblicas efímeras, un imperio despótico y guerrero, una restauración sin simpatías, una monarquía popular y otro imperio vacilante, sin gloria militar y sin libertad política.

¿Y ha llegado acaso para Francia el día de la seguridad, de la libertad completa? ¿No está navegando en el proceloso mar de la revolución? Ciego será el que confunda su estado político con la situación estable de la raza inglesa: las costumbres públicas, esto es, la educación política de ésta, está consumada; la de la otra está lejos aún de su término; la una resuelve las cuestiones más graves por la ley, expresión fiel de la opinión; la otra mantiene todavía el interés de los partidos por la fuerza, la ley no tiene en ella otro apoyo. Aquel pueblo la acata y marcha, o la combate en las urnas, la reforma, y progresa; éste la recibe, no la dicta, pugna contra ella, y la sufre o la derrumba por la violencia, no por la discusión y por el voto. El sufragio de la primera es restringido y sabe usar de él en su provecho; el sufragio de la segunda es universal, y no acierta a emplearlo como le conviene.

Los americanos del Sur no pueden haber adquirido en menos tiempo mejores costumbres que sus maestros. Ellos han resuelto en principio todas las dificultades sociales y políticas de nuestro tiempo, y sus gobiernos están basados en las máximas de la verdad y la justicia: les falta práctica, y ésta se adquiere en el ejercicio de la libertad. Las ambiciones turbulentas que agitan de tiempo en tiempo a estos hombres, no son eternas: ellas pasarán en la América del Sur como pasarán en Francia, como pasaron hace ya tiempo en Inglaterra. ¿Qué motivo racional hay para que así no sea? Solamente los hombres que permanecen en la servidumbre son los que no llegarán jamás a ser libres.

Entre tanto, no son sus trastornos, como suele pintarse la pasión de los extraños, ininterrumpidos: ha mucho tiempo que, fuera del campo de batalla, no se derrama en esos pueblos sangre alguna por causas políticas: depuestas las armas, los hombres contienen sus resentimientos de partido, y se guardan entre sí las consideraciones de la amistad. El trabajo, escaso antes de la revolución por las trabas sin cuento que lo agobiaban, se ha desarrollado bajo el amparo de la libertad: lejos de decaer las grandes ciudades, se mejoran y prosperan: los caminos de hierro comienzan, y en algunas repúblicas, como en Chile, gozan ya de cierta importancia.

Sus ríos caudalosos, de origen desconocido y de navegación peligrosa, se exploran en todos sentidos: su suelo fecundo repone con prontitud los males de sus guerrillas pasajeras, y su comercio, proporcional a su población, aumenta con lentitud pero sin interrupción. Evidentemente, todas sus rentas, bien o mal distribuidas por los Estados, vuelven a la circulación, y el trabajo se sostiene y aumenta.

La América del Sur posee escritores y poetas de primer orden, oradores elocuentes y diplomáticos versados en el derecho de gentes, de una habilidad y de una lucidez incontestables. La deuda de todas las repúblicas juntas no es para imponer miedo a ningún hacendista, y todo el mundo tiene la convicción, tanto en Europa como en América, de que para enjugarla en pocos años no tanto necesitan los sudamericanos de un largo período de paz completa, como de costumbres morigeradas en todos los ramos de la administración.

La ambición vulgar de mando, los compromisos de una política interior bastarda, y el desorden consiguiente en el manejo y empleo de las rentas son las causas principales del descrédito, exagerado a veces por el interés y por la pasión, que de vez en cuando se une al nombre del alguna de estas repúblicas. Su escasa población relativamente a la extensión de sus vastísimas comarcas, y la índole, los hábitos y la poca instrucción en los ramos más útiles del trabajo, que caracterizan a la mayoría de sus inmigrantes, agravan un tanto la situación. Mas todos estos inconvenientes carecen de raíces profundas. La gran crisis de la libertad está consumada; las costumbres de la vida pública penetran en el corazón del pueblo, los soldados indomables de la independencia, abrumados por la edad, bajan al sepulcro o abandonan con las esperanzas de sus ambiciones las riendas del Gobierno. Las nuevas generaciones, más ilustradas y menos avezadas a la vida de los campamentos, buscarán nuevas soluciones a las dificultades de la política, y asentarán el porvenir de la patria americana en la instrucción de las masas, en la actividad del trabajo, en las luchas viriles e inteligentes de la opinión, asegurando así la paz y la prosperidad interior. Acaso a fines del presente siglo los hechos infecundos y dramáticos de sus guerras intestinas pertenecerán a la leyenda, como los hechos de su gran transformación se inscribirán definitivamente en la historia. A juzgar por la fuerza expansiva de la democracia, y por la manera con que ya en nuestros días se entiende y se practica la *Federación* de los pueblos, no nos parece temeridad pensar que para aquella época no haya en todo el vasto continente más que una sola, grande, libre y poderosa nación ■

Eugenio María de Hostos (1839-1903)

Incuestionablemente la figura más alta de Puerto Rico en todo el XIX, tanto que holgadamente rebasa las costas de su Isla para inscribirse por derecho propio en la historia de América Latina. Promotor de la Confederación Antillana, por la labor en pro del desarrollo social, cultural, educativo y artístico de todas las naciones del Continente, con entera justicia se le llamó Ciudadano de América. En el Caribe fue un alma gemela del cubano José Martí. Entre sus obras como narrador y pensador se destacan: La peregrinación de Bayoán *(1863),* Juicio crítico de Hamlet *(1872),* Moral social *(1888),*

Cartas acerca de Cuba *(1895),* Tratado de sociología *(1901). Sus obras completas constan de 20 volúmenes.*

Moral social

IX

La moral y el arte

En el arte, todo son precipicios para la moral.

Mientras el artista —y cuanto más inconcino de sí mismo tanto mejor para ese fin— se mantiene en la contemplación estética, ninguna fuente de moral más fácil y abundante que la contemplación, la admiración y el culto de lo bello. Trae de continuo a la realidad, porque la realidad es el campo de lo bello, y en esa operación provoca y facilita la observación y examen del aspecto y las propiedades externas de las cosas. Haciendo eso, el arte es moralizador, porque es educador de muchas fuerzas subjetivas, la sensación, la atención, la imaginación.

Del culto silencioso a lo bello, el artista pasa también en silencio el amor reflexivo de lo bello, y educa fuerzas no menos subjetivas y aún más poderosas en el desenvolvimiento de la vida práctica; la sensibilidad física, la íntima y la sensibilidad estética, forma privativa de sensibilidad en que al par se dan el gusto y la originalidad que tanto vale como decir comunidad e individualidad. Todo lo que en este sentido hace el arte es también favorable a la moral, por ser favorable a la cultura de actividades y aptitudes que pueden concurrir al bien social.

Cuando de la realidad externa entra en la interna, el artista contempla con arrobamiento un mundo lleno de encantos que más lo atrae cuanto más penetra en él, y de donde saca los gritos desgarradores de la lírica, los contrastes patéticos de la dramática, los cuadros solemnes de la épica, la olímpica expresión de Júpiter, la austera de Moisés, la virginal de los niños de la Concha, la completamente humana del cómico de Velázquez o de los bebedores de Ticiano; es decir, traduciendo lo interno por lo externo, expresa y aprende a expresar con exactitud las relaciones que hay entre el hombre que se ve por fuera y el hombre que vive por dentro.

Los templos-criptas de la India, las titánicas pagodas que tan sugestiva expresión plástica son del misterio de Brahma y de su estupenda obra social; las diminutas pagodas, que reproduciendo en pequeño el recinto del dios grande, lo disminuyen como el dios se disminuye al mostrarse en algunos de sus atributos accidentales; el terso, sencillo, inestudiado templo de Confucio, que tan sólidamente retrata con formas y elementos materiales el pensamiento y la doctrina también tersos, sencillos e inestudiados del Maestro chino; aquella iglesia budhista de la capital de Birmán que resulta de la asombrosa yuxtaposición de construcciones sobre construcciones, todas idénticas en plan y forma, todas distintas en tamaño, y que sugieren todas juntas la idea de la poderosa iniciativa y del potente empeño del reformador; los templos politeístas de griegos y romanos; la catedral gótica; la mezquita mahometana; el muchas veces persuasivo templo protestante; la ruca ecónica del araucano, que a millares de millas se reproduce en el bohío primitivo del yucayo de las Antillas y con cimientos y materiales de hielo entre los esquimales de Groenlandia; la vivienda cúbica que sirve de modelo a todas las civilizaciones; las imitaciones arquitectónicas de la naturaleza, que en fustes, capiteles, cariátides y metopas se esfuerzan por reunir en el recinto de los dioses, de las ideas o de los hombres, la triple encarnación de la vida en el vegetal, en el animal y en el hombre; castillos feudales, fortalezas, quintas, museos, bibliotecas, universidades, capitolios, acueductos, viaductos, puentes, toda la fecundidad artística de la arquitectura, es una doble oblación a la moral; primero, porque consagra a la actividad social de la ideas, de los sentimientos y de los deberes; segundo, porque consagra el trabajo y nos presenta en una pirámide de Egipto, en un teocalí en México, en la calzada monumental de Quito a Chile, el incesante y devoto sacrificio del trabajo humano, unas veces debido a la tiránica necesidad de subsistir, otras veces, a la brutal arbitrariedad de los tiranos.

Hasta aquí, la acción social del artista es bienhechora, no porque siempre sea obra de bien a la que concurre, sino porque el mal de que sea instrumento su genial estética, culpa no es suya, sino de las perversiones de sentimientos, ideas o corrupciones de la sociedad.

Mas tan pronto como el artista sale de la contemplación subjetiva de lo bello o de la ejecución objetiva que corresponde a manifestaciones de desarrollo social, su papel de moralizador degenera en papel de corruptor.

El artista, séalo de la palabra o del sonido, séalo de la paleta o el buril, es como aquellos encantadores pedazos de tierra, paisajes semovientes, que la corriente del Paraná arranca de sus márgenes y conduce al Plata, de donde van a perderse en las ignoradas lejanías del Atlántico; van con musgo, hierbas, arbustos, árboles y flores, pájaros y sierpes, jaguares y lagartos, sombra y luz, islas flotantes que el morador de la ribera, al verlas pasar tan bellas, tan animadas, tan incitantes, tan risueñas, suspende extasiado la penosa labor de cada día, las sigue con mirada anhelante hasta que se desvanecen en la semitiniebla del horizonte, y creyendo que ha vuelto a perder el siempre soñado paraíso, suspira y sin lágrimas solloza. Como los edenes flotantes del Paraná y del Plata, los artistas de todos los tiempos y países son eternos juguetes de dos corrientes: la una, parecida en su curso a la del blando Paraná, en la suave, pero vagabunda corriente de la imaginación y el sentimiento; la otra, dura, rápida, procelosa como la del Plata, casi siempre azotada por el pampero atronador, es la corriente de la popularidad. Ambas lo llevan, y ninguna de las dos lo lleva a fin moral. Por la primera corriente se va y se llega al culto de lo bello por lo bello, y lo bello por sí mismo no es moral, antes es sacrificio de medios morales por efectos estéticos. Por la corriente de la popularidad se va y se llega a la resonancia del nombre a la vanagloria y hasta al espejismo de la sana gloria, que sólo con la muerte se conquista y sólo en la historia, y no siempre, irradia; pero a fin moral, es decir, a perfecta realización de la dignidad humana en el ser individual, ni se va ni se llega por ahí.

El artista va al aplauso como la corriente del río va a la mar. Y ¡ay del aplaudido! Podrá no ser casquivavidioso, y se evitará faltas y culpas; podrá no ser sensual, y su vida no será una orgía repugnante; podrá no ser codicioso, y no sacrificará su dignidad a su peculio; podrá no ser ingrato, y no afrentará ese vicio a su memoria; pero la moralidad resultante de su vida no corresponderá nunca o casi nunca a la generosidad de su vocación, ni a la grandeza de su profesión, ni a la dignidad de razón y de conciencia que debe y está llamada a producir una tan elevada dirección de las fuerzas creadoras como las que da el artista a su sensibilidad, a su percepción y a su imaginación.

Cultiva las facultades representativas, no las constructivas, y hay cierta fatalidad en la desproporción que inmediatamente se nota entre su personalidad intelectual y su personalidad moral.

Ha habido, y hay, especialmente en las dos más nobles artes, la poesía y la oratoria, personalizaciones esplendentes del alto fin moral que tan placentero y tan lógico es presuponer a artes tan humanas; pero la alegría de las excepciones confirma la tristeza de la regla general.

Es verdad, por otra parte, que no son tales excepciones los grandes poetas y grandes oradores que han sido verdaderos grandes hombres, se quiere decir, hombres de constante fin moral, porque las sumas personificaciones en cualquier actividad de razón lo son por ser grandes conciencias. También es verdad que, ciñéndose al momento en que vivimos, las influencias desmoralizadoras que arrastran a oradores y poetas están en razón directa de la fuerza y la universalidad que el periódico y el telégrafo han dado a la corriente de la popularidad. Apenas en nuestros días hay quien resiste a la corriente, o quien, dejándose arrebatar por ella, conserve presencia de ánimo bastante para no esclavizarse a la vanidad y para saber que, en las corrientes de la opinión como en las de las aguas continentales, todo pasa a medida que pasa la corriente.

No estando en la naturaleza de poetas y oradores el recordarlo, todo el afán de su vida está en dejarse llevar de esa corriente.

¿Quién no sacrifica a la vanidad? Es natural que seamos todos, pues la misma vanidad, en cuanto exponente de probatividad, como llamaron los frenólogos al prurito de aprobación que inquieta a todos, es un coeficiente de moralidad. Pero ¿quién sacrifica a su vanidad sus sentimientos, su voluntad, sus ideas, sus principios, sus juicios, sus deberes, que merezca el respeto reservado para los que, al contrario, saben sacrificar su vanidad a su conciencia?

Vanidad, probatividad y espíritu de conservación ponen el germen de la envidia en todos los corazones, menos en aquéllos que necesitan verse caídos a los golpes de la envidia para convencerse de que existe. Pero ¿qué noble corazón cede a la envidia? ¿Qué conciencia llena de deber puede acceder a sus inicuas sugestiones?

Hechuras de la vanidad y de la envidia, hoy centuplicadas por la fuerza de la expansión que les da el ímpetu de la publicidad, los artistas, para ser en lo moral tan dignos como con frecuencia son en lo intelectual, no tienen otro recurso que seguir los impulsos de la vigorosa iniciación en la verdad que lleva nuestro tiempo, y ponerse de buen grado, con tanto desinterés del fin exclusivo del arte como quepa y cabe en una noción más elevada del arte, a seguir en su desarrollo el ideal humano. Ese ideal, que nada tiene de vago, que nada tiene de informe, que nada tiene de sombrío, que vale por sí mismo más que el ideal del arte, puesto que el arte es también una parte del ideal humano, contiene abundante cuanto el artista necesita para ser elemento activo de civilización, de moralización, de humanidad.

Indicios hay de que el arte vislumbra su destino. ¡Ojalá, para su bien y el de los fines morales de toda actividad humana, que lo vea! ■

CUBA

José Antonio Saco
(1797-1879)

Nació en Bayamo, Cuba, y murió en Barcelona, España, transcurriendo la mayor parte de su vida en el extranjero, desde que Tacón, Capitán General de la Isla, lo expulsara en 1834. Su producción escrita es una larga, inacabable polémica sobre problemas cubanos, por lo que está considerado como un fundador de esta nación. Reformista, batallador incansable por la concesión de derechos a Cuba por parte de la metrópoli española, enemigo a ultranza de la anexión de Cuba a los Estados Unidos, su vida y su obra están marcadas desde temprano por estos empeños. Polígrafo, su bibliografía abarca desde el opúsculo La vagancia en Cuba *(1830) hasta su ambiciosa* Historia de la esclavitud *(1875-77), obra que no llegó a concluir. Su vigoroso pensamiento está expuesto en los volúmenes donde fue recogiendo sus escritos y que sencillamente tituló* Papeles, *de los que hay publicados cuatro tomos. A diferencia de lo que proponía Ortega y Gasset, para él la claridad —que anteponía a la forma— era la cortesía del ensayista hacia el lector.*

Contra la anexión

X

Las esperanzas de Cuba

Al cerrar el año de 1858, Cuba vive tranquila, pero no contenta; ni es posible que lo esté un pueblo que, conociendo su importancia y sus derechos, gime bajo el yugo del despotismo. Mas ¿cómo salir de él? ¿Cómo prolongarse esa situación sin producir al fin consecuencias más deplorables para la madre que para la hija?

Cuba sólo puede existir en uno de estos tres estados: o colonia de España; o independiente; o agregada a los Estados Unidos.

Colonia de España es el estado en que hoy se halla. ¿Pero será él de larga duración? Serálo, no de larga, sino larguísima, y aun quizá perpetua, si a las tiránicas instituciones se substituyen otras liberales, pues Cuba entonces, satisfecha y contenta, estrechará más y más cada vez los vínculos de sangre y de intereses que la ligan con España. Pero si ésta, fundándose en los vanos y ridículos temores de independencia, y en otros argumentos que sólidamente he refutado en varios de mis papeles, sobre todo en *La situación política de Cuba y su remedio;* si ésta, repito, se obstina en gobernarla como hasta aquí, negándole toda libertad, desde ahora es fácil pronosticar que, tarde o temprano, metrópoli y colonia se verán envueltas en graves conflictos. Cuba tiene tantos elementos de grandeza, que, a pesar del freno que la sujeta, crece en población, riqueza, luces y amor a la libertad. Su inmediación al pueblo más libre de la tierra, su trato diario con él, sus frecuentes comunicaciones con los países más cultos de Europa, y aun los ejemplos mismos de revolución contra el despotismo que España le ofrece, son estímulos que poderosamente la incitan a sacudir las cadenas que arrastra.

Una palabra bajada del trono bastaría para cambiar tan triste situación; pero esa palabra nunca bajará mientras Cuba permanezca en la inacción, pues su silencio se interpretará como tácita aprobación de las instituciones que la rigen. Es preciso ser un visionario para imaginarse que el gobierno español renunciará de bella gracia al absolutismo que ejerce en Cuba. Imponer contribuciones a su antojo, invertirlas a su placer sin dar cuentas a los contribuyentes, ni que éstos puedan exigirlas, secuestrar los bienes, multar, prender y desterrar las personas, conculcar todos los derechos y mantener un pueblo hundido bajo sus pies, son prerrogativas muy gratas a gobernantes españoles. Cuba, pues, para alcanzar los derechos políticos que desea, es menester que los pida, los dispute y los arranque de las manos de sus opresores.

Al decir esto no se piense que yo apelo a la revolución ni a las conspiraciones. Por el contrario, creo que en nuestro actual estado aquélla y éstas no harían más que redoblar nuestros males. Aquí repito lo que publiqué ocho años ha, en mi *Réplica a los anexionistas*.

«¿Desea Cuba, y por Cuba entiendo aquí todos sus habitantes de aquende y allende el mar, desea salir de la opresión en que vive? ¿Desea derechos políticos y un consejo colonial? La justicia está de su parte. La Constitución de 1837 solamente le prometió gobernarla por leyes especiales; pero estas leyes no pueden ser las que hubiera podido darle el tirano Felipe II, sino a las que son conformes al espíritu del siglo, a las libres instituciones de que goza España y a la civilización y progresos de Cuba. Los inmensos peligros que la amenazan, y la urgente necesidad de salvarla exigen que se pongan de acuerdo los hombres influyentes de ella, así criollos como peninsulares; que tomen una actitud estrictamente legal y pacífica, pero al mismo tiempo digna de la causa que defienden; que formen un fondo con que subvenir a los gastos indispensables en empresas de este género, y que nombre de entre ellos mismos una o dos personas que pasen a la Península a servir de fieles intérpretes del pueblo cubano.»

Así escribí yo en 1850. Pero los esfuerzos que se hagan en adelante no se deben limitar a España. Si en ésta se conoce poco a Cuba, mucho menos se la conoce en las demás naciones de Europa. Importa sobremanera destruir en ella la ignorancia y las preocupaciones que existen contra Cuba; y esto se conseguirá, no sólo influyendo en la prensa periódica de España, Francia e Inglaterra, sino haciendo publicaciones sueltas sobre las grandes cuestiones de Cuba en español, francés e inglés. Ilustrada de este modo la opinión, ella podrá ejercer su benéfica influencia en el gabinete de Madrid. Y hoy más que nunca, porque contando él con Inglaterra y con Francia para que los Estados Unidos no se apoderen de Cuba, esas dos naciones podrán darle consejos amistosos, manifestándole francamente la necesidad de reformar las instituciones políticas de aquella isla, instituciones que han sido el origen de todos los movimientos anexionistas, y que necesariamente lo serán de nuevas conspiraciones y trastornos. El logro de las ideas que recomiendo no es obra de un día; serálo de uno, dos o más años. Pero ¿qué no se consigue con la constancia, sobre todo en una causa tan justa como la de Cuba? Y al fin, si nada se alcanzare después de tantos y tan pacíficos esfuerzos, la conciencia de Cuba quedará tranquila y la responsabilidad de cuanto pueda suceder recaerá únicamente sobre el gobierno español.

La independencia de Cuba, que es el segundo estado a que he aludido, es hoy una quimera, pues a ella se oponen, no tanto su escasa población, cuanto los elementos heterogéneos que la componen y las grandes fuerzas terrestres y navales que la dominan. Semejante acontecimiento sólo pudiera realizarse en nuestros días, si por una extraordinaria combinación de circunstancias los cubanos y los peninsulares se entendiesen, y marchando todos al mismo fin, paralizasen el brazo de la madre España. Pero este caso, aunque reconozco que no es imposible, es sin embargo muy improbable. Puede por tanto asegurarse que si Cuba fuera libre, y sus habitantes estuvieran bien gobernados, ninguno de ellos pensaría en lanzar el grito de independencia.

¿Mas sucederá lo mismo bajo las tiránicas instituciones que rigen a Cuba? ¿No es de temer, que cubanos valientes y desesperados empuñen las armas, ya seducidos por las ideas del triunfo, ya con la intención de suscitar embarazos a España? ¿Y los Estados Unidos no se complacerán en ellos, y aun procurarán fomentarlos? ¿Y trabada que sea la lucha, no se mezclarán en ella muchos de sus hijos a fuer de auxiliadores? Mezclaránse sin duda, porque ellos saben que esos trastornos debilitan la dominación española en Cuba; porque aspiran en medio de las revueltas a la posesión de la Antilla que tanto codician; y porque aun cuando no la alcanzasen, con tal que Cuba lograse su independencia, ellos siempre ganarían, pues alejarían de América a una de las potencias europeas que tiene colonias en ella. Desde este punto de vista, es de inferir que ni Inglaterra ni Francia mirarían con gusto los esfuerzos de los cubanos para hacerse independientes; pero también creo que nada harían por contrariarlos, pues sobre ser una cuestión doméstica entre Cuba y España, su intervención provocaría al instante la del gobierno de los Estados Unidos, dando margen a graves conflictos. Yo, pues, lejos de temer, en caso de independencia, ningún peligro de parte de Inglaterra y de Francia, no veo en estas dos naciones sino el áncora más firme de esa misma independencia; y a ellas, lo mismo que a otras, deberíamos volver los ojos, para que por medio de tratados solemnes nos cubriesen con su escudo poderoso y nos librasen de la rapacidad y conquista de los Estados Unidos.

La anexión de Cuba a éstos es el formidable enemigo que amenaza a España. ¿Pero quién nos ha traído a tan peligrosa situación? El gobierno español con su conducta opresora. Sin fuerzas propias los cubanos para sacudir el despotismo, muchos de ellos tendieron sus brazos a la vecina confederación. Ellos fueron los que gritando contra la tiranía de España, iniciaron ese movimiento; ellos los que lo llevaron a los Estados Unidos; ellos los que despertando la ambición de ese pueblo, y anticipando sus esperanzas, formaron allí un inmenso partido en favor de la anexión; ellos, en fin, los que con dinero cubano armaron y lanzaron sobre Cuba dos expediciones, y aun prepararon otras más formidables que afortunadamente se frustraron. Yo he sido el más constante enemigo de la anexión, como lo prueban mis escritos, y a fuer de tal, tengo derecho a decir, que si España hubiera gobernado a Cuba con justicia y libertad, jamás cubano alguno habría sido anexionista.

Y cuando las lecciones del pasado y los peligros del porvenir debieran enseñarle a conocer sus verdaderos intereses, ella se obstina en continuar los errores de su funesta política. Así es como mantiene disgustados a los cubanos; así como los aleja cada vez más de su seno; así como los hace desear su incorporación a los Estados Unidos, y así como éstos contemplan con un gozo inefable el despotismo cubano, pues él es el gran apóstol que predica en su favor, y que les gana en Cuba partidarios. En el mensaje que el presidente Buchanan acaba de presentar al Congreso americano, recomienda con empeño la compra de Cuba; mas en esta recomendación yo veo no sólo un ardid de que él se vale para recobrar su popularidad, sino un llamamiento a los cubanos, una bandera que alza a sus ojos para que marchen a su sombra en pos de la libertad.

Y ya que he hablado de compra de Cuba por los Estados Unidos, muy poco conoce el presidente Buchanan los sentimientos de España, si se ha figurado que ella puede venderla, y mucho menos en las actuales circunstancias. Si tal cosa pudiera suceder, Cuba podría comprarse a sí misma, pues tiene recursos con que hacerlo. España entraría en tratos con ella con menos repugnancia que con los Estados Unidos, pues siempre le quedaría allí una hermosa rama del tronco de Castilla y un gran mercado español; y las potencias europeas interesadas en que Cuba no caiga en poder de aquella república, lejos de ponernos embarazos, nos allanarían el camino para que llegásemos a un término feliz. El día que España se decidiera a deshacerse de Cuba en favor de los Estados Unidos, sería cuando ella ya no la pudiera conservar; pero entonces es casi cierto que ellos no la comprarían, porque contando en Cuba con un partido poderoso, formado por el despotismo español, se apoderarían de ella a poca costa, y con la gloria de haberla conquistado.

Esta reflexión me conduce a preparar de antemano la opinión para un evento que no es imposible. Si los Estados Unidos no se han apoderado ya de Cuba, es por el temor que les ha infundido la protección que Inglaterra y Francia dispensan a España. Por más que clame el orgullo nacional, es forzoso reconocer que ésta, entrando sola en lucha con aquéllos, no puede defender a Cuba. ¿Quién tiene mayor población, y la aumenta cada año con una prontitud asombrosa, los Estados Unidos o España? Los Estados Unidos. ¿Quién puede poner más hombres sobre las armas y tiene más dinero para equiparlos y moverlos en poco tiempo? Los Estados Unidos. ¿Quién posee más buques de guerra, quién una prodigiosa marina mercante y quién, por lo mismo, puede aumentar rápidamente sus escuadras? Los Estados Unidos. ¿Quién bloquea con más facilidad los puertos de Cuba? ¿Quién puede cortarles todas las comunicaciones marítimas, lanzar más corsarios, cubrir con ellos los mares, recorrer las costas enemigas y aniquilar su comercio? Los Estados Unidos. ¿Quién, en fin, se halla a pocas horas de Cuba y en aptitud de echar sobre sus playas en breves días cincuenta mil hombres, o cien mil si fuera necesario? Los Estados Unidos. Pues si tantas ventajas tienen sobre España, ¿cuál sería la suerte de Cuba el día que su metrópoli se viese privada del apoyo de la Inglaterra y la Francia?

Supongamos que por una calamidad lamentable, rompiendo estas dos naciones la feliz alianza que las liga para bien de la humanidad, se despedazasen con una guerra sangrienta. Supongamos que, aun sin hacérsela entre sí, surgiesen en el viejo continente tan graves complicaciones, que ya ellas no pudieran volver su atención a las cosas del Nuevo Mundo, ¿qué debería hacer Cuba en semejante caso? Es innegable que los Estados Unidos no dejarían escapar tan favorable ocasión y que, armando una querella a España, se arrojarían sobre Cuba.

Si los cubanos fueran libres, y se les hubiera enseñado a querer una patria que hoy no se puede decir que tienen, yo no dudo que ellos harían una defensa heroica por la bandera de Castilla; pero en el estado de opresión en que se hallan, creo firmemente que se acogerían al pabellón invasor como símbolo de libertad. En tales circunstancias, ¿qué haría la numerosa y respetable muchedumbre de peninsulares establecidos en Cuba? ¿Empuñarían las armas para sostener la causa de España? He aquí ya encendida la guerra civil entre criollos y europeos; mas como aquéllos, empujados por el despotismo, militarían en las filas de la nación invasora, que es cabalmente la más fuerte, su triunfo sería inevitable. Pero este triunfo, sería funesto a todos los habitantes de Cuba, ora vencidos, ora vencedores, pues sangre, muertes y ruina sería el esquilmo que de él recogieran, sin que los sacrificios hechos por los valientes hijos de la noble Iberia bastasen a salvar a Cuba.

Si ésta, en hora fatal, se viese condenada a caer en las garras de la Confederación norteamericana, yo quisiera que los invasores, no sólo por su propio bien, sino por el de todos los moradores de Cuba, se presentasen en ella con fuerzas marítimas y terrestres tan formidables, que quitasen hasta a los más ilusos y obstinados toda esperanza y toda idea de resistencia. Bien entiendo que aún así, y privado enteramente del auxilio de la Inglaterra y la Francia, el gobierno español pudiera empeñarse en hacer una defensa desesperada transformando a Cuba en otro Santo Domingo; pero tantos honrados españoles que se han labrado una fortuna con el sudor de su frente, ¿se convertirían en bárbaros ejecutores de proyectos tan atroces? No, yo no lo creo. Muy lejos de eso, confío en que si tan triste caso llegara, ellos unidos a los cubanos cederían, aunque dolorosamente, a un destino irresistible, y resignándose a perder una nacionalidad que ya no pudieran conservar, salvarían al menos sus propiedades, sus vidas y sus familias ■

José Martí
(1853-1895)

Como el pensamiento de Martí se divulga a través del periodismo, su obra ensayística se confunde con los artículos que da a conocer en numerosos diarios hispanoamericanos. No se sabe dónde termina la una y comienza la otra, o viceversa, pues como insigne pensador que era no hay escrito suyo que no esté plagado de ideas. Así, por ejemplo, sus comentarios acerca de la Primera Conferencia Panamericana (1889), y aun su espléndida crónica sobre la inauguración de la Estatua de la Libertad, son reflexiones sobre estos acontecimientos. Pero donde sus artículos se convierten en reales ensayos es cuando escudriña en profundidad un asunto, como ocurre con las páginas que dedica a Emerson o el análisis que hace de los países del nuevo continente en «Nuestra América» (1891). Otro tanto ocurre con sus piezas oratorias, verbigracia las que consagra a Bolívar, a José María Heredia: tras la palabra deslumbrante, la idea, la meditación, la irradiación doctrinaria.

Tres héroes

Cuentan que un viajero llegó un día a Caracas al anochecer, y sin sacudirse el polvo del camino, no preguntó dónde se comía ni se dormía, sino cómo se iba adonde estaba la estatua de Bolívar. Y cuentan que el viajero, solo con los árboles altos y olorosos de la plaza, lloraba frente a la estatua, que parecía que se movía, como un padre cuando se le acerca un hijo. El viajero hizo bien, porque todos los americanos deben querer a Bolívar como a un padre. A Bolívar y a todos los que pelearon como él porque América fuese del hombre americano. A todos: al héroe famoso, y al último soldado, que es un héroe desconocido. Hasta hermosos de cuerpo se vuelven los hombres que pelean por ver libre a su patria.

Libertad es el derecho que todo hombre tiene a ser honrado, y a pensar y a hablar sin hipocresía. En América no se podía ser honrado, ni pensar, ni hablar. Un hombre que oculta lo que piensa, o no se atreve a decir lo que piensa, no es un hombre honrado. Un hombre que obedece a un mal gobierno, sin trabajar para que el gobierno sea bueno, no es un hombre honrado. Un hombre que se conforma con obedecer a leyes injustas, y permite que pisen el país en que nació los hombres que se lo maltratan, no es un hombre honrado. El niño, desde que puede pensar, debe pensar en todo lo que ve, debe padecer por todos los que no pueden vivir con honradez, debe trabajar porque puedan ser honrados todos los hombres, y debe ser un hombre honrado. El niño que no piensa en lo que sucede a su alrededor, y se contenta con vivir, sin saber si vive honradamente, es como un hombre que vive del trabajo de un bribón, y está en camino de ser un bribón. Hay hombres que son peores que las bestias, porque las bestias necesitan ser libres para vivir dichosas: el elefante no quiere tener hijos cuando vive preso: la llama del Perú se echa en la tierra y se muere, cuando el indio le habla con rudeza, o le pone más carga de la que puede soportar. El hombre debe ser, por lo menos, tan decoroso como el elefante y como la llama. En América se vivía antes de la libertad como la llama que tiene mucha carga encima. Era necesario quitarse la carga, o morir.

Hay hombres que viven contentos cuando viven sin decoro. Hay otros que padecen como en agonía cuando ven que los hombres viven sin decoro a su alrededor. En el mundo ha de haber cierta cantidad de decoro, como ha de haber cierta cantidad de luz. Cuando hay muchos hombres sin decoro, hay siempre otros que tienen en sí el decoro de muchos hombres. Ésos son los que se revelan con fuerza terrible contra los que les roban a los pueblos su libertad, que es robarles a los hombres su decoro. En esos hombres van miles de hombres, va un pueblo entero, va la dignidad humana. Esos hombres son sagrados: Bolívar, de Venezuela; San Martín, del Río de Plata; Hidalgo, de México. Se les deben perdonar sus errores, porque el bien que hicieron fue más que sus faltas. Los hombres no pueden ser más perfectos que el sol. El sol quema con la misma luz que calienta. El sol tiene muchas manchas. Los desagradecidos no hablan más que de las manchas. Los agradecidos hablan de la luz.

Bolívar era pequeño de cuerpo. Los ojos le relampagueaban y las palabras se le salían de los labios. Parecía como si estuviera esperando siempre la hora de montar a caballo. Era su país, su país oprimido, que le pesaba en el corazón, y no le dejaba vivir en paz. La América entera estaba como despertando. Un hombre solo no vale nunca más que un pueblo entero; pero hay hombres que no se cansan cuando su pueblo se cansa, y que se deciden a la guerra antes que los pueblos, porque no tienen que consultar a nadie más que a sí mismos, y los pueblos tienen muchos hombres, y no pueden consultarse tan pronto. Ese fue el mérito de Bolívar, que no se cansó de pelear por la libertad de Venezuela, cuando parecía que Venezuela se cansaba. Lo habían derrotado los españoles: lo habían echado del país. Él se fue a un isla, a ver su tierra de cerca, a pensar en su tierra.

Un negro generoso lo ayudó cuando ya no lo quería ayudar nadie. Volvió un día a pelear, con trescientos héroes, con los trescientos libertadores. Libertó a Venezuela. Libertó a la Nueva Granada. Libertó al Ecuador. Libertó al Perú. Fundó una nación nueva, la nación de Bolivia. Ganó batallas sublimes con soldados descalzos y medio desnudos. Todo se estremecía y se llenaba de luz a su alrededor. Los generales peleaban a su lado con valor sobrenatural. Era un ejército de jóvenes. Jamás se peleó tanto, ni se peleó mejor, en el mundo por la libertad. Bolívar no defendió con tanto fuego el derecho de los hombres a gobernarse por sí mismos, como el derecho de América a ser libre. Los envidiosos exageraron sus defectos. Bolívar murió de pesar de corazón, más que de mal del cuerpo, en la casa de un español en Santa Marta. Murió pobre, y dejó una familia de pueblos.

México tenía mujeres y hombres valerosos, que no eran muchos, pero valían por muchos: media docena de hombres y una mujer preparaban el modo de hacer libre a su país. Eran unos cuantos jóvenes valientes, el esposo de una mujer liberal, y un cura de pueblo que quería mucho a los indios, un cura de sesenta años. Desde niño fue el cura Hidalgo de la raza buena, de los que quieren saber. Los que no quieren saber son los de la raza mala. Hidalgo sabía francés, que entonces era cosa de mérito, porque lo sabían pocos. Leyó los libros de los filósofos del sigo XVIII, que explicaron el derecho del hombre a ser honrado, y a pensar y a hablar sin hipocresía. Vio a los negros esclavos y se llenó de horror. Vio maltratar a los indios, que son tan mansos y generosos, y se sentó entre ellos como un hermano viejo, a enseñarles las artes finas que el indio aprende bien: la música, que consuela; la cría del gusano, que da la seda; la cría de la abeja, que da la miel. Tenía fuego en sí, y le gustaba fabricar: creó hornos para cocer los ladrillos. Le veían lucir mucho de cuando en cuando los ojos verdes. Todos decían que hablaba muy bien, que sabía mucho nuevo, que daba muchas limosnas el señor cura del pueblo de Dolores. Decían que iba a la ciudad de Querétaro una que otra vez, a hablar con unos cuantos valientes y con el marido de una buena señora. Un traidor le dijo a un comandante español que los amigos de Querétaro trataban de hacer a México libre. El cura montó a caballo, con todo su pueblo, que lo quería como a su corazón; se le fueron juntando los caporales y los sirvientes de las haciendas, que eran la caballería; los indios iban a pie, con palos y flechas o con hondas y lanzas. Se le unió un regimiento y tomó un convoy de pólvora que iba para los españoles. Entró triunfante en Celaya, con música y vivas. Al otro día juntó el Ayuntamiento, lo hicieron general, y empezó un pueblo a nacer. Él fabricó lanzas y granadas de mano. Él dijo discursos que dan calor y echan chispas, como decía un caporal de las haciendas. Él declaró libres a los negros. Él les devolvió sus tierras a los indios. Él publicó un periódico que llamó *El Despertador Americano*. Ganó y perdió batallas. Un día se le juntaban siete mil indios con flechas, y al otro día lo dejaban solo. La mala gente quería ir con él para robar en los pueblos y para vengarse de los españoles. Él les avisaba a los jefes españoles que si los vencía en la batalla que iba a darles los recibiría en su casa como amigos. ¡Eso es ser grande! Se atrevió a ser magnánimo, sin miedo a que lo abandonase la soldadesca, que quería que fuese cruel. Su compañero Allende tuvo celos de él, y él le cedió el mando a Allende. Iban juntos buscando amparo en su derrota cuando los españoles les cayeron encima. A Hidalgo le quitaron uno a uno, como para ofenderlo, los vestidos de sacerdote. Lo sacaron detrás de una tapia, y le dispararon los tiros de muerte a la cabeza. Cayó vivo, y revuelto en la sangre, y en el suelo lo acabaron de matar. Le cortaron la cabeza y la colgaron en una jaula, en la Alhóndiga misma de Granaditas, donde tuvo su gobierno. Enterraron los cadáveres descabezados. Pero México es libre.

San Martín fue el libertador del Sur, el padre de la República Argentina, el padre de Chile. Sus padres eran españoles, y a él lo mandaron a España para que fuese militar del rey. Cuando Napoleón entró en España con su ejército, para quitarles a los españoles la libertad, los españoles todos pelearon contra Napoleón: pelearon los viejos, las mujeres, los niños; un niño valiente, un catalancito, hizo huir una noche a una compañía disparándole tiros y más tiros desde un rincón del monte; al niño lo encontraron muerto, muerto de hambre y de frío; pero tenía en la cara como una luz, y sonreía, como si estuviese contento. San Martín peleó muy bien en la batalla de Bailén, y lo hicieron teniente coronel. Hablaba poco: parecía de acero: miraba como un águila: nadie lo desobedecía: su caballo iba y venía por el campo de pelea, como el rayo por el aire. En cuanto supo que América peleaba para hacerse libre, vino a América: ¿qué le importaba perder su carrera, si iba a cumplir con su deber?: llegó a Buenos Aires: no dijo discursos: levantó un escuadrón de caballería: en San Lorenzo fue su primera batalla: sable en mano se fue San Martín detrás de los españoles, que venían muy seguros tocando el tambor, sin cañones y sin bandera. En los otros pueblos de América los españoles iban venciendo: a Bolívar lo había echado Morillo el cruel de Venezuela: Hidalgo estaba muerto: O'Higgins salió huyendo de Chile: pero donde estaba San Martín siguió siendo libre la América. Hay hombres así, que no pueden ver esclavitud. San Martín no podía; y se fue a libertar a Chile y al Perú. En dieciocho días cruzó con su ejército los Andes altísimos y fríos: iban hombres como por el cielo, hambrientos, sedientos: abajo, muy abajo, los árboles parecían yerba, los torrentes rugían como leones. San Martín se encuentra al ejército español y lo deshace en la batalla de Maipo, lo derrota para siempre en la batalla de Chabuco. Liberta a Chile. Se embarca con su tropa, y va a libertar al Perú. Pero en el Perú estaba Bolívar, y San Martín le cede la gloria. Se fue a Europa triste, y murió en brazos de su hija Mercedes. Escribió su testamento en una cuartilla de papel, como si fuera el parte de una batalla. Le habían regalado el estandarte que el conquistador Pizarro trajo hace cuatro siglos, y él le regaló el estandarte en el testamento al Perú. Un escultor es admirable porque saca figura de la piedra bruta: pero esos hombres que hacen pueblos son como más que hombres. Quisieron algunas veces lo que no debían querer; pero ¿qué no le perdonará un hijo a su padre? El corazón se llena de ternura al pensar en esos gigantescos fundadores. Ésos son héroes; los que pelean para hacer a los pueblos libres, a los que padecen en pobreza y desgracia por defender una gran verdad. Los que pelean por la ambición, por hacer esclavos a los otros pueblos, por tener más mando, por quitarle a otro pueblo sus tierras, no son héroes, son criminales ■

Enrique José Varona
(1849-1933)

Literato, periodista, poeta, orador, filósofo, profesor, hombre público, no hay actividad en la vida cubana de la segunda mitad del siglo pasado y el primer tercio de éste donde no aparezca su huella. Combate en la guerra de independencia de 1868, se adhiere luego al autonomismo, vuelve a ser separatista en 1895 y la muerte la sorprende enfrentado a la dictadura de Machado. Fue director de la Revista Cubana, *una de las más importantes de la Isla, y también del periódico* Patria *a la muerte de Martí. Ocupó altos cargos en la república, entre ellos el de ministro de Educación. Su obra de pensador está recogida fundamentalmente en los libros* Conferencias filosóficas *(1879),* Fundamento de la moral, Curso de Psicología *(1905), entre otros. Preocupado por integrar el pensamiento puro a la ética, la conducta social, las influencias de Stuart Mill y Herbert Spencer son advertibles en él.*

Cómo debe leerse «El Quijote»

Tanto se ha escrito sobre *El Quijote* en lo que va de año, que bien fundadamente puede creerse que este libro apacible y deleitoso habrá tenido algunas docenas más de lectores de los habituales. Y con toda llaneza confieso que ese me parece el resultado más apetecible de todo este continuado rumor de plumas y discursos.

No vaya a presumirse que esto envuelve censura, ni asomo de censura siquiera, de la glorificación de este centenario. El entusiasmo tonifica y fortifica, sobre todo si, como en este caso, el entusiasmo es genuino y legítimo. Soy cervantista de la antevíspera. Leí *El Quijote* de niño, y fue para mí manantial de risa y acicate de la fantasía. Dormí muchas noches con un viejo espadín debajo de la almohada, descabecé en sueños muchos endriagos y encanté y desencanté no pocas Dulcineas. Lo leí de mancebo, y la poesía sutil de las cosas antiguas se levantó, como polvo de oro, de las páginas del libro, para envolver en una atmósfera de encanto mi visión del mundo y de la vida. Lo he leído en la edad provecta, y me parecía que una voz familiar y amiga, algo cascada por los años, me enseñaba sin acrimonia la resignación benévola con que debe nuestra mirada melancólica seguir la revuelta corriente de las vicisitudes humanas.

Pero es natural que, habiendo entrado en esta lectura fuente siempre fresca y abundosa de impresiones acomodadas a la disposición de mi ánimo, desee a otros muchos el mismo refrigerio. De aquí que haya acabado por creer que la mejor manera de honrar al autor del *Quijote* sea, no aumentar la secta de los cervantistas, sino acrecer el número de los lectores de Cervantes.

Esto implica, lo confieso, cierto temor de que se malogre ese justificado deseo, que no tengo por mío exclusivo, sino de todos los que a porfía elogian y encomian el peregrino libro. Y mi temor nace de dos clases de consideraciones.

Ha dado sobre *El Quijote* una legión de comentadores, intérpretes, levantadores de horóscopos, descifradores de enigmas y adivinos, que asombran por su número y desconciertan por la misma sutileza de sus invenciones. A fuerza de querer encontrar un sentido acomodaticio a las frases más sencillas y una intención más recóndita a los pasajes más claros, hacen sospechar a los desprevenidos que esa obra de verdadero y mero entretenimiento pueda ser un apocalipsis o un tratado de metafísica hegeliana.

A los familiarizados con el libro, este intento de hermenéutica profana divierte o enoja, según los casos, pero no perjudica. Mas no es entre ellos donde se han de buscar los nuevos lectores. A éstos debe decirse y repetirse que *El Quijote* es uno de los libros más llanos que se han compuesto: claro como río sereno y caudaloso de ideas, sin confusión;

de estilo añejo, como el buen vino, pero no anticuado; que habla del tiempo viejo, pero no de un tiempo tan separado de nosotros que el alma de sus personajes nos parezca extraña y distante de la nuestra. Tantos ejércitos maravillosos describen esos exégetas, que el lector puede amilanarse, o encontrarse chasqueado, cuando se desvanezca toda esa fantasmagoría.

Otros han tomado por distinto atajo. De tal suerte extreman el elogio, que más parecen corifeos entonando un ditirambo que escritores que recomiendan una exquisita obra del ingenio humano.

No les niego yo su perfecto derecho a sustituir las razones y aun la razón por perpetuos ¡evohé!, ¡evohé! Cada cual expresa su delectación íntima a su manera; pero, desde el punto de vista en que me coloco aquí, temo que el efecto de sus desmesuradas hipérboles sea contraproducente. Lo de desear lectores sinceros, que vayan, sin perjuicio de *snobismo,* a apurar el contenido de esa rica copa en que escanciaron las gracias, y no individuos que se estén palpando y mirando por dentro con susto, si por acaso no se encuentran, desde las primeras páginas, en un mundo de prodigios, y no se ven suspendidos en cada capítulo a la región de los encantamientos pregonados.

Hacen, sin quererlo, estos críticos tan poco criticistas, el papel del ingenioso Chanfalla en *El retablo de las maravillas.* A fuerza de anunciar portentos, que ellos ven y manosean, parecen declarar memos y bolos a los que no miren por sus ojos y con su mismo ángulo visual. El pobre lector se azora, y aunque dice para sus mientes, ¿si seré yo de ésos?, proclama a voces que se cierne a dos dedos del empíreo. Ninguno de los confusos espectadores del retablo quería ser judaizante, y ninguno de los atortolados lectores quiere pasar por imbécil.

Aunque me acusen de algo sanchesco, prefiero, para los que lean *El Quijote,* la disposición de espíritu del estudiante del cuento, que se solazaba tendido en el mullido césped y reía a pedir de boca en los pasajes de risa. Ése de seguro no tenía entre las manos ningún *Quijote* comentado y puntualizado. Los que han leído la deliciosa fábula por esparcimiento y la han celebrado con risa franca y sana, son los que luego la recuerdan con suave emoción y pueden descubir la vena de plácida tristeza que va, casi a flor de tierra, serpeando por su contexto.

«Mirad, escribano Capacho —decía el alcalde Benito—, haced vos que me hablen a derechas, que yo entenderé a pie llano». Cervantes escribió a derechas, no subamos en zancos a sus lectores ■

REPÚBLICA DOMINICANA

José Gabriel García
(1834-1910)

Pertenece a la primera generación de escritores dominicanos. Después de haber seguido la carrera de armas, ocupó diversos ministerios, así como otros cargos durante la Segunda República. Patriota liberal, dedicó gran parte de su vida al cultivo de la historia nacional, por lo que se le considera el padre de la historiografía dominicana. Entre sus obras figuran Rasgos biográficos de dominicanos célebres *(1857),* Coincidencias históricas *(1891) y* Memorias para la historia de Quisqueya *(1891). Sin embargo, su obra más importante son los cuatro volúmenes de* Compendio de Historia de Santo Domingo, *escritos durante cuarenta años y publicados finalmente en 1891.*

Compendio de historia de Santo Domingo

Séptima Parte
Era de la Primera República
Libro Primero
Período de los Gobiernos Interinos

Con la entrega hecha a los patriotas el 19 de febrero de 1884 de La Fuerza y el Arsenal con todo lo que contenían, y de los muy pocos fondos existentes en la Tesoría de Hacienda; y con el embarque de los individuos que por su carácter e importancia política y social representaban la dominación haitiana en la parte española de la isla, quedó cumplimentada en la ciudad de Santo Domingo la capitulación celebrada el día anterior entre el general Henri Etienne Desgrotte, comandante de la plaza encargado provisionalmente del Distrito, y la Junta gubernativa provisional establecida la noche del 27 en la Puerta del Conde, siendo oportuno consignar de paso que en tan solemne ocasión sólo siguieron las banderas haitianas cuatro dominicanos que pertenecían al ejército: Justo Vega, Domingo Zapata, Ruperto Telémaco y Adolfo de Castro.

Este hecho, que fue, puede decirse así, el primer suceso importante de la época que vamos a historiar, dio por resultado la erección de la ya expresada antigua parte española, en estado soberano e independiente, bajo la denominación de República Dominicana, quedando adoptada como enseña de la nueva nacionalidad el pabellón haitiano dividido en cuadros por una cruz blanca, y como lema distintivo las palabras sacramentales de «Dios, Patria, y Libertad», contenidas en el juramento de los Trinitarios; obra todo de la sabia previsión de Juan Pablo Duarte, quien teniendo en cuenta que la insignia nacional adoptada por el pueblo haitiano al constituírse en estado libre e independiente, había sido formado por Dessalines, en un momento de exaltación patriótica, arrancando de la bandera francesa el color blanco, al cual atribuía todas las desgracias de Haití por lo que el mundo veía en ella de símbolo del exclusivismo que, por desgracia, ha servido siempre de base a la legislación de la República vecina, y de punto de mira a su política local, creyó necesario dar a la enseña que debía servir de lábaro a la patria dominicana una significación diametralmente opuesta, ora escogiendo para formarla colores diferentes a los de la bandera haitiana, ora combinando éstos con el color blanco que, considerado por los haitianos como principio de la discordia, debía ser para los dominicanos símbolo de paz y armonía: razón por la cual, inspirado en esta creencia, y enardecida su fe patriótica por la que tenía en las doctrinas de la fe cristiana, fue que buscando en el signo de la redención el medio de resolver el difícil problema, concibió la feliz idea de separar los colores de la bandera haitiana con una cruz para significar de este modo a las naciones imparciales que el pueblo dominicano, al ingresar a la vida de la libertad, proclamaba la unión de todas las razas por los vínculos de la civilización y del cristianismo.

A la sombra de esta bandera simbólica, desplegada a los cuatro vientos por el puñado de patriotas que pronunció el 27 de febrero el grito de separación y libertad que «recorriendo con la velocidad del rayo toda la parte del Este» como dijo Santana en su proclama del 14 de Julio, «la despertó del letargo en que yacía», se constituyó en Junta central gubernativa la provisional establecida en la Puerta del Conde, dedicando antes que todo su atención a mandar un comisionado a Curazao en busca del caudillo iniciador de la obra que acababa de ponerse en planta; a solicitar por medio de delegados especiales la adhesión de todos los pueblos que no hubieran secundado todavía el movimiento; a movilizar las guardias nacionales y demás fuerzas efectivas para hacer frente a los haitianos, que amenazaban invadir; a improvisar los jefes superiores que debían conducir el ejército a los futuros combates; a buscar armas y elementos de guerra; a crear recursos para las atenciones del servicio público y a organizar el tren administrativo del país bajo bases sólidas y permanentes, labor penosa que requería concretación exclusiva, interés desmedido, patriotismo ardiente y solidaridad de opiniones, sin lo cual todo podía perderse y morir en su cuna la obra de tantos sacrificios y desvelos, mucho más cuando existía el peligro de que malograda la reconciliación iniciada en la Puerta del Conde, viniera de nuevo la discordia a emponzoñar las pasiones y convertir en pesares las justas alegrías.

El comisionado para ir en busca de Duarte fue Juan Nepomuceno Ravelo, quien acompañado de un gran séquito de amigos y admiradores del ilustrado iniciador, salió el 10 de marzo a bordo del bergantín goleta «Leonor», cuyo mando tomó voluntariamente el prócer Juan Alejandro Acosta, deseoso no sólo de prestar ese nuevo servicio a la causa nacional, sino de tener la honra de ser el primer marino que sacara a lucir en los mares americanos los vivos colores de la bandera que lleno de fe había ayudado a enarbolar. Los designados para solicitar el pronunciamiento de los pueblos y vencer las dificultades que pudieran presentarse fueron los siguientes: Tomás Bobadilla, para los de Monte Plata y Boyá; Manuel Jiménez, para los de la banda del Sur; Remigio del Castillo, para las comarcas de la parte oriental, y Pedro Ramón de Mena, que acababa de ofrecer sus servicios, para las provincias de Cibao, donde contaba con extensas relaciones de familia. El primero llegó el día 6 a su destino y puso en manos de Duarte, Pina y Pérez el pliego en que la Junta provisional les decía: «Compañeros, el día 27 de febrero último llevamos a cabo nuestros proyectos; triunfó la causa de nuestra separación con la capitulación de Desgrotte con todo su distrito; Azua y Santiago, a esta hora deben haberse pronunciado; el amigo Ravelo, portador de la presente, les dará amplios detalles de lo sucedido, y les informará de lo necesario que es el armamento y los pertrechos... que necesitamos por temor de una invasión». Poco era lo que tenían acopiado en Curazao en cuanto a cantidad, pero mucho en cuanto a valor, porque representaba el último esfuerzo que con su propio peculio había podido hacer Duarte, que todo lo había sacrificado por la Patria. Con eso se embarcó, en unión de Pina y Pérez, para dejar señalada en los anales del país la fecha del 14 de marzo, en que capitulaba el último pueblo, con su feliz arribo a la ciudad natal, donde recibió del público agradecido la ovación más espléndida de que pueda haber sido objeto mortal afortunado al regresar del destierro a los lares patrios, sin que tan esplendente triunfo sugiriera en su alma de partriota otra idea que la de ponerse, como el último de los ciudadanos, a las órdenes del gobierno que encontraba constituido, ejemplo de abnegación y desprendimiento que no iba por desgracia a encontrar muchos imitadores.

En cuanto a Bobadilla, no tuvo para qué seguir viaje, habiéndose devuelto de la mitad del camino con la fausta nueva de que el comandante Matías Moreno había respondido al movimiento, y que las tropas de Monte Plata, Bayaguana y Boyá venían en camino de la capital, cobijadas con la sombra de la bandera cruzada, que habían jurado defender. Y como los pueblos de San cristóbal y Baní se habían pronunciado en su debida oportunidad, el primero, por iniciativa del coronel Esteban Roca y del comandante Juan Álvarez, seguidos por un grupo de jóvenes entusiastas, y el segundo, por iniciativa de Luis Álvarez, con el apoyo de Rosendo Herrera, Lorenzo Santamaría, Jacinto de Castro, Hipólito y José Billini, Basilio Echavarría y otros tantos, tampoco tuvo el general Jiménez para qué pasar de este último punto con las tropas que llevaba al mando inmediato del comandante Gabino Puello, porque cumplido por Mateo Perdomo el compromiso que hizo con la Junta de persuadir al coronel Buenaventura Báez de que debía darle pase al movimiento triunfante, cesó la actitud hostil asumida por la municipalidad de Azua, y la común entera fue pronunciada por Francisco Soñé, Antonio Duvergé, Valentín Alcántara y otros muchos, que de acuerdo con el centro revolucionario habían apelado a las armas desde el momento en que supieron lo acontecido en la noche del 27 de febrero, facilitándose así la adhesión de Neiva, promovida por Fernando Tavera, y la ocupación de San Juan por los voluntarios que salieron de Baní, encabezados por el mismo Luis Álvarez con el propósito de apoyar a los separatistas en Azua y llevar la revolución a los pueblos limítrofes, no pudiendo pasar de San Juan, que tuvieron que abandonar a los tres días, no sólo por falta de fuerzas con que esperar al enemigo, sino que también por desconfianza de los vecinos del lugar, que no tenían fe en el triunfo y estaban todavía muy acobardados.

Tampoco tuvo Remigio del Castillo que superar dificultades de mucha monta, porque los habitantes de los pueblos orientales despertaron al grito de separación y libertad dado por el puñado de patriotas que hizo memorable la Puerta del Conde, y volando a las armas, según lo testifica la proclama a que ya nos hemos referido, contribuyeron a levantar, como por encanto «sobre las ruinas del despotismo haitiano la República Dominicana», distinguiéndose en el Seibo y Hato Mayor los dos Santana, Ramón y Pedro, Norberto Linares, Joaquín Lluberes y otros más, y en Higüey, Nicolás Rijo y el comandante Vicente Ramírez, por cuya razón se redujo la tarea de delegado a organizar el servicio, y autorizar la movilización de las fuerzas con que marchó Pedro Santana, nombrado general por aclamación a insinuaciones de Bobadilla por Juan Esteban Aybar y Merced Marcano a ponerse a las órdenes del gobierno. Menos afortunado que los otros le tocó a Pedro Ramón de Mena, que iba acompañado del capitán Leandro Espinosa, el mayor número de dificultades, porque si bien encontró a su llegada el día 2 de marzo al Cotuí, que se adhirió sin vacilaciones a la causa nacional, que circulaban noticias favorables respecto de San Francisco de Macorís y la villa de Moca, tropezó con que ni La Vega, ni Santiago, ni Puerto Plata, se habían adherido todavía. Pero al llegar el día 4 a la primera de estas poblaciones, donde lo encontró todo preparado, y hasta la bandera hecha por las señoritas Villa, se reunieron en la municipalidad todas las notabilidades de la común, incluso el gobernador, general Felipe Vásquez, y el comandante de armas, coronel Manuel Machado, quienes enterados de la comisión que llevaba, manifestaron que como autoridades haitianas salvaban su voto, aunque protestando no hacer oposición, con cuyo motivo quiso saber Cristóbal José de Moya, según refiere la tradición, con qué contaban los iniciadores del movimiento para sostener su obra y quién respondía de la suerte de las familias, a lo que replicó el coronel Toribio Ramírez que él y los guardias nacionales que tenía la honra de mandar servirían de muralla para contener el furor de los haitianos, manifestación patriótica que arrancó al presbítero José Eugenio Espinosa y a Juan Evangelista Jiménez un fervoroso viva a la República Dominicana, que fue calurosamente contestado por José Tavera, Bernardino Pérez, Juan Álvarez Cartagena, José Portes, José Gómez y otros más, quedando así adherida la provincia a la causa nacional.

Pasados los momentos de alegría fueron despachados para Moca en comisión, en la mañana del 5, Bernardino Pérez y José Portes, quienes regresaron por la noche con la fausta nueva de que el corregidor José María Imbert había pronunciado la común el día antes, y tenía mucha gente sobre las armas, y todas las medidas para defenderla de cualquier agresión que contra ella intentara el general Morisset, así como también la de San Francisco de Macorís había respondido al pronunciamiento de la capital, a diligencia de Manuel Castillo y Álvarez y sus demás compañeros durante las persecuciones de 1843. Animado por las buenas noticias salió el delegado Mena para Santiago el día 6, acompañado de una porción de veganos, pues como en aquella población no sólo había muchos haitianos avecindados, sino también algunos dominicanos renuentes, no quisieron que se presentara en ella enteramente solo. El general Morisset, que al saber el movimiento de Moca había mandado a Jacagua en solicitud del general Núñez para concertar un plan de defensa, pero que se hallaba desorientado con la muerte casual de éste, que coincidió con la arriada de la bandera que en mala hora hubo de enarbolar en 1822 en el fuerte de San Luis, se fue a esta fortaleza con todos los que le eran adictos, para esperar allí la contestación que diera la municipalidad, resuelto a ensangrentar el país, si ésta se mantenía leal a la dominación haitiana. Reunida dicha corporación, compareció ante ella el delegado de la Junta central y le dio cuenta de su comisión, promoviéndose entonces una escena parecida a la de La Vega, pues que tomados los pareceres no faltó quien tratara de averiguar, propósito que la tradición atribuye a Santiago Espaillat, los recursos y la protección con que contaban los dominicanos para sostenerse, porque no le parecía prudente lanzarse a una empresa tan peligrosa sin tener seguro el apoyo de una nación; pero como todavía no había acabado de hablar cuando Domingo Daniel Pichardo dijo con sublime energía que para sostener la separación proclamada bastaba con el pecho de todos los dominicanos, hubo tal animación que los concurrentes prorrumpieron a unanimidad en un vítor a la República Dominicana, cuyo advenimiento en la ondina del Yaque saludaron muchos santiagueses pudientes y hasta el comerciante español don Tomás Rodríguez, ofreciendo los bienes de que disponía si de ellos era menester para consolidarla.

Pronunciado así Santiago y rendido a discreción el general Morisset, que fue despachado para la capital a disposición de la Junta central bajo la custodia del comandante Juan Álvarez Cartagena, siguió Mena para Puerto Plata con doble acompañamiento del que sacó de La Vega, y apoyado en una pequeña columna al mando del coronel Juan de la Cruz, pues había rumores de que el general Cadet Antoine, que gobernaba el distrito, estaba dispuesto a reducirse a cenizas antes de consentir en que fuera arriado el pabellón haitiano. Por fortuna que cuando vino a llegar ya no era necesario hacer uso de la fuerza, que se quedó casi a mitad de camino, pues que adherido de buena voluntad a la causa separatista el comandante Vallón Simón, que logró calmar los malos ímpetus del airado gobernador, todo quedó terminado con la capitulación que el 14 de marzo celebraron entre Juan Luis Franco Bidó, Domingo Daniel Pichardo y Pedro Exequiel Guerrero, miembros de la comisión nombrada al efecto por el delegado del gobierno, y Prophile, Alfredo Deetjen, D. Hilaire, Vallón Simón, B.P. Tapshire y el teniente Louis Juste, miembros de la que nombró el general Cadet Antoine, quedando estipulado: 1.°, que el pabellón haitiano sería arriado con honor y dignidad; 2.°, que el gobernador capitulado desocupara el fuerte llevando desplegada su bandera, y acompañado por los militares o paisanos que quisieran seguirle se embarcaría con ellos y sus familias, llevándose sus equipajes; 3.°, que antes de desocupar el fuerte, el general Antoine remitirá a la persona que se le indicara un estado detallado de todo lo que hubiera en él perteneciente al Estado, debiendo entregar las llaves en el momento de efectuar la desocupación; 4.°, que todos los haitianos, sin distinción de personas, serían respetados y protegidos; 5.°, que las propiedades legalmente adquiridas por ellos, libres de hipotecas, serían respetadas y garantizadas, pudiendo sus dueños disponer de ellas con entera libertad; 6.°, que los haitianos que quisieran residir en el país tomando carta de naturaleza, debían solicitar el permiso de la Junta central antes de prestar juramento, dentro del término de un mes, pues de no hacerlo así serían considerados como extranjeros; 7.º, que no se pondría ningún obstáculo a los que quisieran ausentarse de la población; 8.º, que se concedería salvoconducto a los que quisieran tomar la vía de tierra de preferencia a la de mar; 9.º, que no se ejercería ninguna persecución contra los que hubieran manifestado cualquier opinión antes de la capitulación; 10.º, que los extranjeros serían protegidos, así como sus intereses; 11.º, que la guardia cívica, lo mismo que las tropas que formaban la guarnición, conservarían sus armas y vendrían a ser fuerzas de la República Dominicana; no pudiendo llevarse las suyas, sino los oficiales que optaran por irse, pues los soldados tendrían que depositarlas en el arsenal; 12.º, que el general Cadet Antoine, y los que quisieran seguirle, tendrían la facultad de embarcarse en cualquier buque, siendo de cuenta del gobierno dominicano los gastos de transporte; 13.º, que los sueldos atrasados y los suministros hechos a la administración hasta la fecha, serían pagados de la manera explicada en el artículo 9 de la capitulación de Santo Domingo; y 14.º, que habría lealtad y franqueza en la conducta de ambas partes.

Con el cumplimiento de este acto solemne quedó, con excepción de cinco o seis pueblos fronterizos, adherida toda la antigua parte española de la isla a la causa separatista, ofreciendo «sacrificarlo todo para no volver a soportar un yugo tan ignominioso como el que pesó sobre ella durante el largo espacio de veintidós años», acontecimiento que llamó seriamente la atención de los capitanes generales de las islas de Cuba y Puerto Rico, quienes llegaron a sospechar que pudiera tener relación con los deseos de enarbolar la bandera española, que a juzgar por las gestiones de López de Villanueva y la correspondencia secreta de Paz del Castillo, suponían en gran parte de los dominicanos; incertidumbre de que no tardaron en salir, en vista de las pesquisas que se apresuraron a hacer, el general don Cayetano Urbina desde Santiago de Cuba y el capitán general de Puerto Rico, por medio del bergantín «Cubano» y de la goleta «Churruca», buques de la estación naval de aquella isla, que estuvieron cruzando sobre la costa dominicana en pos de noticias verdaderas, que adquirieron con los barcos de cabotaje, pudiendo entonces anunciar a la vez al gobierno de Madrid, que la antigua parte española de Santo Domingo había proclamado su independencia ■

Rafael A. Deligne
(1863-1902)

Poeta, cuentista y dramaturgo, sobresale, no obstante, en el campo de la crítica literaria. Con el seudónimo de «Pepe Cándido» sus artículos aparecían en numerosas publicaciones a finales del XIX. Para Max Henríquez Ureña (Panorama histórico de la literatura dominicana) *«en esos juicios ya apunta el ensayo, pues no se trata de mera crítica de detalle, sino de amplia visión de conjunto». Concluyendo: «Rafael Deligne fue, ciertamente, uno de nuestros primeros ensayistas.» En* Prosa y verso *(1902) se encuentran recogidos sus mejores trabajos, de estilo sencillo y claro.*

A mojar la vela (Marina)

Ya va por la punta de La Pasa. Es tan pequeña y adelgazada como una garzota de ésas que revolotean en los bancos: con sus velachos blanquísimos, que le sirven como dos enormes alas; con su quilla ligera, que va rozando las espumas como pecho de ave, y la estela que forma a su paso, que es como estela que dejan menudos dedos sobre tersa superficie de aguas.

En la obra muerta están cuatro intrépidos; los que han podido asistir al bautismo de la balandra. Son tan pocos porque el armador no quiso que los demás se embarcaran. Bien sabe él que para estos alciones experimentados es fiesta, que todos envidian disfrutar, cada expresión de nuevas fuerzas en las luchas del mar y en los fastos de la marinería. Y que, de haberlos consentido a bordo, habrían ido tantos, que hubiera sido para mal averiguado todo lo que es preciso que ahora se averigüe. ¿De qué valdría esta fiesta, si no se pudiera decir de una vez qué tal pasa a orza o de vira la embarcación; si es su rolar defecto de la armadura o si ha sido efecto del lastrado; si empopa más que el último barco que salió del mismo astillero, del cual barco todos, a fuer de peritos, cuentan que tenía muy recostada la astilla muerta y tumbadas en demasía las varengas de la popa? Pero éste, que se recuesta graciosamente sobre las ondas y enseña de perfil toda su arboladura y la banda de babor, y va sacudiendo como penacho encintado la enseña orgullosa de la República; éste ni tumba de popa ni se sacude desequilibrado, a pesar de que sopla en la costa buen céfiro que levanta la marejada. El gran pez del patrón, huyendo de los escollos y bajíos que el aluvión del Higuamo ha formado hacia la orilla occidental de su embocadura, tiró la proa en la mitad del mismo canal del río. Es un muchacho el tal patrón; pero conoce tan al detalle el reglamento de a bordo, que ya se tiene aprendido el negocio de fondear un barco a diez brazas de la costa de la Saona o del mismísimo Desecheo. Para eso pasó, muy chiquito todavía, las arrancadas de cien viajes costeños con su padre, que le había tomado a su lado con el fin de que le ayudase a la trasbordación de ciertas mercancías en los puertos más ocultos de la isla, y para que aprendiese así a entrar en los secretos de una profesión, que los tiene cabales y muy comprometidos. Y para eso estuvo dando diente con diente, eso sí, pero atento a la maniobra, bajo el ojo avizor de sus mayores, en medio de rompida galerna; y para eso pasó cien veces, y cien veces con buen suceso, dando maromas con maromas y casco con casco, defendiendo de los choques su barco y de los desaires del mar, cuando armaban regatas de premios en su pueblo o cuando regateaban los barcos menores hacia donde algún náufrago bergantín ofrecía el «don de Dios».

Ya está la balandra detrás de la punta, y sólo se ven sus masteleros sobresalir por encima de los grupos de vegetación. Ya deja la «Playa de muerto», donde tuvo sus misterios «Cofresí», que dicen por acá, y donde algunas almas crédulas suponen que están enterrados sus tesoros: no sobresale nada por encima del monte, y sale por encima del horizonte la oscuridad de la noche. Pero ninguno de los de la orilla que vieron salir la balandra, abandona su puesto de observación; porque ninguna quiere perder ese encanto que principia con los comentarios, que sigue con las comparaciones, y se anima con el deseo y concluye hasta con el suponer que —¡bendita la hora!— a algunos de los presentes los colmará Dios con la felicidad de poder dar siquiera un rival a los barcos de la orilla, como ese que se va «a mojar la vela».

A mojar la vela; ni más ni menos. Todos saben lo que es mojar la vela. Puesto que los hilos de la malla con que está tejida la lona no son tan compactos como para impedir que pierda el aire la fuerza con que hincha las velas, es preciso que los hilos se estrechen y para estrecharlos está el agua salitrosa, y ninguna agua más amarga que la del mar que baña el escollo de la Catalina. Por eso van las embarcaciones nuevas a mojar sus velas cerca del escollo. Consiste la operación sencillísima en echar sobre aquellas amargas ondas todos los trapos de que se viste la embarcación, y echados los dejan, a veces media noche, a veces una noche completa; todo el tiempo que sea necesario para que las velas se enchumben y para dar cima a esta tradicional fiesta o necesidad.

No se hable del sentido profundo y grave, industrialmente, que se comprende al examinar los productos naturales de la tierra dominicana con que tales obras son construidas, ni de lo que en alcance de artífice logra en ellas quien no ha tenido más arte que el de sus propias advertencias, mejoradas por el gusto y movidas al acicate de una modesta ambición. Pero que no se deje de hablar sobre la constancia sin límites con que cualquier improvisado artista persigue aquí la construcción de una balandra. Robando tiempo a su diurna labor de artesano pobre, y cercenando el haber necesario a su propio sostenimiento, tan dedicado a su trabajo como la abeja, se pasa los años con un aumento de la esperanza a cada astilla engarzada en la armadura y aumentando siquiera con un clavo su obra cada día. Así sucede muchas veces que a esa explosión de aficionados y amantes de las cosas de la marinería se juntan explosiones indefinibles de algún hogar y de algunos pensamientos; del hogar que ve un aumento de riquezas en la obra realizada; de los pensamientos que se forman ilusiones de dicha, al compás de la breve quilla que hiere ondas azules ■

José Ramón López
(1866-1922)

Su campo de acción fue el periodismo, aunque es autor de Cuentos Puertoplateños *(1904) y de otras narraciones cortas, anecdóticas y localistas. Ensayista, sus trabajos enfocan con aguda penetración los fenómenos característicos de la evolución socio-política dominicana.* La alimentación y las razas *(1896) y* La paz en la República Dominicana *(1915) son sus dos ensayos sociológicos más conocidos.*

La alimentación y las razas

I

Desde que un pueblo comienza a contar entre sus virtudes la facultad de prescindir a menudo del alimento necesario, puede asegurarse que ha entrado en la decadencia. Todas las naciones tipo del semiberbarismo son sobrias en ese sentido que conviene. El marroquí vive con un puñado de dátiles, o de arroz mal preparado, olvidando los tiempos de esplendor de su raza, e incapaz del esfuerzo necesario para renovarlos. El turco, que se enorgullece de subsistir con poco, permanece refractario a la civilización hace siglos, y no se mueve sino para retroceder perdiendo los territorios que conquistara cuando aún no había comenzado, con la privación sistemática, a aniquilarse el vigor de su organismo. El indio del Indostán, que se alimenta tan parcamente, comenzó por perder la refinada civilización que cultivó durante siglos, y acabó por dejarse subyugar de una compañía de comerciantes, sin que los 150.000.000 de pobladores pudiesen salvar al país de tan débil conquistador. La China, alimentada exclusivamente de arroz, se petrificó desde hace siglos, perdió la aptitud de salir de la rutina, y con 400 millones de habitantes es juguete de pequeñas expediciones o sucumbe ante el esfuerzo del Japón, que le es diez veces inferior en número.

En aquellas regiones de la Europa meridional, donde no es nutritiva, o se verifica con irregularidad, la alimentación de las masas, éstas han degenerado visiblemente, perdiendo el vigor y muchas de las facultades útiles que antes poseían. Varias provincias italianas sólo contribuyen a la emigración con un número vergonzosamente grande de pordioseros disfrazados de organistas de manubrio, de limpiabotas siempre sucios y de gente de moral dudosa, propensa al bandidaje y al asesinato. En los pueblos del norte, tanto de Europa como de América, donde se come mucho y tres veces al día, la intelectualidad de los individuos se conserva en un promedio mucho más alto, haciendo capaz, al mayor número, de vigorosos esfuerzos mentales y musculares.

Desgraciadamente, en los pueblos latinoamericanos se considera también virtud esa frugalidad malentendida que consiste en regatear al organismo la nutrición que necesita, o proporcionársela con una irregularidad opuesta a todos los principios de higiene. Hace muchas décadas que estos pueblos, especialmente el dominicano, por motivos que trataremos de señalar más adelante, comen menos de lo necesario, y esa es la causa más poderosa de la degeneración física y del apocamiento mental en que vivimos. A la par que se debilitó la fuerza de nuestros músculos, comenzó a cercenarse el tesoro de nuestras ideas, a hacerse más mezquino el horizonte de la imaginación de nuestras masas, incapacitadas, mientras no reformen su régimen alimenticio, de seguir el paso de las naciones progresistas; fatigadas en ese viaje incesante como el corcel a quien olvidara de dar pasto su jinete. Necesitamos un apóstol de la comida que venga a enseñar a comer a las gentes, y les predique que la civilización no la adquieren ni la conservan sino los pueblos que tienen una buena cocina.

II

Es increíble lo poco que se come en nuestras ciudades. La frugalidad ha sido extremada hasta el punto de que la dieta de la generalidad es un régimen debilitante que enerva el organismo y lo deja a merced de todos los órganos patogénicos, contra los cuales se encuentra completamente indefenso. Cualquier enfermedad ligera se hace grave y pasada la primera juventud se convierte la existencia en una serie de achaques que inutilizan al individuo y hacen preferible la muerte como remedio único a tan tenaces y prolongadas miserias. Desde temprano hace presa en ellos la dispepsia con su implacable séquito de fenómenos dolorosos que expulsan la alegría y convierten el hogar en un infierno donde el mal humor, la cólera y el apocamiento dominan como estado de ánimo permanente.

En las ciudades, exceptuadas algunas familias, sólo se hace una comida medianamente nutritiva al día. El desayuno no se compone más que de una tacita de café con leche, pan y mantequilla, en cortas proporciones; y con ese alimento insuficiente van todos, letrados y obreros, a hacer recia tarea, desde las seis o las siete de la mañana, hasta las doce o la una, hora de un almuerzo que pocas veces se puede calificar de opíparo. Comúnmente los platos son de carne, plátanos, arroz y frijoles no muy abundante el primero, engañándose casi siempre el deseo con caldos espesados a fuerza de ahuyamas, en los que entra como mínimo elemento la carne, cuyo excelente sabor nunca se percibe en ellos. Son aguas hervidas más o menos inofensivas, pero con las cuales no se puede contar para nutrir a nadie. Al anochecer, después de una fatiga de cinco horas de trabajo el organismo rendido no alcanza más compensación que una taza de café con leche o de chocolate, con un panecillo y mantequilla de oleomargarina, cuyos elementos indigeribles irritan el estómago, en vez de alimentarlo. Todavía hay quienes atenúan esa dieta, trocando los líquidos de la mañana y de la tarde por infusiones de hoja de naranja, o de feregosa, o jengibre, de manera que la comida escasa del mediodía queda como un sandwich entre dos medicamentos. Considérese a qué estado de empobrecimiento no se reducirá el individuo sometido a ese régimen, y no será ya extraño encontrar tantas caras pálidas, tanta anemia, tantos cuerpos débiles y raquíticos, tantos seres degenerados, tristes retoños del godo y del etíope, razas vigorosas que bien alimentadas dan a la humanidad los ejemplares más fuertes y más desarrollados. No será ya extraña para el observador la multitud de ideas falsas, mórbidas, que germinan y se difunden entre el pueblo como fruto malsano de la planta en decadencia. A este respecto, la mala alimentación nos cuesta mucho más que si viviéramos ahítos, porque no hay pueblos más pobres que los pobres en ideas sanas y claras. El pecado que recibe más severa penitencia es el de pensar mal, el de aconsejarse en el error, el de escoger voluntaria e involuntariamente el nivel más bajo del entendimiento humano, en vez de bregar por ponerse en el más alto. Y no puede radiar toda la luz que en sí tiene latente, no puede concebir con el acierto de que es susceptible, un cerebro extenuado por las privaciones, reducido a su más ínfima expresión por el semiayuno perenne en que le mantienen. El alimento paga con creces el valor que en él se invierte. Es capital que, como el maíz, da ciento por uno. Es cambiar la comida prosaica por la producción espiritual más sublime y más rica, transformación misteriosa y admirable que se verifica rápidamente en las entrañas.

Pero la mayoría no quiere comprender aún ese negocio excelente de convertir comidas suculentas en ideas lucrativas, y por añadidura en cuerpos hermosos y robustos, teñidos de color delicado y saludable, aptos para amar, alegrarse, ser valientes y recoger en el mundo los infinitos placeres de que está sembrado y que no más son accesibles a la inteligencia, la fuerza y la belleza, tres excelsas manifestaciones de un solo poder que únicamente se crea y se mantiene con la buena alimentación. A menudo se oye clamar contra los negociantes porque importan provisiones de calidad inferiorísima, malsanas y poco nutritivas casi todas. El cargo es injusto, sin embargo, y corresponde equitativamente al público, porque descontando personas que saben amarse y amar a los suyos, las demás se resisten a pagar alimentos buenos y solicitan los baratos como si fuera para surtir la mesa de sus más odiados enemigos. Ven en la alimentación una carga en lugar de considerarla como una bendición que nos prodiga placeres y beneficios; y creen que se puede engañar impunemente al estómago sustituyéndole lo que necesita por artículos inferiores que no le convienen. Él se venga inflexiblemente condenando a sus defraudadores, como en los tremendos castigos bíblicos, a constante miseria física e intelectual de generación en generación hasta el aniquilamiento de la raza. En Puerta Plata se importa legítimo aceite de olivas, mantequilla danesa de leche pura, arroz de Carolina o de Valencia, manteca de cerdo refinada, y esos artículos envejecen en los almacenes hasta que el dueño y poquísimos amigos los consuman, mientras que el pueblo, no satisfecho con la baratura del aceite de algodón, pide nocivas imitaciones de éste, mantequilla de oleomargarina casi rancia, arroz malísimo del Indostán y manteca que de cerdo no tiene ni apariencia. Es un envenenamiento adrede con tósigos lentos, pero seguros por desconocimiento de las más rudimentarias prescripciones de la higiene.

Esa nutrición escasa y perniciosa no repone el gasto de combustión que se verifica sin cesar en el organismo, e indistintamente acude el individuo a recursos que aminoran esa renovación de sustancia indispensable para mantener la salud y el vigor. Por eso es que se toma tanto café en la República, y tantas personas de la clase pobre se sienten irresistiblemente empujadas al uso de bebidas alcohólicas que no desearían si estuviesen bien alimentadas. Esos desgraciados cometen el mismo error en que incurriría el fabricante que por economía escatimase el combustible de sus máquinas. El gasto se reduciría un poco; pero ¿en cuánto no bajaría también la producción?

Del empobrecimiento a que se reduce el organismo nace la prevención generalizada contra muchos alimentos sanos. Incapaz al fin de digerir bien el estómago debilitado, cualquier cosa lo enferma y el paciente acusa a aquellos de la culpa y los proscribe de su mesa, en vez de aumentar la cantidad. Así creen muchos que el guineo es veneno-so, si se toma antes o después de la le-che, que el mamey mata, que el pláta-no con licor lleva a la eternidad a quien lo gusta; y toda indisposición tratan de curarla no comiendo y purgándose el día que la sufren.

En los campos es peor, y en otro artículo nos ocuparemos de lo que en ello acontece a ese respecto ■

NOVELA
PUERTO RICO

Manuel Zeno Gandía
(1855-1930)

Médico, patriota y novelista. Su narrativa sigue las pautas del naturalismo, quizá debido a la unión de su formación científica y su aguda capacidad para analizar el medio social que le rodea. Destaca en su obra la serie de novelas agrupadas bajo el título genérico de Crónicas de un mundo enfermo, *compuesta por:* Garduña *(1890),* La charca *(1894),* El negocio *(1922) y* Redentores *(1925). En este ciclo, y sobre todo en* Garduña *y* La Charca, *alcanza Zeno Gandía lo que se considera como el más logrado intento naturalista en la literatura hispanoamericana. De* Garduña *ha escrito la profesora Venus Lidia Soto: «Zeno Gandía recoge en esta novela una gama de experiencias humanas de su época. Son vivencias reales narradas con un calor de honda simpatía humana hacia las víctimas y de repulsa hacia sus victimarios. No obstante, como artista, el autor recrea, desde luego, esos hechos, infundiéndoles un sentido estético que da a la obra verdadero valor estilístico.»*

Garduña

Capítulo I

En lo alto de la montaña, se es-calonaba el camino. Un camino difícil, abrupto, abierto por la costumbre de los caminantes más que por el pico pene-trante del obrero. Después de esconderse en la estrecha garganta circunscrita por dos montañas, ensanchábase un tanto formando una pequeña planicie a expen-sas de una roca situada al borde del abis-mo. Era como un remanso... Una me-seta adonde se llegaba después de la fa-tigosa ascensión de una escarpa y de donde se salía descendiendo por otra aún más empinada.

Desde allí, a vista de pájaro, se contemplaba la llanura: una llanura ri-sueña, tendida entre la cadena de los montes y la ribera del mar.

Tres jinetes llegaron a la plani-cie guiando sus jadeantes cabalgaduras. La tarde era calurosa y aquel lugar con-vidaba al descanso. Allí podrían sacu-dir los miembros entumecidos, respirar la brisa errante y dilatar la mirada por apacibles horizontes.

De los viajeros, el que caminaba delante, echó pie a tierra, colgó la brida de la rama rota de un árbol y sentóse so-bre la menuda hierba que alfombraba el lugar. Era un hombre de mediana es-tatura, tronco largo, cargado de espaldas, alto de hombros, semblante duro, color mate, cejas pobladas, pelo escaso y enormes bigotes que podían anudarse por detrás del occipucio.

El segundo jinete imitó al primero. Sentóse también en la grama, doblando para conseguirlo su cuerpo de gansarón como se dobla sobre sus goznes un sillón de viaje, y dejando adivinar a través de la ropa la flaquencia de sus rodillas puntiagudas, de sus codos huesosos, en perfecta armonía con su nariz ganchuda, afilada y estrecha.

A poco, el tercero, que iba por la inclinación del repecho casi acostado sobre el cuello del caballo, llegó al remanso, desmontóse, respiró con fuerza, y fue bajándose lentamente hasta dejar casi tendido en la hierba su cuerpecillo pletórico y rechoncho.

—¡Diantres! —dijo el primer viajero— ¡Al diablo con las cuestas! Tamañas aventuras podrán abrir el apetito, pero a mí me lo cierran y me entumecen las coyunturas...

—Falta de costumbre, licenciado —añadió el segundo.

—No tanto... Vengan leguas en el llano, pero aquí... esto es para cabras y saltamontes. Tú tienes, por tu estatura de estandarte, la ventaja de sacar a tu gusto los pies del estribo quedándote parado en el camino. Para mí, esto es sofocante...

—¿Y yo? —dijo el tercer viajero riendo con toda la boca y mostrando una de sus piernas cortas y gordinflonas— ¿y yo, que necesito descolgarme del estribo para llegar al suelo?

—Como quiera que sea, gracias que no hemos perdido el día. A ti, Gil Pan, tus honorarios te pagan las molestias; y tú, Casapica, con las dietas tendrías holgadamente para curarte la apoplejía si te diera. Cuanto a mí...

—Cuanto a usted ya el cafetal de ese zoquete le pertenece y tampoco ha perdido el tiempo.

—Sí, aunque algún trabajo ha costado. Conmigo no hay cuartel: el que me la hace...

—Claro está hombre... Es preciso ser tonto de capirote para hacer lo que ese imbécil. ¡Resistir al licenciado Garduña poniéndosele enfrente!

—¡Bah!... es un tramposo. Me encarga la defensa de un pleito, lo transo, y después no quiere pagarme. ¡Habráse visto el muy...! Dice que la transacción le cuesta más de lo que hubiera perdido con el pleito, caso de perderle. ¡Como si yo tuviera la culpa de que se fuera a las greñas con su vecino! Pero no contó con que Hermógenes Garduña no ha nacido para dejarse zapatear por ningún mandria.

—Pecó de torpe.

—O de muy listo. Por eso, con la sentencia de desahucio, quise venir yo mismo. Temí que cambiara los *puntos* ¿eh? De esa manera, como ustedes han visto, he podido precisar personalmente los límites de la finca de ése, que ahora es mía.

—Sí —añadió Gil Pan desperezándose— ya esa agua pasó el molino. Por mi parte celebraría tener a diario una excursión como la de hoy. Estamos mal... no hay trabajo.

—Y lo poco que se hace, no produce. A la boca de mi tintero se le están formando telarañas. Necesitamos, ¡ah! necesitamos algunos asuntos de mayor cuantía...

Y así diciendo, dejó caer Garduña la mirada sobre el hermoso valle de

Paraíso. El panorama era espléndido, digno del pincel. Veíase allá abajo, la vega; allá lejos, el mar, y allá, más remoto, un horizonte coloreado por tintas indecisas. La vega, dividida en dos por un río; las márgenes de éste, cuajadas de favoritas cañas, y cerca de la desembocadura, sobre un ligero montículo, la población de Paraíso, llena de casitas blancas, con simetría de colmena y abarcando en su centro la ancha plaza donde, por encima de los edificios, se destacaba el techo pizarroso de la iglesia y la torre vetusta del campanario. A un lado del río, veíanse las líneas regulares que marcaban los sembrados y las colindancias, y también serpear alguna que otra vereda que aparecía o desaparecía a la mirada según el crecimiento de los pegujales que adornaban sus márgenes. A trechos, el color amarillo verdoso de la llanura interrumpíase, descubriéndose entonces, grupos de viviendas, y en el centro de ellas, erguidas y elevadas chimeneas, algunas humeantes, otras frías, pero todas levantando al espacio el atrevido vértice. En otros lugares de aquel poético campo, los cañaverales no existían y allí se contemplaban sólo hectáreas de color verde oscuro dedicadas a la producción de variadas hierbas y, en ellas, pastando mansamente el ganado, a veces a la descubierta, a veces bajo el fresco sombrío de bosquecillos de árboles frutales.

Había en todo aquel ámbito un aire de patriarcado encantador: parecía que la naturaleza había sonreído al posar en aquella comarca su planta de diosa. El mar, escalando las orillas, casi lamía los muros de Paraíso. El horizonte marino era ancho, y limitaba su amplia curva entre dos cabos que avanzaban en el mar formando una ensenada. En cierto lugar de ella, el azul marino se interrumpía surgiendo del agua la punta gris de una peña, por momentos desnuda y por momentos vestida de blanco por la espuma abandonada en el reflujo de las olas. Y allí, junto a la meseta donde hicieron alto los jinetes, una sierra virgen, un monte bravío, una maraña de árboles y lianas que iban escalonándose y sucediéndose hasta llegar al llano.

Garduña y sus compañeros contemplaron silenciosos el paisaje.

—Sí —exclamó Garduña como continuando en voz alta un pensamiento— el trabajo se paraliza, nadie riñe y nosotros acabaremos por morirnos de tedio. Y no será, ciertamente, porque en todo eso de ahí abajo no haya material bastante...

—¡Oh, ya lo creo! —contestó Gil Pan—. Si se desnudase a la mayor parte de los negocios de Paraíso, ya nos habría caído que hacer.

—¡Hay tanto cabo suelto!... Es una hoguera que no necesita más que el roce de dos leños para encenderse. ¡Dímelo a mí que conozco el fondo de las cosas, que tengo la madeja en la mano!

—La gente resbala... pero evita caer. Si le tendemos la mano, no la toma. Nos teme... cree que nosotros en vez de sostener, empujamos.

—Eso lo piensan cuando el negocio prospera. Cuando sopla el mal viento, apelan a nosotros y entonces...

—Yo me río de lo que digan y de lo que piensen.

—Miren ustedes —continuó Garduña— allá en la ribera de Gran Río, están los Lerdo. Famoso ingenio y dinero en caja... ¡No importa! Si diesen un traspié, uno solo, yo conozco el medio de hundirlos por medio siglo en un pleito ruidoso.

—¡Bah!... están ricos... viven como príncipes... pasean por París su hartura y ni el diablo lograría romper la unión que los liga.

—Si no fuera por esa unión ¿no serían ya polvo? Su porvenir, sin embargo, es oscuro. Allá más al norte, están los Gándara... Ésos han sido más aprovechables. ¡Cómo cambian los tiempos! ¿Quién hubiera dicho al octogenario Gándara que creyó al morir dejar la mansa prole unida por el cariño y el negocio, que a poco se habrían de desgarrar entre sí las ovejas! ¡Cariño... unión... fraternidad! Bonitas mentiras. El peso duro es egoísta, quiere ser solo, le molestan las componendas de familia... Lo dicho: si se remueve ahí abajo ¡cuánto *asunto*! Allí está San Telmo...

—Otro tanto... Se le escapó la fortuna de las manos cuando más segura la creía.

—Mucho le serví, hice por él cuanto pude. Sus acreedores salieron como pudieron. Él, como una planta parásita, vive todavía, de favor, en la vieja casa del Ingenio. ¿Veis? Allí... en la dirección de mi dedo...

—Justamente, y al lado las vegas de usted. A pesar de la distancia se descubre la *maya* divisoria de sus terrenos, licenciado.

—Pues... Algunas *cuerdas* que tomé en pago de mi defensa y mis trabajos. Y de la orilla izquierda de Gran Río, no se hable... Si golpeamos, nos sale como a Moisés, agua de la roca. Miren ustedes qué bien se divisa la propiedad de los Gamboa... ¡Hermoso predio! Y al lado, ese egoistón de Bermeo, que cosecha por igual la caña y su raza. ¡Qué hombre! Ha dado cuenta él solo de toda una familia de cuarteronas... Más allá, Rosa de Mayo, que ha enriquecido al viejo Andrea desolando al vecindario. Todo caerá, no hay cuidado. Es cuestión de paciencia... ¿Y qué me dicen ustedes de Mina de Oro?

—¡Oh!... Ahí sí que se viene pronto el mundo abajo... ¡Medio millón y sin heredero forzoso!

—Según parece, el bueno de don Tirso va por la posta. Ayer me decía el doctor Troncoso: *no doy una pepitaña por lo que le resta de vida.* Cuando muera, el asunto puede ser productivo.

—Tal vez lo sea mucho para usted, licenciado: como son ustedes colindantes...

—El tiempo dirá lo que pueda dar de sí ese asunto. Por lo pronto, Leonarda, hace cuentas galanas. No hace mucho, hablando del percance de la chica de Prisca... ya sabéis, aquella cuyo agresor nos dejó burlados...

—¡Mala centella extermine a ese mulato canalla! Después de hacerle tan bonita defensa, en que resultó inocente del rapto de Úrsula, alzó el vuelo sin pagarnos ni un céntimo. ¡Ni siquiera el papel sellado!

—Pues bien, hablando de ese asunto con Leonarda, me dijo: *haga usted las cosas de modo que la chica gane la cuestión... que el otro se case con ella... por consideraciones a Prisca le recomiendo mucho el caso... mire usted que pronto va a estar en mi mano cierto ab-intestato...*

—Se comprende: la buena señora hace ya sus cálculos, mientras al otro se lo come la úlcera. Y no está la cosa tan clara, porque si reconocen a la chiquilla y aparece el padre de la criatura...

Al oír aquellas palabras, Garduña sonrió. Sonrisa de autómata que nada expresaba como no fuera el disimulo en que la hipocresía esconde sus impresiones.

Después los viajeros guardaron silencio. Garduña con la mirada fija en el lugar de la vega donde se descubría la silueta indecisa de Mina de Oro; Gil Pan con la barba apoyada en los puños y los codos en las rodillas, contemplando el panorama de Paraíso; Casapica, medio tendido en la grama, apoyado en un codo y bostezando, de tiempo en tiempo como rico que se aburre.

El sol trasponía ya las vecinas cumbres y el frescor del ambiente denunciaba la vecindad del crepúsculo.

A poco, volvieron los viajeros a las cabalgaduras, montaron y emprendieron la marcha a Paraíso. Comenzaron a bajar el violento repecho que tras innumerables revueltas, terminaba en el llano, dispuestos, una vez en él a ganar a buen paso el poblado distante de aquel lugar como una legua.

Al ponerse en camino, Garduña ocupó el primer lugar, Casapica el segundo y Gil Pan el tercero...

—Licenciado —dijo Casapica procurando guardar el equilibrio echando los pies hacia adelante y el cuerpo hacia atrás—, licenciado, cuando llegamos a la Pica, interrumpió usted la narración que nos venía haciendo... ¿Recuerda usted? Nos decía, que lo que más le había gustado en Roma era...

—Justo, sí —contestó Garduña— lo mejor de Roma son las romanas. Caballeros ¡qué hembras! Pues bien, como decía, pasé el puente persiguiendo a aquella *donnina* y dispuesto a permanecer toda la noche en el Trastebere, si aquel diablillo coquetón se hubiera empeñado en ello. Yo no cejaba en la persecución y...

Las voces perdiéronse en el seno montuoso de las curvas del camino y aquellos hombres, vistos desde lejos, hubieran parecido tres reptiles descendiendo de una cima por el reborde de una roca.

El día entibiaba la intensidad de sus luminarias, la tarde arropaba apacible los horizontes y la naturleza caía lentamente en brazos de la noche, agitando la gentil celajería de nubes gualdas ■

CUBA

Cirilo Villaverde
(1812-1894)

Nació en Pinar del Río, Cuba, pero detenido por conspirar contra España escapó de la cárcel y huyó a los Estados Unidos, donde transcurre la mayor parte de su vida y muere. Como escritor se estrenó con unos relatos breves de carácter truculento, hasta que empezó a componer Cecilia Valdés, *novela que le tomó cuarenta años de labor y le acarreó el prestigio de que goza, pues evidentemente es la mejor narración cubana del siglo XIX y una de las más logradas de esa centuria en América Latina. Tres versiones hay de ella, siendo la definitiva la que su autor editó en 1882. La obra constituye un fresco de la vida cubana del primer tercio del siglo pasado, contada con amplitud de descripción y riqueza de personajes. Otros trabajos meritorios de Villaverde son:* La joven de la flecha de oro *(1840)*, El penitente *(1844)*, Dos amores *(1858)*, El guajiro *(1842) y* Excursión a Vuelta Abajo *(1891)*.

Cecilia Valdés

Capítulo VI

Y del tumulto indiscreto
Que ardiente en su torno gira,
Ninguno le dijo: «mira,
Aquél te adora en secreto
Que oyendo y viéndote está.»
RAMÓN DE PALMA.—
Quince de agosto.

Habrá comprendido ya el discreto lector, que la Virgencita de bronce de las anteriores páginas, no es otra que Cecilia Valdés, la misma jovenzuela andariega que procuramos darle a conocer al principio de esta verídica historia. Hallábase, pues, en la flor de su juventud y de su belleza, y empezaba a recoger el idólatra tributo que a esas dos deidades rinde siempre con largueza el pueblo sensual y desmoralizado. Cuando se recuerde la descuidada crianza y se una a esto la soez galantería que con ella usaban los hombres, por lo mismo que era de raza híbrida e inferior, —se formará cualquiera idea aproximada de su orgullo y vanidad, móviles secretos de su carácter imperioso. Así es que sin vergüenza ni reparo a menudo manifestaba sus preferencias por los hombres de la raza blanca y superior, como que de ellos es de quienes podía esperar distinción y goces, con cuyo motivo solía decir a boca llena,— que en verbo de mulato sólo quería las mantas de seda, de negro sólo los ojos y el cabello.

Fácil es de creer, que una opinión tan francamente emitida como contraria a las aspiraciones de los hombres de las dos clases últimamente mencionadas, no les harían buena sangre, según suele decirse; con todo eso, bien porque no se creyese sincera a su autora cuando la expresaba, bien porque se esperaba que hiciera una excepción, bien porque siendo tan bella era imposible verla sin amarla, lo cierto es que más de un mulato estaba perdido de amores por ella, sobre todos Pimienta el músico; como habrá podido advertirse. Este tal gozaba la inapreciable ventaja sobre los demás pretendientes de ser hermano de la amiga íntima y compañera de la infancia de Cecilia, con cuyo motivo podía verla a menudo, tratarla con intimidad, hacérsele necesario y ganar tal vez su rebelde corazón a fuerza de devoción y de constancia. ¿A quién no ha halagado en su vida esperanza más efímera? De todos modos, él siempre tenía presente aquel cantar popular de los poetas españoles, que principia, —Labra el agua sin ser dura, un mármol endurecido—, y puede decirse en honor a la verdad, que Cecilia le distinguía entre los hombres de su clase que se le acercaban a celebrarla, si bien semejante distinción hasta la fecha presente, no había pasado de uno que otro rasgo de amabilidad con un hombre por otra parte muy amable, cortés y atento con las mujeres.

Acabada la danza, se inundó de nuevo la sala y comenzaron a formarse los grupos en torno de la mujer preferida por bella, por amable o por coqueta. Pero en medio de la aparente confusión que entonces reinaba en aquella casa, podía observar cualquiera, que al menos entre los hombres de color y los blancos, se hallaba establecida una línea divisoria, que tácitamente y al parecer sin esfuerzo, respetaban de una y otra parte. Verdad es, que unos y otros se entregaban al goce del momento con tal ahínco, que no es mucho de extrañar olvidaran por entonces sus mutuos celos y odio mutuo. Además de eso, los blancos no abandonaron el comedor y aposento principal, a cuyas piezas acudían las mulatas que con ellos tenían amistad, o cualquier otro género de relación, o deseaban tenerla; lo cual no era ni nuevo ni extraño, atendida su marcada predilección. Cecilia y Nemesia, por uno u otro de estos motivos, o por su estrecha amistad con el ama de la casa, no bien concluyó la danza se fueron derecho al aposento y ocuparon asiento detrás de las matronas hacia el comedor. Allí sin más dilación se formó el grupo de los jóvenes blancos, porque, ya se ha dicho, aquellas dos muchachas eran las más interesantes del baile. Las personas conspicuas de ese grupo sin disputa que eran tres, el comisario Cantalapiedra, Diego Meneses y su amigo íntimo el joven conocido por Leonardo. Este último tenía apoyada la mano derecha en el canto de la silla ocupada por Cecilia, quien por casualidad o a posta, le estrujó los dedos con la espalda.

—¿Así trata Vd. a sus amigos?, le dijo Leonardo sin retirar la mano, aunque le escocía bastante.

Contentóse Cecilia con mirarlo de soslayo y torcerle los ojos, cual si la palabra amigo sonase mal en quien debía saber que era tratado como enemigo.

—Esa niña está hoy muy desdeñosa; dijo Cantalapiedra que notó la acción de la mirada.

—¿Y cuándo no?, dijo Nemesia sin volver la cara.

—Nadie te ha dado vela en este entierro; repuso el comisario.

—Y al señor ¿quién se la dado?, agregó Nemesia, mirándole entonces de reojo.

—¿A mí? Leonardo.

—Pues a mí, Cecilia.

—No hagas caso, mujer; dijo esta última a su amiga.

—Si no fuera por que... yo te ponía más suave que un guante; añadió Cantalapiedra hablando directamente con Cecilia.

—No ha nacido todavía, dijo ella, el que me ha de hacer doblar el cocote.

—Tienes esta noche palabras de poco vivir; le dijo entonces Leonardo inclinándose hasta ponerle la boca en el oído.

—Me la debe usted y me la ha de pagar; le contestó ella en el propio tono y con gran rapidez.

—Al buen pagador no le duelen prendas, dice a menudo mi padre.

—Yo no entiendo de eso, repuso Cecilia. Sólo sé que Vd. me ha desairado esta noche.

—¿Yo? Vida mía...

En aquella misma sazón se acercó Pimienta por la puerta de la sala saludando a un lado y a otro a sus amigas, y cuando se puso al alcance de Cecilia, ésta le echó mano del brazo derecho con desacostumbrada familiaridad, y le dijo, afectando tono y aire volubles.

—¡Oiga! ¡Qué bien cumple un hombre su palabra empeñada!

—Niña, contestó con solemne tono, aunque el caso no era para tanto; José Dolores Pimienta siempre cumple su palabra.

—Lo cierto es que la contradanza prometida aún no se ha tocado.

—Se tocará, Virgencita, se tocará, porque es preciso que sepa que a su tiempo se maduran las uvas.

—La esperaba en la primera danza.

—Mal hecho. Las contradanzas dedicadas no se tocan en la primera, sino en la segunda danza, y la mía no debía salir de la regla.

—¿Qué nombre le ha puesto? preguntó Cecilia.

—El que se merece por todos estilos la niña a quien va dedicada:— *Caramelo vendo.*

—¡Ah! Esa no soy yo por cierto; dijo la joven corrida.

—Quién sabe, niña. ¡Qué tarde vinieron!, agregó hablando con su hermana Nemesia.

—No me digas nada, José Dolores, repuso ésta. Costó Dios y ayuda persuadir a Chepilla el que nos dejase venir solas, porque lo que es ella no podía acompañarnos. Consintió a lo último porque vinimos en quitrín. Y aun así, (para añadir estas palabras miró a Cecilia como consultando su semblante), si no tomamos la determinación de meternos en él, nos quedamos... Chepilla se puso furiosa en cuanto que se asomó a la puerta y conoció...

—Chepilla no se puso *brava* por nada de eso, mujer; interrumpió Cecilia con gran viveza a su amiga. No quería que viniésemos porque la noche estaba muy mala para baile. Y tenía mucha razón, sólo que yo había dado mi palabra...

Por prudencia o por cualquier otro motivo Pimienta se alejó de allí sin aguardar a más explicaciones. No sucedió lo mismo con Cantalapiedra, que era hombre curioso si los hay, por lo que con sonrisa maliciosa le preguntó a Nemesia. —¿Se puede saber por qué la Chepilla se puso furiosa luego que reconoció el quitrín en que ustedes vinieron al baile?

—Como que yo no soy baúl de naiden, contestó la Nemesia prontamente, diré la verdad. (Cecilia le pegó un pellizco, pero ella acabó la frase.) Claro, porque conoció que el quitrín era del caballero Leonardo.

Naturalmente las miradas de Cantalapiedra y de los demás presentes al alcance de las palabras de Nemesia, se concentraron en el individuo que ella había nombrado, y aquél tocándole en el hombro le dijo:

—Vamos, no se ponga colorado, que el prestar el carruaje a dos reales mozas como éstas en noche tan fea, no es motivo para que nadie sospeche malas intenciones de un caballero.

—Ese quitrín, lo mismo que el corazón de su dueño, repuso Leonardo sin cortarse, están siempre a la orden de las bellas.

Salía entonces Pimienta por la puerta del comedor y oyó distintamente las palabras del joven blanco, convenciéndole desde luego, de quién era el quitrín en que Cecilia y su hermana Nemesia habían venido al baile. El desengaño le hirió en lo más vivo del alma, por lo que echando una mirada triste al grupo de jóvenes blancos, de seguidas pasó a la sala, donde después de armar el clarinete, tocó algunos registros, a fin de que entendieran sus compañeros que era tiempo de que se reuniera de nuevo la orquesta. Afinados los instrumentos, sin más dilación rompió la música con una contradanza nueva, que a los pocos compases no pudo menos de llamar la atención general y arrancar una salva de aplausos, no sólo porque la pieza era buena, sino porque los oyentes eran conocedores; aserto éste que creerán sin esfuerzo los que sepan cuán organizada para la música nace la gente de color. Se repitieron los aplausos, luego que se dijo el título de la contradanza, —*Caramelo vendo*, y a quién estaba dedicada, —a la *Virgencita de bronce*. De paso puede añadirse, que la fortuna de aquella pieza fue la más notable de las de su especie y época, porque después de recorrer los bailes de las ferias por el resto del año e invierno del subsecuente, pasó a ser el canto popular de todas las clases de la sociedad.

Excusado parece decir, que con una contradanza nueva, guiada por su mismo autor, y tocada con mucho sentimiento y gracia, los bailadores echaron el resto, quiere decirse, que llevaron el compás con cuerpo y pies; cuyo monótono rumor en toda apariencia duplicaba el número de la orquesta. Bien claro decía el clarinete en sus argentinas notas, —*caramelo vendo, vendo caramelo*; al paso que los violines y el contrabajo las repetían en otro tono, y los timbales hacían coro estrepitoso a la voz melancólica de la vendedora de ese dulce. Pero ¿qué era del autor de la pieza que tanta impresión causaba? En medio del delirio de la danza ¿había quién se acordaba de su nombre? ¡Ay! No. Como la noche avanzaba sin señales de bonanza, desde temprano la gente curiosa de la calle empezó a desamparar la puerta y ventanas del baile y a las once, no quedaba en ellas cara blanca, al menos de mujer. De esta circunstancia se aprovecharon los jóvenes de familias decentes, a que nos hemos referido más arriba, que abrigaban un cierto escrúpulo, para ponerse a bailar con las mulatas amigas o conocidas. Cantalapiedra tomó por pareja a la ama de la casa Mercedes Ayala, Diego Meneses a Nemesia y Leonardo a Cecilia; y parte por guardar en lo posible la línea de separación, parte por un resto de ese mismo tardío escrúpulo, establecieron la danza en el comedor, no obstante la estrechez y desaseo de la pieza.

Con semejante ocurrencia puede imaginar cualquiera la agonía del alma de Pimienta. Su musa inspiradora, la mujer adorada, se hallaba en brazos de un joven blanco, tal vez el preferido de su corazón, pues como sabemos, no ocultaba ella sus sentimientos, se entregaba toda al delirio del baile, mientras él, atado a la orquesta cual a una roca, la veía gozar y contribuía a sus goces, sin participar de ellos en lo más mínimo. La turbación de su espíritu, no fue, sin embargo, bastante a perjudicar su dirección de la orquesta, ni a influir desfavorablemente en el manejo de su instrumento favorito. Por el contrario, su inquietud y su pasión, no parece sino que encontraron desahogo por las llaves del clarinete, se exhalaron por decirlo así, según lo peregrino y suave de las notas que de él sacaba, esparciendo el encanto y la animación entre los bailadores. Como suele decirse, no quedó títere con cabeza que no bailara, pues se armó la danza en la sala, en el comedor, en el aposento principal y en el angosto y descubierto patio de la casa. ¿Qué mucho, pues, que entonces no pasara siquiera por la mente de los que tanto se divertían y gozaban, que el autor y el alma de toda aquella alegría y fiesta, José Dolores Pimienta, compositor de la contradanza nueva, agonizaba de amor y de celos?

Pasadas serían las doce de la noche, cuando cesó de nuevo la música, con lo que a poco empezaron a retirarse las personas que podían considerarse extrañas para el ama de la casa, porque hasta entonces no levantó ésta la voz diciendo que era hora de cenar. Y para apresurar la marcha, agarró ella por el brazo a dos de sus mejores amigas y a rastro casi las llevó al fondo del patio, donde dijimos que estaba puesta la mesa del ambigú. Tras ellas siguieron las demás mujeres y los hombres, entre los segundos Pimienta y Brindis, los músicos, Cantalapiedra y su inseparable corchete, el de las grandes patillas, Leonardo y su amigo Diego Meneses. Tomaron asiento en torno de la mesa las mujeres, únicas que cupieron, aunque eran pocas, los hombres se mantuvieron en pie cada cual detrás de la silla de su amiga o preferida. Quedaron juntos a una de las cabeceras Cantalapiedra y la Ayala, sin que sepamos decir si por casualidad o por hacer honor al comisario y a su categoría.

No cabe duda sino que el ejercicio del baile había aguzado el apetito de los comensales de ambos sexos, porque apoderándose los unos del jamón, los otros del pescado, aceitunas y demás manjares, en algunos minutos, todos comían y habían aliviado la mesa de una buena porción de su peso. Satisfecha la primera necesidad, hubo lugar a los rasgos de galantería y cariño, que en todos los países llevarán siempre el sello de la educación que alcanzan las personas que los ejercen. Las de la verídica historia, cuya fisonomía trazamos ahora a grandes pinceladas, no eran, en general, de la clase media siquiera, ni de la que mejor educación recibe en Cuba, y puede creerse sin esfuerzo, que sus rasgos de galantería y de cariño, en ninguna circunstancia tenían nada de delicados ni finos.

—Que diga algo Cantalapiedra; dijo alguien.

—Cantalapiedra no dice nada cuando come; contestó él mismo mientras roía la pierna del pavo.

—Pues que no coma si ha de callar; saltó otro.

—Eso no, porque comeré y diré hasta el juicio final; repuso el comisario. ¿Cómo quieren, sin embargo, que diga si aún no he remojado la garganta?

—¡Ahí va mi copa! ¡ahí va la mía! ¡tome ésta! exclamaron diez voces por lo menos, y otros tantos brazos se cruzaron sobre la mesa en dirección del comisario, quien empuñando una tras otra copa, cada cual llena de un vino diferente, se las fue echando al coleto, sin presentar más muestra del efecto que le causaban, que ponerse algo rubicundo y aguársele los ojos. Después llenando su propia copa de rico champaña, tosió, levantó el pecho, y en voz campanuda, aunque un sí es no es carrasposa, dijo:

—¡Bomba! En los felices natales de mi amiga Merceditas Ayala, décima.

Yo te digo en la ocasión,
Merceditas de mis ojos,
Que tu vista guarda abrojos
Pues que punza el corazón.
Ten de un triste compasión
Que por tus ojos suspira,
Que por tus ojos delira,
Que por tus ojos alienta,
Que por tus ojos sustenta
Esta vida de mentira.

Tras esta improvisación ramplona y de mal gusto, resonaron vivas y aplausos repetidos y estrepitosos, con destemplado golpeo de los platos con los cuchillos. Y como en recompensa de su poética labor, de ésta recibió una aceituna ensartada en el mismo tenedor con que acababa de llevarse el alimento a la boca, de esotra una tajada de jamón, de la de más allá un pedazo de pavo, de aquella un caramelo, de su vecina una yema azucarada, hasta que la Ayala puso término al torrente de obsequios, levantándose y pasando su copa, llena de Jerez, a Leonardo para que improvisara también como lo había hecho el complaciente comisario. Aprovechóse éste de la tregua que se le concedía tácitamente, para levantarse de la mesa, ir derecho, aunque disimuladamente, hasta el brocal del pozo, donde introduciéndose los dedos en la boca, arrojó cuanto había comido y bebido, que no había sido poco; y muy fresco y repuesto se volvió a la mesa. Merced a un medio tan sencillo como expedito, pudo tornar a comer y a beber cual si no hubiera probado bocado ni pasado gota en toda la noche. De los demás hombres que habían bebido con exceso y no conocían el remedio eficaz de Cantalapiedra, que más que menos, pocos acertaban a tener firme la cabeza, sin exceptuar el mismo joven Leonardo.

A esa lamentable circunstancia debe atribuirse el que un mozo tan fino como bien educado, se prestara también a hacer coplas y en obsequio de aquella heroína de la fiesta. Pero bien que mal las hizo, siendo no menos aplaudido y regalado que el anterior coplero, aunque fue de notarse, que lejos Cecilia Valdés de celebrar, como los demás, su esfuerzo poético, se mantuvo callada y visiblemente corrida. Tampoco tomó parte Nemesia en la celebración, si bien por causa muy distinta, a saber, por hallarse empeñada en un diálogo rápido y secreto con su hermano José Dolores Pimienta.

—¿Pues no va desocupada la zaga?, la decía él.

—Tal vez no; le replicaba ella.

—¿Y tú cómo lo sabes?

—Como sé muchas cosas. ¿Necesito yo tampoco que me den la comida con cuchara?

—Ya, pero tú no te explicas.

—Porque no hay tiempo ahora.

—Sobrado, hermana.

—Luego, las paredes oyen.

—¡Vaya! Cuando se grita.

—Vamos, no seas porfiado. Te digo que no lo hagas.

—Yo no pierdo la ocasión.

—Vas a pasar un mal rato.

—¿Qué me importa si hago mi gusto?

—Te repito, José Dolores, no te metas en camisa de once varas. No seas cabezadura. Con esa porfía me quitas las ganas de ayudarte. Yo entiendo de eso mejor que tú, lo estoy viendo.

Antes que se hubiera calmado el ruido de voces, de palmadas y de golpes en los platos y la mesa, Leonardo le dijo algo en secreto a Cecilia y salió a la calle arrastrando a Meneses por el brazo, sin despedirse de nadie, a la francesa, como dijo Cantalapiedra cuando los echó de menos. Una vez fuera, a pesar de la lluvia menuda, ambos jóvenes, siempre del brazo, tomaron a pie la calle de La Habana hacia el centro de la ciudad, y en la primera esquina que era la de San Isidro, Meneses siguió derecho y Leonardo tomó la vuelta del hospital de Paula.

Nubes ligeras, claro oscuras, despedazadas por el viento fresco del nordeste, pasaban unas tras otras en procesión bastante regular por delante de la luna menguante que ya traspasaba el cénit, y a veces dejaba caer rayos de luz blanquecina. La calle traviesa, angosta y torcida que llevaba el joven Leonardo no se despejó jamás, ni él vio a derechas su camino hasta que llegó a la plazuela del hospital antes dicho, y entonces sólo el lado izquierdo se alumbraba a ratos, pues las paredes de la iglesia de Paula, elevadas y oscuras, proyectaban una doble sombra sobre el espacio, exento. Arrimado a ellas, sin embargo, pudo distinguir su carruaje, los caballos del cual agachaban la cabeza y las orejas, en su afán de evitar la lluvia y el viento que les herían de frente. Estaba echado el capacete y no parecía el jinete por ninguna parte, ni en la silla, su puesto acostumbrado, ni en la zaga, ni el en vano de la ancha puerta de la iglesia, que podía servirle de abrigo. Pero a la segunda ojeada comprendió Leonardo dónde estaba. Sentado en el pesebrón del quitrín, le colgaban las piernas cubiertas con las botas de campana, mientras descansaba la cabeza y los brazos, medio vuelto, en los muelles cojines de marroquí. En el suelo yacía la *cuarta*, que en el sueño se le había desprendido de las manos, la recogió Leonardo al punto, levantó un canto del capacete y con todas sus fuerzas le pegó dos o tres zurriagazos a mantenente, por las espaldas presentadas.

—¡Señor! exclamó el calesero entre asustado y dolorido, descolgándose.

Ya de pie pudo verse que era un mozo mulato bastante fornido, ancho de hombros y de cara, más fuerte si no más alto que el que acababa de calentarle las espaldas con el zurriago. Vestía a la usanza de los de su oficio en la isla de Cuba, chaqueta de paño oscuro, galonada de pasamanería, chaleco de piqué, el cuello de la camisa a la marinera, pantalón de hilo, botas enormes de campana a guisa de polainas, y sombrero negro redondo galoneado de oro. Debemos mencionar también, como signos característicos del calesero, las espuelas dobles de plata, que no llevaba a la sazón el mulato de que ahora se habla.

—¡Oiga! le dijo su amo, pues lo era en efecto el joven Leonardo, —dormías a pierna suelta, mientras los caballos quedaban a su albedrío. ¿Eh? ¿Qué hubiera sucedido, si espantados por casualidad, echan a correr por esas calles de Barrabás?

—Yo no estaba durmiendo, niño; se atrevió a observar el calesero.

—¿Con que no dormías? Aponte, Aponte, tú parece que no me conoces o que crees que yo me mamo el dedo. Mira, monta, que ya ajustaremos cuentas. Lleva el quitrín a la *cuna*, toma las dos muchachas que trajiste en él, y condúcelas a su casa. Yo te espero en el paredón de Santa Clara, esquina a la calle de La Habana. No consientas que nadie monte a la zaga. ¿Entiendes?

—Sí, señor; contestó Aponte, partiendo en dirección de la garita de San José. En la puerta de la casa del baile, sin desmontarse, dijo a un desconocido que entonces entraba:

—¿Me hace el favor de decirle a la niña Cecilia que aquí está el quitrín?

A pesar del aditamento de *niña* de que hizo uso el calesero, que sólo se aplica en Cuba a las jóvenes de la clase blanca, el desconocido pasó el recado sin equivocación ni duda. Y ella incontinente se levantó de la mesa y fue a coger su *manta*, seguida de Nemesia y de la Ayala. Esta última las acompañó hasta la puerta de la calle, en donde se habían agrupado los pocos hombres que aún no se habían despedido. Allí teniendo todavía por la cintura a Cecilia, en señal de amistad y cariño, la dijo:

—No te fíes de los hombres, china, porque llevas la de perder.

—Y ¿yo me he fiado de alguno a estas horas, Merceditas? repuso Cecilia sorprendida.

—Ya, pero ese quitrín tiene dueño, y nadie da palos en balde. Tenlo por sabido. Me parece que me explico.

Con esto y con fingir Cantalapiedra que lloraba por la partida de Cecilia, cosa que causó mucha risa, ésta y Nemesia subieron al carruaje dándoles la mano Pimienta y de hecho quedó desbaratada la reunión.

Podía ser entonces la una de la madrugada. El viento no había abatido ni cesado la llovizna que de cuando en cuando arrojaban las voladoras nubes sobre la ciudad dormida y en tinieblas. Conforme reza la expresión vulgar, la oscuridad era como boca de lobo. No por eso, sin embargo, perdió el joven músico la pista del carruaje que conducía a su hermana y a su amiga, antes por el ruido de las ruedas en el piso pedregoso de las calles, le fue siguiendo las aguas, primero al paso redoblado y luego al trote, hasta que le alcanzó cerca de la calle de Acosta. Puso la mano en la tabla de atrás, se impulsó naturalmente con la carrera que llevaba y quedó montado a la mujeriega. Al punto le sintió el calesero e hizo alto. —Apéate, le dijo Nemesia por el postigo. —No hay para qué, dijo Cecilia. —Yo les voy guardando las espaldas; dijo Pimienta. —Apéese Vd., dijo en aquella sazón Aponte que ya había echado pie a tierra. —¿No te lo decía? añadió Nemesia, hablando con su hermano. —Aquí dentro van mi hermana y mi amiga; observó el músico dirigiéndose al calesero. —Será así, repuso éste; pero no consiento que nadie se monte atrás de mi quitrín. Se echa a perder, camará; agregó notando que se las había con un mulato como él. —Apéate, repitió Nemesia con insistencia.

Obedeció José Dolores Pimienta, conocidamente después de una lucha sorda y terrible consigo mismo, en que triunfó la prudencia; pero cediendo y todo en aquella coyuntura no renunció a la resolución tomada de seguir el carruaje. Volvió a montar el calesero y continuó la carrera derecho hasta desembocar en la calle de Luz, torciendo allí a la izquierda hacia la de La Habana. Cerca del cañón de la esquina estaba un hombre de pie, guarecido del viento y de la menuda llovizna, con las elevadas tapias del patio, perteneciente al monasterio de las monjas Claras. En ese punto paró Aponte por segunda vez el quitrín, el hombre en silencio subió a la zaga, diciendo luego a media voz: ¡Arrea! Partió entonces aquél a escape, pero no sin dar tiempo a que se acercara lo bastante el músico, para advertir que el individuo que le reemplazó en la zaga del carruaje era el mismo joven blanco Leonardo que tantos celos le había inspirado en la *cuna* ■

REPÚBLICA DOMINICANA

Manuel de Jesús Galván (1834-1910)

Perteneciente al grupo de la primera generación literaria de jóvenes dominicanos, su vocación por las letras se manifestó inicialmente en el periodismo. En 1879 dio a conocer la primera parte de Enriquillo, *y la obra completa tres años después, en 1882. Bajo la influencia de la novela histórica, es no sólo la obra más lograda de la narrativa dominicana, sino una de las mejores novelas que produjo el movimiento indigenista en toda América Latina. Apoyándose en personajes y hechos verídicos, Galván traza en ella un cuadro sumamente completo de la sociedad dominicana inicial. Su estilo es sencillo y su lenguaje pulcro y decantado.*

Enriquillo

Capítulo XLI.—Alzamiento

Acaso logra el águila prisionera romper las ligaduras con que una mano artificiosa la prendiera en traidora red; y entonces, nada más grato y grandioso que ver la que fue ave cautiva, ya en libertad, extender las pujantes alas, enseñorearse del espacio etéreo, describir majestuosamente amplios círculos, y elevar más y más el raudo vuelo, como si aspirara a confundirse entre los refulgentes rayos del sol.

Aún no hace ocho días que Enriquillo, el abatido, el humillado, el vilipendiado cacique, ha salido de la inmunda cárcel, donde lo sumiera el capricho y la arbitrariedad de sus fieros cuanto gratuitos enemigos. Cada minuto, de los de esa tregua de libertad ficticia, ha sido activa y acertadamente aprovechado para los grandes fines que revuelve en su mente el infortunado siervo de Valenzuela.

Tamayo se multiplica, va, viene, vuelve, corre de un lado a otro con el fervor de la pasión exaltada, que ve llegar la hora de alcanzar su objeto. Enriquillo ordena, manda, dirige, prevé: Tamayo ejecuta sin réplica, sin examen, con ciega obediencia, todas las disposiciones del cacique. Éste es el pensamiento y la voluntad; aquél es el instrumento y la acción. Lo que en una semana prepararon e hicieron aquellos dos hombres, se hubiera juzgado tarea imposible para veinte en un mes.

La fuga a las montañas está decidida; pero se trata de un alzamiento en forma, una redención, mejor dicho. Enriquillo no quiere matanza, ni crímenes; quiere tan sólo, pero quiere firme y ardorosamente, su libertad y la de todos los de su raza. Quiere llevar consigo el mayor número de indios armados, dispuestos a combatir en defensa de sus derechos; de derechos ¡ay! que los más de ellos no han conocido jamás, de los cuales no tienen la más remota idea, y que es preciso ante todo hacerles concebir, y enseñárselos a definir, para que entre en su ánimo la resolución de reivindicarlos a costa de su vida si fuere necesario. Y este trabajo docente, y ese trabajo reflexivo y activo, lo hacen en tan breve tiempo la prudencia y la energía de Enriquillo y de Tamayo combinadas.

Un día más y la hora de la libertad habrá sonado; y mientras Enrique, seguido de dos docenas de indios de a pie y de a caballo, transportará a Mencía a las montañas de Bahoruco, otros muchos siervos de la Maguana, en grupos más o menos numerosos, se dirigirán por diversos caminos al punto señalado; y el valeroso Tamayo, con diez compañeros escogidos por él, aguardará a que la noche tienda su negro manto en el espacio, para caer por sorpresa sobre la cárcel, y arrebatar a Galindo del oscuro calabozo en que el desdichado purga su fidelidad y abnegación, hasta tanto el juzgado superior confirme el fallo de Badillo condenándolo a pena de horca.

La Higuera es el sitio donde se reúnen los principales iniciados en la conjuración, para dar los últimos toques al plan trazado por Enriquillo. Allá han vuelto pocos de los indios que Valenzuela hizo conducir al Hato; lo que atenuando la vigilancia de los feroces calpisques, facilita la adopción de medidas preparatorias que en otro caso no hubiera dejado de llamar su atención. Allí estaban congregados los caciques subalternos Maybona, Vasa, Gascón, Villagran, Incaqueca, Matayco y Antrabagures; todos resueltos a seguir a Enriquillo con sus tribus respectivas. Allí también los caciques de igual clase, Baltasar de Higuamaco, Velázquez, Antón y Hernando de Bahoruco, que con algunos otros deben quedarse tranquilos por algún tiempo, con el fin de proveer armas, avisos y socorros de todo género a los alzados, a reserva de seguirlos abiertamente en sazón oportuna. Otros tres caciques, cuyos nombres son Pedro Torres, Luis de Laguna y Navarro toman a su cargo llevarse consigo al Bahoruco los magníficos perros de presa de Luis Cabeza de Vaca y de los hermanos Antonio y Gerónimo Herrera, ricos vecinos y ganaderos de la Maguana, a quienes estaban encomendados los referidos caciques.

Estas disposiciones comienzan a recibir puntual ejecución desde la noche siguiente.

Enriquillo va por la tarde a la villa a tomar consigo a Mencía, que se despide amorosamente de su buena amiga Doña Leonor. Ésta hace que el cacique le prometa enviarle muy pronto con las necesarias precauciones un emisario discreto, para enterarla del éxito de su alzamiento; y ofrece a su vez hacer en toda la Maguana y escribir a Santo Domingo la defensa de aquella resolución extrema, para que todos sepan con cuánta razón la había adoptado su infeliz amigo. Enrique, penetrado de honda gratitud, besa la mano de aquella generosa mujer, y parte con su esposa para La Higuera.

Hacen sin pérdida de tiempo sus preparativos para la fuga: las santas imágenes domésticas, las ropas y los efectos de mayor aprecio y utilidad de ambos esposos, en bultos de diversos tamaños, son confiados a unos cuantos mozos indios ágiles y fuertes. Mencía también es conducida en una cómoda litera, llevada por un par de robustos naborias que no sienten incomodidad ni fatiga con aquel leve y precioso fardo; otros llevan del diestro dos o tres caballos destinados a relevos, y entre los cuales luce el dócil y gallardo potro, regalo de Doña Leonor a Mencía, cubierto de ricos jaeces, para el uso de la joven señora. Anica monta con desembarazo una excelente cabalgadura, y Enriquillo cierra la marcha con cuatro jinetes más y el resto de la escolta a pie, todos perfectamente armados.

En el orden referido salieron de La Higuera, donde quedaba casi solo el buen Camacho, que incapaz de abandonar el sitio en que le dejara su amo, después de hacer cristianas advertencias a Enriquillo, permanecía orando fervorosamente en la ermita, por el éxito feliz de su formidable empresa. Era noche cerrada cuando los peregrinos se pusieron en marcha, sin que los confiados opresores llegaran a sospechar siquiera el propósito de las víctimas, conjuradas para recuperar su libertad.

La parte del proyecto encomendada a Tamayo fue la que presentó mayores dificultades. Cierto que la cárcel estaba flojamente custodiada por media docena de guardas que tenían casi olvidado el uso de sus enmohecidos lanzones: pero aquella noche quiso la casualidad, o el diablo, que nunca duerme, que el teniente Gobernador y los regidores de la villa dieran un sarao en la casa del Ayuntamiento, situada a corta distancia de la cárcel, festejando oficialmente la investidura imperial del rey Don Carlos de Austria.

Tamayo no encontró, pues, a la media noche cuando fue con sus hombres a libertar a Galindo, la soledad y las tinieblas que debían ser sus mejores auxiliares; y comenzaban a desesperarse por el contratiempo, cuando le ocurrió un ardid que llevó a cabo inmediatamente.

Dispuso que dos de sus compañeros fueran a poner fuego a la casa de uno de los pobladores que él más aborrecía por sus crueldades, y en tanto que se ejecutaba la despiada orden, él, con su gavilla, se quedó oculto detrás de la iglesia, esperando el momento de obrar por sí.

No pasó media hora sin percibirse el rojo reflejo de las llamas coloreando con siniestro fulgor las tinieblas de la noche. Entonces Tamayo corrió al campanario de la iglesia, que no era de mucha elevación, y tocó a rebato las campanas, dando la señal de incendio.

Los encargados de la autoridad salieron todos precipitadamente a llenar o hacer que llenaban, el deber de acudir al lugar del incendio. Siguiéronles en tropel todos los caballeros y músicos de la fiesta, y en pos de éstos los guardianes de la cárcel abandonaron su puesto para ir también a hacer méritos a los ojos de sus superiores. Esto era precisamente lo que previó y esperaba Tamayo. Corrió como una exhalación adonde estaban los suyos, y cargando todos a un tiempo con las férreas barras de que estaba provistos, hicieron saltar a vuelta de pocos esfuerzos las partes de la cárcel, penetraron en su interior, y Tamayo voló a la mazmorra en que yacía el pobre Galindo aherrojados los pies con pesados grillos. Sin detenerse ni vacilar, el fuerte indio toma en brazos a su compañero, sube en dos saltos las gradas de la mazmorra y sale con su carga de la cárcel, seguido de toda la partida expedicionaria, antes de que nadie pudiera darse cuenta del audaz golpe, y cuando el incendio estaba aún en su apogeo. Los demás presos se quedaron por unos instantes suspensos, y pasado un buen rato fue cuando los más listos y deseosos de salir de aquel triste lugar, siguieron las huellas de sus inopinados libertadores.

Otros presos más tímidos permanecieron allí temblando y dieron cuenta de lo ocurrido, después que sofocado el incendio volvieron a sus puestos con aire de triunfo el alcaide y los guardas, quienes se llenaron de estupor al darse con las prisiones forzadas y todo el establecimiento en desorden. El teniente Gobernador y los regidores recibieron aviso inmediatamente; y una estruendosa alarma, cundiendo al punto de casa en casa, mantuvo en vela por todo el resto de la noche a los asombrados habitantes de San Juan de la Maguana.

Capítulo XLII.—Libertad

Las majestuosas montañas del Bahoruco se presentaron a las ávidas miradas de los infelices que iban a buscar en ellas su refugio, al caer la tarde que siguió a su nocturna emigración de la Maguana. Viendo en lontananza aquella ondulante aglomeración de líneas curvas que en diversas gradaciones limitaban el horizonte al oeste, destacándose sobre el puro azul del éter, Vasa, uno de los caciques indios de la escolta, detuvo su caballo, señaló con la diestra extendida la alta sierra, y pronunció con recogimiento estas solemnes palabras: «¡Allí está la libertad!» Los demás indios oyeron esta expresiva exclamación conmovidos, y algunos la repitieron maquinalmente, contemplando las alturas con lágrimas de alegría. Entonces Enriquillo les habló en estos términos:

—¡Sí, amigos míos; allí está la libertad, allí la existencia del hombre, tan distinta de la del siervo! Allí el deber de defender esforzadamente esa existencia y esa libertad; dones que hemos de agradecer siempre al Señor Dios Omnipotente, como buenos cristianos.

Esta corta alocución del cacique fue escuchada con religioso respeto de todos. El instinto natural y social obraba en los ánimos, haciéndoles comprender que su más perentoria necesidad era obedecer a un caudillo; que ese caudillo debía ser Enrique Guarocuya, por derecho de nacimiento y por los títulos de una superioridad moral e intelectual que no podían desconocerse. Vasa y los demás caciques de la escolta eran precisamente los más idóneos, por su valor e inteligencia, para apropiarse la jefatura y la representación de los demás indios. Enriquillo fue aclamado allí mismo por ellos como caudillo soberano, sin otra formalidad o ceremonia previa que el juramento de obedecerle en todo, según lo propuso el viejo Antrabagures.

Casi al anochecer comenzaron a subir por un escabroso desfiladero, que se abría paso por entre derriscos perpendiculares y oscuros abismos. En aquella hora el sitio era lúgubre y horroroso. Mencía sintió crisparse sus cabellos por efecto del pánico que helaba su sangre, al oír resbalar por la pendiente sombría las piedras que se desprendían al paso de los conductores de su litera; pero Enriquillo, que se había desmontado del caballo confiándolo a un joven servidor, seguía a pie a corta distancia de su esposa, que al verle llegarse a ella ágil y con planta segura en los pasos más difíciles, recobraba la serenidad, y acabó por familiarizarse con el peligro.

Pararon al fin en una angosta sabaneta, donde había dos o tres chozas de monteros; y allí se dispuso lo necesario para pasar la noche. Hízose lumbre, se aderezaron camas para Mencía y Anica, con las mantas de lana y algodón de que llevaban buena copia, y los demás se instalaron como mejor pudieron, después de cenar lo que llevaban a prevención. Hicieron todos devotamente sus oraciones, y se entregaron al descanso.

Al amanecer, la caravana siguió viaje al interior de las montañas. Antes del mediodía llegó a las orillas de un riachuelo, que serpenteaba entre enormes piedras: lo vadearon, subieron todavía una empinada cuesta, y se hallaron en un lindo y feraz vallecito circundado de palmeras y otros grandes árboles. Desde allí se descubría un vasto y gracioso panorama de montes y laderas, matizadas a espacios con verdes y lozanos cultivos. Aquél fue el sitio de la elección de Enriquillo para hacer su primer caserío o campamento estable, y así lo declaró a sus subordinados; comunicándoles al mismo tiempo que su plan consistía en multiplicar sus sementeras y habitaciones en todos los sitios inaccesibles y de favorables circunstancias, que fueran encontrados en la extensa sierra; a fin de tener asegurado el sustento, y cuando no pudieran sostenerse en un punto, pasar al otro donde nada les hiciese falta.

Todos aplaudieron la prudente disposición, y se pusieron a trabajar con ardor para cumplirla. Una cabaña espaciosa y bastante cómoda quedó construida aquel mismo día, para el cacique soberano y su esposa; otras varias de muy buen parecer la rodearon enseguida, y las cuadrillas de labradores, bien repartidas, comenzaron desde luego a trabajar en los conucos, desmontando y cercando terrenos los unos; limpiándolos y sembrando diversos cereales los otros. El tiempo era magnífico, y favorecía admirablemente a estas faenas.

Por la noche el cacique congregó ante la puerta de su habitación a todos los circunstantes, y rezó el rosario de la Virgen; costumbre que desde entonces quedó rigurosamente establecida, y a que jamás permitió Enriquillo que nadie faltara nunca. Los dos días siguientes se emplearon en igual manera de organizar el género de vida, las ocupaciones y policía de aquella colonia dócil y activa. Después comenzaron a afluir indios fugitivos de diferentes procedencias: primero los que de antemano estaban errantes por las montañas; más tarde los que seguían desde la Maguana a sus caciques, según la consigna que oportunamente recibieran. Por último, iban acudiendo los que en distintas localidades del sur y el oeste de la isla recibían de Enriquillo mismo o de sus compañeros aviso o requerimiento especial de irse a Bahoruco a vivir en libertad.

Al tercer día ya pudo contar Enriquillo hasta un centenar de indios de todas edades y de ambos sexos en su colonia; de ellos once que llevaban títulos de caciques, y veinte y siete hombres aptos para los trabajos de la guerra, armados de lanza y espada los primeros; de puñales, hachas y otras armas menos ofensivas los demás. Algunos tenían ballestas que aún no sabían manejar; otros un simple chuzo, y no faltaban gruesas espinas de pescado en la punta de un palo, a guisa de lanza.

Éste era el número y equipo bélico de la primera gente de armas de Enriquillo, cuando llegó Tamayo al campamento, seguido de Galindo y los demás expedicionarios que habían forzado la cárcel de San Juan, recogiendo y trayéndose de paso media docena de mosquetes y otras armas. Enrique reprobó mucho el incendio que sirvió para preparar la fechoría, medio que no había entrado en sus miras. Tamayo se disculpó como pudo, y, abonado por el éxito incruento y por la presencia de Galindo, a quien Enrique abrazó con efusión, quedó por bueno, válido y digno de aplauso todo lo que el bravo teniente había hecho.

Pero era de presumirse que el escándalo producido por aquellos actos precipitara la persecución de parte de las autoridades de la Maguana, facilitando el pronto descubrimiento de las huellas de los fugitivos. Así lo pensó Enriquillo, y se preparó al efecto.

Sus exploradores recibieron órdenes de estar muy apercibidos y dar oportuno aviso de cuanto observaran en las poblaciones inmediatas a la sierra; precaución que resultó superflua, pues en la tarde del cuarto día llegaron Luis de la Laguna y los dos caciques sus compañeros, con la traílla de perros de presa, dando la noticia de que Andrés de Valenzuela y Mojica habían debido salir de San Juan aquel mismo día, al frente de una banda de caballeros y peones, con ánimo de perseguir a Enriquillo y a los demás indios alzados que lo acompañaban.

No perdió tiempo Enriquillo al saber que se movían contra él sus enemigos, y fue al punto a establecer una línea de observación al pie de los montes, con los exploradores y centinelas convenientemente distribuidos, y una guardia para estar a cubierto de cualquier sorpresa. Vasa fue el jefe escogido por Enrique para mandar esa fuerza avanzada.

Tomada esta precaución. Enriquillo vuelve al campamento, y todo lo dispone con gran sosiego y serenidad de ánimo para hacer frente al peligro. Distribuye su gente en dos grupos, conservando a sus inmediatas órdenes quince hombres, los más de ellos caciques, a los cuales exhorta uno por uno a cumplir bien su deber.

Los viejos caciques Incaqueca y Antrabagures, prácticos en el arte de curar, provistos de bálsamos y yerbas, han de permanecer en determinado sitio, guardando las mujeres y los individuos inermes; y allí han de ser llevados los heridos a fin de que sean auxiliados debidamente. Los demás indios aptos para combatir, forman una hueste bajo el mando de Tamayo y Matayco, a quienes Enriquillo da instrucciones claras y sencillas para obrar juntos o separados, según lo exijan las circunstancias. Galindo, no sano aún de su herida, es obligado a quedarse con los caciques curanderos.

Ya terminados los preparativos de todo género, y atendidas las exigencias más minuciosas de aquella situación, Enriquillo, después de probar en una breve esgrima con Tamayo si sus manos conservaban la antigua destreza, y satisfecho de la prueba, hizo que los demás caciques primero, y por turno los demás guerreros improvisados, se ejercieran igualmente, ensayando su fuerza y agilidad en el uso de sus respectivas armas. La noche puso fin a estos ejercicios, y el inteligente y previsor caudillo no quedó descontento de la marcial disposición que había manifestado su gente ■

CUENTO

PUERTO RICO

Manuel A. Alonso y Pacheco (1822-1889)

Escritor y médico. A la par que estudiaba la carrera de medicina en Barcelona, España, junto con un grupo de estudiantes puertorriqueños editó el Album puertorriqueño *(1844) y el* Cancionero de Borinquen *(1846). Fue en estas publicaciones donde dio a conocer los cuadros de costumbres, en prosa y en verso, que más tarde agruparía en un libro singular:* El jíbaro *(1849). Reeditada en 1882-1883 esta obra, imprescindible para el conocimiento de las costumbres, los tipos y el habla campesina del Puerto Rico colonial, le valdría a su autor el título de padre del criollismo puertorriqueño.*

El jíbaro

El jíbaro en la capital

Don José de los Reyes Pisafirme es uno de mis buenos y antiguos amigos. En el pueblo de Caguas, donde él nació y adonde fueron a vivir mis padres cuando yo contaba tres años de edad, asistimos juntos a la escuela, y tanto la población como el hermoso valle que la rodeaba fueron el teatro de nuestras correrías y travesuras infantiles.

Mi amigo, que es labrador acomodado, tiene ya bastante años, aunque los lleva con la salud y robustez de un joven. En sus buenos tiempos fue muy trabajador, buen jinete y bailador incansable; hoy es un viejo sesudo y de buen juicio, que así maneja todavía el arado, como sirve una plaza de concejal, y hasta la presidencia, en el ayuntamiento de su pueblo.

Hace algún tiempo le escribí diciéndole que estaba delicado de salud y pensaba ir a pasar una temporada al campo. A los dos días recibí la contestación siguiente:

«Querido Manuel: Pasado mañana salgo para ésa y no volveré hasta que te traiga conmigo. Haremos el viaje cuándo y como quieras, porque para eso llevaré mi coche. —Tuyo— Reyes». Dicho y hecho: dos días después vino a buscarme, y al día siguiente estaba yo en su casa, donde, en el tiempo que permanecí, fui tratado a cuerpo de rey.

No es extraño, pues, que tuviera muchísimo gusto al recibir la siguiente carta hace unos dos meses. «Querido amigo: mi Francisca necesita tomar baños de mar. El médico lo dice y no quiero que pierda tiempo; además, sin que el médico lo diga ni yo lo necesite, ire con ella porque así lo quiere, y tú sabes que nunca dejo de complacerla, si puedo. Prepárate para sufrir este recargo que por la vía de apremio te impone y cobrará —tu amigo— Reyes». Acepté el recargo y me dispuse a pagarlo con la mejor voluntad y de muy distinto modo que si me lo hubiera impuesto el Estado, la Providencia o el Municipio.

El día de la llegada de mis huéspedes fuimos a oír la música a la plaza principal. La noche estaba muy serena, corría un fresco delicioso, la banda militar tocaba bien y el alumbrado era bastante mejor que otras veces.

—Todo esto es muy agradable —decía mi amigo—. Lo único que falta es la gente. Parece que a los habitantes de la capital gusta muy poco el paseo.

—Así es —contesté—. Aquí casi nadie pasea.

—Nunca las señoras fueron amigas de salir de su casa, pero yo recuerdo la época lejana ya en que la retreta empezaba en la Fortaleza; allí concurrían muchas señoras y caballeros, y de aquel punto iban paseando, por esta plaza y la calle de San Francisco, hasta la plazuela de Santiago, donde aún tocaba un poco la música.

—Eso era cuando estudiábamos en el Seminario. ¿Quieres que las señoras y señoritas de hoy hagan ese camino delante o detrás de una música militar?

—Yo nada quiero, aunque me gustaría ver más concurrido un sitio que lo es tan poco y sin razón.

—¿Recuerdas cómo era esta plaza en el año cuarenta?

—Perfectamente: su piso al nivel de las calles que la rodean era el natural, arenoso; de suerte que pocas veces había lodo porque el agua se filtraba; pero en cuanto corría el aire, se levantaban nubes de polvo muy molesto. Pocos años después se cubrió con baldosas en líneas cruzadas, de un metro de ancho cada una, y que dejaban entre sí cuadrados empedrados con chinos pequeños. En tiempo del general don Juan de la Pezuela, se levantó el piso a la altura que hoy tiene sobre las calles, y se construyeron las balaustradas, los asientos y demás obras. El alumbrado por el gas no se estableció hasta el gobierno del general Norzagaray, cuando se introdujo en la ciudad esta mejora.

«En el frente que hoy ocupa el palacio de la Intendencia había entonces una pared alta, sucia y en muchas partes desconchada, con dos órdenes de ventanas fuertemente enrejadas de hierro. Aquel tétrico edificio era el presidio, cuya entrada daba a la calle de San Francisco.

»En el lugar que hoy ocupan las oficinas de la Diputación y el Instituto provincial estaba el antiguo cementerio, cercado por una pared más negra, más sucia y más deteriorada que la del presidio, su vecino de enfrente.

»La casa en que hoy están el Casino Español, la Sociedad de Crédito Mercantil y el café La Zaragozana era entonces una construcción paralizada hacía años y cuyas paredes llegaban a la altura del piso principal.

»La casa del Ayuntamiento está poco más menos lo mismo. Tiene ahora una torrecilla más, y sobre la del reloj había una figura dorada, giratoria, representando la fama, que marcaba la dirección del viento.

»Tampoco ha mejorado mucho el aspecto de las fachadas de las casas; el que ha ganado bastante es el de las tiendas. En la que hoy tienen escrito en su muestra 'Tu Casa', tenía la suya don Antonio Garriga, aquel honradísimo catalán que fue tan amigo de tu padre. El mostrador de pino, pintado de verde, que imitaba un cajón prolongado, estaba cubierto con una pieza de coleta, tendida en varios dobleces a todo su largo; el aparador de igual madera y pintura que el mostrador; el piso de ladrillos comunes, y no tenía aquel establecimiento más almacén que la trastienda, sobrado capaz para guardar el pequeño surtido que el dueño traía de San Tomás una vez en el año, o acaso más de tarde en tarde. Añádase a esto el alumbrado que daba la llama de dos velas de composición, llamadas en aquel tiempo de esperma, y hasta ocho o diez asientos en forma de catrecitos de tijera con asientos de tela y se completará la imagen de lo que era una de las mejores tiendas de la plaza de Puerto Rico en mil ochocientos cuarenta.

»En ella se reunían por la noche, y hacían la tertulia a la puerta, varias personas de las más distinguidas de la ciudad; siendo una de ellas, hasta el año treinta y siete, el general don Miguel Latorre, y allí concurría, según aseguraban nuestros padres, el inolvidable bienhechor de la Isla, el intendente don Alejandro Ramírez, que con menos empleados, sin tantos expedientes y dinero hizo lo que ninguno ha hecho después ni antes de él.

—Tienes razón, amigo Reyes. Muchas veces oí decir a mi padre, que vio y habló no pocas, en la tienda de Garriga, con el célebre Ramírez, que éste iba allí casi todas las mañanas, vestido con pantalón de dril blanco, chaleco de piqué del mismo color y casaquilla de *calancán* *rayado. Con la mayor bondad y siempre de buen humor departía hasta con los jíbaros que venían a comprar. Era muy querido y más respetado cuanto más se le trataba; jamás se encastilló porque el que se encastilla es porque teme que, viéndolo de cerca, lo conozcan.

*Nombre con el cual se designaba: lo mismo una ligera tela de algodón que usaban en su vestido las señoras, que otra de hilo, rayada, bastante doble que usaban los hombres. El autor recuerda cierta copla que oyó cantar cuando niño y que decía: Aunque yo trabajo mucho, /Con lo poco que me dan/No puedo gastar zapatos/Ni chupa de calancán.

—Recuerdo —continuó mi amigo— el aspecto que presentaba esta plaza, único mercado público que existía en la ciudad. Menos la carne que se despachaba en un edificio que estaba en un sitio que hoy ocupa el colegio de niñas de San Ildefonso, todo lo demás se vendía en ella. Animación había mucha más, pero aseo tan poco como puede imaginarse de un sitio en que se detenían por más o menos tiempo las caballerías que traían diariamente los frutos del campo y donde quedaban los despojos de las ventas.

«A las dos o las tres hacía la limpieza una brigada de confinados del presidio, y por la noche el capitán que mandaba la guardia principal, alojada en las habitaciones bajas donde hoy se está ahogando por falta de espacio la Bibliotheca Municipal, el capitán, repito, hacía sacar unos bancos de pino con respaldar que ocupaban algunos de sus amigos y compañeros de armas, sin excluir los jefes, y alguna vez hasta el capitán general. A las diez de la noche se concluía esta tertulia al aire libre.

Desde la plaza fuimos a la Mallorquina, bonito café que hoy está de moda y que con justicia merece el favor del público, compartiéndolo con la Zaragozana y La Palma, establecimientos de la misma clase.

—En esto sí que hemos ganado —decía mi huésped al ver el aseo, la claridad del alumbrado y la bondad de los artículos que se servían—. De las antiguas confiterías, donde se despachaban confituras y vasos de refresco endulzados con paneles y algunas horchatas, y aun del primitivo café de Turull, muy mejorado después y cerrado este mismo año, hay hasta éste en que estamos gran diferencia.

«Por los años cuarenta y cinco o cuarenta y seis, en el café de las Columnas situado, si no me engaño, en los bajos de la casa que hoy lleva el número cuarenta y ocho de la calle de la Fortaleza, empezaron a servirse helados, artículo no conocido antes en la Isla. Desde aquella fecha comenzaron las señoras a concurrir a estos sitios, frecuentados antes sólo por los hombres.

Sería interminable la relación de las ocurrencias de mi amigo en todos nuestros paseos; sólo citaré algunas.

De las calles de la capital pensaba que hace cuarenta años eran mejores porque estaban recién empedradas, y no comprendía cómo a los coches que rodaban por ellas se les hacía pagar contribución, cuando se debía indemnizar a los dueños por los desperfectos que sufrían sus carruajes.

Del alcantarillado mal construido, incompleto, repugnante al olfato y perjudicial a la salud pública, me decía que debió ser inventado por un médico, un boticario o un alquilador de trenes de difuntos.

El puerto, un gran depósito de lodo sobre el cual resbalaban los barcos, y la aduana, lo comparaba a un edificio que hubiera pasado largo tiempo debajo del agua.

Pero cuando el jíbaro se puso serio fue el día que visitó el local que ocupa la Audiencia.

—¿Es posible —exclamó— que el primer Tribunal de Justicia de la Isla funcione en ese caserón ruinoso que parece más propio para almacén de trastos viejos?

Del ensanche de la población decía que hasta ahora había sido para los habitantes de la ciudad como el Mesías de los judíos.

—¡Quiera Dios —decía— que pronto se realice!

El autor repite lo mismo al terminar este artículo. ¡Quiera Dios que esta mejora, la limpia del puerto y otras varias que reclaman con urgencia la salud y el ornato públicos, se realicen pronto, para bien de una población digna por todos conceptos de la protección de todo gobierno que estime su buen nombre y desee la felicidad de sus gobernados! ■

Cayetano Coll y Toste
(1850-1930)

Nació en Arecibo, Puerto Rico, y murió en Madrid. Fue historiador, poeta, periodista y autor de leyendas que hicieron que se le denominara «el Ricardo Palma puertorriqueño». Se ha señalado que a su prosa le falta la agudeza del escritor peruano, pero sus tradiciones, nutridas de las esencias históricas y costumbristas borinqueñas, constituyen un rico acerbo del desarrollo de la Isla. Bajo el título de Leyendas puertorriqueñas *dio Coll y Toste a la imprenta estas piezas en 1924-25. En el terreno historiográfico a él se debe una publicación fundamental: el* Boletín histórico de Puerto Rico.

Leyendas puertorriqueñas

La campana del ingenio

I

La antigua hacienda de caña Rancho Viejo, cuyas mazas eran movidas por vigorosos bueyes, se habían convertido en el potente ingenio San Jorge, con máquinas de vapor y adquisición de mayores predios de terrenos para ensanchar el cultivo de la dulce gramínea.

Del viejo trapiche no quedaba en pie más que una torre circular, de fuertes muros, bien construida, que parecía recordar haber sido un molino de viento, utilizado con anterioridad tal vez a la bueyada para mover con auxilio de los alisios las mazas trituradoras, en un principio hechas de gruesos troncos de madera.

Don Jorge Smith, que transformó primeramente el trapiche melaero en molino hidráulico el año treinta y luego en una buena hacienda de tren jamaiquino, con buenas libras esterlinas de que disponía, completó la dotación de cuarenta piezas de esclavos, y convirtió la vieja torre en atalaya de la finca y lugar destinado para fijar la campana que había de despertar a los siervos al romper el día, del sueño profundo que gozaban los infelices en los bien atrancados cuarteles.

A las tres grandes campanadas, que llegaban a los cuarteles desde la alta torre, salían los trabajadores bien de mañana, a sus respectivas tareas, bajo la custodia de los segundos mayordomos del ingenio, que ya habían recibido del mayoral la consigna de lo que tenían que hacer aquel día. La misma campana con su ronco tañido suspendía la labor en los barbechos, que se estaban cultivando, así como la brega fatigosa en la fábrica y alambique, y la misma metálica voz reanudaba los trabajos.

Andando los tiempos la campana se rajó; pero, en seguida, se colgó otra en su lugar. Y, finalmente, el pito vocinglero de la máquina de vapor sustituyó ventajosamente al histórico instrumento, y la baratura y facilidad de adquirir un reloj suizo de bolsillo, uniformó la hora en todos los departamentos e hizo enmudecer por completo la vieja campana de la sombría torre. También se arrumbó el reloj grande de la antesala, de gran disco y gran caja vertical, ocultadora de cuerdas y pesas de la antigua maquinaria. En su lugar se puso un pequeño reloj de pared, de metálica cinta circular enrollada, al cual se le daba cuerda semanalmente; y por él se regulaban todos los relojes de los empleados del ingenio.

Don Jorge, fundador de esta hacienda, vivió siempre en ella y no creó familia. Tenía una sobrina, doña Carlota, que inmigró con él de Jamaica y que vino a ser su heredera. Refería la sobrina a su esposo don Conrado Maldonado, el primer mayordomo del ingenio, con quien contrajo matrimonio al año siguiente de estar en el país, que la noche anterior a la muerte repentina de su tío estuvo ella desvelada por el mucho calor que hacía, que dejó abierta media ventana de su aposento, en la parte que daba a la alta torre, y que para coger el sueño se puso a leer *Los doce pares de Francia*. Que embebida en la lectura tuvo que suspenderla porque oyó claramente que tañía quedo, muy quedo, la vieja campana del ingenio. Primero creyó que era el viento y la ofuscación de su mente; pero la segunda vez que percibió el doblar lento del metálico sonido, quedó convencida de que era la cascada voz de la vieja campana rajada.

Doña Carlota no comunicó a nadie más que a su esposo aquella fantástica impresión. Y hasta se olvidó del extraordinario fenómeno por el momento, ante el desagradable suceso de que al medio día murió de repente don Jorge, de un ataque apoplético, al salir de la fábrica de la hacienda. Don Conrado, descreído, consideró cuestión de nervios el relato de su esposa; y no volvió a ocuparse de aquel asunto.

II

Heredera doña Carlota del ingenio San Jorge, pidió con empeño a su esposo ordenara que la puerta que daba entrada a la alta torre fuera tapiada completamente, lo que se efectuó para evitar que por la noche pudiera cualquier malhechor refugiarse en aquel abandonado sitio.

La buena señora tuvo de su consorte tres hijos y una hija; y durante largo tiempo gozaron felizmente de los buenos rendimientos del productivo ingenio. El esposo era un buen marido y un buen padre de familia; pero tanto bienestar terminó una noche, víspera de año nuevo, en que iban a cumplir sus veinticinco años de casados y a celebrar las bodas de plata.

Estaba doña Carlota con sus criadas de confianza, preparando hojaldres y bizcochos, para el siguiente día; sus hijos estaban ya recogidos; el esposo en el pueblo, y la noche se le había ido pasando suavemente en la espera del retorno de su marido, sentada en el comedor mientras las sirvientas trabajaban los dulces. De pronto oyó claramente el tañido cascado de la vieja campana del ingenio. El abanico que tenía en las manos se le cayó al suelo. Las criadas le manifestaron que no habían oído nada.

Doña Carlota dejó el comedor y pasó a su aposento, donde se puso a rezar. Nerviosa y preocupada abrió maquinalmente la ventana que daba hacia la torre. En mitad de sus oraciones se le desprendió el rosario de las manos, porque el ronco tañido del roto metal, doblando quedó, llegaba claramente a sus oídos. Cerró medrosa la ventana y acostóse vestida, sin decir nada a sus familiares.

A las tres de la tarde del siguiente día trajeron a Don Conrado en unas angarillas a la casa vivienda del ingenio. Un rebelde esclavo, que había sido castigado con ensañamiento por el capataz, juró vengarse en aquel amo débil y consentidor de semejantes torturas; y lo acechó cuando entraba en el jardín a recoger unas flores para obsequiar a su hija, y detrás de unos rosales lo atacó y macheteó cruelmente.

III

Iba a celebrarse en el ingenio San Jorge el enlace matrimonial de la hija de don Conrado, la bella Estefanía, linda joven de dieciséis primaveras, con el médico titular del pueblo don Agapito Fernández de los Ríos. Era Estefanía una criolla de ojos negros, grandes y expresivos, luengas pestañas y finas cejas bien arqueadas, trenzas gruesas color de caoba, y frente y nariz de perfiles griegos. Bajo el tinte trigueño de su piel circulaba una sangre cálida y vivaz, pues daba grande atractivo a aquella adorable criatura. Un cuerpo airoso, con curvas firmes y bien trazadas completaban las gracias de la doncella.

Se prepararon unas bodas fastuosas. El novio quería echar la casa por la ventana. Doña Carlota deseaba que el casamiento de su única hija fuera rumboso. Todo lo principal del pueblo estaba convidado. Como grato recuerdo de aquel feliz enlace, se bautizarían algunos negritos, de los cuales serían padrinos los principales jóvenes de las más encopetadas familias. También serían manumitidos, como gracia especial, la mulata que fue nodriza de Estefanía cuando enfermó la señora madre, y el negro viejo que acompañaba a la niña todos los días a la escuelita del barrio.

Aquella fiesta nupcial sería extraordinaria: duraría dos días y el tercero por la mañana pasaría la feliz pareja con su acompañamiento en coches y a caballo, al pueblo, a realizar el casamiento con arreglo al ritual de la iglesia católica; y con el frescor del día seguirían viaje para la capital, a fin de tomar el vapor intercolonial de San Thomas, donde transbordarían al trasatlántico de la línea francesa que les llevaría a St. Nazaire, para pasar en Europa una buena temporada.

El primer día del festival se pasó alegremente con los bautizos por la mañana y baile por la tarde, que duró hasta la media noche. Todos se retiraron alegres y contentos. Doña Carlota, fatigada del trajín del día, sentóse en un columpio, abrió las ventanas de su cuarto y se puso a contemplar la salida de la luna. Aquel globo de luz, que ascendía lentamente por oriente, le trajo dulces añoranzas a la memoria. Un airecillo fresco venía de los cañaverales. A la una de la noche, al levantarse para cerrar la puerta de su aposento y acostarse se detuvo repentinamente como si súbita parálisis embargara todos sus miembros. Le pareció haber oído el ronco tañido de la resquebrajada campana vieja. Se agarró de la hoja de la puerta para no caer al suelo, del terrible sacudimiento nervioso que había experimentado al sentir en sus oídos aquella campana queda, de sordo doblar metálico que despertaba en su alma con apocalíptica voz, tristes e imperecederos recuerdos. Trabajosamente llegó al columpio y se puso a rezar.

Al poco rato volvió a oír de nuevo el tañido ronco del quebrantado bronce. Arrodillóse la infeliz dama y levantando los ojos lacrimosos al cielo exclamó:

—¡Oh, Dios mío, qué desgracia será la que nos espera! ¡Que sea yo la víctima, Señor!...

Y se desmayó.

IV

El día amaneció esplendente; límpida la atmósfera, sin celajes el horizonte y el sol diamantino. Los hombres organizaron una cacería de palomas torcaces al inmediato bosque de palmeras. Terminó el desayuno con alegres chistes y emprendióse la marcha.

Idos los caballeros, las jóvenes se pusieron a tocar al piano, acompañado de guitarra y bandolín; y por largo rato cantaron una guaracha. Una de ellas entonó una dulce melopeya. Luego quedaron fastidiadas de estas diversiones, pues les faltaba el elemento varonil que con sus galanteos las animara a repetir el canto. Entonces la hija de doña Carlota propuso una excursión a bañarse al río, que estaba muy cerca de la casa. Allí pasarían un buen rato a las sombras de los bambúes y entre las frescas aguas del baño. Todas las muchachas aplaudieron estrepitosamente para aprobar aquel improvisado plan. Las sirvientas de confianza las acompañaban y la pléyade de hermosas doncellas se marchó al río.

Antes de bañarse se pusieron las jóvenes a danzar, cogidas de las manos, y danzando y cantando se fueron entrando en las cristalinas aguas. El río tenía un descanso de menor a mayor. Las muchachas al sentir el frescor delicioso del agua se dejaron llevar de la seductora pendiente y de la grata impresión del líquido elemento; e insensiblemente cogidas de las manos se deslizaron hacia el cantil. La primera que le faltó pie y sintió el agua al cuello, gritó con fuerza y atrajo hacia ella a sus dos compañeras inmediatas. Las demás jóvenes creyeron que zambullían aquellas amigas por gracejo y alegría. Y el triste final fue que, cuando se quiso, no se pudo romper la cadena, y se ahogaron cuatro jóvenes, entre ellas la bellísima Estefanía. Cuando las criadas, buenas nadadoras, trataron de intervenir y socorrer a las infelices criaturas, fue imposible y hasta una de ellas se ahogó por pretender salvar a la prometida esposa de don Agapito Fernández de los Ríos.

La fatal noticia llevada a doña Carlota, fue como si la hubiera herido una chispa eléctrica. Cayó al suelo y estuvo privada de conocimiento dos horas. Al volver en sí, gritó con desesperación y rabia:

—¡Maldita sea esa vieja campana del ingenio!

V

Refieren los hijos de doña Carlota, que la víspera de su muerte, la virtuosa dama oyó conmovida, a la media noche, el lúgubre tocar de aquel resquebrajado bronce, que tan dolorosos recuerdos le traía.

A la mañana siguiente reunió a sus hijos presintiendo la muerte, les refirió tranquila, en solemne recogimiento, lo que a todos había ocultado y se despidió de ellos con maternal cariño. A la tarde era cadáver. Los hijos mandaron derribar la puerta de la sinietra torre de Rancho Viejo y lanzaron iracundos la vieja campana rota al cantil, donde habían perecido la infeliz Estefanía y sus tres amigas.

VI

¿Eran alucinaciones de doña Carlota aquellos siniestros tañidos, anunciando muerte? ¿Eran funestas coincidencias? ¿Tratábase de supersticiosos influjos? ¿Quién hacía vibrar la vieja campana del ingenio San Jorge a deshoras de la noche? ¿Qué manos invisibles sacudían el quebrantado metal, haciéndole tañer quedamente para anunciar una desgracia inmediata? ¿Eran acaso fenómenos premonitores de la vida de ultratumba?...

¡Cuántos secretos quedan aún por arrancarle a la naturaleza! Indudablemente que en torno nuestro se realizan fenómenos interesantísimos bajo la acción de potencias invisibles que desconocemos. El calor, la luz, la electricidad, el magnetismo, el mismo vapor de agua, son fuerzas ignoradas en su esencia que no percibe nuestra retina más que por sus efectos. ¡El misterio y el terror nos envuelven! ■

CUBA

Luis Victoriano Betancourt (1843-1885)

Hijo de un conocido escritor costumbrista, José Victoriano Betancourt, heredó de su padre el regusto por la descripción del pasado y los usos y conductas de sus contemporáneos. Decidido partidario de la independencia de Cuba, peleó en la guerra separatista de 1868. Pero a más de con las armas contribuyó también a la insurrección con encendidos versos patrióticos. Muchos de sus cuadros de costumbres tienen el carácter de cuentos y fueron recogidos por él en un volumen que publicó en 1867, Artículos de costumbres y poesías, *del cual se hizo una reedición en 1929, pero exclusivamente de sus prosas.*

Un estudiante en el campo

Embarquéme no hace muchas semanas en un arrastra-panzas, a la sazón que un aguacero de padre y muy señor mío se dejaba caer insolentemente sobre nuestra dichosa ciudad; y mis razones tuve para obrar así, porque soy algo inclinadillo a la comodidad, como cualquiera de mis lectores, si por dicha los tengo, y porque no me gusta que llueva sobre mí. Pero no bien me hube cómodamente arrellanado en los cojines del coche, cuando reparé en una cosa blanca, que sobre los mismos cojines descansaba, y que llamó mi atención. Hijos somos de Eva, que por curiosa, en el pecado llevó la penitencia; así es que de ella heredé *ab intestato,* juntamente con el pecado original, la curiosidad. Tengo además para mí, que conviene recoger y guardar con escrupulosidad todo escrito casualmente hallado, no tanto por lo que puede contener en sí, cuanto porque el hombre que posee un armario atestado de viejos manuscritos, aunque no los entienda ni los haya leído nunca, es un hombre ilustrado, y puede ser de buenas a primeras socio de mérito de algún ateneo, o miembro distinguido de cualquiera academia; así como se puede poseer otro empleo sin saber de la misa la media, con tal que un padrino gordo se acuerde de uno en sus ratos perdidos.

Pues, como digo de mi cuento, tomé el papel, que era, por más señas, una *carta abierta;* pero no a fe, como cierta carta abierta de cierto gruñonista, a quien Dios libre de malos pensamientos. Examiné la carta y en ella leí lo que después se verá.

Una carta perdida no es cosa que da que pensar a los agentes de policía, en este tiempo en que un jugador exclama muy compungido: «Ayer *perdí* treinta onzas en la valla», en vez de decir: «Ayer no tenía qué hacer y eché treinta onzas por la ventana.» Esto me recuerda la manía que hay por aquí de decir: «Se robaron a Fulanita», como si Fulanita fuera una gallina o un saco de arroz, y no tuviera bastante fuerza para poner el grito en el cielo, según es uso en las mujeres por un quítame allá esas pajas. Y no es eso lo más gracioso, sino que los mismos que dicen «se la robaron», cuentan después cándidamente que al doblar de la casa había un coche dispuesto para el *rapto,* y que ella, corriendo con los pies que Dios le dio, burló la vigilancia de la mamá, y ojos que te vieron ir.

Digo, pues, que nada tiene de particular que una carta se extravíe; lo que sí tiene, y mucho, es que yo, que ando siempre muy distraído, rezando mis oraciones de costumbre, y que no me ocupo de nadie para que nadie se ocupe de mí, haya ido a dar de manos a boca con el dichoso papel, que presentaré a mis lectores, sin poner ni quitar palabra, y es como sigue:

El campo, agosto ... de 1864

«Mi querido Timoteo: cediendo a las rabiosas ganas que tengo de comunicar a alguien mis impresiones *montunas,* y cumpliendo lo que te ofrecí el último día de clase, cuando nos separamos en la Universidad, aprovecho la ocasión de haberme entrado hoy el deseo de escribir, y manos a la obra.

El día en que comenzó la *vacante,* como sabrás, me colé en un convoy que sale de Villanueva, y después de siete horas de humo, ruido y dolor de cabeza, llegué a un paradero, cuyo nombre me callo, porque me tengo por bien criado, y quiero guardar el secreto. En tierra ya, tomé rumbo a la *taberna,* que es la Bolsa, y el café, y el teatro, y el Liceo, y el todo de esos pueblos de campo, y habiendo almorzado, como lo hubieras hecho tú, me dirigí al tabernero, que es la primera persona de la población, después del teniente, y que lo sabe todo, sin saber nada. Preguntéle que como me arreglaría para ir a otro pueblo distante de allí una legua; y me contestó que alquilando un caballo. La noticia no era nueva, y le dije que precisamente era eso lo que yo solicitaba de él.

De allí a poco se me acercó un guía, montado en su caballo y conduciendo una yegua tristonaza y pensativa, y que más podía servir para las auras que para cabalgar en ella. Pregunté al conductor que cuánto tenía que abonarle por el futuro viaje, y él, después de pronunciar un discurso muy largo sobre los salteadores de caminos, sobre las aguas llovedizas y sobre la ligereza y brío de su yegua, me dio el *quién vive* de cuatro pesos y dos reales. Yo se los di, y me consolé pensando que la mujer del caballo se portaría con decencia, y que mi viaje sería feliz.

Pero, ¡cuánto me engañé, querido Timoteo! La meditabunda yegua resultó ser *trotona,* y tenía, según supe después, una matadura que la hacía empinarse cada vez que la albarda la molestaba. Yo, que no soy jinete, sudaba la gota gorda, y llorando como un Jeremías, llamé con desesperación a todos los santos del cielo, y a los niños del limbo y a los angelitos, y además hice *promesa* de vestirme de listado, como se acostumbraba prometer en casos tales; pero nada, Timoteo, los cielos me desampararon, y para colmo de desventura empezó a llover.

Por fin, entre brincos y oraciones, y entre latigazos y espuelas y cabriolas mil, llegué como a las dos horas a la casa deseada, y fue tanta mi alegría al verme ya en puerto de salvación, que turbado todo yo, y turbada la yegua seguramente, entramos ella y yo en la sala, rompimos un *quinqué,* y por poco no matamos a una negra que estaba en la cocina. Y no paró aquí todo, sino que yo casi le doy un beso a un sacristán que allí estaba, cuando me apeé de la yegua.

Y aquí me estoy, caro Timoteo, arrastrando una vida de delicias en compañía del sacristán de marras, que se llama el señor Letanía, y del cual te diré algo.

El señor Letanía es un sacristán que no desmiente del tipo. Como sacristán que es, no sabe latín; pero echa de cuando en cuando un *sicut erat in principio,* y su *et cum spiritu tuo,* con bastante gracia. Es el ídolo de las viejas del lugar, que le llaman *Sacristancito,* y él se deja querer, porque una vela de cera virgen que regala a alguna beata le da derecho para entrar en la casa y jugar con las muchachas, pues está probado que los sacristanes gustan de muchachas bonitas.

De tiempo antiguo existe en Cuba el tabaquero, honrado artesano cuyo tipo *sui generis* se ha perdido. Los negros, los mulatos y los peninsulares que se han dedicado a la industria fabril del tabaco posteriormente, han introducido muchas modificaciones, y cierta heterogeneidad en esta clase, y el tabaquero de hoy no es el del tiempo de nuestros padres. No así el sacristán; la misma fisonomía, el mismo traje, las mismas costumbres hacen que el sacristán sea siempre sacristán, y nada más. Ayer y hoy, hoy y mañana, siempre es el mismo, por más que llueva y truene y relampaguee.

Háblote, Timoteo, del sacristán de un pueblo de campo. Letanía, personificación de este tipo, es el todo de la sacristía; porque has de saber que un pueblo como éste no tiene para su salvación más que un cura y un sacristán. Y como no es poco el entretenimiento que tiene el señor cura de encomendar a Dios las almas de los justos y de los pecadores, he aquí necesariamente que el sacristán es el solo encargado de las cosas terrenales. Él toca las campanas al Ave María, a las doce, a las tres, y dobla por las ánimas benditas a las nueve; repica cuando hay por qué y cuando no hay por qué no repica; siempre tiene ganas de comer, y todos los días a las doce y media se acuesta, las más veces sobre una tumba, y duerme hasta las tres; la siesta es al sacristán lo que la multa a los carretoneros de La Habana.

El sacristán de un pueblo de campo tiene un caballo flaco y maltratado por la suerte, aunque come yerba de guinea hasta no más; y sobre él va caballero el sacristán a las fincas vecinas cuando se ofrece un matrimonio o un bautismo, y ni el escapulario que lleva al cuello es bastante para hacer caminar al rocín, lo cual pone de mal humor al sacristán, porque lleva el alma pendiente de un peso o un escudo con que le gratificarán.

El sacristán cree en brujas y en aparecidos; es aficionado a las *maromas* y a los jugadores de manos que visitan el pueblo, y es el primero que da una noticia y el que mejor la comenta.

A las cuatro de la mañana, y cuando más rodeado estoy de las agradables sombras del sueño, me despiertan los golpes que mi amigo Letanía da en el tabique que separa nuestras habitaciones, y de allí a poco una voz alegre y regocijada como la de un... sacristán dice:

—*In nomine patris et fillii et spiritui sancti.*

—*Amen*— digo yo y me parece lo más acertado.

—Buenos días, estudiante.

—Téngalos usted muy buenos, sacristancito. Diga, ¿qué tal se pasó la noche? —le pregunto.

—Muy bien, con el favor de Dios y María Santísima. ¿Y usted?

—Hombre, yo muy mal, con el favor de las pulgas y los mosquitos.

—*Libera nos, Domine.*

—*Amen.*

El sacristán se viste y seguimos hablando.

—Y, ¿dónde va usted tan temprano? —digo yo medio dormido.

—Voy a abrir la sacristía y a tocar las campanas, que es como si dijéramos: *Orate, frates,* ¿no es verdad?

—Sí, señor sacristán, *amen.*

—*Oremus.*

—*Amen.*

Y faltándome las fuerzas me quedo dormido, y el sacristán sale a tocar el Ave-María, porque se ha convencido de que yo no sé latín. Yo sigo durmiendo hasta nueva orden.

A las seis me levanto *motu proprio,* y leo hasta que almuerzo, y vuelvo a leer hasta que como, y de este modo corre mi vida. La noche no se pasa de igual manera; más tarde sabrás cómo la entretengo.

Aquí gozo mucho, y al mismo tiempo deploro la ignorancia de la mayor parte de nuestros guajiros. Más de diez individuos, entre blancos y negros, hay por estos alrededores, que curan el *mal de ojo* y que se dicen *brujos,* y como ellos mismos se lo dicen, y sabido se lo tendrán, he aquí que casi todo el mundo los cree y consulta y respeta, hasta el mismo sacristán, que me dijo "que a él lo celebró una señora, cuando era chiquito, y que estuvo a la muerte por causa de la celebración, máxime cuando la señora había dicho: Dios lo guarde de malos ojos. La fortuna fue —añadía el sacristán— que la negra vieja que me había criado supo que tenía mal de ojo, y me curó, haciéndome una cruz con ceniza sobre el ombligo, y dándome un cocimiento de guano bendito, después de rezar la oración de San Luis Beltrán".

Entre todos estos *brujos* hay uno que, según me contaron, hace milagros hasta que se cansa. Este tal es un sitiero, que estando una vez arando, se encontró un santo debajo de la tierra, y fregándolo muy bien, lo llevó a su casa, y allí habla con el santo por medio de una mesita magnetizada. Y tan chistoso es esto, que el sitiero no cobra nada por las consultas, como hacía por aquí la revoltosa Charito.

Y no te rías: una amiga del sacristán parece que comió más *quimbombó con funche* de lo regular, y el *quimbombó cantaba* que era un primor; y ella consultó al santo, el cual le dijo por medio de la mesita, que se lo repitió por boca del sitiero, que ella no tenía más que un *empacho* grande de agua *desparramado* en el lado izquierdo y un soberano padrejón, y que para ese mal no había más remedio que el *gálbano macho* si quien lo sufría era mujer, y el *gálbano hembra,* si era varón, y que puesto que ella era mujer, le dieran el macho. Y hombre hay aquí y mujeres que se dejan curar antes por uno de esos charlatanes que por un médico.

Afortunadamente, las muchachas de este lugar son bonitas y francas y sencillas, y esto es mucho. Todas las noches visito a una familia, cuyos miembros principales son cuatro prietas, y en cuya casa se reúnen casi todas las muchachas del pueblo.

El sacristán fue el que me introdujo en esa casa; por cierto que cuando las muchachas le preguntaron *¿qué tal era yo?,* respondió él: —Hombre, muy buen muchacho, *ni huele ni jiede.*— Con esto te convencerás del aprecio que le deberé a esa familia.

—Vamos a *jugar a las prendas* —dijo una noche el sacristán, que se muere por jugar con las muchachas.

—Jugaremos el juego del monigote —dijo Chepita, trigueña más salada que... un jamón.

—¿Cómo es ese juego? —pregunté yo.

—Venga acá, torpe —me contestó Chumba, la hermana de Chepita—, ese juego es así. Se colocan todos los que van a jugar en rueda y el que dirige el juego enciende un papel de manera que no esté mucho tiempo encendido, y se lo da a la persona que está a su lado, diciendo:

—*¿Usted me compra este monigote?*

—*Qué tiene ese monigote? —le replican.*

—*Tiene frío y quiere capote.*

—*¿Y si el monigote se muere?*

—*Páguelo el que lo tuviere.*

Y aquel a quien le dan el monigote hace lo mismo con el que está junto a él, y éste con el otro, hasta que el papel se apaga en las manos de alguno, que tiene que *pagar prenda.*

Jugamos ese juego, más que no quiso el sacristán que se creyó aludido, y a mí se me apagó cinco veces el papel.

—El juego del zapato —dijo Chumita—, el del zapato.

—Bien, bien.

Y cuando, arrojando al suelo un zapato, si caía *boca arriba,* tenían todos que reírse, yo me quedaba más serio que un *inglés* a quien le devuelven la *cuenta;* y si caía *boca abajo,* todos quedaban serios, y yo me reía como un loco.

—Jesús, criatura —me dijo Chumba—, no parece usted de La Habana; siempre está perdiendo prenda.

Púsose después el juego que dice:

—*Gorrión, gorrión.*

—*Señor, señor.*

—*¿Fuiste al campo?*

—*Al campo fui.*

—*Qué viste?*

—*Un ave.*

—*¿Qué ave?*

Y aquel a quien se dirige la pregunta tiene que dar instantáneamente el nombre de un ave con que se haya convenido en llamar a alguno de los allí estantes. Por cierto que el sacristán, cuando le preguntaron: —¿Qué ave?— estaba entretenido, recitándole sin duda el breviario a una rubia, y contestó atolondrado:

—¿Qué ave?... el... la ¡cucaracha!

Y a las muchachas se les descolgó una risa tal, que creíamos se nos morían entre las manos.

Después de restablecido el orden, jugamos al de:

Por aquí pasó Beltrán

Con un pez, un ave y un refrán;

y en el cual volvió el sacristán a perder prenda y volvieron las muchachas a reírse.

Y por último, jugamos el que dice:

—*¿Me da una candelita?*

—*Allí humea.*

que hizo salir al sacristán de quicio, y el de la «Gallina ciega», el cual metió tal ruido y algazara, que la vieja, neutral hasta entonces, interrumpió su *trisagio,* y dijo algo recelosa:

—¡Eh, eh!, ¿qué *rejuego* es ese, señores? No más retozo.

—Pues a sentenciar —*dijeron* las muchachas.

—Aquí está el sombrero con las prendas —señaló Chepita—: yo las saco. ¡Silencio! Mando que el dueño de la primera prenda que salga cante como gallo.— Y habiendo introducido la mano en el sombrero, dijo, sin poder contener la risa:

—Ha salido un escapulario, señores, ¿de quién es?

—Mío —contestó el sacristán.

—Pues a cantar como el gallo.

Y el sacristán medio amostazado enarcó el pescuezo, y compungido, anunció la traición de Judas. Todos se rieron y él dijo:

—Como agraviado y no poco enojado, mando que el amo de la prenda que salga, dé tres vueltas de carnero.

—Un invisible —exclamó la sacadora de prendas.

—Es mío —dijo una jovencita.

—Pues que cambien la sentencia —saltó la vieja, que no las tenía todas consigo desde la *Gallina ciega.*

—Que pida para su boca —dijo uno.

Y ella recorrió la rueda y a cada uno preguntaba con encantadora gracia:

—¿Qué me da para mi boca?

Y nadie le daba nada, porque su boca era muy linda y nada necesitaba; sólo que no sé lo que le diría un enamorado, cuando sus mejillas se tornaron rojas como sus labios.

A mí me hicieron bailar el zapateo, y decir *tres veces sí y tres veces no,* y *contentar* a los presentes, y hacer el *espejo* y qué sé yo cuántas cosas más.

—Adivinador de la calabaza -¿cuál es el ave que pone en casa? —gritó Chepita.

—¡La gallina! —contestó muy contento el sacristán.

—Bobo es el que lo adivina.

—Y yo que lo adiviné, la quiero mucho a usted.

—¿De veras?, gracioso —dijo Chepita, a quien no gustó la chanza del sacristán—. ¿Quiere medio por la gracia?

—Déme aunque sea un chico partido por la mitad.

—Ande, bobo.

Y el pobre sacristán se escurrió abochornado hacia donde estaba el *refugium aflictorum,* o sea la mamá.

—Adivínenme ésta —dijo Chumba:

Chiquita como un ratón
Guarda la casa como un león.

—La llave. Ésa es muy fácil —dijo Letanía, que ya se había repuesto del susto anterior—. Tres días doy para que me adivinen ésta:

De Santo Domingo vengo
De predicar un sermón
Traigo los hábitos limpios
Y muy sucio el corazón

—¡El caimito! —dijo uno.

—¡El tamarindo! —dijo otro.

—¡La ciruela!

—¡El mango!

—Nada, señores —interrumpió el sacristán—, no es cosa de comer. ¿Se dan ustedes por vencidos?

—Sí, sí.

—Pues es la mujer, que en el exterior es muy limpia y muy bonita, pero que por dentro tiene un corazón más negro que una noche oscura.

Las muchachas se pusieron muy serias, y si no es por mí, ¡pobre sacristán!

Díjose también la adivinanza de

En medio del cielo estoy
Sin ser sol, astro ni estrella. (La letra e).

Y también aquella:

Ventana sobre ventana
Sobre ventana balcón,
Sobre el balcón una dama.
Sobre la dama una flor. (La tuna)

y otras muchas de que no hago memoria y que no interesan al caso.

—¡No más adivinanzas! Que

traigan la bandurria para que Lola cante una *tonada* de la *Vuelta-arriba* —interrumpió un mozo, amante, por más señas, de Lola, la cual tenía que ocultar las relaciones porque doña Facunda, su madre, no *llevaba gusto.*

Trajeron la *bandurria,* y Lola la hizo gemir melodiosamente bajo sus dedos delicados, mientras acompañada de su novio, que le hacía de *segundo,* cantaba la siguiente glosa:

Querer estorbar el paso
A dos que se quieren bien
Es echar la leña al fuego
Y sentarse a verla arder.

Si un mozo acaso repara
En una joven bonita
Al momento se estrepita
Y su pasión le declara

La madre vuelve la cara
Previniendo algún fracaso.
Mas él, que no le hace caso,
Sigue más firme en su ardor.
Que eso tiene en el amor
Querer estorbar el paso.

Si en su cariño hay firmeza
Y se adoran dos cortejos,
Saben huir de los viejos
Y jugarles la cabeza.
Todo es placer y belleza
Mientras conversando están
Y en habiendo mucho tren
Más su pasión se acrecienta,
Porque el obstáculo alienta
A dos que se quieren bien.

La madre siempre en un grito
La dice con sus antojos:
—No fijes en él los ojos,
—No converses tan bajito;
—Desarrímate un poquito,
Que no me gusta ese juego,
—No te pegues tanto, y luego
No le des tanto la mano...
Esto, hablando en castellano,
Es echar la leña al fuego.

Pues la madre, que inhumana,
Tras de su hija camina,
Si va para la cocina,
Si se para en la ventana,
A la verdad sólo gana
Más aumentar su querer;
Lo contrario pretender,
Si en tal pretensión se empeña
Es echar al fuego leña,
Y sentarse a verla arder.

—¡Bravo!, ¡bravo! —dijeron los mozos y aplaudieron la peregrina glosa—. ¡Una tonada ahora de *Vuelta-abajo*!

—No más canto —chilló la madre de Lola, haciéndose cargo de las indirectas de su futuro yerno—. Vamos, Lola, que ya es tarde, y aquí hay muchos mozos atrevidos y malcriados.— Y saludándonos bruscamente, después de echar una aterradora mirada sobre el novio de su hija, salió precipitadamente de allí, arrastrando a la desventurada Lola, que en mala hora cantara las cáusticas décimas.

Más tarde supe que al siguiente día el novio entró en la casa de su futura suegra a hacerle una visita; y doña Facunda, echando fuego por los ojos y por la boca espuma, le gritó:

—*Ahoritica* mismo se pone usted en la puerta de la calle. —Oído lo cual, el novio tomó con mucha calma un par de sillas, y volviéndose a Lola:

—Vamos, *china* —la dijo—, que tu madre nos manda para la puerta —y se sentó descansadamente.

Y tanto hizo él, que el león se

amansó; y ahora está la vieja que no sabe dónde poner al futuro yerno.

Volviendo a mis observaciones, te diré que nada es tan cierto como el refrán: *En todas partes cuecen habas,* etc. Y dígote esto, porque he averiguado que por estas malezas existen, como en La Habana, unos *tacos* tan afamados como aquellos. Los de aquí componen un *club* llamado la *Sociedad del Trueno,* sociedad de grandes tendencias como todas las de su clase, y que con laudable celo invierte el dinero y las fuerzas de los jóvenes en el progreso de la danza y del *voy* o *van.*

—¡Qué diablos! —dicen ellos—, mañana se muere uno y se lo comen los gusanos y no ha gozado de la vida; y son como los tacos de la bodega «El Indio», *et coeteris.*

Muchos *sugar-plantations* hay en torno mío, pero ninguno he visto, porque al encontrarlos cierro los ojos y murmuro: *¿Quosque tandem?* ¿No te ha resultado a ti, querido Timoteo, que no eres médico, entrar en un hospital y afligirte porque ves el mal y no puedes curarlo?

Adiós, chiquete, que el sacristán toca a maitines y voy a rezar. Diviértete mucho en La Habana; yo trato de hacer lo mismo por estas breñas, procurando olvidar injusticias de una mujer y desengaños de un amor perdido.

Tuyo,

Z.»

Ésta es, lectores, la carta que me encontré en el *arrastra-panzas,* y al pie de la letra la he copiado. Si por acaso os ha hecho bostezar la lectura, culpa es del estudiante, que sin duda estaba harto fastidiado, y tomaría la pluma febrilmente para disipar los tristes recuerdos que, como una nube negra cargada de rayos y tempestades dejan tras de sí ruinas y tristezas y un profundo desencanto ■

Álvaro de la Iglesia (1859-1927)

Nativo de La Coruña, España, llegó muy joven a Cuba y se incorporó de lleno a la literatura de la Isla. Aunque es autor de una novela de corte romántico, Adoración *(1894), y de episodios históricos cubanos como* Pepe Antonio (1903) y La factoría y la trata *(1906), su fama la debe a la recopilación de leyendas, anécdotas y sucesos populares que dio a conocer en tres volúmenes titulados* Tradiciones cubanas *(1911),* Cuadros viejos *(1915) y* Cosas de antaño *(1916).*

Tradiciones cubanas

Matías Pérez el que voló

No estaba, ciertamente, mucho más adelantada la aerostación en el mundo de lo que hoy está la aviación, y en Cuba se habían lanzado intrépidamente a los aires hombres como Blinó y Matías Pérez, en quienes debían encontrar ejemplo de valor y decisión algunos aviadores que nacieron para el caso como nosotros para arzobispo. Sin elementos, sin el aliciente siquiera de una recompensa, sin más estímulo que el aplauso y la gloria de realizar una gran aventura, esos aeronautas de afición dejaron bien puesto el pabellón cubano, porque en aquellos tiempos aún no teníamos bandera, como que Cuba era una colonia sometida ya a la dictadura de Vives, ya a la más dura aún del marqués de La Habana.

Los globos no fueron conocidos en Cuba hasta el año 1796, según dijimos en nuestras *Fechas de América* al estudiar la aerostación en esta Isla. La primera excursión aerostática se efectuó en La Habana el 19 de marzo de 1828 como uno de los más atrayentes números del programa de festejos combinado para solemnizar la inauguración del Templete de la Plaza de Armas, bajo el gobierno benéfico pero duro de don Francisco Dionisio Vives, cuyo juicio no ha hecho aún de un modo definitivo la historia, vacilando entre la reprobación y el aplauso.

Aquellas fiestas duraron tres días, desde el 18 al 21 y el héroe del 19 fue un aeronauta francés, M. Robertson, quien por la tarde se elevó en un globo, es de creer que desde la misma Plaza de Armas, para que pudiera presenciar la ascensión la primera autoridad de la Isla.

Hallábase engalanada la plaza con banderas y ricas colgaduras y la iluminación consistía en multitud de farolillos de colores.

Robertson, que para eso era extranjero, sacó de aquella fiesta, no sabemos si como producto de cuestación o donativos oficiales, la importante suma de quince mil pesos. Fue a caer con su globo en un potrero cerca de Nazareno, conocido pueblecito en el partido de Managua, y que en aquel entonces contaba unas veinte casas.

A propósito de estas fiestas diremos que se celebró en el Templete una solemnísima misa en la que ofició el obispo don Juan Díaz de Espada y Landa, de grata recordación, quien pronunció una notable oración en presencia del general Vives. Un cuadro de los tres que encierra el templete, reproduce la escena.

El brillante resultado obtenido por Robertson, fue cebo, sin duda, para que otros aeronautas extranjeros vinieran a tentar fortuna a esta capital. En mayo del año siguiente hacía su ascensión la orleanesa Virginia Marotte, que cayó en la tenería de Xifré, y este nuevo éxito despertó el amor propio cubano, que no tardó en revelarse en el hojalatero Domingo Blinó, hombre muy ingenioso: construyó él mismo su globo y preparó el gas hidrógeno para inflarlo, lo cual representa en aquella época un gran esfuerzo y un gran mérito.

Sin temor a que se le rompiera el rudimentario montgolfier, ni al brisote reinante, estando aún en el gobierno el general Vives, se lanzó a los aires el 30 de mayo de 1831, desde la plaza de toros del Campo de Marte a las seis y cuarto de una tarde tempestuosa. Era todo un valiente que se ganó la admiración pública.

El globo, empujado por el viento, se alejó con rapidez y ya a gran distancia de la tierra, Blinó arrojó al espacio palomas, flores, versos y por último... *¡dos cuadrúpedos en un paracaídas!* La historia no dice de qué clase eran los cuadrúpedos; pero se nos antoja creer que eran chivos.

A las siete de la tarde, el globo se perdió de vista, quedando el público lleno de consternación. Pronto un suplemento del *Diario de La Habana* (tirada extraordinaria que ordenó el general Vives) tranquilizó al pueblo. Blinó a quien sus paisanos consideraban en La Florida, lo menos, había caído bastante más cerca; en el potrero San José de don Pedro Menocal, en Quiebra Hacha, a una legua al suroeste de Mariel. Pero con todo, la ascensión de Blinó fue la primera y la más notable de todas las efectuadas en Cuba, a excepción de la de Matías Pérez que vamos a referir; y por de pronto apostamos lo que se quiera a que ninguno de nuestros flamantes aviadores irá tan lejos aquí, en lo que resta del siglo, si hemos de juzgar por las señales.

Y dejaremos en el tintero otros pormenores referentes a nuestro protoaeronauta Blinó para ocuparnos de Matías Pérez.

El 22 de marzo de 1856 partía en un globo desde el Campo de Marte otro francés: M. Morad. Meses después, el 12 de junio, el pueblo habanero se agolpaba allí mismo para presenciar la ascensión de Matías Pérez. Era éste un piloto portugués: pero hay motivo para creer que estaba ya *aplatanado* y había constituido familia en esta ciudad, donde no sabemos si tendrá aún descendientes. Si alguno hay, serían muy de agradecer sus noticias en el asunto.

Matías Pérez era conocido por el *rey de los toldistas,* a causa de su habilidad en esa industria. Hizo también un globo y lleno de valentía, no engañó al público anunciando ascensiones sin realizarlas con el achaque del viento reinante. Dicho y hecho subió y fue a descender a los Filtros del Husillo. Unos días después, el 28 de junio volvió a ascender en su globo *Villa de París* y tan completa, tan magna y tan sobresaliente fue su ascensión que... aún estamos esperando su regreso. Eso se llama subir y lo demás son cuentos.

Consta que se hizo una minuciosa investigación por mar y tierra para dar con el audaz aeronauta o con su cadáver; pero todas las diligencias resultaron infructuosas. Años después, cuéntase que en unos cayos próximos fueron hallados restos de un globo. ¿Sería el *Villa de París*? ¡Quién lo sabe! Del intrépido aeronauta no ha quedado entre nosotros más que un desvanecido recuerdo y el dicho familiar ya tradicional, refiriéndose al que hace *mutis: —voló como Matías Pérez* ■

REPÚBLICA DOMINICANA

César Nicolás Pensón
(1855-1901)

Maestro, poeta y periodista, fundó en 1882 el primer diario dominicano, El Telégrafo. *En la literatura es suyo el mérito de recoger tradiciones dominicanas de fines del siglo XVIII y principios del XIX, que publicó bajo el título de* Cosas añejas. *Obviamente lo hizo inspirado por el éxito que alcanzaron en América las* Tradiciones peruanas *de Ricardo Palma. Si algunas de sus leyendas tienen un carácter truculento, pues registran hechos criminales, como «La mancha de sangre» o «La muerte del padre Canales», literariamente se destacan por estar escritas con un lenguaje elegante y correcto, a más de por introducir en la literatura voces y expresiones del habla popular dominicana.*

Barriga Verde

A fines del siglo pasado, vagaba por las calles de esta histórica y «muy noble» ciudad de Santo Domingo, un pobre muchacho que parecía ser peninsular, sin paradero fijo y sin alma cristiana que por él fuese.

No se sabía cuándo ni cómo ni de dónde había arribado a estas hospitalarias playas. Solamente se aseguraba que había sido robado en España y traído aquí, no se sabe por qué motivos, en algún buque de los que por rareza se aparecían por estos puertos.

Su edad dicen que no pasaría de cinco o seis años, aunque acaso llegaría a diez. El inclemente clima de la isla había hecho fácil presa en el abandonado niño; y las fuertes calenturas que le consumían, relajando su organismo, le habían proporcionado protuberante vientre y mortal color a su fisonomía.

Y, o porque estaba cubierto con camisa hecha jirones que dejaban ver sus venas azuladas verdeando sobre el blanquísimo cutis de su vientre, según opiniones, o, lo que es más corriente, porque vestía un viejo y raído chaleco de paño verde; el caso es que los ociosos muchachos de la época, con su habitual malignidad de gamins, bautizaron a su indigno colega con el ridículo y expresivo mote de Barriga Verde y con el calificativo de barriga de tamborí, nombres por los cuales era generalmente conocido.

Un día, un pacífico habitante de la Ciudad Antigua, hombre de color, y de los que para entonces llevaban holgada vida aún estando en concepto de pobre, pero de los sanos y piadosos ejemplos de hombría de bien tradicional que en esos tiempos no escaseaban, trabajaba activamente en su taller de zapatería en que se hacían aquellas chanclas de cordobán que usaban ricos y pobres como el mejor calzado, los últimos, singularmente. Otros dicen que era sastre.

Junto al taller, tenía un tenducho o pulpería, y hay quien diga que era hombre acomodado. Moraba por el hoy llamado callejón de la Esperanza, en una de esas casitas terreras vetustas que aún forman la mayor parte del caserío de la Capital, y que se ve todavía pasadas dos casas de una esquina, en la calle del Comercio, a la entrada del dicho callejón y a mano izquierda.

Un día, decimos, en que estaba entregado a sus ordinarios quehaceres el artesano, su mujer, que había salido por casualidad a la puerta de la calle, entró muy compungida y llena de esa caritativa conmiseración que inspiraba el prójimo en tiempos en que el prójimo era aún persona humana.

Entró pues la buena mujer, y suspendiendo el viejo su ruda tarea, oyó que ésta le decía:

—¡Ay! taita Polanco, que así le denominaban, y como llamaban entonces a padres y abuelos, mira que ahí, en la calzada, está un pobre muchacho blanco, enfermito, enfermito, ¡el pobre! Está tiritando de calentura.

Era el dicho habitante del temperamento que aquí somos todos, es decir, generoso y hospitalario a carta cabal. Así fue que dejando sus herramientas, se llegó al muchacho compasivamente, y reconociéndole, movióle con suavidad y le dijo:

—Eh, Barriga Verde, ¿qué tienes, estás malo?

El niño apenas respondió con un débil gemido, y continuó temblando de frío.

—¡Pobre muchacho! —murmuró el taita Polanco.

Y ayudado de su mujer, tomó por debajo de los brazos al abandonado muchacho y lo entraron en su morada, en que ya le había hecho preparar en un aposento cómoda cama con una estera de juncos y pieles.

Allí se rebujó en una vieja frazada el chicuelo dando diente con diente.

—¡Pobre muchacho! —repetía el honrado taita Polanco a quien hacía coro en su compasiva exclamación toda su digna familia, mientras mandaba disponer ciertas pócimas caseras con que se proponía medicinar a su protegido.

Y tal fue la virtud de las pócimas, y tales los cuidados que con el pobre chico se tuvieron en aquella humilde y bendita casa, que en breve Barriga Verde se restableció, y se quedó a vivir bajo tan hospitalario techo; prodigando su afecto a toda la familia y apellidando papá al buen hombre.

Dicen que la señora se encariñó con él y que desde el primer momento mandó hacerle a una vecina, de unas poyeras suyas, un sayón como de muerto, cuenta de uno de los que refieren esta verídica historia, a fin de trocarle por el pronto al chico sus harapos y callejero traje, por algo más decente. Laváronle y peináronle esmeradamente, y como que tenía perdida la cabeza de piojos, y en vano había probado a meter el peine en lo que fueron guedejas de rubio cabello, optó el honrado taita Polanco por llevarle a la barbería de enfrente en la cual le rasuraron.

Luego satisficieron su hambre con buenas comidas de aquellas sabrosas de la época, remojadas con suculento chocolate y jengibre de la tierra.

Era el niño, al decir de unos deudos sobrevivientes del honrado menestral, lo que se llama un botón de rosa: muy blanco, sonrosado, de ojos azules, pelo rubio, nariz perfilada, cara redonda y lleno de carnes. Parecía inteligente.

Razón de más eran tales prendas para acrecentar el afecto de la familia y singularmente del digno viejo hacia la abandonada criatura.

¿Quién era ésta?

Ni él contó nada de su vida, porque ni siquiera sabía cómo lo habían traído de España, ni que tierra era ésta ni menos persona alguna podía dar informes de él.

La familia le rodeaba de atenciones y cuidados, tratándole como a un príncipe.

El viejo taita Polanco se hacía acompañar de su niño para ir al mercado, le puso a la escuela, y mañana y tarde le llevaba y le traía, como temeroso de que le arrebatasen su prenda, educándole él por su parte en los rígidos principios de buena moral conforme a las costumbres de aquellos venturosos tiempos. No se apartaba un instante de su protegido, pero ni su protegido de su bienhechor, siendo el uno la sombra del otro; y así se les veía ir a misa, asistir a las fiestas religiosas de barrio y en todas partes.

No hay que decir que la anciana señora estaba clueca, y que en las veladas se lo ponía junto a sí mientras ella hilaba o repasaba el rosario, enseñándole a mascullar larguísimos rezos.

La gente se había acostumbrado a ver al honrado menestral taita Polanco y su postizo hijo, y admiraba también el aspecto distinguido del último y su preciosa carita.

Falta hacer notar que tiempo después de estar aquí el desamparado niño, llegaron unos papeles, como dicen los antiguos, que sin duda eran reales provisiones o requisitorias para que se buscase a un niño muy principal que había desaparecido de la Corte de España, requisitorias que, dicen, se dirigieron a todos los dominios españoles; perdida ya, parece, la esperanza de encontrársela en la península.

¿Pero se fijarían los sencillos habitantes de Santo Domingo, y muy singularmente los postizos padres del niño, en tal coincidencia?

No es probable.

Y aquí entra nuevamente el misterio.

Llegado era el momento de la cruel separación, en que debía restituirse al niño a su hogar y su patria.

El cómo sucedió, nadie lo sabe. Quién conjetura que, naturalmente, las autoridades reclamarían al chico, y es lo más seguro, o clandestinamente lo arrebatarían al calor del pobre techo que le daba abrigo, cuál dice que desapareció tan misteriosamente como había aparecido: el caso es que, cuando ya estaba hecho un mocito, y cuando más encariñados vivían uno con otro él y su generoso protector, el mejor día aquel hogar feliz todo fue confusión y llanto.

Como quiera que sea, el pájaro había volado, ¡tal vez para siempre!

Y así hemos de hallar al buen menestral y a su digna compañera, olvidados del vivir, tirados sobre sus butacas de cuero, llorando a lágrima viva, y con unos gemidos capaces de partir los callaos, como si se les acabase de morir un hijo único.

Así las cosas, ocurrió un incidente que vino a ligarse por extraño modo a éste que parece cuento de Las Mil y Una Noches, y no es sino historia pura.

Habían pasado ya muchos años.

Vivía en la Ciudad Antigua un señor respetable que era Escribano y de cuyo nombre nadie se acuerda, aunque mientan el noble apellido Caro al hablarse de él. Tenía entre manos un asunto que había de resolverse en la metrópoli, y parece que no era muy bueno o en él estaba harto comprometido el Escribano.

El hecho es que el tal Escribano debía pasar a España forzosamente, debido a esta circunstancia.

Y meditando en ello, sintió la necesidad que tenía de una persona de su confianza que le acompañase en tan largo viaje.

Fijóse naturalmente en el hombre más honrado de la ciudad, en el viejo menestral taita Polanco.

Maduróle bastante, porque era difícil que un hombre como aquél se resolviese a dejar su país, arriesgándose a las molestias de semejante viaje, y al fin se decidió a hablarle del asunto.

Estimaba mucho al buen viejo, y era de él respetado y querido.

Señó Polanco era muy apreciado, y los más encopetados señores se complacían en visitar su casa.

Dicen que obispos y gobernadores, entre ellos, tenían placer en formar su tertulia en la puerta de la modesta casa todas las tardes: ¡tan sencillas eran las costumbres entonces! Naturalmente, el Escribano no podía faltar.

Una tarde dijo al digno artesano, tomándole aparte:

—Tengo un grandísimo empeño contigo, mi querido taita Polanco; pero no me has de decir que no.

—Mande su mercé, señor Escribano, lo que guste; que en todo lo que pueda ser servido, y en no siendo con dinero, porque no lo tengo, le serviré de buena gana.

—Has de saber que no tengo persona de más confianza que tú y...

El digno menestral hizo una mueca expresiva como hombre que está confuso e impaciente.

—Gracias sean dadas a su mercé, que tanto honra a «este negro», dijo con humildad, conforme al buen natural de aquella gente, y al fraseo que gastaba.

—Sabrás, pues, que debo irme a España a asunto urgente, y necesito una persona de confianza y de bien que haga conmigo el viaje. He pensado en ti, porque creo que eres el hombre más honrado que tiene Santo Domingo.

Taita Polanco dio un brinco de puro asombrado.

—¿Señor, «este pobre negro» ir a España? ¿Habla Su Señoría de veras?

—Como lo oyes.

—Me confunde Su Señoría —balbuceó el digno anciano haciendo una humilde reverencia—. ¿Yo ir a España, señor? Piense su mercé que eso es... imposible —añadió, confundiendo y menudeando tratamientos.

—¿De qué te asombras, buen taita Polanco? ¡Vamos! ¿Te decides o no? Te advierto que me harías un gran servicio.

Maese Polanco se rascó la cabeza, y quedó pensativo.

Después de todo, estaba satisfecho de que un principal caballero como aquél hubiese puesto su atención en su humilde persona, y le retozaba allá en lo más recóndito el deseo de ver aquella madre España, que tan mal nos gobernaba, pero que tenían en tan felices tiempos sobre el corazón los indomables hijos de esta heroica tierra.

—Mire Su Señoría —dijo al cabo de un rato de reflexión—, esto de viajes es asunto muy grave, y, con perdón de Su Señoría, a mi edad no deja de ser una locura. No debiera su mercé contar con este viejo para cosas así...

—Piénsalo bien, mi querido taita Polanco —replicó bondadosamente el Escribano, poniendo una mano sobre el fornido hombro del menestral—. Sentiría que no me pudieras acompañar, por quien soy.

—Pues bien. Si Su Señoría se empeña... —dijo aquél con visible turbación y encogiéndose de hombros como resignado y temiendo, si insistía en sus vacilaciones, dar que sentir a su amigo—. Yo lo consultaré con mi mujer, si le parece a Su Señoría...

Hay que entender que el honrado viejo era hombre que debía consultarlo todo con su cara mitad, y sabido es que antaño las mujeres tenían de verdad el gobierno de su casa y cualquier marido no hacía lo que le daba la gana.

—Perfectamente —contestó el señor Escribano—. Conque queda con Dios —añadió, tomando su sombrero y su bastón y estrechando la mano al buen viejo.

—Él sea con su mercé, caballero —dijo maese Polanco, acompañándole hasta la calle.

Y traspuesto que hubo el Escribano el umbral, el buen taita Polanco se persignó como cien veces en el colmo del asombro, con no poca satisfacción sin embargo.

La excelente señora era discreta; y en honor de la verdad, no le pareció nada buena la ocurrencia de Su Señoría el Escribano; aunque para ella era tan principal caballero y consecuente amigo y todo.

Así fue que dijo a su marido con mucha calma:

—Bueno está que honre el caballero N. a su mercé tomándole por hombre de toda su confianza; pero su mercé debe entender que su mercé no está para viajes ni nada de eso. ¡Jesús, Ave María Purísima! —añadió persignándose—, ¡un viaje a la Corte! y luego dejarme solita...

—¡Bah! —replicaba taita Polanco, a quien no faltaban buenas ganas de ver eso, con que ni siquiera se había permitido soñar por más de un motivo—, verdad es que estoy algo viejo, pero aún no chocheo, mujer. Sentiría sí que su mercé sufriese alguna desazón por mi ausencia. ¿Pero qué digo al caballero?

—Que no puede su mercé arriesgarse a pasar la mar a su edad, ¿no le parece a su mercé? —dijo con cierta tristeza y disgusto la buena mujer.

Maese Polanco se encogió de hombros; juntó y abultó los labios y abrió los ojos como quien se halla cogido y no sabe qué replicar.

El señor Escribano volvió a los pocos días, y departió largo con los dos esposos.

La buena mujer insistía en que no estaba en el orden que el viejo se metiese en semejantes aventuras, aunque mucha pudiera ser la honra que se le siguiese.

—Mire Su Señoría —exclamaba con filosófica resignación dirigiéndose al Escribano—, ¿y qué papel irá a hacer su mercé, señó Polanco, entre esa realeza? Sería mejor que se quedara en su casa quietecito, ¿no?

Por fin, vencidos los escrúpulos de la excelente señora, ¿qué iba a oponer a aquel buen amigo siendo tan principal persona?, se resolvió el viaje.

—Señor caballero de mi alma —dijo suspirando aquélla—, que vaya enhorabuena con Su Señoría mi marido, pero le ruego que me lo deje volver pronto.

Llegó el día de la partida, que en aquellos tiempos se temían los que viajaban que fuese eterna, pues hacían testamento y confesaban y comulgaban antes de embarcarse; y hubo pucheros de parte de la pobre anciana que se resolvía a igual sacrificio, a su edad.

El Escribano y taita Polanco salieron de aquella casa para irse a embarcar, con las lágrimas en los ojos y doblaron la esquina de la calleja; no sin que el último se volviese a mirar con tristeza el hogar que dejaba.

Tras de muchos meses de navegación, tocó al fin el buque en la clásica tierra de Sagunto y Numancia, acaeciendo esto acaso a principios del presente siglo.

En aquel bullicioso Madrid, en medio del que no se reconocería sin duda el pacífico ciudadano de la muy noble Ciudad Primada de las Indias, vivía éste tranquilamente en la misma casa en que se hospedaba el señor Escribano; cuando hete aquí que el día menos pensado, yendo distraídamente por una calle adelante, bien rebujado en una vieja capa verde con la cual había tenido la atención de obsequiarle aquél, encontróse de manos a boca con un coche ricamente ataviado y con las armas de una gran casa.

Tal vez el cochero iría a atropellar brutalmente a aquel americano, que juzgaría algún esclavo manumitido o escapado, cuando del coche se arroja un personaje, joven de distinción y vestido con suma elegancia, quien al verle, y sin poderse contener, lanzó esta exclamación:

—¡Papá!...

—¡Papá! —tornó a exclamar el desconocido bajando del carruaje y precipitándose en sus brazos—, mi querido papá, ¿qué, ya no me conoce su mercé? ¡¡Barriga Verde!!

El pobre taita Polanco creía que soñaba y no podía darse cuenta de lo que estaba viendo y oyendo.

Separó un poco a su extraño hijo, que le caía como del cielo, y con profunda emoción reconoció a su protegido, el muchacho abandonado y enfermo de las calles de Santo Domingo, a aquel Barriga Verde mentado, a quien una casualidad afortunada había puesto en su camino, llevándole a él como de la mano de la misma Corte.

Correspondió pues a los abrazos y caricias que éste le prodigaba, pero aún absorto y confuso, cuan humilde y respetuosamente podía; hasta que el reconocido personaje le conduce a su coche, esforzándose en vano para que se decida el digno menestral a acompañarle.

Créese el viejo Polanco bajo el influjo de una pesadilla, y no se atreve a aceptar semejante honra, al comprender por las armas del carruaje, la librea del lacayo que iba en la trasera y el aspecto distinguido del joven, que éste debía ser un gran personaje.

Por fin, entre éste y el lacayo le persuaden, le empujan, y dan con él sobre los cojines del lujoso carruaje.

El coche arrancó, y taita Polanco se quedó lelo.

Aquel pobre muchacho de marras amenazaba por lo visto con resultar ser cuando menos un grande de España.

Abrumaba al buen viejo a preguntas acerca de ma fulana (la mujer de éste), y de los demás miembros de la familia, así como de Santo Domingo y de cuanto constituía los recuerdos dichosos de su infancia allí transcurrida.

Con las manos del taita Polanco gruesas y callosas entre las suyas finas y aristocráticas, le decía:

—¡Qué inesperado suceso!, ¿verdad, papá? ¡Cuándo iba ni yo ni nadie a figurarse que debía tener hoy tan feliz encuentro! ¿Y cómo ha venido su mercé a la Corte? Vaya, cuéntemelo.

El viejo Polanco, que no volvía de su asombro, se restregó los ojos como quien despierta de un sueño y contestó:

—Sabrá Vuestra Excelencia que esto ha sido obra de la casualidad, de la pura casualidad. Yo estaba muy tranquilo en mi rancho, y Su Señoría el Escribano D. N. se empeñó tanto con mi mujer y conmigo, que aquí, con el favor de Dios y la Virgen, tiene Vuecelencia a este negro a los pies de Vuecelencia como su más humilde esclavo.

El generoso joven abrazó nuevamente a su bienhechor.

—No, mi querido papá, entienda su mercé que para su mercé no soy ningún Excelencia, ni nada, sino el mismo Barriga Verde de otro tiempo, el niño abandonado y recogido por su mercé; ni su mercé es para mí más que un padre, un verdadero padre. No vuelva su mercé a hablarme en esos términos... si no quiere que me enoje.

El viejo se enjugó un lagrimón con la punta de su capa, de lo conmovido que lo tenían tales sorpresas.

—Ea, pues que así lo quieres —dijo de allí a un rato—, aquí me tienes sano y salvo, mi querido hijo, alegrándome el corazón con tu presencia y llenándome los ojos con tanta cosa nunca vista como hoy en la realeza.

—Bien, así me gusta, papá; que sea su mercé conmigo francote, y quiero que en lo adelante se halle su mercé más satisfecho de haber venido a la Corte; y así pueda yo pagarle lo mucho que le debo.

—¿A mí, hijo?, ¡a mí ni me debes nada! —replicó el viejo con sencillez—. Cumplí con los mandamientos, y sanseacabó.

Y para mejor ocultar su emoción echó un rapé enorme.

—No diga su mercé eso, pues que la vida le debo; y va su mercé a ver cómo sabrá agradecérselo mi familia y la nobleza de España...

—¡Jesús, muchacho! —exclamó, espantado, el viejo, llevándose las manos a la cabeza envuelta en anchuroso pañuelo de madrás. Y después, como avergonzado de haber llegado a tal extremo de familiaridad, aunque en un arrebato, corrigió:

—Perdone Vuestra Excelencia, caballero...

—Vuelta a los títulos...

—Se me olvidaba, se me olvidaba —replicó turbado el pobre viejo Polanco—. Pero... sin que eso sea contrariarte, mi querido hijo, yo creo que no es bueno mezclar a la augusta persona del rey nuestro señor (y al decir esto se quitó el casco del pañuelo a guisa de sombrero, porque el sombrero lo tenía inadvertidamente pisado) en estos asuntos. Si te empeñas tú en agradecerme lo que por ley cristiana hice, no te lo impido; pero no hables de munificencias reales, hijo, por Dios; que ni soy un héroe ni valgo nada, ea...

Y en estos y otros interesantes coloquios se recorrió el trayecto.

Llegados al palacio que ocupaba el agradecido joven y su familia, la numerosa servidumbre cuajada de bordados y galones se agolpó al sitio en que paraba el carruaje, y se abrió respetuosamente en dos alas.

Por el tratamiento que le dieron al amo de Excelentísimo señor, el honrado taita Polanco vino en cuenta de que no se había equivocado, que se trataba de grandezas tamañas, y quiso caerse del carruaje abajo, sofocado por tantas emociones.

El joven noble dio el brazo cariñosamente a su bienhechor, y entraron así en el palacio con estupefacción de cuantos presenciaban tan singular escena.

En efecto, el pobre muchacho abandonado en las calles de Santo Domingo, el recogido por caridad, era nada menos que el heredero de una de las casas más encopetadas de grandes de España de primera clase y tal vez muy allegada a la Real Familia; y esto explica por qué, escapado o robado del hogar paterno sabe Dios por cuáles circunstancias, se le había buscado por todas las partes del mundo, interviniendo en ello reales recomendaciones o mandatos.

El joven era como se ha dicho, grande de España de primera clase, caballero cubierto y del Toisón de Oro, añaden.

Era, además, según dicen, casado y jefe de una familia encumbradísima.

Presentóle luego con orgullo a su esposa y amigos, y pasó a ser el humilde menestral desde aquel momento el señor de la casa y el ídolo de la familia, a pesar de su color y de su modestia.

Al ruido de semejante acontecimiento, que se dilató por toda la Corte despertando el interés y la admiración, acudió Su Señoría el Escribano al Palacio del joven noble, lleno ya de curiosos, dando el parabién a su buen amigo taita Polanco y se unió al regocijo de aquél.

A su vez, informado el joven del objetivo del viaje del Escribano por él mismo, y de que era grave y que difícilmente se podría arreglar satisfactoriamente sin algún valimiento, dijo a su bienhechor:

—Papá (porque no quería ni podía llamarle de otra manera): he aquí que su mercé vino a España bajo el patrocinio de ese señor Escribano; y ahora va a tener que agradecerle a su mercé lo que desea obtener, y que sólo que su mercé influya, podrá lograrlo, porque es negocio difícil de arreglar.

El buen viejo sonrió afablemente.

—¿Lo cree así Vuecelencia? —dijo.

—Papá —repuso mal enojado el caballero—, ya he dicho a su mercé que aquí no hay Señor ni Excelentísimo. Su mercé es mi padre y debe tratarme como tal: le prohíbo toda ceremonia —añadió, dándole palmaditas en el hombro.

—Bueno, hijo, si te parece; pero...

—¿Pero qué?

—Que yo debo guardar las distancias, y ¿qué dirán estos señores si me oyen tutear a Vuece..., tutearte, hijo, tutearte?

—Pero ¿es que ya su mercé no me quiere?

—¡Cómo me dices eso, mi querido hijo! —replicaba taita Polanco enternecido, del mismo modo que allá, lo mismo.

Esta escena se repetía cada rato porque al honrado menestral lo abrumaba su propia humildad.

Informado el Soberano de su noble proceder, y merced a la significación que para el trono tenía la linajuda casa de que era jefe el antiguo protegido de taita Polanco, resolvió ser con él tan soberanamente espléndido cuanto generoso se había mostrado el digno habitante de la privilegiada Ciudad Antigua, y como poquísimas veces había sido recompensado benefactor alguno en este pícaro planeta.

Podía, pues, alcanzar del trono cuanto quisiese.

Según parece, se dispuso una recepción o audiencia para presentar al favorecido.

Vestía éste un magnífico traje con el cual no sabía qué hacerse, y que le había dado el joven noble; y lleno de encontrados pensamientos, confuso y mohíno, hubiera deseado estar cien leguas de allí.

Brillaba el Palacio con la multitud de elegantes damas y apuestos caballeros: bordados y uniformes, cintas y flores, ostentación y riqueza llenaban los ojos y causaban no poca admiración al sencillo taita Polanco.

Tantos como allí había llenos de cascabeles y colorines que con sus picudas narices le querían sacar los ojos a puros cumplidos, le mareaban y trastornaban.

El honrado menestral con noble y reposado continente se acercó temblando al verse ante la real persona.

Silencio profundo, atención viva, ansiedad general.

Íbase a recompensar la virtud como tal vez nunca lo había sido. Además se suponía que todo sería pedir el negro viejo y concedérsele, lo que excitaba la curiosidad en alto grado.

Dícese que, ante todo, el rey le hizo Caballero Gran Cruz de una Orden.

—Don N. Polanco —dijo el monarca con grave acento—: te hacemos noble a ti y a tus descendientes, quienes gozarán de hoy en adelante del privilegio de ser oficiales de nuestros ejércitos, desde su nacimiento, y a ti te hacemos capitán de las milicias de Santo Domingo. Tienes por tanto el derecho de ceñir espada, calzar espuelas y usar guantes, así como tus sucesores. Además, se ha solicitado para ti una gracia especial, ¿qué deseas pues? —le preguntó el monarca.

Todos abrieron desmesuradamente los ojos.

El dignísimo habitante de la Primada no sabía qué hacerse ni responder, abrumado con tantas mercedes; aunque imaginó sin embargo que podría satisfacer cierto vanidosillo deseo, que no sería cosa de provecho, pero que de otro modo hubiera sido locura ambicionar.

Hubo una breve pausa.

—Si S. M. me permite —balbuceó el nuevo caballero.

—Habla, habla, buen taita Polanco, y pide lo que quieras —díjole el monarca con afable sonrisa.

—Pues bien..., pero parecerá excesiva mi demanda —tartamudeó otra vez.

Su antiguo protegido estaba presente, y le animó con una mirada.

—Nada temas, papá —díjole.

El buen viejo no podía ya con sus nuevos títulos y con la emoción que tales escenas le producían; pero el gesto y el dulce nombre que le daba el joven noble, y que en su humildad el honrado ciudadano de la Primada no creía ya merecer, le dieron aliento. Así fue que exclamó:

—En primer lugar, deseo tener el privilegio de asistir con espada ceñida a comulgar el Jueves Santo en compañía del Gobernador de Santo Domingo.

—Concedido —dijo el monarca.

—Asimismo quiero que se me otorgue una gracia quizá muy grande...

—¿Cuál?

—Que se le conceda a la «Hermandad de San Juan», en mi país, el derecho de usar el pendón de la Cruz blanca de Malta.

—Concedido.

—Item. Yo pido ciertas preeminencias para mí y mis sucesores en las cofradías de San Juan, Jesús en la Columna y la Santa Reliquia, también de allá de mi país.

—Concedido. ¿Y nada más? —preguntó el rey, admirado de la simplicidad de aquel excelente sujeto que se conformaba con tan poco y honras sin provecho a cambio de haber salvado de segura muerte a un elevado personaje del reino y cuando podía alcanzar señaladas mercedes; sin embargo, de que lo primero que pedía no era una bicoca, y lo de usar el pendón de la Cruz blanca de Malta era tamaña distinción en aquellos tiempos, porque sólo la nobleza podía gozar de semejante privilegio.

—Nada más, señor.

¡Lo que era la sencillez de nuestras costumbres en aquellos tiempos!

—Concedido, pues, cuanto pide —dijo el monarca—. Extiéndansele sus pergaminos; y ríndase pleito homenaje como quien es al caballero Don N. Polanco, capitán de nuestros ejércitos.

Los cortesanos se apresuraron a rodearle y a hacerle sus cumplidos con grandes reverencias.

Y por lo que hace a su protegido, cargó con él y llevóselo como en triunfo, seguido de brillante séquito de su servidumbre y de algunos caballeros sus amigos.

El tiempo que allí pasó, tres meses, según versiones, fue de fiestas y expansiva alegría. Mucho se holgaba el joven noble, el antiguo Barriga Verde, en retribuir de algún modo al buen anciano el servicio inapreciable que le había hecho, y se enorgullecía de dar delante de todos el nombre de padre a aquel hombre de color y humilde artesano. Demás está decir que la despedida, eterna, como tenía que resultar, fue tiernísima y dolorosa, no acertando el joven noble a desprenderse de los brazos del viejo.

Lloraban los dos abrazados y confundidos en uno.

¡Y qué pruebas las de la generosidad del caballero!

Trajes magníficos, uniforme muy rico, dedicó para el nuevo capitán, y vestidos y alhajas de gran valor para la esposa de éste, así como otros regalos primorosos para los demás miembros de la familia. Y de recuerdos para todos, un mundo.

El caso es que la tradición afirma que el flamante Don N. Polanco, antes taita Polanco, capitán de los ejércitos de S. M. el Rey de España, Caballero Gran Cruz y ennoblecido hasta la médula de los huesos, desembarcó ostentando un magnífico uniforme, ceñida rica espada, calzadas espuelas de labrada plata, con empolvada cabellera, luciendo gregorillo de finísimo encaje en la camisa, casaca grana de ancho galón de oro, medias de seda relucientes, botas de ante, al cuello espléndida gola de oro labrada, cubierta la cabeza con el elegante tricornio, y puesta al pecho nobilísima placa.

También aseveran que fue grande el equipaje que trajo y en que se contenía un Perú de los espléndidos regalos del antiguo Barriga Verde.

Desde entonces, viose al antiguo y humilde maestro zapatero de la capital de la Primada condecorado con el noble título de Don, asistir, resplandeciente de oro y pedrería, ceñida espada, calzadas sus espuelas de caballero, y cubiertas las toscas manos con los guantes, distintivo de gente principal, a la ceremonia de Jueves Santo en la Catedral y comulgar ese día con S. E. el Señor Gobernador; siendo el único en la colonia que compartía con el representante del monarca honra tan grande.

Y desde entonces también, la «Hermandad de San Juan» o de los Sanjuaneros, ostentaba en sus bulliciosas festividades el rico pendón de la Cruz blanca de Malta, estandarte de raso blanco con cruz de galón de oro en el centro, insignia que, como se ha dicho, sólo podía usar la nobleza, y raro privilegio con el cual se adornaba y enorgullecía la «Hermandad», cosa que dio motivo a aquella coplilla que, entre otras, cantaban los Sanjuaneros durante sus fiestas y procesiones:

El pisar de los Malteses
nadie lo puede imitar;
porque pisan menudito,
menudito y al compás.

De entonces, finalmente, la familia de Señó Polanco o taita Polanco se realzó con los títulos concedidos a su jefe, siendo conocida únicamente y hasta hoy por el nombre que le dieron de Guante, derivado del uso de guantes que constituía una dignidad para él.

Y en virtud de los privilegios que sobre las tres comunidades religiosas tenía, las mujeres de la familia, sobre todo una sobrina llamada Altagracia Guante, ejercían actos de soberano en ciertas festividades religiosas relativas a la Reliquia, San Juan y la Columna, y singularmente hacían y deshacían en la Catedral en cuanto a los pasos que se ponían de dichos símbolos.

Pero lo raro es que gran señor y todo, continuó el honrado menestral taita Polanco viviendo donde le hemos conocido, con su mismo oficio y en el mismo estado. Sí fue más afortunado que Colón, porque le cumplieron cuanto le habían ofrecido.

Por más señas, la sobrina del Don N. Guante, capitán de los ejércitos de S. M. el Rey de España y Caballero Gran Cruz, era la Capitana de la «Hermandad de San Juan», y la única que tenía la honra de llevar el nobilísimo pendón de la Cruz blanca de Malta ■

Fabio Fiallo
(1866-1942)

Poeta de corte becqueriano y cuentista de delicada prosa poética. Nació en Santo Domingo y murió en La Habana. Entre sus poemas destaca el conocido «Canto a la bandera» escrito en 1925, pero es en su poesía breve donde mejor se aprecia su sello personal («For ever», «Plenilunio», «Misterio» y «Sándalo», entre otras). El lirismo de sus cuentos lo acerca a la expresión modernista; son narraciones breves vinculadas al espíritu de su poesía, llenas de idealismo y de fantasía. Publicó Cuentos frágiles *(1908) y una obra dramática,* Las manzanas de Mefisto *(1934), además de otros volúmenes de poesía y ensayo.*

El Príncipe del mar

Aquel cuartito de Octavio era un caprichoso museo de exquisitos despojos femeniles. Allí se encontraban trofeos de todas las conquistas, laureles de todos los triunfos.

Pero, ni la cajita de palo de rosa, donde alguien había sorprendido el oculto tesoro de la más hermosa y rubia y ondulante cabellera; ni el fino pañuelo de batista que ostentaba una corona de marquesa por blasón; ni el abanico de blonda y nácar, evocador de cierta leyenda sangrienta; ni la blanca liga de desposada...; ni los dos antifaces, negro y rojo el uno, rojo y negro el otro, que aún parecían conservar, frente a frente, la misma actitud hostil que una noche adoptaron al encontrarse en aquella misma alcoba sus respectivas dueñas; ni la sugestiva zapatilla azul que Octavio no tocaba sin besar, digna del breve pie de la Cenicienta; nada, nada mortificaba tanto mi curiosidad como la sarta de lindos caracolitos guardada devotamente en rico estuche de marfil. ¿Acaso este ateo impenitente abrigaba la cándida superstición de los amuletos?

Una noche, por fin, interrogué a Octavio:

—¿Y esto?

—¿Eso?... ¡Ay! Es una historia bien triste la que me pides, la historia de un amor irreal.

Yo miré con extrañeza a mi amigo.

—¿Te sorprende la palabra en mis labios?

—¿A qué ocultártelo?

—Pues escucha:

Todas las tardes ella bajaba a la playa y allí acudía yo tan sólo por verla saltar descalza, de roca en roca, hasta alcanzar el abrupto peñón que se erguía en el mar, casi a la orilla, frontero al viejo torreón del castillo. Y poniendo aquel soberbio pedestal a su temprana hermosura, se hacía contemplar de las ondas, de las ondas a las que ella hablaba con la gracia y la majestad de una reina enamorada.

¿Qué les confiaba? No sé. Sin duda, embajadas de amor que las coquetuelas, modulando su canción de espuma, corrían alegres y presurosas a recibir, y presurosas y alegres se llevaban.

Una tarde... ¡Oh! estaba más bella que nunca. Su flotante cabellera blonda parecía llenar el aire de átomos de oro, y en el azul de sus grandes pupilas se reflejaba algo de la imponente y bravía inmensidad del mar. Traía al cuello esa sarta de caracolillos que ha sido aguijón de tu curiosidad.

Vino a mí, se sentó a mi lado, sobre el césped, y me dijo:

—¿Sabes que me llaman loca?

—¿Quién?

—Ellas, las envidiosas, las que odian mis cabellos porque él los besa, y mis ojos porque él se mira en ellos.

—¿Él?...

—Sí, el Príncipe del mar, mi novio.

Y al decir así, sacudió con arrogancia sus cabellos.

—Cuéntame tus amores, preciosa niña.

Miróme breve instante en silencio; después, con acento que un recuerdo doloroso convertía en murmullo, me contó:

—Tú sabes que la tarde que enterraron a mi pobre madrecita quedé sola, sola en el mundo. Yo estaba muy triste, y una noche, para llorar con más desahogo, vine a orillas del mar y aquí caí dormida. Súpolo el Príncipe, y en su carro de perlas tirado por cuatro tritones acudió a consolarme. Me rogó que no sufriera y me dijo que yo era muy bonita y que él se casaría conmigo.

—¿Cuándo es la boda?

—No sé; mucho tarda ya esa hora de suprema ventura. ¡Oh, esperar!... ¡qué duro es esperar cuando el tiempo no marcha con la violencia con que palpita el corazón!

Y mientras exclamaba así, miraba con sus grandes pupilas azules a las ondas que alegres murmuraban su canción de espuma.

—¿Por qué esperar?

—Mi palacio aún no está concluido. Un palacio hermosísimo de granito más blanco que el mármol, con galerías de nácar, grutas de perlas y bosques inmensos de coral. Serán mis pajes los delfines y las ondinas mis doncellas. Qué feliz voy a ser ¿no es verdad?

—Sí, muy feliz.

—Todas las noches durante mi sueño viene el Príncipe a visitarme. ¿Ves estos caracolitos? Cuentan las veces que nos encontramos. Tengo muchos, muchos; ellos alfombran mi cabaña. Hoy estamos a trece y ya tengo doce.

Después prosiguió como en un ensueño:

—Mi Príncipe, ¡cuán bello es! Tiene la cabellera negra y ensortijada, la frente pálida y hermosa, los ojos tristes y soñadores, el pecho alto y vigoroso, el talle elegante y fino, el ademán firme y cortés. Cuando cierro los ojos y le contemplo tan bello, siento impulsos de correr a su encuentro y lanzarme al mar.

—Te ahogarías.

—No, los tritones me recogerían y en su carro conduciríanme al palacio; pero temo que mi Príncipe se enoje.

Y se alejó susurrando dulcemente un canto de amor.

Tres días después ocurrió el hecho fatal. Corrí a la playa donde yacía tendida sobre el abrupto peñón que tantas veces había servido de soberbio pedestal a su hermosura. Un hilo de sangre corríale por la sien y manchaba de púrpura el oro de sus cabellos; por sus labios amoratados parecía aún vagar una sonrisa, sonrisa de mujer enamorada que corre al encuentro del amado, y del cándido cuello pendía la sarta de caracolitos que habían marcado las horas felices de aquel mes.

Los conté: ¡doce! ¡Eran los mismos que me había enseñado! Desde aquel día no había vuelto el Príncipe y la visionaria se había lanzado al mar en su busca ■

Segunda Parte
Siglo XX

POESÍA
PUERTO RICO

Virgilio Dávila
(1869-1943)

Tuvo una vida más bien opaca como maestro, comerciante y agricultor, y su poesía es francamente costumbrista con notas de agudo humor. Fue un cultivador constante de la poesía y de ello dan fe sus poemarios Patria *(1903),* Viviendo y amando *(1912),* Aromas del terruño *(1916),* Pueblito de antes *(1917), posiblemente la más lograda de sus obras, y* Un libro para mis nietos *(1928).*

Nostalgia

«¡Mamá! ¡Borinquen me llama!
¡Este país no es el mío!
Borinquen es pura flama,
¡y aquí me muero de frío!»

Tras un futuro mejor
el lar nativo, dejé,
y mi tienda levanté
en medio de Nueva York.
Lo que miro en derredor
es un triste panorama,
y mi espíritu reclama
por honda nostalgia herido
el retorno al patrio nido.
¡Mamá! ¡Borinquen me llama!

¿En dónde aquí encontraré
como en mi suelo criollo
el plato de arroz con pollo,
la taza de buen café?

¿En dónde, en dónde veré,
radiantes en su atavío,
las mozas, ricas en brío,
cuyas miradas deslumbran?
¡Aquí los ojos no alumbran!
¡Este país no es el mío!

Si escucho aquí una canción
de las que aprendí en mis lares,
o una danza de Tavárez,
Campos, o Dueño Colón,
mi sensible corazón
de amor patrio más se inflama,

y heraldo que fiel proclama
este sentimiento santo,
viene a mis ojos el llanto...
¡Borinquen es pura flama!

En mi tierra, ¡qué primor!,
en el invierno más crudo
ni un árbol se ve desnudo,
ni una vega sin verdor.

Priva en el jardín la flor,
camina parlero el río,
el ave en el bosque umbrío
canta su canto arbitrario,
y aquí... ¡La nieve es sudario!
¡Aquí me muero de frío! ■

Luis Lloréns Torres
(1878-1944)

Concluyó su carrera de abogado en la Universidad de Barcelona y se graduó de Doctor en Filosofía y Letras en la de Granada, España. Además de la poesía, cultivó el ensayo y el drama. Fue fundador de la Revista de las Antillas, *publicación decisiva en la historia literaria puertorriqueña. Lloréns es posiblemente el más alto exponente del modernismo en su país, pero dentro de esta corriente vinculado al criollismo, de lo cual es muestra elocuente su ejemplar poemario* La canción de las Antillas y otros poemas *(1929). Como teatrista es autor del drama histórico* El grito de Lares *(1917).*

La canción de las Antillas

¡Somos islas! Islas verdes. Esmeraldas
en el pecho azul del mar.
Verdes islas, Archipiélago de frondas
en el mar que nos arrulla con sus ondas
y nos lame en las raíces del palmar.

¡Somos viejas! O fragmentos del Atlante
de Platón,
o las crestas de madrépora gigante,
o tal vez las hijas somos de un ciclón.
¡Viejas, viejas! presenciamos la epopeya resonante
de Colón.

¡Somos muchas! Muchas, como las estrellas.
Bajo el cielo de luceros tachonado,
es el mar azul tranquilo
otro cielo por nosotras constelado.
Y las aves, en las altas aviaciones de sus vuelos,
ven estrellas en los mares y en los cielos.

¡Somos ricas! Los verdes cañaverales,
más frescos que los gramales
de un vergel,
son panales
de áurea miel.
Los cafetales frondosos,
amorosos,
paren granos abundantes y olorosos..
Para el cansado viajero
brinda sombra y pan y agua el cocotero.
Y es incienso perfumante
del hogar
el aroma hipnotizante
del lozano tabacar.

Otros mares guardan perlas en la sangre del coral
de sus entrañas.
Otras tierras dan diamantes del carbón de sus montañas.
De otros climas son las lanas, los vinos y los cereales.
Berlín brinda con cerveza. París brinda con champagne.
China borda los mantones orientales
y Sevilla los dobleces de la capa de Don Juan.

¿Y nosotras...? De tabacos y de mieles
repletos nuestros bajeles
siempre van.
¡Mieles y humo! Legaciones perfumadas.
Por la miel y por el humo nos conocen en París y en Estambul.
Con la miel rozamos labios de princesas encantadas.
Con el humo penetramos en el pecho del doncel de Barba Azul.
¡Ricas, ricas! Los bajeles que partieron
con las mieles, los tabacos y el café de nuestra sierra,
los bajeles ya volvieron,
los bajeles nos trajeron
las especies y las gemas de los cinco continentes de la Tierra.

¡Somos indias! Indias bravas, libres, rudas,
y desnudas,
y trigueñas por el sol ecuatorial.
Indias del indio bohío
del pomarrosal sombrío
de las orillas del río
de la selva tropical.

Los Agueybanas y Hatueyes,
los caciques, nuestros reyes,
no ciñeron más corona
que las plumas de la garza auricolor.
Y la dulce nuestra reina Anacaona,
la poetisa de la voz de ruiseñor,
la del césped por alfombra soberana
y por palio el palio inmenso de los cielos de tisú,
no tuvo más señorío
que una hamaca bajo el ala de un bohío
y un bohío bajo el ala de un bambú.

¡Somos hembras! Hembras duras
en el seno y las caderas:
en las cumbres monolíticas y en las gnésicas laderas
de las aterciopeladas cordilleras.
Hembras puras
en las vírgenes entrañas
de oro de nuestras montañas.
Y hembras de ubres maternales
en las peñas donde irrumpen los fecundos manantiales
con que la negra nodriza de la sierra
se desborda sobre el humus sediento de la tierra.

¡Somos bellas! Bellas a la luz del día
y más bellas a la noche por el ósculo lunar:
hemos toda la poesía
de los cielos, de la tierra y de la mar:
en los cielos los rosales florecidos de la aurora
que el azul dormido bordan de capullos carmesíes
en la cóncava turquesa del espacio que se enciende y se colora
como en sangre de rubíes,
en los mares, la gran gema de esmeralda que se esfuma
como un viso del encaje de la espuma
bajo el velo vaporoso de la bruma;
y en los bosques los crujientes pentagramas
bajo claves de orquídeas tropicales,
los crujientes pentagramas de las ramas
donde duermen como notas los zorzales...
todas, todas las bellezas de los cielos, de la tierra y de la mar,
nuestras aves las contemplan en las raudas perspectivas
de sus vuelos,
¡nuestros bardos las enhebran en el hilo de la luz de su cantar!

¡Somos grandes! En la historia y en la raza.
En la tenue luz aquella que al temblar sobre las olas
dijo «¡tierra!» en las naos españolas.
Y más grandes, porque aquí
se conocieron
los dos mundos, y los Andes
aplaudieron
la oración de Guanahaní.
Y aún más grandes, porque fueron
nuestros bosques los que oyeron
conmovidos,
en el mundo de Colón
los primeros y los últimos rugidos
del ibérico León.
Y aún más grandes, porque somos en las playas de Quisqueya
la epopeya
de Pinzón.
La leyenda áurea del pasado refulgente;
en los cármenes de Cuba,
la epopeya de la sangre, la leyenda del presente,
de la estrella en campo rojo sobre franjas de zafir;
y en los valles de Borinquen,
la epopeya del trabajo omnipotente,
la leyenda sin color del porvenir.

¡Somos nobles! La nobleza de los viejos pergaminos
señoriales;
que venimos resonando por las curvas de los siglos ancestrales
y en las clásicas leyendas orientales
y en los libros de los muertos idiomas inmortales.
Nuestro escudo engarza perlas del collar de Jeremías
y esmeraldas de aquel salmo de las hondas profecías
de Isaías.
He aquí el címbalo alado,
más acá de las etiópicas bahías,
que enviara en vasos de árboles al mar
su legado.
Aquí el mundo en otros tiempos humillado,
cuyas cúspides homéricas
fueron nidos de las águilas ibéricas
en sus sueños y en sus ansias de volar.
Nobles por lo clásicas: profetizadas de Isaías,
de Jeremías,

de David, de Salomón,
de Aristóteles, de Séneca y Platón.
Nobles por lo legendarias: góticas, cartaginesas y fenicias,
por las naves que vinieron
de Fenicia y de Cártago y las que huyeron
en España de la islámica invasión.
¡Nobles, nobles! Que venimos resonantes,
por las curvas de los siglos fulgurantes,
hasta el más noble de todos,
hasta el siglo de la raza, de la historia,
del heroísmo, de la fe, y la religión,
el más grande de los siglos,
el de América y España,
de Colón y de Pinzón.
¡Somos las Antillas! Hija de la Antilla fabulosa.
Las Hespérides amadas por los dioses,
las Hespérides soñadas por los héroes,
las Hespérides cantadas por los bardos
de la Roma precristiana
y la Grecia mitológica.
¡Cuando vuelvan las hispánicas legiones
a volar sobre la tierra como águilas;
cuando América sea América que asombre
con sus urbes y repúblicas,
cuando Hispania sea Hispania la primera
por la ciencia, por el arte y por la industria;
cuando medio mundo sea
de la fuerte raza iberoamericana,
las Hespérides seremos las Antillas,
cumbre y centro de la lengua y de la raza! ■

Luis Palés Matos
(1898-1959)

Quizá el poeta más conocido de Puerto Rico, en especial por su aporte a la poesía afroantillana, de la cual es uno de sus fundadores. En este sentido su libro Tuntún de pasa y grifería *(1937) es prácticamente un clásico de este movimiento. Inició en 1921, con José de Diego, el «movimiento diepalista», que buscaba dar la impresión de lo objetivo sin recurrir a la descripción prolija, mediante los sonidos y las expresiones onomatopéyicas. Otros títulos líricos de Palés Matos son* Azaleas *(1915),* Poesía *(1957) y algunos textos inéditos. Es también autor de una novela:* Litoral, reseña de una vida inútil. *En 1957, con una valiosa introducción de Federico de Onís, se publicó* Poesías *(1915-1956), donde se recoge su obra lírica más representativa.*

El pozo

Mi alma es como un pozo de agua sorda y profunda
en cuya paz solemne e imperturbable ruedan los días, apagando sus
[rumores mundanos
en la quietud que cuajan las oquedades muertas.
Abajo el agua pone su claror de agonía:
irisación morbosa que en las sombras fermenta;
linfas que se coagulan en largos linos negros
y exhalan esta exangüe y azul fosforescencia.
Mi alma es como un pozo. El paisaje dormido
turbiamente en el agua se forma y se dispersa,
y abajo, en lo más hondo, hace tal vez mil años,
una rana misántropa y agazapada sueña.
A veces al influjo lejano de la luna
el pozo adquiere un vago prestigio de leyenda;
se oye el cró-cró profundo de la rana en el agua,
y un remoto sentido de eternidad lo llena ■

Pueblo negro

Esta noche me obsede la remota
visión de un pueblo negro...
es un pueblo de sueño,
tumbado allá en mis brumas interiores
a la sombra de claros cocoteros.
La luz rabiosa cae
en duros ocres sobre el campo extenso.
Humean, rojas de calor, las piedras,
y la humedad del árbol corpulento
evapora frescuras vegetales
en el agrio crisol del clima seco.
Pereza y laxitud. Los aguazales
cuajan un vaho amoniacal y denso.
El compacto hipopótamo se hunde
en su caldo de lodo suculento,
y el elefante de marfil y grasa
rumia bajo el boabab su vago sueño.
Allá entre las palmeras
está tendido el pueblo...
—Mussumba, Tombuctú, Farafangana—
Caserío irreal de paz y sueño.
Alguien disuelve perezosamente
un canto monorrítmico en el viento,
pululado, de úes que se aquietan
en balsa de diptongos soñolientos,
y de guturaciones alargadas
que dan un don de lejanía al verso.
Es la negra que canta
su sobria vida de animal doméstico;
la negra de las zonas soleadas
que huele a tierra, a salvajina, a sexo.
Es la negra que canta,
y su canto sensual se va extendiendo
como una clara atmósfera de dicha
bajo la sombra de los cocoteros.
Al rumor de su canto
todo se va extinguiendo,
y sólo queda en mi alma
la ú profunda del diptongo fiero,
en cuya curva maternal se esconde
la armonía prolífica del sexo ■

Danza negra

Calabó y bambú.
Bambú y calabó.
El Gran Cocoroco dice: tu-cu-tú.
La Gran Cocoroca dice: to-co-tó.
Es el sol de hierro que arde en Tombuctú.
Es la danza negra de Fernando Póo.
El cerdo en el fango gruñe: pru-pru-prú.
El sapo en la charca sueña: cro-cro-cró.
Calabó y bambú.
Bambú y calabó.

Rompen los junjunes en furiosa ú.
Los gongos trepidan en profunda ó.
Es la raza negra que ondulando va
en el ritmo gordo del mariyandá.
Llegan los botucos a la fiesta ya.
Danza que te danza la negra se da.

Calabó y bambú.
Bambú y calabó.
El Gran Cocoroco dice: tu-cu-tú.
La Gran Cocoroca dice: to-co-tó.
Pasan tierras rojas, islas de betún:
Haití, Martinica, Congo, Camerún;
las papiamentosas antillas del ron
y las patualesas islas del volcán,
que en el grave son
del canto se dan.

Calabó y bambú.
Bambú y calabó.
Es el sol de hierro que arde en Tombuctú.
Es la danza negra de Fernando Póo.
El alma africana que vibrando está
en el ritmo gordo del mariyandá.

Calabó y bambú.
Bambú y calabó.
El Gran Cocoroco dice: tu-cu-tú.
La Gran Cocoroca dice: to-co-tó ■

Evaristo Ribera Chevremont (1896-1976)

Poeta de copiosa obra, sus cinco años de estancia en España fueron decisivos para su formación. Procedente del modernismo, el conocimiento de la literatura vanguardista —con la que se familiariza en Madrid— lo lleva a romper con aquella tendencia estética, abogando desde entonces por una poesía más espontánea y natural. Federico de Onís lo llamó «uno de los mayores poetas de nuestra lengua». Nada define mejor su concepto de la poesía que estas palabras suyas: «Matemos la elocuencia, el tono mayor, lo grave, lo teatral». Algunos de sus títulos fundamentales son: Color *(1938),* Tonos y formas *(1943),* Verbo *(1947),* La llama pensativa *(1954) y* El Semblante *(1964), entre otras. Un conjunto selecto de toda su obra le fue publicado en 1967, con prólogo y notas de María Teresa Babín y J.L. Rodríguez:* Antología poética (1929-1965).

La sinfonía de los martillos

En el silencio áspero retumban los martillos
es una nueva música de vigoroso ritmo.
Es música que expone, con masculino empuje,
la rígida grandeza del proletario espíritu.

En el silencio áspero retumban los martillos.

Oyendo las canciones eróticas y burdas,
de tono desmayado, se cansan los oídos.
El hombre de hoy reclama la brusca sinfonía
forjada por la mano brutal de nuestro siglo.

En el silencio áspero retumban los martillos.

Retumban en talleres de llama y humareda.
Retumban anchurosos, potentes, los martillos.
Y, al retumbar, descubren el alma del acero.
El alma del acero se entrega en el sonido.

En el silencio áspero retumban los martillos.

Retumban los martillos, retumban los martillos.
Retumban, anchurosos, potentes, los martillos.
Y apagan las dulzuras del piano y de la viola,
sutiles instrumentos de enervador fluido.

En el silencio áspero retumban los martillos.

Gavotas, minuetos, romanzas y oberturas
denuncian una época de magistral estilo;
pero la sinfonía de los martillos dice
de la pujanza cruda de un tiempo vasto en ímpetus.

En el silencio áspero retumban los martillos.

No es hora del perfume, ni es hora de las citas.
No es hora del deleite ni es hora de los vinos.
No es hora del poema de untuosos maquillajes.
Es hora del poema del músculo y el grito.

En el silencio áspero retumban los martillos.

Retumban los martillos, retumban los martillos.
Retumban, anchurosos, potentes, los martillos.
Retumban los martillos. Su ruda sinfonía
me enseña la energía compacta de lo físico.

En el silencio áspero retumban los martillos.

En el silencio áspero retumban los martillos.
Es una nueva música de vigoroso ritmo.
Es música que expone, con masculino empuje,
la rígida grandeza del proletario espíritu.

En el silencio áspero retumban los martillos ■

La carne que te cubre...

La carne que te cubre, Señor, es un secreto.
Firme, con la belleza de sus grandiosos trazos,
refulge en tu alta frente, vibra en tus tiernos brazos,
a tono con las músicas hondas de tu esqueleto.

La carne que te cubre no muere ni envejece.
Como un amor de flores, como una luz muy pura,
como un agua en su límpida condición de frescura,
como una fe de albas, se entrega y permanece.

La carne que te cubre, Señor, es duradera,
y ha de irradiar tu carne sin miedo a las pasiones,
sin miedo a las angustias: en haz de vibraciones
magníficas, retorna con cada primavera.

La carne que te cubre, Señor, es lanceada;
y, sin embargo, herida, tremendamente herida,
manando sangre, puede ser manantial de vida.
¡En medio de los siglos, tu carne es llamarada! ■

La garza

Es la mañana azul, y hay una grata
pincelada de rosa en la ribera.
La garza, melancólica y austera,
hunde en las ondas su inflexible pata.

En aquel semicírculo de plata,
frente a los cielos, bebe el sol y espera
el pez de ópalo y oro. Se dijera
que su pico se tiñe de escarlata.

Inmóvil, fija, y alargando el cuello
por la atención, en la virtud del día,
tiene la majestad de un siglo bello.

Rodeada del lívido peluche
del manglar hosco, de la ribera umbría,
es rara joya en anticuado estuche ■

Julio Soto Ramos
(1903)

Poeta, ensayista, narrador y periodista. Su expresión poética se ha desplazado desde el modernismo y postmodernismo de sus primeros libros hasta la definición e integración de una vanguardia sugerente y neosimbolista —cumarisotismo—, poética, esta última, recogida en su libro de poemas Trapecio *(1955). Además es autor de* Cortina de sueños (1923), Relicario azul *(1933) y* Soledades en sol *(1952). Entre su obra de crítico literario destacan:* Por caminos ajenos *(1942),* Una pica en Flandes *(1959) y* Cumbre y remanso *(1963).*

Tú en una estrella

Yo te busqué en la sombra
pero la sombra
s e p e r d i ó c o n t i g o

Yo te busqué en la luz
pero la luz
s e p e r d i ó c o n t i g o
Yo te busqué en el agua
y el agua era sonámbula
y s e p e r d i ó c o n t i g o
Yo te busqué en el eco
de un sonido
húmedo de silencio
y el eco
se alargó en mi oído
y s e p e r d i ó c o n t i g o
Yo te busqué en mi voz
y mi voz sin voz
s e p e r d i ó c o n t i g o
Yo te busqué en mí mismo
y hasta yo mismo
m e p e r d í c o n t i g o
Y de tanto buscarte
e n l a s o m b r a
e n l a l u z
e n e l a g u a
e n e l e c o
e n m i v o z
e n m í m i s m o
eché mi corazón a las estrellas
y en una estrella
t e r e í a s c o n m i g o ■

Félix Franco Oppenheimer (1912)

Catedrático universitario, ensayista, periodista y poeta. Su poesía manifiesta sus preocupaciones filosóficas y de angustia existencial. Es uno de los creadores del movimiento de vanguardia trascendentalismo *(1948). Su obra poética está recogida en los siguientes títulos:* El hombre y su angustia *(1950),* Del tiempo y su figura *(1956),* Los lirios del testimonio *(1964) y* Estas cosas así fueron *(1966).*

Yo recuerdo al Apóstol

Yo recuerdo al Apóstol, el que ha visto y oído,
que de pie sobre la arena del mar, se dijo:
¡dónde los siete candelabros de oro, las siete
estrellas...!, cuando el galopar de cuatro corceles
entran de golpe en aguas de sus ojos, con regias
corazas de Vulcano y azufre; sus cabezas,
tal como de serpientes: el primero era blanco,
brioso y deslumbrante, en negro laurel su arco;
el segundo, rojizo, quitador de sosiego,
iba en siembra de sangre; el siguiente era negro
y tenía balanza medidora de trigo
y cebada; era el cuarto de color amarillo,
y de hoz presta a segar echaba la semilla
del hambre y de la muerte... Sobre fuentes y rías
cayeron las estrellas como rostros exangües;
de ajenjo se tornaron las aguas, porque el ángel

del abismo, Abadón, tuviera dúctil barro
para moldear estatuas a la luz del ocaso,
en la ciénaga pútrida... (Mientras en vuelo vagan,
siete ángeles hermosos con las postreras plagas...)
Allá, en lo alto, Caín, en su aquelarre extraño,
que atiza, con su haz de zarzas, instigando
ímpetus en las aguas y pasos en las dunas,
y en las cenizas frías ya sin párpados, busca
el cinturón del tiempo que ata con sus imanes
esta piedra de Sísifo hundida en nuestros mares... ■

Francisco Matos Paoli
(1915)

Poeta y agudo ensayista, estudió en la Universidad de Puerto Rico y cursó más tarde estudios superiores en la Sorbona, de París. Su poesía parte de la lírica española clásica —Garcilaso, San Juan de la Cruz— para entroncar con la de la Generación del 27: Salinas, Guillén, Aleixandre, a más de recibir inicialmente la influencia de Unamuno, Machado, Juan Ramón Jiménez. Su sólida cultura se advierte tanto en su temática como en el cincelado de sus versos. Incluso los títulos de sus poemarios revelan la armonía y pulcritud de su lenguaje: Habitante del eco *(1941),* Teoría del olvido *(1944),* Criatura de rocío *(1958),* El viento y la paloma *(1969),* La semilla encendida *(1971).*

Muerte becqueriana

Era la muerte. Y sin razón, pidiendo
leve cruz a su lágrima.
Con algo de sonrisa y mudo albor
entre los hombres, pasa.
Abrid el niño, y con el niño, hacedle
un arco de esperanza.
Que ya gravita de labrado oro
su presencia imantada.
Y va, de noble eco desasida,
creando la mañana.
Su dulce amianto en el ave, y su loma
de sed en la pestaña.
Se parece al fulgor sobre la lluvia.
¡Y qué ríos trabaja!
Cincel de espuma regalando al aire
el azul de su estatua.

Coronad esa libre procedencia
del mal que la engaña.
Jordán del humo que revela al tiempo
las velas retratadas ■

La nada

Estupor, sólo estupor.
Ni una ola. Ni un hermano.
Sujeta está ya la mano
en la ausencia del color.
Tedio extático: el amor
de los otros. La esperanza
detenida. El hombre alcanza
sordidez entre la cera.
Y caída la bandera
en el suelo, no se avanza ■

Julia de Burgos
(1914-1953)

Poetisa, periodista, maestra de escuela, quizá por su azarosa vida (autodesterrada en Nueva York y en Cuba, subsistiendo en los Estados Unidos de oscuros empleos, falleciendo a temprana edad en un hospital de Harlem y enterrado su cadáver en una fosa anónima) los recuerdos de su infancia y adolescencia en su patria pequeña, el poblado de Carolina, aparecen como una constante en su obra, especialmente el Río Grande de Loíza. El Instituto de Literatura Puertorriqueña le premió en 1939 su libro de poemas Canción de la verdad sencilla. *Su obra debe vincularse a la de las grandes poetisas hispanoamericanas del postmodernismo: Gabriela Mistral, Alfonsina Storni y Juana de Ibarbourou. También publicó* Poemas en veinte surcos *(1938) y* El mar y tú *(1954).*

Río Grande de Loíza

¡Río Grande de Loíza!... Alárgate en mi espíritu
y deja que mi alma se pierda en tus riachuelos,
para buscar la fuente que te robó de niño
y en un ímpetu loco te devolvió al sendero...

Enróscate en mis labios y deja que te beba,
para sentirte mío por un breve momento,

y esconderte del mundo y en ti mismo esconderte,
y oír voces de asombro en la boca del viento.

Apéate un instante del lomo de la tierra,
y busca de mis ansias el íntimo secreto;
confúndete en el vuelo de mi ave fantasía,
y déjame una rosa de agua en mis ensueños.

¡Río Grande de Loíza!... Mi manantial, mi río,
desde que alzóme al mundo el pétalo materno;
contigo se bajaron desde las rudas cuestas
a buscar nuevos surcos, mis pálidos anhelos;
y mi niñez fue toda un poema en el río,
y un río en el poema de mis primeros sueños.

Llegó la adolescencia. Me sorprendió la vida
prendida en lo más ancho de tu viajar eterno;
y fui tuya mil veces, y en un bello romance
me despertaste el alma y me besaste el cuerpo.

¿A dónde te llevaste las aguas que bañaron
mis formas, en espiga de sol recién abierta?
¡Quién sabe en qué remoto país mediterráneo
algún fauno en la playa me estará poseyendo!

¡Quién sabe en qué aguacero de qué tierra lejana
me estaré derramando para abrir surcos nuevos;
o si acaso, cansada de morder corazones,
me estaré congelando en cristales de hielo!

¡Río Grande de Loíza!... Azul. Moreno. Rojo.
Espejo azul, caído pedazo azul de cielo;
desnuda carne blanca que se te vuelve negra
cada vez que la noche se te mete en el lecho;
roja franja de sangre, cuando bajo la lluvia
a torrentes su barro te vomitan los cerros.

Río hombre, pero hombre con pureza de río,
porque das tu azul alma cuando das tu azul beso.
Muy señor río mío. Río hombre. Único hombre
que ha besado en mi alma al besar en mi cuerpo.

¡Río Grande de Loíza!... Río grande. Llanto grande.
El más grande de todos nuestros llantos isleños,
si no fuera más grande el que de mí se sale
por los ojos del alma para mi esclavo pueblo ■

Canción amarga

Nada turba mi ser, pero estoy triste.
Algo lento de sombra me golpea,
aunque casi detrás de esta agonía,
he tenido en mi mano las estrellas.

Debe ser la caricia de lo inútil,
la tristeza sin fin de ser poeta,
de cantar y cantar, sin que se rompa
la tragedia sin par de la existencia.

Ser y no querer ser... es la divisa,
la batalla que agota toda espera,
encontrarse, ya el alma moribunda,
que en el mísero cuerpo quedan fuerzas.

¡Perdóname, oh, amor, si no te nombro!
Fuera de tu canción soy ala seca.
La muerte y yo dormimos juntamente...
Cantarte a ti, tan solo, me despierta ■

Luis Hernández Aquino (1907)

Graduado de Doctor en Filosofía y Letras por la Universidad Central de Madrid, ha ejercido como profesor de Literatura en las universidades de Mayagüez y Río Piedras. Su labor ensayística, crítica y de investigación literaria es quizá tan valiosa como su obra poética. Ha pertenecido a dos grupos de vanguardia literaria: Atalayismo *(1929) e* Integralismo *(1941). Su obra ha estado animada por el decursar de la poesía española, pero, como se ha señalado, es con su libro* Poemas de la vida breve *(1940) donde alcanza «el nivel de madurez, en una expresión acendrada, de sello personal» (José Antonio Dávila). Ha publicado, entre otros,* Niebla lírica *(1931),* Del tiempo cotidiano *(1961) y* Entre la elegía y el réquiem *(1968).*

Los rostros constelados

(Homenaje a François Villon.)

Entonces eran otros los días y la luz,
el pan, el agua, las calladas noches.
Otras las golondrinas y los pájaros
azules de los cuentos. Caminábamos
con los ojos abiertos, las ventanas
del alma par en par para que todo entrara
como una fina lluvia de abril o como una
dulce estrella de estío fugaz y silenciosa.

¿Dónde reposan Silvia, Adelaida, María,
cuyos nombres tan sólo nos devuelve el olvido?

Entonces eran otros los árboles, los sueños,
los rostros constelados de sonrisas, las manos
que posaban sus dedos en las frentes febriles
para ahuyentar la fiebre. Entonces eran otros
los labios que dejaban fluir una canción
de horas antiguas, melodías sin tiempo,
que se repite siempre, que se oculta,
vuelve a surgir y se fuga temblando.

¿En qué lugar descansan Minerva, Rita, Elisa,
de ojos como los astros fugaces de la noche?

Entonces eran ellos, los nombres que ahora vuelven,
torcaces mutiladas, temblando en el poema,
para alcanzar acaso una migaja eterna
por tan sólo un instante, bebiéndose su olvido,
en la marea del sueño, en el río de la sangre
que enciende la memoria, en la palabra pura
que brota como flor auroleada de luces,
con su rocío celeste, su música de estrellas.

El tiempo ha dibujado su rastro en el verdín
de las tapias, ha escrito unas simples palabras
en las lápidas viejas, que descifran mis ojos:
Silvia, Elisa, Adelaida, Rita, María, Minerva ■

Jorge Luis Morales
(1930)

Integrante del grupo de jóvenes poetas y estudiantes que se congregan en torno a Juan Ramón Jiménez cuando el gran lírico español viene a enseñar a la Universidad de Puerto Rico. Su primer poemario, Metal y piedra *(1952), recibe el saludo entusiasta y alentador del Maestro. Se ha dicho que Jorge Luis Morales que es «el poeta joven de Puerto Rico de obra más original y perdurable». Colaborador frecuente de revistas y periódicos de la Isla, ha ido acumulando por ello una apreciable tarea como crítico y ensayista. De su labor poética merece mención especial su poemario* Discurso a los pájaros *(1961). Destacan también* Metal y piedra *(1952) y* La ventana y yo *(1960).*

Mi corazón os doy

A lo menos, demos pan al necesitado.
Vayamos de casa en casa, de hogar en hogar,
por todos esos pueblos que a diario besamos con olvido
y, sin que falten los recién nacidos, reunámoslos a todos.
Vivimos en un tiempo de necesitados.
Cuantas veces me acerco a las praderas,
ni un adiós, ni un saludo…
Las yerbas mansas, aquellas frutas sangrando de rubor,
el agua en promesa murmurante y hasta el aire,
¡ay, cómo han muerto sin decirnos nada!
¡Cuán inocentes, cuán incautos!
Nos hemos hecho ríos mirándose en sí mismos
y fuera de nosotros: ¿qué? Mañana nos morimos
y recordar, hermanos:
¡Qué terrible la muerte cuando se hunde en la muerte!
Vamos, vamos a regalar a los necesitados
el pan escaso que nos queda.
Esta palabra misma, la esencia costosa de los sueños,
la fe en que reclinamos nuestras ansias,
el sol que nos alumbra y las estrellas.
Trabajoso quedarse a la intemperie,
si pensamos en Judas como un sutil vigía.
Pero vamos, vamos a regalar a los necesitados
todo lo que han necesidad y hambre
que a los viernes los sábados suceden.
Vamos… Yo pan no tengo, nada
que ofrecer a estas hambres al desnudo,
a estos fríos sin ni siquiera harapos,

a estas vajillas que viven en el limbo,
a estos bostezos de lastimosa eternidad.
Vamos... Seguidme que he de darles tanto, tanto,
aunque no tengo abrigo en el invierno;
ni lágrimas que puedan sollozar en mis ojos;
ni sudor, ni saliva;
ni la terrestre sangre camina por mis venas.
Vamos... No resisto ver necesitados
ni la necesidad también necesitada.
Mi corazón os doy; mi corazón os dejo:
¡esta música inquieta
poblada de palomas y ventanas! ■

Hjalmar Flax
(1942)

Ha cursado estudios en las universidades de Puerto Rico y Pennsylvania, graduándose de doctor en Derecho en 1969. De 1969 es su primer libro 44 poemas. *Otro título suyo es* Los pequeños laberintos *(1978), del que se ha dicho que «es un poemario cercano a una de las últimas tendencias de la poesía hispanoamericana, aquélla que se emparenta con las composiciones de Nicanor Parra». Su último libro:* Tiempo adverso *(1982).*

El regreso

He arriesgado la vida
debajo de plafones agrietados.

He abierto las puertas más ocultas
y escuchado en los pasillos
el frágil ruido de mis pasos.
He recorrido las calles más enrevesadas sin dudar
que cada tenue huella mía será (si ya no ha sido)
borrada por la lluvia.

Incontables veces he expuesto el cráneo
al golpe contundente de los meteoritos.

Largos caminos tendidos de crepúsculos
me conducen a la última pisada
en falso,

ciego,
sabiéndome sobrevivido
por mis botas y mi chaqueta,
adivinando todavía
el punto de partida ■

Poema sin futuro

Yo también estoy preso en los recuerdos
de un pasado demasiado fugaz. Entonces
no sospeché la fuerza de otras posibilidades.
Y si pienso que también estos momentos
en otro tiempo sentiré fugaces,
algo obstinadamente va negando
desde el fondo del cuerpo
ese otro tiempo ■

CUBA

Mariano Brull
(1891-1956)

Se inicia escribiendo una poesía confidencial en la que predominan los sentimientos para luego, bajo la influencia de Paul Valéry, volcarse hacia la llamada poesía pura. Por este camino llega al juego verbal, a lo que Alfonso Reyes designó, empleando también un término sin significación pero grato al oído, jitanjáforas. *La palabra aparece en el libro de Brull* Verdehalago *(1928), que él subtituló* Poemas en menguante. *Sus otros libros son un alarde de virtuosismo técnico, de los que, conscientemente, se intenta sustraer toda emoción:* Canto redondo *(1934),* Solo de rosa *(1941),* Tiempo de pena *(1950),* Nada más que... *(1954). Sus traducciones de Valéry poseen una singular perfección.*

La lluvia

Empapada de su carne
aquí está la lluvia hermana;
por el aire viene, y viene
hechesita un mar de lágrimas.
Llama:

Y nadie le abre la puerta.
Canta:

Todos cierran las ventanas.
La vi corriendo, corriendo
caminito de mi casa;
lloraba, con tanto lloro,
que me ha dado lástima.
¡Ábrele a la lluvia
que viene mojada!

Por las calles se la llevan
ya muerta —en el agua, agua—
al mar, la que tuvo un trono
y un reino, claro, en el aire ■

Verdehalago

Por el verde, verde
verdería de verde mar
Rr con Rr.

Viernes, vírgula, virgen
enano verde
verdularia cantárida
Rr con Rr.

Verdor y verdín
verdumbre y verdura
verde, doble verde
de col y lechuga.

Rr con Rr
en mi verde limón
pájara verde

Por el verde, verde
verdehalago húmedo
extiéndome. —Extiéndete.
Vengo de Mundodolido
y en Verdehalago me estoy ■

Eugenio Florit
(1903)

Partiendo de una poesía de métrica tradicional —la décima, el soneto— en la que, no obstante, reveló sus facultades técnicas, con Doble acento *(1937) Florit se muestra como un poeta en plena madurez. El libro fue prologado por Juan Ramón Jiménez, con quien el autor mantuvo estrecha amistad durante la permanencia del gran poeta español en La Habana. Posteriormente, Florit se trasladó a los Estados Unidos, donde ha fijado su residencia, ejerciendo como profesor en distintas universidades. Luego de* Conversación con mi padre *(1949) y* Asonante final *(1950) ha ensayado una poesía coloquial, de expresión sencilla y comunicativa. Otros libros suyos son:* Reino *(1938),* Cuatro poemas *(1940) y* Poema mío *(1947).*

Pensamientos en un día de sol

Es cierto que hay basura por las calles;
que las palomas, a pesar de ello o por lo mismo
—pobres animalitos—, ensucian las estatuas
y hay que ponerles púas
para que se vayan a otra parte con la música de sus amores.
Cierto, sí, que dan ganas de gritar a veces
en el subway, o en las aceras, o al asomarse a las ventanas
y ver todo lo triste y pegajoso y negro de la vida.
Cierto, sí, que la muerte más innoble nos acecha
y la estamos mirando en las páginas de los diarios
junto a la desvergüenza de una artista de cine
y al capricho de un señorito millonario.

Cierto que muchas veces le dan ganas a uno
de irse bien lejos, a una playa tranquila,
a un pueblecito solitario, a un alto monte
para perder de vista lo vulgar y lo feo.
Cierto que... sí; pero a pesar de todo,
pero como la luz cae desde Dios,
y hace lo verde de las hojas nuevas;
y el azul de la fuente, o el del mar,
y el amarillo puro de la flor;
como que frente a mí, bajo el estrépito
del tren, alguien que lee se sonríe,
y levanta los ojos, y los cierra, y medita;
como que esta pareja va unida de las manos
y en inocencia y dignidad camina,
y como el aire está lleno de un oro plácido
en el bullir de nueva primavera,
y se tiene a la mano un pensamiento
claro, y un buen recuerdo,
y un deseo de ir hacia adelante
y de ver si es posible que, por el pensamiento,
vayamos todos, cada uno a su modo,
embelleciendo un poco nuestro rincón de vida;
como que nos conformamos con todo lo demás,
y, en fin, que damos gracias a Dios
porque este mayo nos ha dejado ver otra vez la primavera ■

Nicolás Guillén
(1902)

El más conocido de los poetas cubanos, sobre todo por su poesía negroide. Aunque no es su creador, pues ya Guirao, Ballagas, Tallet y Carpentier en Cuba y Palés Matos en Puerto Rico habían practicado esta poesía en la que se mezclan lo pintoresco y lo folklórico, Motivos de son *(1930) lo sitúa a la cabeza de este movimiento, al cual Guillén le imprime un acento social. En* Sóngoro cosongo *(1932) y en* West Indies Ltd. *(1934) su intención social se hace más clara.* Cantos para soldados y sones para turistas *(1937) evidencia una influencia que ya había asomado antes: la de Langston Hugues, el poeta negro norteamericano. Después del triunfo de la revolución cubana, Guillén ocupa la presidencia de la Unión de Escritores y Artistas desde 1960, y ha producido otros libros que no alcanzan la maestría de* El son entero *(1947) o de sus* Elegías. *El más popularizado de los libros recientes de Guillén es* Tengo *(1964).*

Velorio de Papá Montero

Quemaste la madrugada
con fuego de tu guitarra:

zumo de caña en la jícara
de tu carne prieta y viva,
bajo luna muerta y blanca.

El son te salió redondo
y mulato, como un níspero.

Bebedor de trago largo,
garguero de hoja de lata,
en mar de ron barco suelto,
jinete de la cumbancha:
¿qué vas a hacer con la noche,
si ya no podrás tomártela,
ni qué vena te dará
la sangre que te hace falta,
si se te fue por el caño
negro de la puñalada?

Ahora sí que te rompieron,
Papá Montero! ■

Guitarra

Tendida en la madrugada
la firme guitarra espera;
voz de profunda madera
desesperada.

Su claromosa cintura,
en la que el pueblo suspira,
preñada de son, estira
la carne dura.

Arde la guitarra sola,
mientras la luna se acaba;
arde libre de su esclava
bata de cola.

Dejó el borracho en su coche,
dejó el cabaret sombrío,
donde se muere de frío,
noche tras noche,

y alzó la cabeza fina,
universal y cubana,
sin opio, ni mariguana,
ni cocaína.

¡Venga la guitarra vieja
nueva otra vez al castigo
con que la espera el amigo,
que no la deja!

Alta siempre, no caída,
traiga su risa y su llanto;
clave las uñas de amianto
sobre la vida.

Cógela tú, guitarrero,
límpiale de alcol la boca,
y en esa guitarra, toca
tu son entero.

El son del querer maduro,
tu son entero;
el del abierto futuro,
tu son entero;
el del pie por sobre el muro,
tu son entero...

Cógela tú, guitarrero,
límpiale de alcol la boca,
y en esa guitarra, toca
tu son entero ■

José Lezama Lima (1910-1976)

Escribe Max Henríquez Ureña en su Panorama histórico de la literatura cubana: *«El primer libro de poesía de José Lezama Lima,* Muerte de Narciso *(1937), fue una revelación. El segundo,*

Enemigo rumor*(1941), fue una revolución.» Y explica por qué: «... su verso semejaba una selva de metáforas; pero ese lujo de imágenes fue atenuándose después para dar mayor auge a violentas elipsis ideológicas, a asociaciones insólitas que parecen venir del fondo de la subconciencia, o a evocaciones hiperbólicas que funden lo real con lo onírico». Después vendrían* Aventuras sigilosas *(1945),* La fijeza *(1949),* Dador *(1960), pero no sería hasta la publicación de su novela* Paradiso *(1967) que alcanzaría renombre universal. Lezama Lima es también autor de excelentes libros de ensayos como* Analecta del reloj *(1953),* Tratados en La Habana *(1957) y* La expresión americana *(1958), entre otros. Asimismo fue fundador y director durante diez años de una de las revistas literarias más prestigiosas del continente americano:* Orígenes *(1944-1954).*

Ah, que tú escapes

Ah, que tú escapes en el instante
en el que ya habías alcanzado tu definición mejor.
Ah, mi amiga, que tú no quieras creer
las preguntas de esa estrella recién cortada,
que va mojando sus puntas en otra estrella enemiga.
Ah, si pudiera ser cierto que a la hora del baño,
cuando en una misma agua discursiva
se bañan el inmóvil paisaje y los animales más finos;
antílopes, serpientes de pasos breves, de pasos evaporados,
parecen entre sueños, sin ansias levantar
los más extensos cabellos y el agua más recordada.
Ah, mi amiga, si en el puro mármol de los adioses
hubieras dejado la estatua que nos podía acompañar,
pues el viento, el viento gracioso,
se extiende como un gato para dejarse definir ■

Una oscura pradera me convida

Una oscura pradera me convida,
sus manteles estables y ceñidos,
giran en mí, en mi balcón se aduermen.
Dominan su extensión, su indefinida
cúpula de alabastro se recrea.
Sobre las aguas del espejo,
breve la voz en mitad de cien caminos,
mi memoria prepara su sorpresa:

gamo en el cielo, rocío, llamarada.
Sin sentir que me llaman
penetro en la pradera despacioso,
ufano en nuevo laberinto derretido.
Allí se ven, ilustres restos,
cien cabezas, cornetas, mil funciones
abren su cielo, su girasol callando.
Extraña la sorpresa en este cielo,
donde sin querer vuelven pisadas
y suenan las voces en su centro henchido.
Una oscura pradera va pasando.
Entre los dos, viento o fino papel,
el viento, herido viento de esta muerte
mágica, una y despedida.
Un pájaro y otro ya no tiemblan ■

Eliseo Diego
(1920)

Poeta y cuentista, se dio a conocer con un libro que es quizá el más logrado de toda su producción poética: En la calzada de Jesús del Monte *(1949). Obra de carácter autobiográfico, evoca aquí el barrio en que nació, su infancia, y lo hace a través de un sutil juego de impresiones auténticas. Este mismo tono nostálgico tendría su siguiente libro,* Por los extraños pueblos *(1960), y en general es un sello que marca toda su poesía. Como cuentista ha publicado dos libros que evidencian su procedencia poética:* En las oscuras manos del olvido *(1942) y* Divertimentos *(1946).*

La quinta

En un tiempo mis padres socavaron el tedio voraz del color
blanco valiéndose de gárgolas lunáticas que prodigaban
por juego las tinieblas,
y aquellos hipogrifos de cemento que lograron a fuerza de paciencia
consagradora pátina
callando conseguían disimular sus bromas y extender la penumbra
con un vago terror hacia la noche.
Más importante aún era el negrito a quien hacía tanta gracia la
nada sentado junto a las escaleras que siempre
pretendieron ser unos saltos de agua
y a quien acompañaba no sé si por su gusto el silencioso gato
sobre la tapia intenso, contra la tarde rojo, enigma pobre,
conmovedor qué será de mi barrio.

Las japonesas cuevas, escasas y profundas con la profundidad de una
noche pintada en una tabla,
y aquellas fuentes ciegas, y las acequias hondas por las fragantes tardes
paseadas.
Escribo todo esto con la melancolía de quien redacta un documento.
Como quien ve la ruina, la intemperie funesta contemplando el
raído interior del griego.
Digo cómo debían ser el ocio tan suave y el paso regio y la ternura
graciosa del paseo
cuando volvían a la casa despacio entre las aguas limpias de la
fuente, mirados por las criaturas extáticas del parque,
cuando la noche no siempre comenzaba en la caída, sino que
también era la tiniebla lustrosa del inútil recodo
socavando el tedio de la cal, el horror de la pared como vacío
deslumbrante.
Aquel negrito, aquellos hipogrifos que gustaban magistralmente de
la lluvia,
saboreando las gotas y el color gris como si el frío fuese de veras parte
de sus almas,
y el nombre de la quinta, que las filosas enredaderas
trenzaban con variadas flores de reluciente hierro,
los gobernados arroyuelos de piedra por donde navegaban los
bergantines dorados de las hojas
sin saber el tamaño menudo y deleitoso de su aventura ni el
agradable olvido de aquel sombrío puerto,
el jardín de la quinta donde termina la Calzada y comienza el
nacimiento silencioso del campo y de la noche,
raído por el sol lo miro, melancólicamente desolado como el feo
pensamiento de un idiota.
Digo estas cosas con la tristeza de quien a solas dice
cuántos años y deja caer la inútil mano sobre la frescura del mimbre
y en su comodidad encuentra algún consuelo ■

Gastón Baquero
(1916)

Poeta, ensayista y periodista. Se gradúa de ingeniero agrónomo en la Universidad de La Habana, pero abandona su carrera para dedicarse al periodismo y a la literatura. Fue fundador de la revista Clavileño *en 1943, y su nombre está asociado al grupo «Orígenes», encabezado por Lezama Lima. En el periodismo, fue jefe de redacción del* Diario de la Marina *y sus artículos le dieron renombre, al igual que sus ensayos de crítica literaria:* Ensayos *(1948) y posteriormente* Escritores hispanoamericanos de hoy *(1961) y* Darío, Cernuda y otros temas poéticos *(1969). Poeta de resonancias bíblicas, sus primeras obras se expresan en musicales versículos, con posterioridad ha evolucionado hacia una poesía síntesis de lo mágico y lo cotidiano. De su obra poética* Saúl sobre la espada *(1942),* Poemas escritos en España *(1960),* Memorial de un testigo *(1966) y* Poesía reunida *(1984).*

Brandeburgo 1526

Exquisitas damas brandeburguesas
procuraban dominar la cólera del Barón Humperdansk,
no obstante que conocían la justificación de aquella cólera:
la Baronesa, a la que se tenía por mujer feliz en su castillo
rodeado de abetos gigantescos,
se levantó muy al alba, vestida de amazona, bebió de pie su
taza de Etiopía,
y dijo al palafrenero por única despedida:
«cuando llegue el momento, dígale al Barón que salí a ver
personalmente
qué cosa es esa del Nuevo Mundo de que se habla tanto ahora».

El Barón fue informado de su infortunio a la hora exacta
en que cada día autorizaba a sus lacayos a dirigirle la palabra:
apagada la última campanada de las doce, él agitaba desde su
cámara secreta
una campanilla de oro que tintineaba por todo el castillo,
y erizaba de pavor los cabellos de la servidumbre.
—«Déme las novedades del día», dijo el Barón al bailío de
turno.
El bailío aclaró su garganta, se puso rígido, y desviando sus ojos
de la cara granulítica del Barón Humperdansk, dijo de una
tirada:
—«Hoy no hay nada más que decir que la señora partió a las
cinco y
treinta de la mañana en su caballo alazán Bucefalito, dejándole
dicho a
Vuestra Excelencia que iba al Nuevo Mundo.»

El Barón Humperdansk clavó los ojos en el parque de
abetos que rodeaba el castillo;
mudo, con el cristal de las lágrimas perforaba el sendero, y
seguía más allá,

como persiguiendo el trotar del alazán en las llanuras
brandeburguesas,
y avanzaba hasta alcanzar las orillas del océano, donde se
desplegaban grandes velas
color de azafrán, una barca lista para zarpar con rumbo a las
remotas islas,
a aquellas en cuya realidad creían tan sólo los navegantes fieles
a Juan de Mandavilla
y los pajes venecianos del perínclito Señor del Tapiz de Oro,
llamado Marco Polo.
La barca volaba hacia las islas y tras ellas el mirar alucinado
arrastraba al Barón de Humperdansk.
Adherido como un albatros muerto al ventanal sobre el bosque,
el Barón presenciaba extrañas ceremonias.
¡Qué inmenso templo de columnas blancas coronadas de
ventalles verdes!
¡Qué calidad de cielo! ¡Y cuántas claridades en las nubes!
¿Será esta la tierra presentida por los altivos navegantes de la
Eskalda,
por los viejos estrelleros del Egipto, por los augures persas?
Deleitoso dibujo nunca visto del sol sobre las hojas, del aire en
la piel del espacio.
Todo es allí sustancia de diamante, todo se rompe en luz, todo
fulgura.
¿Qué isla es esta de la que a Brandeburgo llegan insólitos
aromas,
y rojos chillidos de desconocidos pájaros despiertan los abetos
del castillo,
y humaredas de un incienso nuevo suben hasta el alma, y la
enardecen?
¿Qué catedral radiante se alza junto a la espuma,
y piérdese feliz por ella la más exquisita dama de Brandeburgo,
reverenciada ahora entre himnos y elásticas danzas como una
diosa ofrendada por el mar,
reverenciada por gentes extrañas, jamás vistas en los bosques de
Europa?
¿Y quiénes son estos jóvenes guerreros desnudos que cantan sin
cesar tan suaves melodías,
y estas doncellas doradas que danzan percutiendo a compás sus
tamburines?
¿Qué es este extraño atuendo de sus cabezas, y esta mórbida
carne acanelada
de sus sensuales cuerpos, que se adivinan tibios como caricias?

Mira el Barón absorto el ritual de la remota isla hecho a una diosa nueva;
siente que aquellos extraños guerreros la han recibido
como si hubiese caído del cielo después del huracán, el huracán,
que a veces dejaba en las llanuras y sobre el terciopelo de las solemnes ceibas,
innumerables pajaritos blancos, y a veces, como ahora, ofrecía' un ídolo benéfico,
otra diosa que renovaría la fecundidad de las mujeres y de la tierra.

El Barón lloraba silenciosamente, día tras día, en noche y alborada,
y en su habitación entraban las exquisitas damas de Brandeburgo
para escucharle una y otra vez el relato de sus alucinaciones. Hablaba
de ríos absolutamente cristalinos, de rojas mariposas sonoras,
de aves que conversaban con el hombre y reían con él. Hablaba
de maderas perfumadas todo el tiempo, de translúcidos peces voladores, de sirenas;
y describía árboles golpeantes con sus fustes en la techumbre del cielo,
y se le oía runrunear, transportado en su sueño al otro mundo,
cancioncillas que jamás resonaron en los bosques del castillo. Y cantaba:

«Senserení, color de agua en la mano,
y sabor de aleluya en bandeja de plata;
Senserení cantando a través del verano,
con su pluma de oro y su pico escarlata.»

Tornaba a ensimismarse en su felicísima tristeza, y allí se estaba el Barón de Humperdansk,
pegado al ventanal de las iluminaciones, contemplando el vivir de su esposa
en otro lejano paraíso, rodeada
de adolescentes lascivos, de ídolos hieráticos, de madreperlas y palmeras.

Hasta que un día, de pronto, apagada la última campanada de las doce, cuando
los lacayos entraban para cantar con laúd las novedades del día
(que Lady Mirandolina se había malogrado, que Piccolino

Uccello había escrito un poema),
se oyó gozosa la voz del bailío diciendo:
—«Hay noticias, señor Barón, de que la Baronesa vuelve». Y a
seguidas,
crecía en todos los oídos el trotar de un caballo alazán. Y
avanzaba veloz,
entre los abetos, la diosa que venía de las islas. Corría feliz
hacia el castillo,
aquella que partió para encenderse y renacer en las tierras del
Nuevo Mundo.
Entró en la cámara del Barón,
besó la frente del deslumbrado cuchicheándole extrañas palabras
en sus oídos,
y ceremoniosa fue hasta la ventana de los prodigios lejanos: la
Baronesa Humperdansk
llamó junto a sí a las exquisitas damas brandeburguesas y dijo:
«Bendecidme, mujeres de Brandeburgo; mirad mi vientre: traigo
del Nuevo Mundo
al sucesor de este castillo.» Y la Baronesa, con suma cortesía,
invitaba a las damas a fumar de unas oscuras hojas que recogió
en las islas.
El humo vistió de nubecillas plateadas la cámara del feliz Barón.
Ebrio de alegría,
agitaba su campanillita de oro, y pedía que trajesen los vinos de
las fiestas principales.
Todos brindaban por el niño que pronto haría florecer de nuevo
los muros del castillo.
Todos bailaban, locos de felicidad. Y extraña cosa en los
bosques de Brandeburgo:
todos quedaban castamente desnudos, envueltos por el humo
traído de las islas,
y danzaban al son de una música extraña:
una música hecha con tamburines de oro, y palmas, y
sahumerios ■

Heberto Padilla
(1932)

Estudió Derecho y Filosofía en la Universidad de La Habana. En 1948 publicó su primer poemario, Las rosas audaces. *Al triunfar la revolución cubana fue redactor del periódico* Revolución *y corresponsal de la agencia de noticias Prensa Latina en Londres. Su segundo libro de poemas,* El justo tiempo humano, *apareció en 1962, y en 1968* Fuera de juego *recibió el premio de poesía de la Unión de Escritores y Artistas de Cuba, libro por el que sería perseguido y llevado a la cárcel. Finalmente, en 1980 Padilla salió de Cuba. A pesar de su discurso prácticamente lineal, de eludir las palabras supuestamente poéticas, su verso está presidido por un fuerte lirismo y aun apelando a la descripción sorprende la pasión que lo anima y sus fulgurantes imágenes. Padilla es también autor de una novela:* En mi jardín pastan los héroes *(1981).* El hombre frente al mar, *del mismo año, es su última entrega poética.*

Álbum para ser destruido por los indiferentes

I

El fondo es de tierra rojiza, de pedregales ocres.
En la espesura verde se agranda el mediodía.
Es verano. Y hay montones de yerba sin quemar
a lo largo del campo rastrillado.
Un rabo sombrío —de nube— está robando agua
en la laguna.
Los patos y las garzas rebotan
contra la oscuridad.
Pero ésta no es —como pudiera imaginarse—
una fotografía hecha a distancia.
No es un grupo de gente disecada
en un papel que amarillea.
No estoy hojeando el viejo álbum de los poetas.
No es cuestión de ponerse a llorar.
Aquí nadie está inmóvil.
Los viejos y los jóvenes trabajan y sonríen
y a mí me gustaría correr
y anunciar que mi madre es aquélla
que alza los brazos,
mueve la falda
y gira
mostrando el aro intacto de su cuello.

Atravesando el campo
ahí va mi abuelo, en mula.
Le chispean las espuelas de cobre, el pantalón
de dril, la guayabera,
el gran cuello invencible que resistió
y partió la soga
con que una noche se quiso matar.
Ahí sigue todavía la casa en la colina

rodeada por la aralia,
y detrás de la arboleda,
los palmares,
la barranca, y el río
que vadeaba en medio de la corriente
con mi pelo pajizo y requemado
por la canícula.
Las flores hierven en el portal, humean.
La casa cimbra
contra el aire de la arboleda,
y el jardín de mi abuela
late impaciente en su ceniza,
y alguien viene y lo riega.

II

La memoria debe ser como un lienzo cuarteado.
Todas aquellas caras son brochazos.
Mis ojos
se hunden en una luz grasienta, de óleo.
Mi abuela es la Gioconda
que sonríe acostada, al borde de la muerte,
y la fogata la hizo
El Ícaro de Brueghel al caer
mientras nos preparábamos para La Cena
de los Campesinos.
¿Los recuerdos son cuadros?
¿O uno quiere que sean cuadros?
Y si lo fuesen
¿no serían más bien
lienzos abandonados entre la telaraña?
Pero mi madre es real
—sólo ella—,
metida en esa luz difícil, trabada
en líneas imborrables,
tendiendo los manteles
para una cena a la que nadie irá.

III

Porque muchos de ellos están muertos
y otros a punto de morir.

(Ésa es la verdadera historia)
Sin embargo,
que vivan todos ellos
por el amor que me infundieron,
porque no me enseñaron la maldad.
Vivan
bajo los encinares de sus aldeas,
diciendo adiós a mis tatarabuelos.
Vivan
esperanzados y medrosos
en los puertos de Europa, a la hora de partir,
caminando bajo los pinos de mi provincia,
harapientos, alzando sus hogares,
encandilados por la luz de Cuba.
Que vivan
haciendo las hogueras de mi niñez
en medio de los campos roturados.
Que vivan
como la vida que los ha devorado
y me devorará,
como la vida que engendra y mata
y resucita
con la violencia de la eternidad ■

Armando Álvarez Bravo (1938)

Cursó estudios en la Escuela Profesional de Publicidad y en la Universidad de La Habana. Fue investigador en el Instituto de Literatura Cubana, redactor de La Gaceta de Cuba, *órgano de la Unión de Escritores y Artistas de Cuba, y es miembro de la Academia Cubana de la Lengua. De su poesía se ha escrito que «transcurre en un ritmo de meditada serenidad» y también que «constituye un severo y lúcido testimonio sobre la exploración de la verdad, el cuidadoso cultivo de la memoria y la apasionada vocación por la palabra escrita». Ha publicado:* El azoro *(1964),* Relaciones *(1973),* Para domar un animal *(Premio José Luis Gallego, 1981),* Juicio de residencia *(1982). Es también autor de la antología* Órbita de Lezama Lima *(1966).*

No el poema definitivo

No el poema definitivo sino uno fácil como la luz
de la mañana y la gracia de las muchachas

con las que se quisiera estar por siempre,
hermosas como la más hermosa canción.

Esa simple verdad y su mapa para navegar gloriosamente
las horas cual si fuesen un clásico del cine, los relatos
de Conrad y Stevenson, y el éxtasis de la música verbal de Whitman.

Tantas cosas a realizar,
que el tiempo resulta un espejismo vertiginoso
que prodiga la gratificación anticipada
de los proyectos para las vacaciones,
destellando el oro incorruptible de sus monedas de salvaje libertad.

Hoy poseo la certeza de un amigo, la promesa
de una conversación y unas páginas memorables
en la noche, la incesante maravilla
que guarda la inocencia de unas criaturas;
poseo una lenta hoja de cacto que adornará un estante
como un trofeo, y crecerá para que la casa
se ahonde con la novedad de un prodigio interminable.

Sí, Frank O'Hara tenía toda la razón: es maravilloso
saltar de la cama y beber demasiado café
y fumar demasiados cigarrillos y amar tanto
que todo, menos la escritura, es un poema definitivo ■

Edith Llerena Blanco (1936)

Nació en La Habana, Cuba, y estudió Danza Clásica y Moderna y fue profesora de Danza en la Escuela Nacional de Artes (La Habana). Reside en España desde 1974. El crítico español Rafael Alfaro ha dicho de Canciones para la Muerte: *«tan sencilla en su estructura y tan rica y complicada en sus desplazamientos semánticos, en las visiones e imágenes que convoca, en el lenguaje delirante y tumultuoso que nos hace pensar en un huracán de palabras e imprecaciones». Ha publicado* La piel de la memoria *(1976),* Canto a España *(1979),* Las catedrales del agua *(1981) y* Canciones para la Muerte *(1983). También ha cultivado la poesía infantil con títulos como* Tus amigos de la tierra *(1977) y* Los oficios *(1979), entre otros.*

Siluetas

Cansada esfera
la alta luna roja

en madrugada lluviosa
de noviembre
La luz de las farolas inventa raros fulgores
una diabólica calzada
para el saldo de las criaturas
una luna devenida en círculo infinito
donde deambulan
las penas
la materia astral y mental
la perpetua soledad
todo se balancea y pende
aferrándose al halo del astro
porque la víspera de Dios
va durando muchos siglos
y no hay un solo hombre
que de hinojos musite algún rezo
y más parece la luna un quinqué antiguo
cansado de alumbrar tanta tiniebla
mientras miles desencarnan
en combates
confiando en el poder de la metralla
que no es más que el símbolo
de la veloz involución de la especie
Dura mucho la víspera de Dios
En la ciudad callada llueve con tregua
y un resplandor rojizo recorta la silueta
de Satán a horcajadas
de una iglesia
Tal vez Dios llegue mañana
caminando
como un General herido
al regresar
de la guerra ■

Pío E. Serrano
(1941)

Fue profesor del Departamento de Filosofía de la Universidad de La Habana. Reside en España desde 1974. Ha publicado A propia sombra *(1978) y* Cuaderno de viaje *(1981). Dentro de la más decantada poesía moderna, aquella que prescinde del oropel de la palabra y trata de rescatar las esencias poéticas, su verso fluye aparentemente llano, pero transido de significación, de misterio. Los hechos cotidianos, la memoria, el amor, la propia poesía alimentan sus motivaciones.*

Visita a Lezama Lima

Sobre las aguas del espejo,
breve la voz en mitad de cien caminos,
mi memoria prepara su sorpresa:
gamo en el cielo, rocío, llamarada.

J. LEZAMA LIMA

Una vez más, maestro, hemos venido
a descubrir la sorpresa repentina
con que ilumina su voz los signos conocidos.
Como es costumbre,
recibe usted en Trocadero,
y quiebra su sonrisa el equilibrio del aire
e incita, generoso, a romper las distancias
que nos separan de los fantasmas cotidianos;
otorga su palabra a los amigos
y deposita en cada uno la obsequiosa almendra.
El caprichoso fuelle de su voz,
su peculiar respiración del verbo,
va enhebrando una pasión voraz,
un apetito articulado por un ritmo que sólo usted conoce.
Henos aquí,
participando del asombro y del descubrimiento,
callados testigos de las mutaciones y de las invenciones,
el verso hilándose en su conversación,
ceremonial de nudosos entrecruzamientos,
eléctrica destrucción del fácil acomodo.
Instalados estamos en la mejor tradición del regocijo criollo.
Lento, su discurso crece,
precisado por el ritmo oculto de su respiración,
extendiéndose entre los muebles
y los rostros idos que pueblan esta habitación,
desempolva los callados esquineros
y se cuelga de los mudos retratos que cuidan las paredes,
y se fija, posesiva, en los más defendidos resquicios
de este salón, su geografía.
Se inclina en el sillón,
adelanta una mano sentenciosa
y nombra paciente,
la memoria celosa de esta ciudad
resuelta siempre felizmente en el agua

y la marea querenciosa
deposita en la piedra segura de este malecón,
frontera incierta, límite indeciso,
un secreto mensaje, un silabario órfico
que únicamente en su palabra revela su destino.
Seguro del designio recibido
recompone, imprudente
(ya le pasarán la cuenta),
una charanga en gesta noble;
ajeno a la mirada torva,
levanta una pirámide habanera;
ilumina, sigiloso
(y los resentidos alzan un cadalso con el alba),
un libro de horas para ser recitado en el Vedado;
y prepara secretas hecatombes
para ser celebradas en la playa de Marianao
recién desembarquen los aqueos.
En el salón pasa un sinsonte
y teje una décima en el último árbol pintado por Seurat.
Levemente sus manos
trazan las genealogías de las aves marineras
y los lindes ocultos de las etimologías
de los gestos y las escaramuzas cotidianas.
Especie en extinción,
confunde la borrosa mirada del burócrata innoble.
Reformista irreverente del hastío insular,
larva su palabra olvidado de todos.
Alquimista del ojo,
violenta la habitual textura de sonidos y colores.
Enciclopedia de callados trasiegos,
guardas tu secreto en una sola palabra.

Sentado en su sillón,
prende un habano;
las persianas peinan la indecisa luz
de esta tarde azul que se nos va deshaciendo entre palabras.
Crecen las espirales del humo,
la filigrana gris,
primero desdibujan sus finos labios y sus dedos;
después, las volutas gruesas de la nube del humo
que cubren ya sus maliciosos ojos,
como en una última cabriola en el espejo opaco,
nos ocultan, disuelven su figura toda.

Y solos quedamos
en este salón universal de Trocadero
con el caprichoso fuelle de su voz,
con su peculiar respiración del verbo ■

REPÚBLICA DOMINICANA

Héctor Incháustegui Cabral (1912)

Poeta, crítico, dramaturgo que ha ocupado durante muchos años puestos diplomáticos, a más de ser presidente de la Sociedad Nacional de Escritores. Dice de él Max Henríquez Ureña que su «expresión libérrima acoge en su seno vehementes manifestaciones de poesía social». Es autor de una copiosa producción en verso y en prosa: Poemas de una sola angustia *(1940),* En soledad de amor herido *(1943),* Canciones para matar un recuerdo *(1944),* Los dioses ametrallados *y* Diario de guerra *(1967). Suyo es también el estudio* De literatura dominicana siglo XX *(1968).*

Canto triste a la patria bien amada

Patria...
y en la amplia bandeja del recuerdo,
dos o tres casi ciudades,
luego,
un paisaje movedizo,
visto desde un auto veloz:
empalizadas bajas y altos matorrales,
las casas agobiadas por el peso de los años y la miseria,
la triste sonrisa de las flores
que salpican de vivos carmesíes
las diminutas sendas...

...una mujer que va arrastrando su fecundidad tremenda,
un hombre que exprime paciente su inutilidad,
los asnos y los mulos,
miserable coloquio del hueso y pellejo;
las aves de corral son pluma y canto apenas,
el sembrado sombra,
lo demás es ruina...

Patria,
es mi corazón un acerico
en donde el recuerdo va dejando
lanzas de bien aguzadas puntas
que una vez clavadas temblorosas quedarán
por los siglos de los siglos.

Patria,
sin ríos,
los treinta mil que vio Las Casas
están naciendo en mi corazón...

Patria,
jaula de bambúes
para un pájaro mudo que no tiene alas,
Patria,
palabra hueca y torpe
para mí, mientras los hombres
miren con desprecio los pies sucios y arrugados
y maldigan las proles largas,
y en cada cruce de camino claven una bandera
para lucir sus colores nada más...

Mientras el hombre tenga que arrastrar
enfermedad y hambre,
y sus hijos se esparzan por el mundo
como insectos dañinos,
y rueden por montañas y sabanas,
extraños en su tierra,
no deberá haber sosiego,
ni deberá haber paz,
ni es sagrado el ocio,
y que sea la hartura castigada...

Mientras haya promiscuidad en el triste aposento campesino
y sólo se coma por las noches,
a todo buen dominicano hay que cortarle los párpados
y llevarle por extraviadas sendas,
por los ranchos,
por las cuevas infectas
y por las fiestas malditas de los hombres...

Patria...
y en la amplia bandeja del recuerdo,
dos o tres casi ciudades,
luego,
un paisaje movedizo,
visto desde un auto veloz:
empalizadas bajas y altos matorrales ■

Manuel del Cabral
(1912)

Forma parte del grupo, tan importante en las letras recientes dominicanas, que se reunía en el cuarto-estudio de Rafael Américo Henríquez y que por ello se denominó La Cueva. De variada y rica vena poética, Manuel del Cabral es el iniciador de la poesía negrista en Santo Domingo. Fue incluido en la antología Nueva Poesía Dominicana, *publicada en Madrid en 1953 y que dio a conocer al mundo la nueva expresión poética dominicana, siendo muy elogiada por el rigor de su selección. La fuerte personalidad literaria de Manuel del Cabral se hace patente en los libros* Doce poemas negros *(1935),* Biografía de un silencio *(1940),* Los huéspedes secretos *(1951),* Chinchina busca su tiempo *(1945) y* Los relámpagos lentos *(1968), entre otros.*

Negro sin sonrisa

Negro triste, tan triste
que en cualquier gesto tuyo puedo encontrar el mundo.

Tú, que vives tan cerca del hombre sin el hombre,
una sonrisa tuya me servirá de agua
para lavar la vida, que casi no se puede lavar
con otra cosa.

Quiero llegar a ti, pero llego lo mismo
que el río llega al mar... De tus ojos, a veces,
salen tristes océanos que en el cuerpo te caben,
pero que en ti no caben.

Cualquier cosa tuya te pone siempre triste,
cualquier cosa tuya, por ejemplo: tu espejo.

Tu silencio es de carne, tu palabra es de carne,
tu inquietud es de carne, tu paciencia es de carne.

Tu lágrima no cae
como gota de agua.

(No se caen en el suelo
las palabras.) ■

Trópico picapedrero

Hombres negros pican sobre piedras blancas,
tienen en sus picos enredado el sol.
Y como si a ratos se exprimieran algo...,
lloran sus espaldas gotas de charol.

Hombres de voz blanca, su piel negra lavan;
la lavan con perlas de terco sudor.
Rompen la alcancía salvaje del monte,
y cavan la tierra, pero al hombre no.

De las piedras salta, cuando pica el pico,
picadillo fatuo de menudo sol
que se apaga y vuelve cuando vuelve el pico
como si en las piedras reventara Dios.

Dentro de una gota de sudor se mete
la mañana enorme —pero grande, no—.
Saltan de los cráneos de las piedras chispas,
que los pensamientos de las piedras son.

Y los hombres negros cantan cuando pican,
como si ablandara las piedras su voz.
Mas los hombres cavan y no acaban nunca...,
cavan la cantera: la de su dolor.

Contra la inocencia de las piedras blancas
los haitianos pican, bajo un sol de ron.
Los negros que erizan de chispas las piedras
son noches que rompen pedazos de sol.

Hoy, buscando el oro de la tierra, encuentran
el oro más alto, porque su filón
es aquel del día que pone en los picos
astillas de estrellas, como si estuvieran
sobre la montaña picoteando a Dios ■

Pedro Mir
(1913)

Perteneciente igualmente a La Cueva (que, entre paréntesis, el escritor Favio Fallo bautizó así por el lugar donde se reunían. Cuando le preguntaron por qué, respondió: «Porque aquí vive un culebrón», dando a entender que el dueño de la casa, Rafael Américo Henríquez, nunca salía de ella). La dictadura trujillista lo condenó a un largo exilio y a su regreso a República Dominicana se desempeñó como profesor universitario. Su poesía se caracteriza por su marcado acento social, pero no desdeña el tono íntimo, sentido. Entre sus libros se deben mencionar: Hay un país en el mundo *(1949),* Contracanto a Walt Whitman *(1969),* Viaje a la multitud *(1972),* Apertura hacia la estética *(1974),* Huracán Neruda *(1975).*

Contracanto a Walt Whitman (fragmento)
(Canto a nosotros mismos)

Contracanto a un célebre poema de Walt Whitman publicado en 1855 con el título de *Canto a mí mismo (Song of myself)* que se inicia así:
«Yo, Walt Whitman, un cosmos, un hijo de Manhattan...»

Yo,
　　un hijo del Caribe,
precisamente antillano.
Producto primitivo de una ingenua
criatura borinqueña
　　　　　　y un obrero cubano,
nacido justamente, y pobremente,
en suelo quisqueyano.
Recorrido de voces,
lleno de pupilas
que a través de las islas se dilatan,
vengo a hablarle a Walt Whitman,
un cosmos,
　　　　　　un hijo de Manhattan.
Preguntarán
　　　　　　¿quién eres tú?
　　　　　　　　　　Comprendo.
Que nadie me pregunte
quién es Walt Whitman.
Iría a sollozar sobre su barba blanca.
Sin embargo,

voy a decir de nuevo quién es Walt Whitman,
un cosmos,
un hijo de Manhattan.

1

Hubo una vez en territorio puro.
Árboles y terrones sin rúbricas ni alambres.
Hubo una vez un territorio sin tacha.
Hace ya muchos años. Más allá de los padres de los padres
las llanuras jugaban a galopes de búfalos.
Las costas infinitas jugaban a las perlas.
Las rocas desceñían su vientre de diamantes.
Y las lomas jugaban a cabras y gacelas...

Por los claros del bosque la brisa regresaba
cargada de insolencias de ciervos y abedules
que henchían de simiente los poros de la tarde.
Y era una tierra pura poblada de sorpresas.
Donde un terrón tocaba la semilla
precipitaba un bosque de dulzura fragante.
Le acometía a veces un frenesí de polen
que exprimía los álamos, los pinos, los abetos,
y enfrascaba en racimos la noche y los paisajes.
Y eran minas y bosques y praderas
cundidos de arroyuelos y nubes y animales.

2

(¡Oh, Walt Whitman de barba luminosa...!)
Era el ancho Far-West y el Mississippi y las Montañas
Rocallosas y el Valle de Kentucky
y las selvas de Maine y las colinas de Vermont
y el llano de las costas y más...
Y solamente
faltaban los delirios del hombre y su cabeza.
Solamente faltaba que la palabra
mío
penetrara en las minas y las cuevas
y cayera en el surco y besara la Estrella
Polar. Y cada hombre

llevara sobre el pecho,
bajo el brazo, en las pupilas y en los hombros,
su caudaloso yo,
su permanencia
en sí mismo,
y lo volcara por aquel desenfrenado territorio.

3

Que nadie me pregunte
quién es Walt Whitman.
A través de los siglos
iría a sollozar sobre su barba blanca.
He dicho que diré
y estoy diciendo
quién era el infinito y luminoso
Walt Whitman,
un cosmos
¡un hijo de Manhattan! ■

Franklin Mieses Burgos (1907-1976)

Fundador de la revista La poesía sorprendida *y de la colección* El desvelado solitario. *Su poesía ha sido calificada de filosófica y estilísticamente la define su lograda armonía. Mieses Burgos fue también un conocido jurista y publicó los siguientes libros:* Sin rumbo ya y herido por el cielo *(1944),* Clima de eternidad *(1944),* Antología *(1952),* El héroe *(1954),* Presencia de los días *(1948),* Seis cantos para una sola muerte *(1948).*

El ángel destruido (fragmento)

No había nada, ni visible ni invisible, ni región superior, ni aire ni cielo. No existía la muerte ni la inmortalidad. Nada distinguía el día de la noche. Él sólo respiraba, sin tener aliento, encerrado en sí mismo. No existía nada más que él. Las sombras estaban cubiertas por las sombras; el agua no tenía movimiento. Todo era confuso y raro por sí mismo. El Ser moraba en el seno del caos, y este gran todo nació por la fuerza de la piedad.
Brahma, GÉNESIS DEL LIBRO DE LOS VEDAS.

Barro inaugural

I

Sólo una gran piedad pudo crear los mundos
eternos sin hastiarse.
Sólo una gran ternura pudo sembrar la vida
como se siembra un árbol:
la jubilosa voz de una semilla.

No pudo ningún otro posible sentimiento
alzar nuestro destino;
nuestra meta mayor ante la eternidad
absorta que nos mira,
desde sus hondos ojos
de solitaria estatua preferida.

Una gran campanada resquebrajó los altos
cristales de la noche.
Y chirriaron los goznes, los metales mohosos
de la casa vacía
donde cavaba él solo para enterrar el agua
sin rostro de su llanto,
de su íntima noche caída hasta la angustia.

Aún no transitaba por el cielo el relámpago
de pluma de los pájaros,
ni el viento, todavía, era un sepulcro abierto
para enterrar palabras;
voces precipitadas desde los rojos labios
donde el amor fabrica muriendo sus campanas.

Ignorado de sí —lo mismo que la nada—
clamaba por un nombre;
por una voz tan llena de sangre que lo hiciera.
A sus pies el silencio del orbe era un gran río
de soledad cayendo,
un mudo serafín de bronce arrodillado:

—Quiero un labio que esculpa
mi nombre sobre el aire.
Un eco que responda preciso a mis palabras.
No, no es posible que exista sin que me piense nadie.
Mi realidad se hastía de ser para mí sólo.

Sin otro que me sienta temblar
yo no sería...

Entonces fue la infancia desnuda de la luz:
su limpio nacimiento.

Entonces, su niñez,
anécdota de espejo.

Memoria de la lámpara de bruñida sonrisa
de vidrio adolescente,
de ángel verdadero que delata el relieve
más fino de las cosas.

Entonces fue su aliento un solo resplandor
de fuego bajo el agua,
en medio de la noche sin alba de los peces.

Ninguna fuerza pudo quebrar su pensamiento;
su soplo forjador crecido como un brazo
de luz en las tinieblas,
en el ojo vacío donde moldeaba el tiempo
su estatura de sombra,
la forma de su rostro perdido hasta la ausencia.

Mensaje a las palomas

II

Id ahora a decirles a todas las palomas
que el milagro de Dios nos estaba esperando
oculto bajo el agua.

Que además de la luz —viva entraña del verbo—
igualmente fue el beso; la caricia del ala
de su sombra en las algas,
en medio de la noche sin alba de los peces.

Id ahora a decirles
que cuando la luz fue la primera sonrisa
caída de su espejo,
algo dejó de ser en torno de la luz,
algo rodó en pedazos debajo de su lámpara.

También id a decirles
que el solo hecho de ser
es ya una destrucción.

Porque sólo no siendo
es posible lo intacto.

Adán de angustia

III

Ahora tengo el anillo cerrado de su nombre
como una gran cadena sobre mi corazón.

Todo él me circunda y, sin embargo, lloro
vencido por la angustia de su cielo de siempre;
el dolor de su pecho cubierto de raíces;
la inmóvil permanencia de su mundo inmutable
donde todas las formas lograron su presencia,
su realidad concreta de cosa terminada.

Queda mi incertidumbre destruida a la orilla
terrible de su orbe, donde ya nada empieza,
donde nada comienza después de sus palabras.

Ahora soy el objeto final de sus bondades.
El más noble fantasma que colma su deleite.

Sin embargo, yo tiemblo de horror, yo me devoro
sepulto en este clima salido de sus manos,
en medio de esta arena caliente donde él puso
toda su enorme fuerza para crear el aire,
la noche de esa fruta donde madura el alba.

Aquí fueron los peces, las palomas, los nardos;
aquí los caracoles primeros, los corales
de enrojecida voz despierta entre las aguas.

Aquí fueron las rosas lo mismo que los pájaros.
Ningún ángel valiente traspone mis umbrales.
El mismo fuego aún es propiedad del cielo.
Fundo de los demonios que pueblan la intemperie.
Sólo el gran abandono del tiempo está conmigo.

¡Oh señor de la voz donde nacen los soles!
¿Qué quieres tú de mí que me dejas tan solo,
clavado ante el silencio de esta atmósfera tuya,
donde ningún esfuerzo derrumba las murallas,
la gran pared eterna que limita tu rostro?
¿Eres sólo una máscara cubriendo su misterio,
una piedra cerrada donde sueña mi infancia?
¿Aquella oscura infancia que en tus manos no tuve?

Algo me está por dentro creciendo como un río.
Algo me está quemando como una llama viva.
Siento como una espada caliente entre mis ingles.
Una espada de fuego que incendia mis entrañas.

¿Qué puedo hacer ahora de nuevo con tu nombre
después que estas palabras cayeron de mi árbol?
¿Qué puedo hacer de nuevo con ellas, Alfarero?

Ya estoy lejos del barro con que te entretenías.
Ahora soy un brazo que siembra una semilla,
un gran surco despierto, una luz en vigilia.

¿De quién aquella voz, aquel hondo vagido
que resopla en mis venas profundo como un río?

¿Quién en mí está clamando,
erguido ante el abismo de su propio delirio?

Su nombre lo presiento tras un cielo de hojas
mordidas por los dientes pequeños de la brisa,
ante la voz posible de una anciana serpiente,
en la era redonda de todas las manzanas ■

Aída Cartagena Portalatín
(1918)

Poeta, novelista y cuentista ha sido además una notable impulsora de la cultura en la República Dominicana. Junto a Carmen Natalia Martínez Bonilla, Melba Marrero de Munné y María Ibarra de Victoria representa destacadamente a la literatura femenina en este siglo. Dirigió los cuadernos Brigadas Dominicanas, *así como la colección «Baluarte». Su novela* Escalera para Electra *fue finalista en el Premio Biblioteca Breve, de la editorial Seix Barral, en 1969. Entre sus obras podemos citar:* Víspera del sueño *(1944),* Una voz desatada *(1962),* La tierra escrita *(1967).*

La tierra escrita: elegía octava

Difícilmente olvide esta sensación de grandeza y soledad
y en este cielo de altura
una persona noble
después de leer esta Elegía austera y confidencial
escrita exclusivamente para Melba, en el lugar donde se encuentre,
sea el Paraíso, el Purgatorio o el Infierno.

En su «Comedia» Dante describe nueve esferas.
En una coronan al poeta Virgilio, su poeta...
Clavos en tu cuerpo destrozándolo, Melba.
Crucifixión con hojas de libros con tu letra.
Tu dolor haciendo libros para disimular tu muerte a plazos.
Tu dolor escribiendo fábulas para niños ángeles,
para niños demonios.
Son tu corona.
Lo que te pegaba como un musgo a lo bello: Poesía
Música
Pintura,
etc., etc.

Mi desconocida personalmente.
Mi amiga epistolar.
Compatriota refinada.
Melba entró en la Tierra con la sangre rota.
Paz.

En el jarrón de mi escritorio arreglo lilas para tu recuerdo.
El timbre del teléfono revienta como un despavorido.
Interrumpe mi trabajo para ti
Censura por alambre la noticia de que la primogénita de don Merenganito
alumbró su hijo a los tres meses de casada.
En el siglo XIX Salomé gestó los tres genios Henríquez Ureña.
A propósito, Melba, las poetisas siglo XX
se han quedado sin hijos en la República Dominicana.

Tú no pariste Melba.
Ni tú Carmen Natalia.
Ni yo tampoco Aída.
Ni otras hijaecién lo han hecho todavía.
Se me ocurre que en este siglo a las poetisas
se les va la matriz a los cabellos.
Por ti Melba, por mí, y por otros que solamente dejaremos libros
es necesario reclamar al Gobierno de Facto
que establezca el Servicio Obligatorio Dual
de hacer versos e ir a la Maternidad.

(¡Guardad la risa gente charlatana!)

Necios cruzándose por todos los caminos: ¡Callaos!
El llanto del hijo no-nacido arde como la trementina en la pupila.

La lágrima de la maternidad frustrada
es como una estrella cayendo desde el fracaso.
El sexo es una fábrica que trabaja con materia viva.
A Pablo el carpintero le parió su mujer 11 hijos
que seguirán multiplicándose por los siglos de los siglos.
Dentro de mi cabeza: los 11 hijos de Pablo. Con sus tripas vacías.
Dentro de mi cabeza: la hartura de los niños vitaminados.
Leche pasteurizada, pan americano y su médico pediatra.

Dentro de mi cabeza: un cerebro y los golpes
de un pensamiento virgen.
En mi mano derecha: un pedazo de tiza.
En la pared de la calle escribo una palabra sucia.
No la leas, Melba. Ea, déjame soltar los pájaros de tu sueño eterno.
Cierra los ojos. Bien cerrados Melba.
Aquí arriba hay muchas cosas podridas.
¡Descansa bajo la tierra la verdadera vida!

«Oh tierra
. . . .
con la agridulce verdad
de tu portento.»

Posdata para una advertencia: Prohibido a ningún hijo de p... hacer comentarios sobre este escrito cruel ■

Freddy Gatón Arce
(1920)

Uno de los componentes de La poesía sorprendida, *revista que se fundó en Santo Domingo un tanto en oposición a* Cuadernos Dominicanos de Cultura, *ya que ésta última, no obstante su calidad, respondía a criterios oficiales al recibir subvención estatal, y la aspiración de la joven generación era tener una voz independiente. En algunas ocasiones el número íntegro de* La poesía sorprendida *fue dedicado a un solo autor. Así ocurrió con* Vlía *de Gatón Arce, que vio la luz en 1944. Otras producciones suyas son:* La leyenda de la muchacha *(1962),* Poblana *(1965),* Magino Quesada *(1966).*

Poema de la madurez (fragmento)

Durante el día
las hojas son más depuradas hacia sus bordes;
esto es fácil de comprobar en otoño,
cuando el aire es conmovedoramente nuevo y herido
por las muchas cosas vencidas.

En otoño estoy junto a la dulce violencia que reúnen los árboles
en redor de sus pudientes troncos.
Ay, pudientes y cautivos de su propia salud,
han de olvidar su gracia al año de llevarla.

Oh hábil madurez elegida por los frutos,
es a ti a quien canto. Eres
imperfecta durante el día,
si la luz es un ser que reduce el alma.
Tú sabes que la luz y el alma son regazo de Dios
en este mundo de hombres y mujeres.

Pobre y pequeña mía, nos conduces a la manera libre del espíritu,
como el aire siempre vivo o siempre muerto
al otoño callado.

Como la idea que nos posee sin horadarnos, sin proponerla,
tú seleccionas, tú gravas, coincides
separada de tus cuerpos,
y vamos ocupándote con prodigalidad y avaricia,
con esa ternura obligada de la vida mortal.

Porque nosotros hemos de morirnos alguna vez.
Yo sólo pido hacerlo durante el día;

en él caben la prodigalidad y la avaricia de morirse
con verdadera pasión.

Cuando voy hacia los campos verdes y brillantes
y mis pies hollan todas las posibilidades del rocío,
comprendo mejor
por qué permaneces al margen de las perecederas llamas.

Si pienso entonces, es que me ofrezco a llevar el dulce deseo de Dios,
y te encuentro sobre los ríos,
impacientemente creados con su muerte ligera;
te encuentro en el aire y en los árboles
que ponen en su redor un modo distinto de nombrarnos.

Pero es en el sueño cuando te doy empleo.
Es por el sueño que obtienes
toda muchedumbre hermosa
semejante al otoño,
semejante al júbilo impuesto a la tierra año tras año.

Es con el sueño que guardas esa fidelidad distinta al hombre y a la vida,
y eres comparable a los días
en que las hojas beben de su muerte.

También en otoño conocemos
cómo los frutos acabaron con su sombra
temerosos de la nada,
y nos vamos sin palabras hacia el árbol conocido,
hacia los ríos conocidos, hacia los aires conocidos.

Entonces olvidamos cómo decirle a Dios
que no es Él sino la vida lo importante.
Entonces son nuestras las causas jubilosas de las ramas casuales,
y hallamos el limpio espíritu de la noche,
sufrimos del abandono del Padre, el abandono de todos y de todo ■

Antonio Fernández Spencer
(1923)

Poeta y crítico literario, forma parte de lo que se ha dado en llamar «generación de los veinte». Poeta lírico, armonioso, de gran musicalidad, como lo prueba el poema que ofrecemos, casi un canto. Fernández Spencer ganó el Premio Adonais en 1952 con su libro Bajo la luz del día. *Diplomático, ha representado a su país en diversas naciones hispánicas. Tiene publicados:* Vendaval *(1943),* Nueva poesía dominicana *(1953),* Ensayos literarios *(1960),* Caminando por la literatura hispánica *(1964).*

Tarde de otoño

En el alma de los frutos
está el otoño
y en el oro de la tarde
va la muerte
por los árboles,
y a los ciegos ríos tuyos
va la muerte;
son los árboles eternos
con sus hojas enterradas en el aire
—en el aire de mis dioses—,
o en el polvo que se oculta
en las raíces de la muerte.

Son tus trenzas, en el fuego de la tarde,
dos canciones de aves, muertas
como alas en el juego de los ángeles;
cayó un ángel
y sus alas en la tierra están suspensas.

Cayó un ángel en las nubes de la tarde
y en el alma de los frutos
y en el vientre que golpea
a la entrada de las puertas de la muerte.

Está el ángel en el beso de tu boca
y en el párpado azuloso de una estrella
y en el agua de los árboles
y en la noche clamorosa de un lucero.

Son tus ojos en el aire de los cielos
dos preguntas,
dos hermosas elegías de las aves
en la luz de los jardines.

Cayó un ángel...
¿Quién dijera que los ángeles cayeron
de las manos

de ese Dios de soledades
que reposa en lo profundo de la tierra?

En la tarde del otoño
van los cantos de oro, eternos,
y van tus manos como rosas
de una oculta primavera.

Cayó un ángel
y la tarde del otoño se ha dormido ■

Manuel Rueda (1921)

Poeta y dramaturgo, perteneciente también a la generación de los veinte. Max Henríquez Ureña alaba sus sonetos; sin embargo, en «A la luz de las crónicas» se nos muestra como un poeta de gran aliento en la línea del Neruda del Canto General, *o de Whitman. Asimismo, el buen autor teatral que es Rueda se esboza en el largo monólogo que es este poema, estructurado —y casi montado— como una pieza dramática. Rueda es además un magnífico pianista y dirigió durante años el Instituto de Investigaciones Folclóricas. Merecen ser citados sus libros:* Las noches *(1949),* La trinitaria blanca *(1957),* La criatura terrestre *(1963),* Teatro *(1968),* La prisionera del Alcázar *(1976).*

A la luz de las crónicas (fragmento)

(1)

En nombre de Nuestro Señor y de la Santa Virgen Madre
comienzo.

Yo, Cristóforo Colombo.

de pie sobre la nao capitana, he visto aquestas cosas
que voy a decir luego.

Marino curtido

en la sal de siete mares, allí donde la Osa Mayor
signa las aguas llenas de arboladuras sumergidas
y cascos muertos, yo
que he estudiado los nombres y el curso de las corrientes

secando mis ojos en lámparas de sabiduría y pergaminos
antiguos
he temblado.

Con fuerte virazón hasta el poner del sol.

¿Quién anda con nosotros
en esta soledad de aguas revueltas
que dan remate al mundo?
¿Quién sino la cruz
que aletea sobre el palo mayor, victoriosa,
más plegándose a la interrogación de los espacios
que parecen resistir a la embestida?
Como en todo principio aquí está el mar,
frágil peso en la nuca del Atlante que lo inclina a sotavento,
hacia la línea que lo desbordaría sobre el abismo.
Pero conmigo van los grandes viejos de mar y tierra
agarrados al sextante, a la brújula y a la aguja de marear,
al astrolabio, en cuya celeste redondez confluye la tierra
con el astro.
Olimos la cecina en el aire cargado de salazones,
bastimentos que recordaron mozas en callejuelas y tabernas,
y el vino de San Lúcar.
No fue en Palos el comienzo
salimos a tres días de agosto
de la Barra de Saltes
con el susurro de las naves bien empavesadas
y el adiós de la tripulación
sino aquí.

Atrás Ferro
donde las últimas esperanzas de regreso zozobraron.
Atrás las bocas que dijeron amor
en lenguas conocidas.
El único idioma lo desata el oleaje
contra el afilado maderamen,
el viento cuyas erres silban y aterran volteando la mesana,
en largos días de calma, seseo y oración
sobre el sudario de las velas.
Ahora lo familiar es el sol, redondo y solo,
que nos salva un momento y cae: Un persistente olvido
que se hunde cada tarde en las aguas.

(2)

Ahogados de rostro indescifrable nos persiguen
como lentos cetáceos que empujaran la nave
a infiernos de agua quieta.

¡Velas que no suceden!

La guardia se renueva en los puentes, a estribor.
Mas, ¡ah!, de pronto oigo los fútiles reclamos
que se alzan desde los parapetos,
donde la muerte se urde y nos azota.
Todos dicen lo mismo:

—Regresemos.

—¿Qué han de importarnos ahora las razones de tu gloria?
—Quédate con tu mundo y danos esto:
Un pequeño promontorio donde la patria nos reciba.
—Una porción de tierra pegada a nuestras botas
sería el Paraíso.
—El mar se ha vuelto árido en nuestros brazos:

¡Devuélvenos el mar!

—Nada queremos sino hembras bebedoras de vino
erguidas a los pies del camastro. Puertos
en la ansiedad permitida de alcanzarlos.
Hombres que contasteis los días en el reflejo de
jarras bien colmadas,
esperad las promesas del viento.
Se os dará más que Gloria, certidumbre.
Más que un mundo, los sueños
y grandeza suficiente
con que poder sobrellevarlos.

(3)

Al decimocuarto día vimos señales:
un junco verde
y al pájaro rabo-de-junco que no suele dormir sobre el mar
—chiquirrití rrrití—,
balanceando la pata en la escollera.

Y al cangrejo jamás loado en saga de vikingos,
recogido en las coronas del escaramujo
y que yo inscribo ahora en mi libro de bitácora.
Fueron los emisarios.
Oh júbilo en latitudes
no sometidas a cálculo. Fuego en la noche
que el veedor de sus Majestades admite sin esfuerzo
y del que no da indicios Ptolomeo en su Cosmographiae.
Seremos impulsados a la costa sólo por nuestra fe
que ha creado en los mares las providencias de las cosas,
sus nombres que la memoria conoce por adelantado,
los designios del hombre blanco
en tierra de especiería y de misterio.
He aquí las velas. Los gritos en las jarcias
que proclaman:

—¡América a la vista!

(¡Ah!, cuyo nombre es quemadura en la memoria del desposeído.)
Espumeantes caderas de islas que pernoctan junto a las estrellas.
¡Tierras de los descubrimientos!
¿A dónde miraré?

Tierra a la vista,

mas siempre estará el mar
para que la memoria del nauta no desfallezca.
El dirá quién estuvo, qué hizo o vio,
qué dagas penetraron en el corazón del resuello.
Quién estuvo o estaría. Qué caravana de hombres solos
eslabonándose en el tiempo se asomaría sobre los pétreos miradores
para vernos llegar,
ahora o de nuevo

—tantos futuros que decir—

a tierra cuyo nombre no fue Cipango,
ni América, sino la Antilla fabulosa
cuyas sílabas he dicho aquí en secreto
junto a la estirpe de color del canario.
Tierra donde se mece la cola del huracán.
Hemos llegado. ¡Vednos! La carabela surca

entre bocanadas de verdor y rocío silencioso.
En cada escorzo de la flora un ojo virgen nos persigue
llameando sobre nuestros petos de latón.
Oíd.
Sólo se oye un silencio
que amenaza devorarnos como una llama gigantesca ■

Lupo Hernández Rueda (1931)

Director de la revista Testimonio, *a través de la cual se expresó otra generación de escritores que empezó a darse a conocer en el decenio 50. Sin perder su tono lírico, la poesía de Hernández Rueda posee un carácter descriptivo mediante el cual recrea una atmósfera no sólo geográfica sino humana también. Por dos veces ha recibido el Premio Nacional de Poesía y es autor de una excelente antología de la poesía dominicana contemporánea. A él pertenecen los libros:* Como haciendo aún *(1953),* Trío *(en colaboración) (1957),* Crónica del Sur *(1964),* Dentro de mí conmigo *(1967),* Por ahora *(1975).*

Crónica del sur

I

Es un territorio de ruidosa arena blanca.
Es un terreno seco, accidentado, abierto,
donde la sombra es una lanza agazapada
al pie de las oscuras bayahondas.
Allí abundan la sed y la indolencia.
Un mar de amplias orillas tropicales,
un sol tenaz, que hace sangrar las piedras;
la voz ágil del viento
que mueve el polvo fiero;
muchos ríos sin agua,
y unas escasas poblaciones distantes.
Las lomas son enormes dinosaurios sin vida.
El amor es violento como las mariposas.
El amor, ¿no es el amor
la tórtola que retoza en el viento,
los múltiples colores que traen las mariposas
cuando revolotean en el campo florido
del recuerdo? El amor
es la playa,

la costa alucinante,
el hombre desgarrado, sediento,
de la aldea.
¿Sería posible acaso olvidar esta tierra,
mitad goce infinito, mitad tribulación?

II

Su cachimbo hacía espesas señales
mientras su corazón palpitaba.
Le pregunté, y dijo:
—Templo de leyendas,

donde el tiempo está muerto y la esperanza,
y la vida es temblorosa agua sin salida.
La sequía bate las piedras, muerde los techos azules.

El mar nos hace soñar.

He visto. He callado.
Mi cuerpo
ha sido báculo para levantar a los muertos.
A esta tierra seca hay que vencerla.
Al miedo hay que vencerlo.
He visto al más humilde,
al más pobre luchar, vivir, luchar,
hasta levantar una montaña.
El ocio tiene pies de cera sobre el fuego.
Nada es fácil. Todo es doloroso.
El vicio y la leyenda nos duermen.

Aquí, en estos predios oscuros,
hay que vencer a la tierra y al hombre.

III

Le pregunté, y dijo:
—Les recibimos como a hermanos.

Les dimos paz, casabe, abrigo,
y compartimos con ellos las raíces del suelo.

Hombres bestias,
hablaron un lenguaje de instintos.

Nos ataron al látigo,
al trapiche, a las minas,
a la arena huidiza del río,
a las sangrientas plantaciones.

Muchos se dieron muerte
para vencer con ella a los extraños.

Y nacieron así los padres de mis padres,
y mis padres también allí nacieron, enyugados,
mezcla de razas y atropellos.

Como la sombra de la noche vuelve tras el día,
otros hombres hollaron nuestro suelo.

Todos nos arrancaron el sudor,
la sonrisa y la tierra.

Unos y otros,
clamando a Dios o al dólar,
al Rey o a sus negocios,
hurtaron nuestra miel,
nos dañaron el cuerpo,
llevándose consigo la alegría ■

Tony Raful
(1951)

Figura entre la más reciente hornada de poetas dominicanos nucleados en torno al suplemento cultural Aquí. *Se dio a conocer en 1973 con su libro* La poesía y el tiempo *y al año siguiente publicó* Gestión de Alborada. *Hay en él un deseo de ruptura con el lirismo de la poesía anterior, como es advertible en el un tanto pesimista y agresivo poema que dedica a la memoria del fundador de la nación dominicana, Juan Pablo Duarte.*

Cansancio

No logro entender tus ojos
en un instante afluye la ternura
sus bordes maquillados inducen mi pasión

y se suelta la pantera de mis besos.
En otro instante se vuelven objetos irreconocibles
garabatos
absurdas estaciones de la imagen
caprichosas compañías del tedio
y se agotan los recursos comprensibles del amor.

En verdad no comprendo la volubilidad de tus ojos ■

Duarte

Duarte es una travesía de polvo y espadas
un juramento de nubes demorando la partida de la tarde
una medalla de luz condecorando la tierra.

También el hijo de un gallego estampando su amor con el nuestro
una súplica de tormentas
la Patria vertical de los puños
el sueño juvenil de los alborotados.

Duarte es un desterrado que se convirtió en paisaje
una montaña que dialogó con los cielos
una constitución de libres que nadie cumple.

Duarte es una Avenida tumultuosa de gentes que lo ignoran
y que venden y compran y se aman y se mueren bajo su nombre ■

ENSAYO
PUERTO RICO

Concha Meléndez
(1895-1981)

Poeta, ensayista y profesora universitaria. Fue Directora del Departamento de Estudios Hispánicos de la Facultad de Humanidades de la Universidad de Puerto Rico desde 1940 a 1959. En 1926 fundó el curso de Literatura Hispanoamericana en el mismo centro. La Universidad de Puerto Rico le otorgó el título honorífico de Profesor Emeritus. La labor ensayística de la Dra. Meléndez sobresalió en los temas de la literatura hispanoamericana, campo en el que recibió reconocimiento universal. Sobresalen entre su amplia labor crítica: La novela indianista en

Hispanoamérica *(1935),* Signos de Iberoamérica *(1936),* Figuración de Puerto Rico y otros ensayos *(1958),* Literatura hispanoamericana *(1967) y* Moradas de poesía en Alfonso Reyes *(1973).*

Tres novelas de la naturaleza americana: «Don Segundo Sombra», «La vorágine», «Doña Bárbara»

I. El hombre y el paisaje

El paisaje americano como elemento de consecuencias artísticas, se incorpora en la novela hispanoamericana con *María* de Jorge Isaacs. Isaacs fue el más perfecto imitador que Chateaubriand tuvo en América y él concretó por primera vez en algo valioso la influencia conjunta de Bernardino de Saint-Pierre y el vizconde poeta, conocidos ya por los lectores cultos de nuestro continente desde hacía medio siglo.

Vertidas al español desde 1789 y 1801, *Pablo y Virginia* y *Atala* empiezan influyendo en la poesía, pero no en la novela. Seguía ésta un rumbo histórico, bajo la influencia de Walter Scott, adulterada al pasar por Alejandro Dumas y Eugenio Sué. Así *El inquisidor mayor* de Bilbao o *La novia del hereje* de Vicente Fidel López, no interesan hoy sino al erudito.

En poesía, José María de Heredia compone *Atala* y el colombiano Fernández Madrid un drama con el mismo título. Pero ninguna de esas obras tiene más interés que el histórico en el tardío desarrollo del romanticismo hispanoamericano. El año 1867, fecha de la publicación de la novela de Isaacs, marca el punto culminante de la influencia de Chateaubriand en Hispanoamérica y el comienzo de la novela artística.

El paisaje aparece, a la manera romántica, como escenario donde el hombre, en primer término, nos cuenta sus melancolías. El único enlace entre el hombre y la naturaleza fuera de esta función meramente decorativa es la armonía de las decoraciones con los estados de alma del personaje. Toda la naturaleza organizada para el bienestar del hombre, tal parece que los crepúsculos y las tormentas, las noches y los días, se mueven al compás de su corazón.

Aunque el procedimiento es bien conocido veamos cómo lo aplicaba Isaacs en *María.* Es en el capítulo XIII. El escenario está lleno de la vaguedad del crepúsculo vespertino. Nubes color violeta. Lampos de oro pálido. Efraín, María y Emma aparecen sentados en la cima de una pendiente. A la derecha, las corrientes del río, a los pies, «un valle majestuoso y callado». Efraín lee a las jóvenes el episodio de *Atala.* Y Como si no fuera bastante el valle silencioso —¿para escuchar o para dejar, humilde, oír, la voz del lector?— Efraín nos dice: «El sol se había ocultado cuando con voz alterada leí las últimas páginas del poema.» El escenario se ha oscurecido al mismo tiempo que las almas y no nos sorprende el comentario final: «Mi alma y la de María, no sólo estaban conmovidas por esa lectura: estaban abrumadas por el presentimiento.»

La influencia de Fenimore Cooper, clara ya en algunas páginas de *Facundo* de Sarmiento, se suma a los factores que contribuyeron con Chateaubriand y Saint-Pierre al desarrollo de la novela indianista hacia 1870. Pero en estas novelas el hombre y el paisaje siguen en la misma relación. Un poco de más realismo en las descripciones, más dinamismo en ciertos pasajes, son las únicas notas nuevas. Así en la bella novela *Cumandá* de Juan León Mera o en las novelas *Anaida* e *Iguaraya* del venezolano José R. Yepes. Estas últimas son el primer intento que conozco de novelar el paisaje venezolano. Hay en ellas crepúsculos de fuego, selvas pobladas de fieras y serpientes venenosas, fondo donde se mueven los indios de las orillas del lago Maracaibo.

La novela poemática existe ya con ejemplares valiosos en la época romántica. Es la novela del hombre y el paisaje en una relación que hoy se nos antoja infantil —no la relación entre el paisaje y las modalidades psicológicas, la geografía como factor condicionante del carácter.

Es un hecho interesante también que fueran un venezolano y un colombiano los primeros creadores de este tipo de novela ahora que Rómulo Gallegos y José E. Rivera, vuelven invirtiendo los términos, a la novela poemática en un punto de maravillosa realización.

¿Pero es que este nexo determinista entre el hombre y su medio geográfico no tiene antecedentes en la literatura de Hispanoamérica? Viene a la memoria en seguida el *Facundo* de Sarmiento. Ensayo y novela, historia y mito, es en este libro extraño donde está el germen de las tres novelas-poemas que han hecho a la crítica de Europa insinuar que en la literatura nuestra se dora ya la madurez. *Facundo,* publicado desde 1845, adapta a la República Argentina las teorías de Montesquieu y Buckle sobre la importancia de la geografía en la formación del carácter. La visión realista del paisaje la tuvo Sarmiento. Visión sin amor, llega a pesar de este desamor a la descripción hermosamente épica. En su pampa, «la barbarie es normal» y «la civilización irrealizable». Pero en su relación con el hombre Sarmiento la ve ya como la ha visto Ortega y Gasset hoy. El autor de Facundo interroga «¿Qué impresiones ha de dejar al habitante de la República Argentina el simple acto de clavar los ojos en el horizonte y ver.... no ver nada? Porque cuando más hunde los ojos en aquel horizonte incierto, vaporoso, indefinido, más se aleja, más lo fascina, lo confunde y lo sume en la contemplación y la duda. ¿Dónde termina aquel mundo que quiere en vano penetrar? ¡No lo sabe! ¿Qué hay más allá de lo que ve? La soledad, el peligro, el salvaje, la muerte. He aquí ya la poesía. El hombre que se mueve en estas escenas se siente asaltado de temores e incertidumbres fantásticas, «de sueños que le preocupan despierto».

Sarmiento identificó la barbarie con Facundo Quiroga. Facundo el mítico, tiene una conciencia tenebrosa como doña Bárbara, aunque Sarmiento no deja a aquél ni un minuto de arrepentimiento, ni un amago de piedad. Pero es que a Sarmiento no le guían fines estéticos principalmente. Doña Bárbara y Facundo, en su grandeza sombría, se miran ya como amigos en ese mundo de pensamiento por donde vagan los fuertes personajes literarios. Lo que no vio Sarmiento ha sido creado por el amor de Güiraldes. En ese horizonte «incierto», vaporoso e indefinido ha puesto a galopar su D. Segundo Sombra hecho de nostalgia, vitalidad y estoicismo.

II. Don Segundo, alma de horizonte

La obra de Güiraldes se levanta en el ápice de la oleada artística que parece agitar la novela de nuestro continente en un impulso del más auténtico americanismo. *Don Segundo Sombra* como realización de arte difícil y logrado supera las creaciones posteriores de Rivera y Gallegos.

No voy a intentar hacer el análisis de los elementos que forman este libro. Ello ha sido hecho ya en un artículo de Ángel del Río y en el libro *Los gauchos* de Juan Carlos Dávalos. Verdadera secuencia divulgativa de *Don Segundo* es este último en su propósito de iniciar al lector profano en la vida gauchesca. De cuando en cuando evoca al gran artista con frases como: «Ricardo Güiraldes hallábase con nosotros aquella noche.»

La pampa argentina aparece en *Don Segundo Sombra* plasmada escultóricamente en bajo relieves admirables. Su lectura produce el deleite de lo clásico dentro de la sobriedad y firmeza de un alma melancólica y fuerte. Melancolía de alma señera es lo dominante en estas páginas, donde el paisaje es el verdadero protagonista; paisaje con un alma originalísima que vierte sus esencias en su criatura que es Don Segundo.

Partir siempre tras un espejismo, vencer las bestias y los elementos, llevar con asidero estoico la sensación de la vida fugaz, tal es el destino de Don Segundo. Él mismo lo dice: «Ansina es el destino del hombre. Naides empezaría el camino si le mostraran lo que le espera. En las mañanas claras cuando él cambea de pago, mira un punto delante suyo y es como si viera el fin de su andar, pero qué ha de ser, si en alcanzándolo, el llano sigue por delante, sin mudanzas! Y así va el hombre persiguiendo lo que alcanza con su vista, sin pensar en el desamparo que lo aguaita detrás de cada lomada. Tranco por tranco lo ampara una esperanza, que es la cuarta que lo ayuda en los repechos para ir caminando rumbo a su osamenta. Pero ¿pa qué hablar de cosas que no tienen remedio?» Así es el alma hecha en este paisaje. Paisaje doblemente afortunado, que Güiraldes exalta con aparente sencillez, en realidad, después de estilístico bregar parnasiano; y Ortega y Gasset interpreta en páginas de alta belleza.

El aporte más valioso de Güiraldes ha sido expresar sin violencias lo americano dentro de una técnica moderna y universal. Lo popular y lo culto aparecen fundidos armoniosamente, un popularismo que se vuelve culto al estilizarse en una fórmula de arte desinteresado.

En su novela no sucede nada y sin embargo nos aprisiona dentro de esa impermeabilidad que el mismo Ortega ha señalado como característica de las grandes novelas.

Por su calidad poemática, por la ausencia de intriga, por sus primores de estilo, la novela de Güiraldes será siempre lectura para minorías. Y hasta en esto está dentro de la modernidad.

III. «La vorágine»

La llanura, la selva, y el lírico autoanálisis de un poeta son los tres personajes de la gran novela de José Eustasio Rivera. La llanura, amada con la inquietud de no poder llevarla como una novia; que se deja atrás con la angustia de querer abrazarla. La selva odiada por su monstruosa atracción, por su dominio sobre el hombre, por sus emanaciones de muerte.

La llanura, la selva y el poeta, se habían mostrado ya a los hombres en los sonetos de técnica parnasiana intitulados *Tierra de Promisión.* La naturaleza colombiana es allí eso: una promesa rotunda a veces y a veces lánguida como la palmera que identifica el cantor con su amada. Es un libro hecho de amor. Ríos que reproducen la voz solemne de la selva lejana; garzas que arrebatan peces nacarinos de las ondas; caimanes de espalda rugosa que parece «cordillera en miniatura». Tras los ríos, la selva de anchas cúpulas que al giro de los vientos llama a maitines grandiosos; marañas iluminadas por luz de zafiro. Cierto que el boa sombrío agobia el follaje y el jaguar de ojos coruscantes acecha, pero hay también el arrullo de la paloma torcaz durmiendo los montes y doradas abejas que fabrican panales nectáreos para la garganta del poeta. Como un Dios pánico gozoso y joven canta:

«Al salir de las ondas con placer me adormezco—sobre las hojarascas que mi perro escarmena,—y al través de las ramas en mi cara morena—pone el sol de la tarde su movible arabesco.»

«Inspirado en un sueño de ternuras lejanas—acaricio las flores, me corono de lianas—y los troncos abrazo con profunda emoción.»

En los últimos sonetos ve que su destino es sufrir con la naturaleza pero se siente superior a ella hasta el punto de interrogar: «Y quién cuando yo muera consolará el paisaje?»

La vorágine tiene dos partes claramente definidas. La primera es una visión realista de la pampa colombiana. La llanura aparece exaltada en todos sus momentos: en sus auroras jubilosas donde el sol «inmenso como una cúpula» rueda por las llanuras enrojeciéndose antes de ascender a lo azul; en sus palmeras de macanilla que lloran en el crepúsculo, en sus yeguadas bravías y sus toradas numerosas; en «el barajuste» del ganado que se aterra y huye como mar embravecido. Hasta aquí Rivera nos hubiera dejado un cuadro poderoso donde la prosa alcanza la más alta calidad poética. Pero todavía no es lo trágico, la audacia suprema de Rivera, la selva. Es la segunda parte del libro. Comienza con un apóstrofe a la «cárcel verde» donde el hombre no puede tener ya la visión total de los cielos y va nostálgico de sus llanuras, desposeído del ensueño del horizonte. Todo el aspecto amable de la selva en *Tierra de promisión* está aquí abolido. Aquélla fue la selva apenas entrevista y evocada luego en el ensueño. La imagen de la catedral es lo único que perdura, pero ya las cúpulas no llaman a maitines: es la catedral de pesadumbre donde dioses no conocidos hablan a media voz. Selva de enfermizas penumbras es ahora un «cementerio enorme donde ella misma se pudre y resucita».

Todos sabemos cómo nació este odio en la experiencia dolorosa del autor, mientras formaba parte de una comisión nombrada por los gobiernos de Colombia y Venezuela para decidir cuestiones de límite entre los dos países. Allí vio la tragedia de los caucheros que mueren en la esclavitud y la piedad encendió las páginas geniales, sin pensar que al mismo tiempo hacía una obra de estupenda significación artística. Es la descripción de una selva viviente y real la selva de la América del Sur, terrible y venenosa como jamás la entrevieron los románticos. Un hálito de violento barroquismo arrastra a los hombres a la locura, «el embrujo» vengativo de la selva los hace retorcerse de pavor ante las voces de los árboles y las amenazas de las charcas envenenadas. No en vano, el hombre sangra los troncos para arrebatarles su savia. La selva se venga enloqueciendo a los más expertos rumberos y tragándose miles de pobres buscadores de «oro verde». Después de haber leído estas descripciones, nos parece natural ver a Clemente Silva, perdido con sus compañeros, atento a las señales que le hacen los árboles, a los murmullos del silencio, buscando el sol que le ocultan las ramas gigantescas, rezar a la selva con la angustia del que ve ya la muerte delante de sí.

Esta selva más trágica que la de Dante no tiene antecedentes en la literatura de Hispanoamérica. La selva uruguaya en *Tabaré* es la madre airada rechazando al hijo que osó amar a una mujer de la raza enemiga. La voz de la tierra niega al charrúa su abrigo, los árboles lo azotan con sus brazos negros, y un espíritu piadoso, cautivo en una hoja seca, simbólicamente lo invita a partir. El aire está empapado del llanto de las tribus fugitivas, denso con las sombras de los charrúas sacrificados.

La selva de Zorrilla y San Martín, consciente imitación de la dantesca, es aún la selva romántica que se lamenta en el fondo, mientras en primer término, se canta la muerte de una raza: Tabaré sangrante a los pies del conquistador Gonzalo de Orgaz.

La vorágine es la novela más emocionante que conozco en la literatura hispanoamericana de los últimos veinte años. Acaso el inconfundible ritmo de poema le venga de la manera como fue compuesta. Según contó Rivera a su amigo Earle K. James, los capítulos nacían en los breves descansos de la marcha a través de los elementos que describen. El poeta los retenía en su memoria por falta de papel. Por las noches, sentado con sus compañeros ante la hoguera, única nota cordial en la hostilidad dominante, recitaba los pasajes compuestos aquel día. De ese repasar de la memoria, del oírse al recitar, nace indudablemente la sostenida música de los pasajes más bellos.

IV. «Doña Bárbara»

Grato es, después de la tensión angustiosa con que salimos de la selva colombiana, entrar en *Los Llanos* de Venezuela con un guía tan enamorado de su paisaje como es Rómulo Gallegos. Y es así como *Doña Bárbara* actúa con sus espectáculos risueños, sus descripciones épicas, su dramatismo —todo ello vitalidad que deslumbra— una lectura vigorizante para el cerebro y la sensibilidad. *Doña Bárbara,* proclamada el mejor libro de septiembre de 1929 por el Jurado de la «Asociación del mejor libro del mes», ha sido además señalada como la mejor novela de América por Ricardo Baeza. Baeza no menciona, en su artículo, *La vorágine,* de valor artístico ya indiscutible.

El paisaje, el medio, sigue siendo aquí el personaje capital, elaborador de los caracteres, causa de los conflictos. Novela densa en la intriga, da una impresión de arcaísmo en la manera de provocar los episodios. Es el viejo procedimiento de dos fuerzas en lucha: *Altamira* contra *El Miedo;* es la solución optimista amada por los ingenuos de la derrota de las fuerzas maléficas. El antiguo choque de barbarie contra civilización, no resuelto en *Facundo* sino con una promesa, se resuelve aquí en la capitulación de Doña Bárbara ante la fuerza civilizadora que es Santos Luzardo. El símbolo mitológico de la obra de Gallegos sería pues el Perseo de Cellini, de pie sobre el cuerpo decapitado de Medusa, sosteniendo en alto, agarrada por la cabellera de serpientes, la cabeza sangrante, con los ojos de fascinación cerrados para siempre. Y ya por el camino del símbolo no sé cómo ha escapado Baeza con su enumeración el que se inicia por primera vez en nuestra novelística con el yanqui Mr. Danger. La semblanza de Mister Peligro —evocamos en seguida un título de Araquistain— llena un capítulo de la novela: *Los derechos de Mister Peligro:* «Era una gran masa de músculos bajo una piel roja con un par de ojos muy azules y unos cabellos color de lino. Había llegado hacía algunos años con un rifle al hombro, cazador de tigres y caimanes. Le agradó la región porque era bárbara como su alma, tierra buena de conquistar, habitada por gentes que él consideraba inferiores por no tener los cabellos claros y los ojos azules...»

En seguida planta cuatro horcones en terreno ajeno y sin pedir permiso les echa encima un techo de hojas de palmera, cuelga su chinchorro y su rifle, enciende su pipa, estira los brazos y exclama: «All right, ya soy en casa.»

Con maravillosa técnica se convierte pronto en ganadero el cazador de caimanes. La significación de Mr. Danger se define, cuando después de una entrevista con Luzardo en la que discuten derechos usurpados por el yanqui, el autor comenta: «Y se marchó haciendo resonar el suelo duro y sequizo bajo sus anchas plantas de conquistador de tierras mal defendidas.»

El optimismo de Gallegos no vacila ni ante Mr. Danger. Cuando los alambres comprados por Luzardo empiezan a trazar «un rumbo derecho hacia el porvenir» el norteamericano coge su rifle, monta a caballo y se marcha.

Elementos comunes hay en las tres novelas: fatalismo, estampas del llano, motivos folklóricos, arcaísmos lingüísticos, religiosidad candorosa y ese acento racial hecho de orgullo y sentimiento de la dignidad humana que hace decir a Pajarote: «El llanero no es peón sino en el trabajo. Aquí, en la hora y punto en que estamos no habemos un amo y un peón, sino un hombre que es usted y otro hombre que quiere demostrarle que está dispuesto a dar la vida por la suya.»

En los tres libros la superstición campesina da una curiosa nota de interés. Está más acentuada en *Doña Bárbara* donde la sombra del *Familiar* anuncia las derrotas y las victorias y donde Doña Bárbara y Melquíades practican la magia negra, aquella en directa relación con el Bajísimo. Expresada en lo folklórico, la superstición aparece más bella en el cuento de la indiecita Mapiripana, narrado por Helí Mesa en *La vorágine.* Mapiripana es la reina Mab, transportada a la selva de América. El cambio de medio ha ensanchado sus dominios y sus poderes. Convertida en indiecita costea las playas en los plenilunios, navegando sobre una concha de tortuga tirada por peces que acompañan su canto con el movimiento de las aletas.

En su aspecto de costumbrismo rural *Doña Bárbara* tiene un lejano antecesor en *El llanero* de Daniel Mendoza. *El llanero,* como indica el subtítulo, es un estudio de sociología venezolana con más lirismo que sociología; en el fondo una exaltación de la vida libre y épica en las sabanas ilímites.

En la novela de Gallegos, lo más duradero es el carácter de doña Bárbara, que el autor identifica con la fuerza atrayente de la llanura, «devoradora de hombres». Cegada su femenidad naciente por la torpeza de los hombres, cruel y sensual en su fiereza, doña Bárbara vencida es más emocionante que victoriosa. Su entrega es renunciamiento: el recuerdo de un amor de adolescencia que renace en otro amor imposible. Se aleja «absorta, fija hacia adelante la vista, al paso sosegado de su bestia, las bridas flojas entre las manos, abandonadas sobre las piernas». Lejos, Arauca abajo, con misterioso rumbo desaparece la cacica terrible. Entonces Gallegos cierra su novela con esta esperanzada exclamación: «¡Llanura venezonala! ¡Propicia para el esfuerzo como lo fue para la hazaña, tierra de horizontes abiertos donde una raza buena ama, sufre y espera!»

V. La futura novela americana

La novela del paisaje ha llegado a su madurez en estas hermosas novelas. La selva, la llanura y los ríos quedan definitivamente presos en páginas de maravilla. Difícilmente podrá superarse el momento de tensión estética que ha alcanzado en el término de cuatro años (1926-1930) el tipo novelístico que nace en tierras colombianas en 1867. Falta la novela de las montañas. Podrán aparecer aún novelas reveladoras de matices inéditos. Mas no los grandes lienzos de color y dramatismo. Por eso me parece significativo un editorial que publica *Carteles,* mensuario de Buenos Aires, sobre la novela *Destinos* de Julio Fingerit. Se comenta allí el cansancio imaginativo que ha llevado a la novela europea —singularmente la de Proust— al desarrollo lento e introspectivo. Después de profetizar la muerte de la novela europea, apunta cómo la conciencia americana, la psicología americana, no ha elaborado aún su novela. La civilización europea tiene ya nuevas modalidades en América, nuevos tipos, nuevas situaciones. Pienso con el articulista que la novela concreción de estos elementos no será posible aún en muchos lustros. Esa novela futura, la novela de las grandes ciudades, no tiene que ser precisamente argentina. Puede surgir simultáneamente en Montevideo, Habana, Río de Janeiro y Buenos Aires, como simultáneamente surgieron las grandes novelas de la naturaleza en Argentina, Colombia y Venezuela.

Como producto de la civilización europea se ha novelado ya el tipo del hispanoamericano culto educado en Europa, viajero en países europeos, o sencillamente saturado de europeísmo a través de lecturas. Sobreviene entonces el choque entre los refinamientos adquiridos y el medio natal. Es el tipo que estudió Gonzalo Zaldumbide, melancólico y morboso fuera de su país por nostalgia de él, en su país por descontento y fracaso. Muchas novelas han presentado este conflicto —*Ídolos rotos* del venezolano Díaz Rodríguez, los caracteres Alejandro Borja y Roberto Ávila en *Pax* del colombiano Lorenzo Marroquín. Esta familia de desarraigados es ya numerosa y sería un interesante tema de estudio. El hombre europeizado aparece aquí en relación con el medio de manera análoga a la del hombre y el paisaje en la novela romántica, en cuanto son elementos sin fundir, casi yuxtapuestos. Cuando desaparezca el choque, cuando el hombre se forme en urbes americanas que hayan elaborado culturas y civilizaciones al nivel de sus necesidades intelectivas, aparecerá la lejana novela que anuncia *Carteles:* la novela de las grandes ciudades ■

Antonio S. Pedreira
(1899-1939)

Por razones económicas abandonó la carrera de medicina por la de letras, con lo cual la literatura puertorriqueña se benefició enormemente. Su preocupación por la identidad puertorriqueña se plasma en un libro singular, Insularismo *(1934), que es sin duda su obra más lograda y que lo vincula con los ensayistas latinoamericanos de su generación: Daniel Cossío Villegas, Jorge Mañach, Benjamín Carrión, Jorge Zalamea, Dardo Cúneo, etc. De prosa sobria y justa, donde la idea impera sobre la forma, a Pedreira se debe una notable biografía de Hostos, así como los libros* La actualidad del jíbaro, El año terrible del 87, Aclaraciones y crítica, *todos de algún modo relacionados con su preocupación mayor: calar hasta lo hondo del ser y el hacer puertorriqueños.*

Insularismo

I

El hombre y su sentido

Cuando la sangre europea vino a bautizar cristianamente al Borinquén indígena, «la isla, en 1509, bajo las órdenes de Juan Cerón, estaba tan poblada de indios como una colmena, y tan hermosa y fértil que parecía una huerta», según afirmación de Íñigo Abbad, nuestro primer historiador. De su organización primitiva heredaron nuestros campesinos el bohío, la hamaca, la tinaja, las higüeras... mas no lo bravía independencia guerrera que los lanzaba a expediciones arriesgadas fuera del Borinquén. En el año 1511 se sublevaron los aborígenes que no pudieron someterse a los conquistadores y en pocos años quedaron reducidos por la explotación y las enfermedades en cantidad considerable.

Para contrarrestar su merma y su incapacidad para el trabajo rudo se introduce en la isla por Real Cédula de 1513 el elemento africano; el negro rendía la faena de cuatro hombres y al entrar en nuestra formación racial esta tercera categoría etnológica, se crea, con la esclavitud, uno de los magnos problemas sociales que arrancará más tarde viriles protestas y esfuerzos incansables a nuestra gestante conciencia colectiva. El elemento español funda nuestro pueblo y se funde con las demás razas. De esta *fusión* parte nuestra *con-fusión*.

Exterminada paulatinamente por las plagas y sometimiento la raza indígena, que a los pocos años de la conquista dejó de ser factor importante en el cruzamiento, quedaron frente a frente absorbiendo con ímpetu los restos del elemento indígena y prolongándose aisladas o combinadas las dos razas invasoras con fondo y disposiciones psicológicas en pugna. La raza superior que daba inteligencia y el proyecto y la llamada raza inferior que aportaba obligatoriamente el trabajo ofrecían características de difícil casamiento. Entre ambas mediaba la distancia que separa al hombre libre del esclavo, al civilizado del bárbaro, al europeo del africano. La raza blanca era legislativa, la negra ejecutiva; una imponía el proyecto y ordenaba; la otra ofrecía el brazo y obedecía; mientras la europea era dueña de vidas y haciendas la africana no podía disponer ni siquiera de sus sentires. Tampoco tenía que preocuparse por nada, ni pensar en cosa alguna, ya que la raza mandataria se ocupaba de pensar por todos, conservando de esta manera su fuerza moral sobre el conjunto. En el fondo de nuestras maneras actuales, gran parte de la muchedumbre puertorriqueña aún tiene hipotecada su íntima libertad personal.

Estos dos troncos primarios conservan su pureza racial en los primeros tiempos de la colonización, sirviendo de barrera entre ambos el menosprecio del europeo hacia el africano y el resentimiento de éste hacia su dueño. El rencor fronterizo no fue infranqueable. Los escrúpulos fueron venciéndose ante la presión de uno de los extremos del elemento hispánico, que obedecía al principio de la raza que funda, se funde y se confunde. Los colonizadores se dividían en claras parcelas sociales teniendo por extremo superior a la nobleza, titulados y gobernantes y por límite inferior al pueblo y a la soldadesca con deberes, derechos y privilegios muy disímiles. Si bien es verdad que los primeros querían mantener a toda costa la pureza de sangre que les garantizaba honores, privilegios y exclusivismos jerárquicos, no es menos verdad que los plebeyos blancos no mantuvieron escrupulosamente su nivelación social y poco a poco fueron mezclándose con la raza negra que nunca ha logrado entre nosotros supremacía de población sobre la blanca.

Cuando en el siglo XVIII desaparece casi totalmente el ya apagado elemento indígena quedan en exclusiva formación etnológica el blanco y el negro, alimentando el viejo cruzamiento del cual salió el *mestizo*.

Luchan en el mestizo dos razas antagónicas de difícil conjugación y opuestas culturas. Entre una, que es la superior, y la otra, que es la inferior, el *mulato* será siempre elemento fronterizo, participante de ambas tendencias raciales que acrecentará más o menos de acuerdo con el tipo que escoja para un segundo enlace: el mestizo, el blanco o el negro. El mulato, que combina en sí las dos últimas y generalmente no suele ser una cosa ni la otra, es un tipo de fondo indefinido y titubeante, que mantiene en agitación ambas tendencias antropológicas sin acabar de perfilarse socialmente. Vive del presente inmediato, defendiéndose de todos y de sí mismo, sin volcar pautas en el ambiente, prudente e indeciso, como el hombre que se encuentra cogido entre dos fuegos. Necesita una mayor cantidad de reservas de una u otra raza para resolver su situación. El hombre de grupo que colabora y no crea, que sigue y no inicia, que marcha en fila y no es puntero. Por lo general, carece de fervores para ser capitán.

Del cruzamiento de españoles puros que en la isla luchaban desventajosamente contra las enfermedades y el clima, nació el *criollo,* paliducho y ágil, que a través de algunas generaciones pudo asimilar con utilidad los rigores del trópico. De aquí proviene mayormente nuestra gran masa campesina, hombres de la altura, que a fuerza de luchar con la inclemente naturaleza, han desarrollado una admirable resistencia física, casi inmune a las mismas enfermedades que tantos estragos causan a los europeos. Asombra pensar en este tipo criollo, curvado de sol a sol sobre la azada, con su vida tendida a la intemperie, azotada de privaciones y uncinariacis y resistiendo siempre, no obstante su deficiente alimentación. Es tipo que también vive del presente, que trabaja obligado por la necesidad, que recurre al juego esperando acaparar en un momento los recursos que cree incapaz de obtener con persistente laboreo. Dadivoso y cordial, hospitalario y fiestero, ha tenido que refugiarse en la astucia para protegerse del atropello de la zona urbana y de la negra competencia de la costa. Nuestro jíbaro es por naturaleza desconfiado y esquivo, y aunque de suyo benévolo, generalmente es receloso y astuto. Harto de ofrecimientos no cumplidos y de promesas no logradas ha tenido que recurrir a su vivaz ingenio para poner vallas a fraudes y desmanes pueblerinos. Desesperanza y desconfiaza las supo recoger magistralmente nuestro poeta criollo Luis Lloréns Torres, cuando en un arranque de precisa definición psicológica escribió esta décima:

Llegó un jíbaro a San Juan
Y unos cuantos pitiyanquis
Lo atajaron en el parque
Queriéndolo conquistar.
Le hablaron del Tío Sam,
De Wilson, de Mr. Root,
De New York, de Sandy-hook,
De la libertad, del voto,
Del dólar, del habeas corpus
Y el jíbaro dijo: Nju.

Todavía no se ha hecho una interpretación filosófica de jíbaro y no es ésta la ocasión de malograrla. Cuando se intente, habrá que subrayar sus vicios y virtudes y su peculiar reacción frente a la vida.

El criollo, pues, y el mulato, se han aclimatado perfectamente a nuestro suelo. Este último, que lleva en la sangre resistencia africana, al cruzarse nuevamente con el negro produjo otro tipo intermedio, el *grifo,* de más recia complexión y atrevimiento que ningún otro producto etnológico puertorriqueño y que ha ido adueñándose de las faenas rudas de nuestras costas y centrales. Vivaz y activo, predominan en él la fuerza del negro y la inteligencia del blanco, nunca bien balanceadas. Cuando en estas rachas de bilis oímos a alguien la frase tan común de «grifo parejero» van subrayadas en el insulto ambas características. Decidido y vehemente lucha el grifo desde el fondo de su conciencia por un pleno reconocimiento de sus facultades y por un tratamiento igualitario que le asegure su parte de oportunidad en la vida. En él hay una actitud subconsciente de reivindicación del esclavo. El mulato no se decide a tanto; es demasiado armónico para caer de un lado. Por el contrario el grifo con la poca sangre blanca que abona su derecho aspira y ambiciona y su resentimiento encuentra válvula de escape en la democracia. Y como su tendencia es la de equipararse al blanco, unas veces se prepara para la lucha y otras simula la preparación que pone en tela de juicio con su parejería. Así pues resulta un elemento animador en unos casos y perturbador en otros.

Cuando uno de estos elementos logra romper esta observación totalitaria suele subir muy alto y consigue el respeto y el cariño a que es acreedor por sus excepcionales condiciones. Nuestro deber estriba en una amorosa comprensión de todas las clases que auténticamente valen, sin alimentar ese horrendo y bestial sentimiento de los prejuicios sociales. Téngase en cuenta que en un gran tanto por ciento de nuestra población, los tipos no quedan separados en visibles parcelas, sino fundidos sólidamente en cada hombre, de tal suerte, que los rasgos característicos de cada tipo se matizan y apagan en el crisol del blanco, borrándose casi por completo el punto de partida.

En estos casos indecisos el atavismo trabaja tan lentamente que nadie puede sospechar la existencia de una guerra civil biológica en determinados miembros del árbol genealógico. He aquí el *no man's land* de nuestra vida social y una nueva razón para mantener en beneficio de todos una diplomática cordialidad.

Cabría aún hablar del tipo contrario al del grifo, y de otras subclases cuyo refinamiento nos llevaría muy lejos. Si este intento de clasificación se llevara a sus últimos alcances, mayores observaciones harían más evidente nuestra interpretación. Pero no es necesario apurar más el tema. Repose nuestro intento en el señalamiento de las tres tendencias raciales que son básicas en nuestra psicología y las dos o tres derivaciones primarias que por cruzamiento de ellas provienen.

Descartando el elemento indígena por mermado y pretérito, el negro y el blanco con sus curiosos cruces posteriores darían mucho que pensar sobre nuestra inaprensible psicología colectiva. Certeramente vio el problema Fray Íñigo Abbad cuando en el siglo XVIII dijo con referencia a nosotros: «Verdad es que mirados en globo y sin reflexión se nota poca diferencia en sus cualidades y sólo se descubre un carácter tan mezclado y equívoco como sus colores». Así, mezclada y equívoca, es nuestra psicología.

En el fondo de nuestra población encontraremos sin ardoroso empeño una pugna biológica de fuerzas disgregantes y contrarias que han retardado la formación definitiva de nuestros modos de pueblo. El señor y el peón que viven en nosotros no logran limar sus asperezas y aparejamos a nuestra condición de amos la triste situación de inquilinos perpetuos. La firmeza y la voluntad del europeo retienen a su lado la duda y el resentimiento del africano. Y en los momentos más graves nuestras decisiones vacilan en un ir y venir sin reposo buscando su acomodo. Nuestras rebeldías son momentáneas; nuestra docilidad permanente. En instantes de trascendencia histórica en que afloran en nuestros gestos los ritmos marciales de la sangre europea somos capaces de las más altas empresas y de los más esforzados heroísmos. Pero cuando el gesto viene empapado de oleadas de sangre africana quedamos indecisos, como embobados ante las cuentas de colores o amedrentados ante la visión cinemática de brujas y fantasmas.

Somos un pueblo difícil de complacer porque somos difíciles de comprender. No aseguro yo que todo provenga de esta diversidad de troncos y cruzamientos raciales sino que un punto de partida para interpretar nuestro carácter «tan mezclado y equívoco», es la variedad de reacciones que responden a secretos estímulos biológicos. Estas fuerzas repelentes que se desgastan en incesante choque invisible empañan el panorama de nuestras aspiraciones y prenden sus nebulosas en nuestros turbios propósitos, lanzando a cada uno por su lado sin poder hacinarnos ante la historia en un frente inexpugnable. Unos hombres llamados dirigentes, con meros gestos tribunicios cambian de la noche a la mañana los programas políticos, nos unen (y desunen) a partidos de plataformas antagónicas y todos permanecemos impávidos con la clásica mansedumbre del cordero de nuestro real escudo. La gota de sangre india que aún corre en nuestras venas se subleva un instante para ser sofocada por el ímpetu conquistador o esclavista. El resultado es el *laissez faire* tropical, en espera de mejor oportunidad, y mientras llega nos sometemos calladamente improvisando siempre una disculpa.

Y es que la comunidad de intereses, de sentimientos e ideas no existe entre nosotros. Votados de lo que Rafael María de Labra llamó particularismo antillano y que en nosotros es herencia, carecemos de sentido de la cooperación y de la proporción. De ahí que sea tarea relativamente fácil la de faltarle al respeto a todo un pueblo cuya principal debilidad radica en una incapacidad para la acción conjunta y desinteresada. Cuando el blanco protesta el negro ataca y viceversa —¿se entenderá este símbolo?—, sin conseguir llegar a una integridad de anhelos. Se llega a una armonía al través de entendidos superficiales que con una servil adaptación a todas las situaciones intentan acallar y dar tregua a las fuerzas contrarias. El receso, es natural, dura poco, pues la mejor manera de no complacer a nadie es la de tratar de complacer a todo el mundo.

Motivos de ayer y de hoy han desarrollado en nosotros una fuerte capacidad de asimilación que en la raza hispánica es determinante de los rumbos de su progreso. La diferencia estriba en que dicha asimilación opera en España sobre un cuerpo de pueblo definido y fuerte, y en nosotros sobre el injerto de ese pueblo con otros menos expresivos y titubeantes. Para corregir las aportaciones extrañas nos faltó la base autóctona. Hemos tenido que formarlas con aportaciones ajenas a nuestro espíritu territorial primitivo y con ellas formar el cauce de nuestra historia. Y como en dicha colaboración no ejerció influjo condicionante el elemento indígena permaneciendo pasivo y obediente ante la voz del extrarradio insular, el resultado fue el sometimiento, la humildad, la conformidad, el apocamiento, la mansedumbre fiel que da tono a nuestro desarrollo. «La cultura y la civilización que tanto nos envanecen —ha dicho Ortega— son una creación del hombre salvaje y no del hombre culto y civilizado. «Si el valor de la vida primitiva es ser fontana de la organización cultural y civil, nosotros no hemos tenido esa fontana. Todo nos vino hecho y manoseado y así se acostumbró el pueblo al consumo y no a la producción de valores vitales.

Acatar, aceptar; he aquí conceptos sintomáticos; empezamos aceptando los designios históricos sin la más remota posibilidad de torcer sus rumbos y acabamos por acatar la voz imperativa de los excelentísimos gobernadores militares que hasta finales del siglo pasado se hacían obedecer con la grosera fórmula de «ordeno y mando». Esta actitud no ha variado en nuestros días.

En cierto modo la riña de gallos resulta aclaratoria de lo que somos. Nuestro deporte nacional no es una afición exclusivamente nuestra. Con todo y eso parece que se descubrió para nosotros; es un deporte en que no interviene el arrojo individual, como en el toreo español, ni la acción coordinada como en el *foot-ball* inglés o el *base-ball* norteamericano. Nos quitamos de encima toda responsabilidad dejando que los gallos resuelvan el asunto; así nadie pondrá en tela de juicio nuestra aptitud para la acción conjunta. En la gallera —seis chorreao; cantaores— descargamos un poco la congestión de impulsos que nos bullen por dentro y una vez más dividimos la gritería insular en dos bandos opuestos. La jugada de gallos pertenece más a los viejos que a los jóvenes y ha tenido que compartir su imperio con los nuevos deportes.

Un hecho que no puedo eludir de mis preocupaciones es el de la juventud que apenas llega a serlo. En los países tropicales la gente envejece con mayor rapidez que en los países fríos. El promedio de vida, además, es menor en los primeros que en los segundos. Nuestro niño atraviesa muy aprisa la etapa en que debiera regodearse y muy temprano se abren sus sentidos haciendo que maduren antes de tiempo los mejores años de la muchachez. Con dañosa frecuencia se le ve abandonar los juegos propios de su edad para dedicarse al trabajo y el sexo le quebranta antes de que amanezca su pubertad.

Así como se anticipa en el niño la crisis infantil, se anticipa en el joven su entrada en la vida pública, complicándole el vuelo y el carácter. Su falta de formación para imponer sus pocos años lo obliga a formar coros y el torbellino de la lucha lo arrastra por un atajo de preocupaciones que le estrujan el alma. En las eras del campo, en el vientre de una fábrica, en una oficina o en las filas del desempleo va adquiriendo una experiencia desazonada sin regustar los años auténticos de la juventud.

Esta prisa en ser hombres la heredamos de la raza. Compárese nuestro núcleo universitario con uno similar en Estados Unidos y se verá la diferencia que existe entre unos hombres menores y unos muchachos mayores. Nuestro estudiante promedio vive agriamente su vida colegial, defiende sus derechos con protestas enérgicas, no disfruta sus vísperas de hombre y sale amargado de las aulas para las cuales no tiene luego un amoroso recuerdo. El norteamericano no olvida nunca a su Alma Mater porque en ella pasó los mejores años de su juventud. Si alguna vez se levantó una huelga fue por razones deportivas que a la larga resultan superficiales.

Dimitir la juventud antes de tiempo es negar a nuestro pueblo la sanidad, el vigor y la alegría que la juventud debe darle. Por una serie de condiciones en que intervienen la etnología, la geografía y la historia, somos un pueblo triste. Campeche, Oller, Gautier Benítez, Juan Morell Campos, para citar pintores, poetas y músicos de primer orden, fueron los productos más expresivos de la tristeza puertorriqueña. Cuando se atiende al volumen de la tierra acosada de terremotos, de temporales y de impuestos; cuando se cala la impotencia del hombre para luchar desventajosamente con su composición biológica y su tragedia política; cuando se contempla el paisaje o se escuchan los apenados tonos de una danza; cuando, en fin, se mira el fondo de nuestra afirmación, tan picada de inconvenientes, se pueden descubrir los viejos surtidores de nuestra melancolía.

Puerto Rico es un pueblo deprimido; pero ama la vida y no se rinde nunca. El nativo es individualista, resistente, valeroso. Para el hambre no tiene flaquezas; ante las desgracias naturales no se anula jamás; individualmente no le importa perder la vida que pone en peligro por cualquier tontería personal; colectivamente es lo contrario: demuestra una gran incapacidad para morir en grupo. Al revés de otros pueblos antillanos, el nuestro siente un gran apego a la vida. De Quisqueya es el areyto que dice: «Ijí, ayá bombé» (antes muerto que siervo). El desprecio a la vida caracteriza al pueblo dominicano y al cubano que a cada momento se la juegan con asombro de todos. Nuestra muchedumbre, por el contrario, es dócil y pacífica: se caracteriza por la resignación. Defiende su derecho a vivir con suma cautela y demuestra una instintiva prudencia que algunos identifican con el miedo. Ruego al lector que no abrume esta síntesis con muy gloriosas excepciones.

Somos un pueblo racialmente heterogéneo, compuesto de blancos, de negros y de mestizos. Siglos de convivencia al hervor del trópico fueron causando modalidades encontradas y aunque todavía abundan los divorcios, nuestra personalidad colectiva es responsable de un puñado de nombres que nos representan en casi todos los compartimentos insulares de la cultura.

Hemos dado a las armas extranjeras nombres gloriosos como los de Rius Rivera y Pachín Marín, mejores que el de Antonio Valero de Bernabé; a la hagiografía una mujer ilustre: Santa Rosa de Lima; a la ciencia jurídica un tratadista venerado en toda América: Eugenio María de Hostos; a la mar dimos a Ramón Power y al pirata Cofresí; a la botánica: Sthal; a la ingeniería: Fuertes; y en la medicina, en el magisterio, en la oratoria, las artes y las letras hemos tenido nombres de resistente prestigio insular. Cuando yo me pregunto por la honradez patriótica, señalo en primer lugar a Baldorioty; cuando busco un carácter lo encuentro en Ruiz Belvis o en Betances; una mente filosófica: Matienzo o López Ladrón; un periodista: Brau o Muñoz Rivera...

Dirijo mis simpatías, al cerrar este primer ensayo, en derechura de esa exquisita masa anónima, formada por millares de hombres silenciosos, pertinaces y limpios, que con admirable orientación ciudadana —decoro, desinterés, patriotismo— ayudan diariamente y sin sentirlo a formar la personalidad puertorriqueña. Si esta condicionante minoría ha limpiado en nuestro territorio el camino de la inmortalidad para que pasen otros, ella ha de ser también la barbacana que dispare nuestros hombres egregios hacia el espacio universal.

Abandonemos ahora el hombre y su sentido para clavar nuestra interpretación sobre la tierra ■

José Agustín Balseiro (1900)

Compartiendo por igual la enseñanza y el estudio literario, Balseiro es posiblemente el crítico más conocido de Puerto Rico en este siglo. Con una amplia obra comenzada en España en la década del 20, Unamuno elogió su ensayo sobre su novela Abel Sánchez, *la Real Academia de la Lengua le concedió en 1925 el Premio Hispanoamericano al volumen de ensayos* El vigía, *Ramón Menéndez y Pidal lo recomendó como profesor visitante a la Universidad de Puerto Rico y Alfonso Reyes le prologa el tomo de versos* La pureza cautiva *(1946). De él son títulos tan importantes para el conocimiento de las letras hispánicas como* Novelistas españoles modernos *(1933),* El Quijote de la España contemporánea: Miguel de Unamuno *(1935),* Expresión de Hispanoamérica *(1960, 1963).*

El mensaje egregio

En el capítulo VII de *Letras y hombres de Venezuela* escribe Arturo Uslar-Pietri, a propósito del poeta Juan Antonio Pérez Bonalde:

«Había nacido en Caracas en 1846. Siendo apenas un adolescente, acompaña a los suyos al destierro. La conmoción política de la guerra federal arroja al mozo de su suelo. Su padre se instala en la acogedora Puerto Rico, que era uno de los refugios tradicionales de los venezolanos en el exilio.»

En efecto, no fue la familia del magistral traductor de Heine y de Poe ni la primera ni la última que halló santuario en nuestra tierra. Ya desde 1821, cuando personas principales pertenecientes a la aristocracia temieron al nuevo régimen que siguió a la guerra de la Independencia, alejáronse de Venezuela y se establecieron en Puerto Rico. Entre ellas estaba la que habría de ser madre del poeta José Gualberto Padilla, *El Caribe.*

Puerto Rico, ni indiferente ni violento, siempre fue a modo de pequeña Suiza americana donde los desterrados gozaron de clima propicio para el alivio de sus heridas políticas y de sus zozobras temporales. La naturaleza, hospitalaria y cordial, de nuestros hermanos les regalaba la visión de la paz, asegurándoles el derecho a la vida. Y no fueron pocos los venezolanos que, al trasplantarse entre nosotros, ofrecieron dignamente sus buenos servicios y aceptaron, con amistosa gratitud, el calor de los brazos abiertos.

No ha de ser extraño que hoy, entre los mensajes inolvidables de los prohombres de América —y por expresar ideas tan afines a la idiosincrasia y la tradición de nuestro pueblo— escojamos el que perdura en el pensamiento poético del venezolano-universal don Andrés Bello.

La América española tuvo su trinidad insigne en el campo de las Armas: Bolívar, San Martín y Sucre. De ellos, el primero sabía echar al vuelo sus ideas con el ardor de los temperamentos deslumbrantes. De visión profética, hizo —desde 1815— vaticinio sin par de condiciones y acontecimientos que habrían de cumplirse en los pueblos de su mundo y de su lengua.

Bolívar era el genio, espectacular y señero, que tropieza entre los obstáculos alzados por sus contemporáneos, pero que intuye lo que el porvenir reconocerá y aceptará más tarde.

Quien presiente el camino a seguir, todavía remoto, no siempre puede emplearse en el oficio de ganarse a tiempo la adhesión de quienes demandan inmediatos logros. Más de una vez tiene sólo un camino abierto para no detenerse a morir en su tierra: el exilio, que, aunque lo parezca, casi nunca es voluntario.

No es pasión meditabunda la de Bolívar. Es pasión dinámica. A un tiempo belleza y azar, como la chispa. Puede servir tanto para hacer luz como para quemar, arrebatada.

Todavía en Europa, cuando escribe, para despedirse, a Fanny de Villars, adelanta que él lo hace todo impulsivamente: sin método preconcebido. Y, años después —cuando en representación de su patria va a Londres— sorprende al Ministro de Relaciones Exteriores no hablando en pro de Fernando VII, como esperaba aquél, sino demandando la independencia de su propia tierra.

Si Venezuela se corona de resplandores con esa antorcha viva de la revolución, no le falta la lumbrera hecha de madurez y de sabiduría. Si aquél lanza, rebelde, el grito que desata el tumulto del oprimido corazón criollo, el otro es la voz, serena y ancha, que cita a la libertad por la concordia de sus hermanos del hemisferio; el índice, armonioso y tranquilo, que señala el remanso de la paz y el deber de servirla ordenada y constructivamente.

De ese modo, con el nacimiento de Simón Bolívar y el de Andrés Bello en una misma tierra, Venezuela sabe de dos faros máximos —paridad de contrastes— en el Continente americano.

Que son esencialmente distintos lo avisa el hecho de que el sabio no fue el maestro predilecto del genio. Éralo aquel otro, Simón Rodríguez, que le inflamaba al discípulo el alma con alientos románticos; que le llevaba a palpar el pulso telúrico de sus llanos; que le abría panoramas de noble inquietud para sus vehemencias juveniles; que le contagiaba el júbilo de andar de uno a otro pueblo: porque no quería, según explicaba, ser como los árboles que echan raíces en uno solo, sino como el viento y el agua en constante mudanza.

Ese amor del camino, y ese buscarse en otras latitudes, no es insólito en la magnífica Venezuela de entonces. De su seno nació el primer fruto universal que produjo Hispanoamérica. No es raro, en consecuencia, que Francisco de Miranda fuera el precursor de la independencia de los pueblos del Sur después de conocer el vivir cosmopolita: España, Francia, Inglaterra, Prusia, Austria, Italia, Rusia, Turquía, Grecia, Estados Unidos, Cuba, Jamaica... Todos los climas fueron propicios para su sed de aventuras y conocimiento; para confirmarle en su afán libertador.

No fueron los prohombres de aquella América almas provincianas, presas en estrechos nacionalismos. Héroes continentales, las fronteras les sirvieron de trampolín para abrirles campos mayores al pensamiento y a la libertad de un mundo nuevo. No eran los suyos ojillos miopes que sólo ven lo que les toca de cerca. Señoreaban en visiones de luengos horizontes y de grandezas unánimes, sin impotentes divisionismos. Soñaban y luchaban, servían y creaban no fraccionando a su América, sino universalizándola como unidad vital.

San Martín, quien regresa a su tierra luego de haberse hecho militarmente en la de España, no se conforma con la independencia de la Argentina. Y lleva su espada a Chile y su protección al Perú.

El juramento sobre el Aventino tiene la explosión del relámpago. Signa, deslumbrando, todo el futuro de América. No es en su suelo de Venezuela, sino en tierra extraña, donde Bolívar marca, definitivamente, su destino por venir.

Los dieciocho años que Bello reside en Inglaterra son, a la vez, de estudio y de enseñanza: de recogimiento interior y de tono clásico. El calendario asegura que sólo un par de años lo separa cronológicamente de aquél. Pero mientras Bello sentíase vivo en el pasado, Bolívar se ilusionaba con un Mañana por nacer en su orbe de pasión y de violencia, de vaticinio y creación.

La obra del Libertador irradia desde el norte hacia el sur de su hemisferio. Brotan de ella cinco repúblicas: Venezuela, Colombia, Ecuador, Perú y Bolivia. Vive y muere por ellas, conociendo todas las grandezas y miserias de su sacrificio, que le mueve a decir: «Aré en el mar».

Otra vez se aúnan Venezuela y Puerto Rico al cantarle a Bolívar nuestro Luis Lloréns Torres:

Político, militar, héroe, orador y poeta.
Y en todo, grande. Como las tierras libertadas por él.
Por él, que no nació hijo de patria alguna.
Sino que muchas patrias nacieron hijas de él.

Tenía la valentía del que lleva una espada.
Tenía la cortesía del que lleva una flor.
Y, entrando en los salones, arrojaba la espada.
Y, entrando en los combates, arrojaba la flor.

Los picos del Ande no eran más a sus ojos
que signos admirativos de sus arrojos.
Fue un soldado poeta. Un poeta soldado.

Y cada pueblo libertado
era una hazaña del poeta y era un poema del soldado.
¡Y fue crucificado!

La obra de Bello, que se difunde en la América del Sur desde Chile hasta el septentrión, enseña a bien decir a los pueblos de su estirpe. El educador que había en él no tardaría en percibir que acaso la primera necesidad de aquella República era aprender a leer; y que, los que ya sabían, leyeran. El gramático que había en él advirtió pronto que el español que allí se hablaba era menesteroso y necesitaba corrección. Y puso manos a la obra, con ejemplar solicitud.

Bello es de los que escriben los más graves pensamientos sin que las pugnas inmediatas les turben el juicio. Basta recordarle observando que el movimiento revolucionario de su América fue hecho por elementos de origen y cultura hispánicos, para evidenciar que la nación fundadora no era culpable de todos los errores y los crímenes que se le imputaban. Mientras el rencor cegaba a tantos, Bello veía con lucidez de humanista.

Su mensaje egregio es anterior, sin embargo, a la llegada de Bello a Santiago. No había honrado aún la invitación que le extendiera Egaña de ir a Chile para aconsejar a su Gobierno. No se había repetido el hermoso ejemplo de ignorar fronteras y sobreponer a las divisiones territoriales el interés de la República ansiosa de orientación. Hallábase Bello todavía en Londres donde publicó su peródico *El repertorio americano.* Era el año 1826. Aparece allí su *Silva a la agricultura de la zona tórrida.*

El título, con ser amplio y sugerente, no deja prever cuanto atesora. Porque no es sólo un poema descriptivo. No es, únicamente, glorificación del suelo y de la flora —geografía y botánica— de un mundo nuevo para promesa y beneficio del hombre nuevo de América. Es florilegio de advertencias, admoniciones, consejos y esperanzas con la visión de una patria común justa, útil, universal y próspera. Supera «las más altas y preciadas dotes de elocuencia», estimadas por el crítico colombiano Miguel A. Caro en la poesía en general de Bello; va más allá de ser «el más virgiliano de nuestros poetas», como sintiendo con catolicidad hispánica, lo calificaba Menéndez y Pelayo.

El contacto de Bello con la vida inglesa —rica en libertades civiles, amiga de la ecuanimidad, morada del Derecho— enseñábale diariamente que el respeto a esas instituciones no marciales es tan digno de la emulación y de la inmortalidad como la portentosa gesta de los capitanes que cruzaron los Andes y vencieron en Maipó, en Bocayá, en Junín y en Apurima.

Cuando no se ha extinguido el resplandor de la última batalla por la independencia; cuando aún están ardidos y ardiendo los héroes y los campos inflamados durante dieciséis años de guerra, convoca Bello al Ángel de la Paz. Y adelanta la visión de un futuro esplendente, cuando parezca

La libertad más dulce que el imperio
y más hermoso que el laurel la oliva.

Porque:

Allá también deberes
hay que llenar: cerrad, cerrad las
hondas heridas de la guerra.

Será menester restaurar con espíritu fraterno. Mover el molino, tajar el bosque, abrir arterias vitales hacia el porvenir. La guerra ha poblado de ruinas la tierra, haciéndola cenizas:

> ... *monumento*
> *de la dicha mortal, burla del viento*

Mas brota la esperanza: que nace la primera flor, bella a la vista, del maltradado suelo.

El poeta, generalmente frío, tiene a veces aquí la ternura de quien anima a la Naturaleza, amándole en el agricultor digno de la divina merced:

> *Su rústica piedad, pero sincera,*
> *halle a tus ojos gracia: no el risueño*
> *porvenir que las penas aligera*
> *cual el dorado sueño*
> *visión falsa, desvanecido llore:*
> *intempestiva lluvia no maltrate*
> *el delicado embrión: el diente impío*
> *del insecto roedor no lo devore:*
> *sañudo vendaval no lo arrebate,*
> *ni agote al árbol de materno jugo*
> *la calorosa sed de largo estío...*

Implora, reiteradamente, que se encierre en el más hondo de los abismos la malvada guerra: que la azorada inquietud deje las almas. Porque ya son incontables las proscripciones, los suplicios, las orfandades, las muertes.

Se establece en la *Silva* un concierto entre la agricultura y la paz, entre el campo y el buen gobierno, entre la poesía y la esperanza de virtudes cívicas que puedan crear una América prócer. Pocas veces llegó tan alta la razón en nuestra lengua para servirle a toda la familia de los pueblos hispánicos.

¿Escucharon a tiempo su mensaje?

De haber acatado la orientación de Bello, hecha ya la paz con España, cuántas menos hubieran sido las pugnas que habrían de surgir después entre unas y otras repúblicas del hemisferio y entre los propios hijos de más de una de ellas. Porque casi no ha habido lustro, a partir del término de las guerras de la Independencia hasta el presente, sin disputas fronterizas o sin que un dictador manchara la Historia del mundo que soñó Bello para el orden y la libertad, para la justicia y la paz.

Eso significa que aún puede y debe ser útil el mensaje egregio. Útil, si se lee no como página de modelo retórico, sino como índice ejemplar de la conducta a seguir, de la norma a emular. Porque todavía hay reclamaciones y conflictos que dividen en tierras unidas por la geografía. Porque no ha triunfado aquel desinterés de americanos continentales sentido por Miranda y San Martín, por Bello y Bolívar, por Egaña y Alfaro, por Hostos y Martí.

Bello presintió doblemente la unidad hemisférica: en la política y en la lengua. La segunda se mantiene en su gramática. Fue —como Rufino José Cuervo, Marcos Fidel Suárez y Rafael Ángel de la Peña— de los que la enseñó magistralmente. La primera sigue aguardando a los líderes de buena voluntad que no se detengan en la letra de la *Silva,* sino que penetren en la entraña de su espíritu para darles vigencia permanente ■

Margot Arce de Vázquez
(1904)

Ensayista y profesora universitaria. Durante muchos años dirigió el Departamento de Estudios Hispánicos de la

Facultad de Humanidades de la Universidad de Puerto Rico. En 1970 se jubiló con la distinción de Profesor Emeritus. Su amistad con Gabriela Mistral influyó notablemente en su vida literaria. Su prestigio como crítica literaria de profunda raíz hispánica ha merecido el reconocimiento universal. Entre su numerosa obra ensayística sobresalen: Garcilaso de la Vega (Contribución al estudio de la lírica española del siglo XVI) *(1931),* Los adjetivos de la «Danza Negra» de Palés Matos *(1939),* Gabriela Mistral: Persona y poesía *(1958) y* La obra literaria de José de Diego *(1967).*

El paisaje de Puerto Rico

De nuestra isla Puerto Rico se podría decir lo que Cervantes dijo de Salamanca: «que enhechiza la voluntad de volver a ella a cuantos de la apacibilidad de su recinto hayan gozado». El tipo geográfico de isla, perfectamente hermético en su forma de rectángulo regular, ha determinado, con paradojas, su economía y el carácter de sus habitantes. El puertorriqueño no es un hombre de mar ni comerciante astuto; mas, como isleño, se deja ganar fácilmente por los aires de afuera.

Mirada desde un avión, la isla parece una pequeña alfombra de verdes variados y ondulantes. Todo tiene en ella dimensión breve, gracia infantil. Un americano del Sur, recordando sus Andes, llamaba a nuestros cerros «simulacros de montañas», nuestros árboles no tienen nunca el tamaño del samán o del panamá del Istmo.

La superficie de la isla se ondula como un lago verde agitado por la brisa. Toda la llanura de la costa comienza a encresparse a medida que avanza tierra adentro con un ritmo de ondas suaves que ascienden poco a poco y sin violencia hasta la cordillera central. La cordillera la divide en dos vertientes de signo opuesto: la vertiente norte, húmeda; la del sur, seca y con alguna tímida aspereza de contorno. Esa oposición también es visible en el carácter y en el lenguaje. Navarro Tomás ha señalado cómo el español de Puerto Rico presenta caracteres diferentes en cada una de estas zonas. Abundan las colinas; cortinas y cortinas de cerros pequeños se multiplican hasta el horizonte y, por su forma redonda y diminuta, parecen de juguete. La cantidad y sucesión de colinas presta a la tierra un aparente dinamismo; cambia ante nuestros ojos sin darnos ni darse reposo. El hombre se siente rodeado por esa vecindad en movimiento y alucinado por la variedad de líneas y por la calidad fosforescente de los verdes vegetales. La proximidad de la tierra ataja el paso y la vista. Se siente siempre bajo los pies; se tropieza con ella como si alzara muros a nuestra libertad de acción. Esta inestabilidad del paisaje, esta sucesión de planos que ocurre plácidamente, ha influido en nuestro carácter como pueblo. Nos ha hecho sensuales e inquietos; nos ha forzado a agarrarnos a la tierra en busca de equilibrio y a hundir raíces en el suelo. Recordemos, por oposición, lo que se ha dicho del paisaje de la pampa y del de la meseta castellana en donde el hombre conoce la sed de absoluto. Difíciles son en Puerto Rico la mística y la filosofía; lo telúrico tira de nosotros y quiere vencer lo espiritual.

El clima de la isla nos define como hombres de un trópico atenuado. En la poesía de Palés Matos este tropicalismo se evidencia con tanto relieve como en la de Lloréns Torres. Para describir nuestro sol, Palés emplea versos llenos de fuego y aspereza:

La luz rabiosa cae
en duros ocres sobre el campo extenso;
humean rojas de calor las piedras,
y la humedad del árbol corpulento
evapora frescuras vegetales
en el agrio crisol del clima seco.

No es extraño que el hombre de Puerto Rico, acosado por humedad y calores, sea de movimientos pausados, incapaz a menudo de acción enérgica, incapaz de previsión. La actividad febril y postiza que se registra en las ciudades es el resultado de la influencia norteamericana, no de un ritmo innato puertorriqueño. El pitiyanqui posee cierta torpeza grotesca de gestos que deforma su natural modo de expresión. El calor y la luz nos hacen excitables, soñadores, indecisos. Como dice el Conde de Keyserling en sus *Meditaciones Suramericanas,* solemos actuar por el impulso ciego de la gana. Cuando sobre la isla se desata la furia del huracán tropical, Puerto Rico sale de este ritmo apacible, de esta dulzura de égloga. Pasado el temporal, se vuelve a construir la casa arruinada, a cultivar el campo arrasado y a esperar, con paciencia casi fatalista, el nuevo desastre. Tiene el hombre de esta tierra un admirable desdén por los bienes materiales y una aceptación admirable también, trágica a veces, de toda desgracia. En la picante intención de una copla o en el chiste preocupado suele salvarse de la amargura. Este estoicismo le viene del español, con la diferencia de que en el español la voluntad está más viva. Las desgracias resbalan por su piel sin dejarle arañazos hondos. Sabe hasta contemplar objetivamente sus dolores. Palés Matos describe, por ejemplo, el huracán como espectáculo puro, con sentido estético:

Cuando el huracán desdobla
su fiero acordeón de ráfagas,
en la punta de los pies,
ágil bayadera, danzas,
sobre la alfombra del mar,
con fina pierna de palmas.

Su principal virtud en una resistencia terca y sin prisa, que va venciendo el tiempo y labrando su propio destino.

La isla está ceñida por un mar maravilloso, verde claro en la costa, azul cobalto cerca del horizonte; mar amplio, fuerte y tranquilo, que recuerda el Mediterráneo en su luz y en su hermosura viril. Sus espumas se deshacen sobre la arena dorada y luminosa de la costa. Las palmeras con sus troncos morenos y sus penachos oscuros, a manera de flores gigantescas, estilizan en ágiles líneas el paisaje. En la tarde, el mar parece de ópalo, porque recoge los matices delicados del cielo; en la noche se vuelve azul profundo con espumas de plata.

El cielo de Puerto Rico es bajo, tan bajo, que podría tocarse con la mano. Parece volcarse sobre las hondonadas y los valles, vaciarse en ellos. Sólo se dilata y eleva sobre las llanuras de la costa. También es azul cobalto como el mar y tiene una fosforescencia metálica. Muy pocas veces posee la limpidez absoluta del cielo de Castilla; sus nubes redondas y blancas repiten la ondulante variedad de la tierra.

Predomina el día sobre la noche. La luz tremenda del sol da calidad de metal bruñido a cuanto toca; su reverberación encandila y nos parece que miramos a través de una gasa que diluye los contornos. El rápido crepúsculo pasa de la luz a la oscuridad en minutos; pero esos minutos de la transición descubren una belleza imponderable. El sol baja de prisa, enorme disco color naranja; el cielo se incendia en rojo, oro, verde, gris, rosa pálido; los tonos pasan por todos los grados de la escala de intensidad, y aunque están llenos de luz, fingen la consistencia de lo material. La noche viene de golpe; las estrellas bajas se mecen sobre la copa de las palmeras y casi se confunden con las luces verdosas de los cucubanos. La luna del trópico ilumina los cielos con una clarísima luz de plata. El encanto de nuestras noches podría describirse con los conocidos versos del *Nocturno Tercero,* de José Asunción Silva:

Una noche toda llena de murmullos,
[de perfumes y de músicas de alas,
una noche en que ardían en la sombra
[nupcial y húmeda las luciérnagas
[fantásticas,
una noche en que la luna llena esparce
[por los cielos azulosos, infinitos
[y profundos, su luz blanca...

La tierra de Puerto Rico, ceñida por ese mar viril y bajo, ese cielo voluptuoso, encierra todos los atractivos de lo femenino. Su pulpa es blanda, llena de humedad y frescura. Apenas hay el escorzo valiente de una roca; abundan, en cambio, las gredas amarillas, pardas, rojizas y purpúreas, con el verde como tono eje del paisaje. Pero es difícil imaginar la inversosímil variedad de sus matices desde los verdes más tiernos hasta los más secos, desde los verdes apagados hasta los brillantes. En el día, la tierra huele a humedad, al denso azahar y a la turbadora acacia; en la noche los aromas se hacen más penetrantes y se funden en un olor indefinible que embriaga.

También hay sonidos: el de la brisa ligera sobre las hojas, los susurros de millares de insectos, el grito variable y agudísimo del coquí, el rumor de las aguas, la voz ronca del mar. Los pocos pájaros cantan dulcemente. Quien haya oído en el silencio de la noche del trópico el canto del ruiseñor no lo olvidará nunca. Su hermosura recuerda las ardientes y purísimas liras del *Cántico Espiritual.*

Algunos ríos pequeños y de lento fluir cargan un agua densa y amarilla; otros, claros y juguetones, saltan sobre el lecho de limpias arenas. No hay árboles en sus orillas; corren entre los juncos y las cañas y pueden reflejar el cielo. El cañaveral cierra el horizonte con su oleaje de lenguas verdiazules y sus guajanas, de un violeta delicado, repiten la imagen de la espuma marina. Monte arriba, los cafetales crecen olorosos y sombríos. De la imprecisa masa de verdura, se destaca la geometría sorprendente del plátano con sus hojas como estandartes desplegados, los fustes dóricos de la palmera real, las rizadas y gemidoras hojas del bambú, la piña, acorazada y coronada, el árbol del pan. Tal perfección de líneas parece hija del arte y no de la naturaleza. Del yagrumo se podría decir lo que Góngora dijo del álamo: que tiene las hojas inciertas y nerviosas. La ceiba se parece a los olmos del norte. Es el gran señor de nuestros bosques; su apostura denuncia noble y orgullosa soledad. Cuando florencen los flamboyanes, la violencia de su flor roja contrasta con los verdes húmedos del fondo. A lo lejos, semejan la llamarada de una hoguera que ardiera sin humo y sin consumirse.

La isla es paisaje puro. Los pueblos conservan un manso sabor campesino. Guardan su aspecto colonial intacto, con la plaza mayor en el centro, la iglesia orientada y las casas terreras pintadas de colorines agrupándose en callejuelas largas y estrechas. No hay un estilo de arquitectura regional. Junto a las viejas y sólidas construcciones de tiempos de España, el abigarramiento exótico de los chalets minúsculos con ventanas de absurdos cristales. A la vida monótona y conservadora de estos pueblos se ha superpuesto la jadeante prisa norteamericana. El contraste es patético. La dulzura de égloga se va encrespando con el agrio, inhumano tumulto de la vida febril e industrial. Aquella «honda y ancha felicidad» de las décimas de Lloréns ha desaparecido. El observador ineresado recoge, en cambio, la impresión trágica de una explotación colonial inmisericorde, la misma que el amargo Palés ha trazado en rápida caricatura:

Antilla, vaho pastoso
de templa recién cuajada,
trajín de ingenio cañero,
baño turco de melaza;
aristocracia de dril
donde la vida resbala
sobre frases de natilla
y suculentas metáforas.
Estilización de costa
a cargo de entecas palmas;
idioma blando y chorreoso:
mamey, cacao, guanábana...
En negrito y cocotero
Babbitt turista te atrapa;
Tartarín sensual te sueña
en tu loro y tu mulata;
sólo a veces don Quijote,
por chiflado y musaraña,
de tu maritornería
construye una dulcineada.

El hombre de estas tierras mezcla en su sangre criolla lo español y lo africano; la herencia india cuenta poco. Habla un español dulce y relajado, de ritmo cambiante y de timbre alto. Su entonación, más melódica y ondulante que la española, se eleva sobre el tono normal para precipitarse en seguida en inflexiones rápidas y sincopadas. Nuestra música popular tiene la monotonía sensual de todas las músicas tropicales y se parece, en las plenas, al habla puertorriqueña. Somos sentimentales; los sentidos y las emociones nos mandan el espíritu. Nuestra hospitalidad llega a veces hasta la imprudencia. Por desengañados secularmente, nos inclinamos al fatalismo. Nuestro temperamento nervioso y susceptible nos hace indecisos y recelosos. Ostentamos una alegría despreocupada y burlona, que desmiente la callada nostalgia de los ojos. Maduramos pronto como los frutos del trópico y nos apagamos pronto como la orgía de colores de nuestro crepúsculo. En el amor y frente a la muerte seguimos siendo españoles; para el vivir diario tenemos la ternura del negro y la parquedad del castellano. Se da en nosotros esa síntesis de lo primordial y de lo refinado, que Keyserling considera como la promesa de una cultura de nuestro mundo moral. Un español, Gili Gaya, describía así el encanto acogedor de esta tierra:

«Se siente allí el halago de deslizarse por la atmósfera de las posibilidades ilimitadas. La angostura de los frenos racionales se quiebra pronto, y el afán de saltar más allá de toda lógica se convierte en especial necesidad del espíritu. Junto a esa palma o aquel mango, desearíamos hundir como ellos nuestras raíces en el suelo, y sentirnos por arriba, suavemente mecidos por la brisa. El gallego previsor y el yanqui activo son un contrasentido en esta isla de las curvas gráciles... Las olas van llegando a la costa con suave ondulación de un vals. Nada de encrespamientos ni de espumas desmelenadas. Las sirenas de Ulises se han refugiado aquí y envuelven la mente del extranjero en una canción acariciadora, que le hace olvidarse de la patria lejana. Nadie puede sentirse extraño en Puerto Rico; es la isla de la flor del loto, sedante y borradora de nostalgias.»

Y Gabriela Mistral, hija de un país duro de mar y de montaña, con sus ojos cargados de la majestuosa belleza del Aconcagua y del turbulento Pacífico, ha cantado también la gracia infantil de Puerto Rico, hecha de ternura y de espiritualidad:

Isla de Puerto Rico
isla de palmas
apenas cuerpo, apenas,
como la Santa, ...
apenas posadura
sobre las aguas.
La que como María
funde al nombrarla,
y que como paloma,
vuela, nombrada,
de millar de palmeras
como más alta,
y en las dos mil colinas
como llamada.
Isla en caña y cafés
apasionada;
tan dulce de decir
como una infancia;
bendita de cantar
como un ¡hosanna!
Sirena sin canción
sobre las aguas
ofendida de mar
en marejada:
¡Cordelia de las olas,
Cordelia amarga!... ■

CUBA

Fernando Ortiz
(1881-1969)

Llamado el tercer descubridor de Cuba, es poseedor de una de las bibliografías más ricas y enjundiosas de las letras cubanas, sobre todo en la antropología, las sociología y la historia. Él es el iniciador de las investigaciones en torno al aporte africano a la vida y a la cultura cubana. Esta labor parte de Los negros brujos *(1905), indagación sobre la delincuencia afrocubana, para continuar con* Los negros esclavos *(1916) y terminar con* Los negros curros *(1934). A estos ensayos hay que añadir otros del mismo tenor:* La africanía en la música folklórica de Cuba *(1950),* Los bailes y el teatro de los negros en el folclor de Cuba. *Se interesó también en el pasado aborigen de Cuba y resultado de sus investigaciones y análisis en este campo son:* Historia de la arqueología indocubana *(1922) y* Las cuatro culturas indias de Cuba *(1943). Un fresco y utilísimo* Catauro de cubanismos *(1923) y un* Glosario de afronegrismos *(1924) son el saldo de su incursión en la filología. Y como joya de su creación refulge ese pasmoso análisis de Cuba hecho a través de sus dos productos principales:* Contrapunteo cubano del tabaco y el azúcar. *(1940).*

Contrapunteo cubano del tabaco y el azúcar

(Fragmento)

Hace siglos que un famoso arcipreste de buen humor, poeta español de la Edad Media, dio personalidad al Carnaval y a la Cuaresma y los hizo hablar en buenos versos, poniendo sagazmente en los decires y contradecires del coloquio y en los episodios de la satírica contienda sus contrastes éticos y los males y los bienes que del uno y de la otra les venían a los mortales. Con tal diálogo alegórico el clérigo Juan Ruiz escribió la «Pelea que uvo Don Carnal con Doña Quaresma», en un *Libro de Buen Amor,* ganando resonancia perdurable para su nombre y para el arciprestazgo de Hita, cuya fama sólo se cuenta por la recibida de aquel genial cantor de serranillas amorosas y de toda laya de trovas desenfadadas y agudas.

Acaso la célebre controversia imaginada por aquel gran poeta sea precedente literario que ahora nos permitiera personificar el moreno tabaco y la blanconaza azúcar, y hacerlos salir en la fábula a referir sus contradicciones. Pero careciendo nosotros de autoridad, así de poeta como de clérigo, para sacar personajes de la fantasía y hacerlos vivir humanas pasiones y sobrehumanos portentos, diremos tan sólo, sin versos y en prosa pobre, los sorprendentes contrastes que hemos advertido entre los dos productos agrarios fundamentales de la historia económica de Cuba.

Tales contrastes no son religiosos ni morales, como eran los rimados por aquel genial presbítero, entre las pecaminosas disipaciones carnavalescas y las regeneradoras abstinencias cuaresmales. Tabaco y azúcar se contradicen en lo económico y en lo social, aun cuando los moralistas rígidos también se han preocupado un tanto de ellos a lo largo de su historia, mirando con iracundia al uno y con benevolencia a la otra. Pero, además, el contrastante paralelismo del tabaco y el azúcar es tan curioso, al igual que el de los personajes del diálogo tramado por el arcipreste, que va más allá de las perspectivas meramente sociales para alcanzar los horizontes de la poesía, y quizá un vate quisiera versarnos en décimas populares la *Pelea de Don Tabaco y Doña Azúcar.* Al fin, siempre fue muy propio de las ingenuas musas del pueblo, en poesía, música y danza, canción y teatro, ese género dialogístico que lleva hasta el arte la dramática dialéctica de la vida. Recordemos en Cuba sus manifestaciones más floridas en las preces antifonarias de las liturgias, así de blancos como de negros, en la controversia erótica y danzarina de la rumba y en los contrapunteos versificados de la guajirada montuna y de la currería afrocubana.

Un romance castizo a lo añejo o unas vernáculas guajiras o acurradas, que tuvieran por personajes contradictores el varonil tabaco y la femenina azúcar, podrían servir de buena enseñanza popular en escuela y canturrias, porque, en el estudio de los fenómenos económicos y sus repercusiones sociales, pocas lecciones han de ser más elocuentes que las ofrecidas en nuestra tierra por el azúcar y el tabaco en sus notorias contraposiciones.

El contraste entre el tabaco y el azúcar se da desde que ambos se juntan en la mente de los descubridores de Cuba. Cuando, a comienzos del siglo XVI, ocurrió la conquista del país por los castellanos que trajeron al Nuevo Mundo la civilización europea, ya la mente de estos invasores era impresionada fuertemente por dos yerbas gigantes. A la una, los mercaderes venidos del otro lado del océano la contaban ya entre las más fuertes tentaciones de su codicia; a la otra, ellos la tuvieron como el más sorprendente hallazgo del descubrimiento y como peligrosa tentación de los diablos, quienes por tan inaudita yerba *les excitaban sus sentidos como un nuevo alcohol, su inteligencia como un nuevo misterio y su voluntad como un nuevo pecado.*

De la producción agraria e industrial de esas yerbas prodigiosas saldrían los intereses económicos que los mercaderes extranjeros habrían de torcer y trenzar durante siglos en nuestra patria para ser hilos de su historia, motivos de sus personajes y a la vez sostenes y ataduras de su pueblo. Tales son la yerba del tabaco y la yerba del azúcar. *El tabaco y el azúcar son los personajes más importantes de la historia de Cuba.*

. . . .

Tabaco y azúcar son, ambos, productos del reino vegetal que se cultivan, se elaboran, se mercan y al fin se consumen con gran deleite en bocas humanas.

Además, en la producción tabacalera y en la azucarera pueden advertirse los mismos cuatro elementos: tierra, máquina, trabajo y dinero, cuyas variantes combinaciones constituyen su historia. Pero, desde su germen en la entraña de la tierra hasta su muerte por el consumo humano, tabaco y azúcar se conducen casi siempre en modo antitético.

La caña de azúcar y el tabaco son todo contraste. Diríase que una rivalidad los anima y separa desde sus cunas. Una es planta gramínea y otra es planta solanácea. La una brota de retoño, el otro de simiente; aquélla de grandes trozos de tallo con nudos que se enraízan y éste de minúsculas semillas que germinan. La una tiene su riqueza en el tallo y no en sus hojas, las cuales se arrojan; el otro vale por su follaje, no por su tallo, que se desprecia. La caña de azúcar vive en el campo largos años, la mata de tabaco sólo breves meses. Aquélla busca la luz, éste la sombra; día y noche, sol y luna. Aquélla ama la lluvia caída del cielo; éste el ardor nacido de la tierra. A los canutos de la caña se les seca el zumo para el provecho; a las hojas del tabaco se les saca el jugo porque estorba. El azúcar llega a su destino humano por el agua que lo derrite, hecho un jarabe; el tabaco llega a él por el fuego que lo volatiliza, convertido en humo. Blanca es la luna, moreno el otro. Dulce y sin olor es el azúcar; amargo y con aroma es el tabaco. ¡Contraste siempre! Alimento y veneno, despertar y adormecer, energía y sueño, placer de la carne y deleite del espíritu, sensualidad e ideación, apetito que se satisface e ilusión que se esfuma, calorías de vida y humaredas de fantasía, indistinción vulgarota y anónima desde la cuna e individualidad aristocrática y de marca en todo el mundo, medicina y magia, realidad y engaño, virtud y vicio. El azúcar es ella; el tabaco es él... La caña fue obra de los dioses, el tabaco lo fue de los demonios; ella es hija de Apolo, él es engendro de Proserpina.

Para la economía cubana, también profundos contrastes en los cultivos, en la elaboración, en la humanidad. Cuidado mimoso en el tabaco y abandono confiante en el azúcar; faena continua en uno y labor intermitente en la otra; cultivo de intensidad y cultivo de extensión; trabajo de pocos y tareas de muchos; inmigración de blancos y trata de negros; libertad y esclaviud; artesanía y peonaje; manos y brazos; hombres y máquinas; finura y tosquedad. En el cultivo, el tabaco trae el veguerío y el azúcar crea el latifundio. En la industria, el tabaco es de la ciudad y el azúcar es del campo. En el comercio, para nuestro tabaco todo el mundo por mercado, y para nuestro azúcar un solo mercado en el mundo. Centripetismo y centrifugación. Cubanidad y extranjería. Soberanía y coloniaje. Altiva corona y humilde saco ■

Jorge Mañach
(1899-1961)

Eminentemente ensayista, militó en el Grupo Minorista y fue fundador de la Revista de Avance *(1927-1930), a la cual se debe la introducción de las modernas corrientes artísticas en Cuba. Vinculado a la política, se opuso a la tiranía de Machado y a su caída ocupó altos puestos gubernativos. No obstante, tuvo que emigrar a los Estados Unidos y allí dictó durante cerca de dos años la cátedra de Literatura Española e Hispanoamericana en la Universidad de Columbia. A su regreso a Cuba fue miembro de la Asamblea Constituyente de Cuba y senador. Ocupó también la cátedra de Filosofía en la Universidad de La Habana. Murió en el exilio, en Puerto Rico. Influido tanto por el pensamiento como por el estilo de Ortega y Gasset, su obra ensayística se abre en un amplio abanico. Entre sus libros más relevantes figuran* Indagación del choteo *(1928), sagaz análisis de ciertos rasgos caracterológicos del cubano;* Martí, el Apóstol, *quizás la mejor biografía de José Martí;* Historia y estilo *(1944), donde relaciona de manera brillante el proceso histórico cubano y su literatura;* Examen del Quijotismo *(1950), penetrante estudio de la eticidad a través de la eterna propuesta de Cervantes.*

El pensador en Martí

He hablado de una frustración del Martí intelectual sacrificado al Martí político. ¿Quién que haya leído la prosa más reposada del Maestro dudará de que había en él las potencias reprimidas de un pensador insigne, acaso originalísimo?

No quisiera incurrir por devoto exceso, en el de atribuir a ese mensaje una genuina densidad filosófica. Martí ciertamente no necesita que se le hagan mercedes. Ni la más acuciosa exploración de un ideario permitiría encontrar en él una gran faena de meditación sistemática. Es demasiado heterogénea, demasiado urgida y ocasional las más de las veces, para que pueda servir de cauce a un ancho caudal de pensamiento puro; y no pecan, a mi juicio, de comarcano celo los puertorriqueños que encuentran el legado intelectual de nuestro gran varón tenue de doctrina al cotejarlo con el de Hostos, aquel otro gran antillano.

Pero, advertida esa limitación que un entusiasmo poco crítico pudiera ocultarnos, no sería lícito desconocer que la obra escrita de Martí evidencia una *calidad* de pensamiento inusitada en nuestra América por su vigor, por su consistencia, por su frecuente hondura y hasta por la originalidad con que anticipa, fugazmente, algunas de las actitudes intelectuales características de nuestro tiempo.

Pensador digo que fue Martí; no filósofo. La diferencia entre ambas categorías es más sustantiva de lo que habitualmente se supone, y tal vez no huelgue apuntarla ahora. Si valen como ejemplo normativo los grandes, los indiscutibles filósofos que han sido, se observará que les caracteriza una cierta serenidad y desinterés en la actualidad y un ansia tranquila de totalidad en el propósito. No yerra mucho el vulgo cuando supone que tomar las cosas con calma es igual a tomarlas con filosofía. Hay un modo de sosiego que viene de aprehender súbitamente las últimas consecuencias posibles de un trance cualquiera. En su plano excelso, la filosofía viene a ser esa contemplación de las últimas posibilidades, y la caracteriza, por consiguiente, su vasto y reposado mirar. En cambio, el del pensador es el mirar inquieto, parcial y esporádico de todos los espíritus demasiado apasionados para el largo cotejo de la verdad. El filósofo es impasible y desinteresado; el pensador hierve de preocupaciones por lo inmediato, por lo histórico. El filósofo, como el sabio, es paciente; el pensador tiene la impaciencia del artista, porque, a la manera de éste, quisiera recrear, volver a crear a su manera el mundo que contempla.

Martí, puesto en condiciones prácticas de filosofar, se hubiera quedado a lo sumo en pensador de vasto aliento. Había tal ímpetu de humanidad en él, tanta pasión, y un anhelo tal de servir, que por las angustias más actuales y los problemas inmediatos del hombre hubiera abandonado siempre las frías y abstractas contemplaciones. Como Rousseau, con quien hemos de encontrarle otros rasgos de semejanza, Martí piensa al través de su temperamento, esencialmente lírico y político. Todos vivimos y pensamos en alguna medida al través de nuestro modo de ser interior. Pero hay quienes logran desdoblarse, montar dentro de sí mismos una vigilancia implacable del yo, a fin de que las ideas sean puro fruto de raciocinio y salgan al haz de la conciencia enteramente desprendidas de la flora de los sentimientos. A diferencia de esos espíritus racionales, viven los románticos, deliberada o irremediablemente, o por consentido abandono, una constante proyección del yo sobre la conciencia, y el pensamiento les brota como flor de anhelo.

Martí es romántico. Piensa no tanto lo que la razón le dice que es como lo que él siente que debe ser. Hombre amasado todo él de bondad, cree que el Bien es la esencia del mundo, y el Mal sólo su accidente. Espíritu en quien la nobleza de la inteligencia se acompaña con la de los sentimientos, hace de una y otra disposición cosas idénticas. Apasionado, de tan sensitivo que era, por la belleza y por la libertad, no concibe que nadie pueda vivir sin ellas. Iluminado por una noción casi mística del deber y del sacrificio, sobre esa áspera roca sienta su prédica moral.

Ésta es la limitación al par que la grandeza de Martí. Si su pensamiento no siempre asume una vigencia universal, es porque nace sujeto a la condición de una personalidad egregia. En él los conceptos son derivaciones sentimentales, más que aprehensiones lógicas de la realidad. De ahí que todos los valores martianos sean subjetivos y se expresen con cierto lírico dogmatismo. Como su propio modo de ser es el que le dictan sus normas éticas y políticas, éstas se le revisten de una meridiana evidencia. Pero así como la incorporación a la vida cotidiana del ideario moral de Martí exige ser un hombre como Martí, su concepto de la libertad le parecerá retórico a alguien que no tenga aquel vivísimo sentido de la dignidad que a él se lo inspiró.

Por lo mismo, sin embargo, ese pensamiento martiano es de una grandeza verdaderamente sublime. Martí está siempre a la altura de sí mismo, y a veces se nos pierde de vista. Hasta cuando en una carta atiende a pormenores de organización política o pondera los elementos psicológicos con los que ha de contarse, su razón es la razón interior del iluminado. Leyéndolo, advertimos a menudo que nos falta comunicación racional con él; que le entendemos sólo por una suerte de intuición o instinto. Su pensamiento raya entonces en lo sibilino, y la imagen del hombre cobra visos mesiánicos. A eso, sin duda, hay que atribuir también en parte aquel alejamiento a que comencé refiriéndome entre su espíritu y nuestra gratitud. Martí está sentimentalmente inmerso en nosotros, o nosotros en él; pero no lo conocemos todavía, acaso no podremos conocerlo nunca plenamente con las luces de la razón. Es uno de esos espíritus que no se pueden analizar, sino sólo descubrir. Quienes lo trataron en vida cuenta de él que era un hombre «adorable», y nunca tuvo el adjetivo más viril ni más exacta connotación. La personalidad de Martí irradiaba una excelencia casi sobrehumana. Esa emanación personal y el ambiente en que producía comunicaron a su palabra una eficacia superior a toda lógica. Sólo así se comprende que pudiera hacer lo que hizo. Convencía con su sola presencia, infundía un acatamiento inmediato, lo lograba todo sin argüir, sin mandar, sin pedir apenas. Y parece que de un modo semejante, por obra de la misma sugestión y de una sensibilidad patriótica que todavía no tiene motivos de calma, sus escritos se apoderan hoy de nosotros, a despecho de sus vaguedades, de sus desconcertantes saltos de lógica, de sus hondos huecos de silencio.

Sin duda él los llenaba interiormente. Su espíritu, como el de todos los videntes, tenía su propia coherencia. Pero el lenguaje de que era un gran señor le resultaba siempre menguado para expresar todo lo que pensaba, o tardo para decirlo con la rapidez con que lo pensaba. De ahí esa oscuridad prestigiosa —porque hay la oscuridad de la ceguera y la de la sima— que tan consabidamente se le reprocha a Martí. No es en realidad tan oscuro como algunos lo hallan; pero cuando lo es, la oscuridad no le viene de que no vea claro, sino de que ha hecho con las palabras, oceánicas de sentido, lo que él decía que el fuego andino hacía con nuestras islas, uniéndolas por bajo los mares.

En suma: aunque no pudo ser Martí, por el ímpetu de su vida y de su espíritu, un pensador sistemático, hay numerosos trabajos suyos donde se ve la potencial envergadura de su pensamiento; cómo sabe remontarse hasta otear, en rápida ojeada, los confines de los más abstractos problemas filosóficos; cómo acierta también a calar honda y verticalmente la costra de los hechos hasta descubrir su más entrañada significación. Plantea los asuntos de tal suerte, que se le ve en seguida, aunque los trate someramente, la capacidad para hacerse cargo de todas sus implicaciones y someterlas a riguroso examen. Y es en ese percibir lo que hay al fondo y detrás de las cosas, los alcances de una actitud mental, el linaje y proliferación de un concepto, donde se ve al pensador de raza, para quien las ideas, como para el buen escultor de formas, no valen sino en función de profundidad.

Si Martí hubiera tenido ocio para escribir, esas potencias mentales hubieran hecho de él —a despecho de su lirismo, cuya exageración fue también necesidad de su militancia— uno de los grandes ideólogos de nuestra América, acaso el más noble de todos. Pero le faltó sosiego, y nuestra admiración hacia el libertador, nuestra gratitud al patriota, no nos impide ver con cierta melancolía cómo la urgencia de su ideal le dio a casi todo cuanto hizo un semblante de genial improvisación. Así y todo, su obra escrita y oral —de la cual ha sido posible extraer un copioso caudal aforístico— está constelada de atisbos profundos.

A pesar de aquella falta de organicidad, hay en toda la meditación martiana una admirable consistencia. No fue Martí de esos donjuanes del pensar, que hoy se desposan con la opinión que han de repudiar mañana. Su dantesca visión de *El presidio político de Cuba,* que es uno de sus primeros escritos, acusa la misma ideología y el mismo noble acento espiritualista y estoico que sus últimas cartas desde la manigua. Si hay mudanzas en su pensamiento, no son las contradicciones que motiva la falta de sinceridad y de vigilancia intelectuales, sino los gages de un natural acendramiento de la visión. Su criteriología es, al través de su vida, consistente consigo misma, como que tiene sus raíces en el fondo de una personalidad definidísima y de una cultura nada superficial y advenediza.

Por esa consistencia de su pensamiento resulta posible ofrecer algo así como una sección transversal del mismo, en la que se vea el punto de arranque y las cardinales derivaciones. El pensamiento de Martí se representaría entonces como un brote que, ahincadas las raíces en lo más profundo de su temperamento lírico e imaginativo, se bifurcase arriba en dos grandes gajos gemelos: el pensamiento poético y el pensamiento político.

Lo fundamental de Martí es Martí, en efecto. Analfabeto, desvalido de la enorme cultura que le dieron, más que sus títulos, sus insaciables lecturas y su prodigioso don de observación, Martí hubiera dejado, no obstante una doctrina esencialmente idéntica.

La cultura no hizo sino fortalecer sus naturales inspiraciones. En temperamentos como el suyo, resulta puerilmente académico y expuesto a vicios y rigideces de interpretación el tratar a todo trance de crearle una genealogía exterior al pensamiento. Lo que pensó Martí, esencia fue de sí mismo.

Pero tampoco fuera lícito desconocer el influjo que determinadas corrientes de ideas, ya sean concretadas en las lecturas o flotantes en el ambiente, ejercen sobre una inteligencia tan sensitiva como la suya. Así, es indudable que actuaron poderosamente sobre el pensamiento del Maestro, para afirmarlo y enriquecerlo, de una parte, la filosofía estoica clásica, de otra, el idealismo romántico del siglo XIX, con sus arrastres de racionalismo dieciochesco. Habida siempre cuenta del aporte personalísimo y la estructura mental autónoma de Martí, puede decirse que esas dos influencias son como las coordenadas de su pensamiento. Ellas determinan, según veremos, no sólo su posición filosófica general, sino también aquellas dos direcciones principales de su ideología: la dirección ética, que es la del senequismo tradicional español, y la dirección política, concordante con las nociones e ideales del liberalismo romántico francés ■

Leví Marrero (1911)

Ha sido profesor de la Universidad de La Habana y en el Colegio Regional de la Universidad de Puerto Rico (Humacao). Recibió la Beca Guggenheim (1952-53). Geógrafo e historiador, ha sabido congeniar sus investigaciones con un gran sentido humanista. Su obra se extiende por decenas de volúmenes donde sobresalen el rigor y la claridad. En 1934 apareció su novela La generación asesinada, *sobre la lucha estudiantil contra el tirano Machado. En el campo de la geografía es autor de obras tan valiosas como* Geografía de Cuba *(1950),* La Tierra y sus recursos *(1955),* Viajemos por el mundo *(1957),* Venezuela y sus recursos *(1964) y* El agua, un recurso básico en peligro *(1965), entre otros. Su interés por la historia lo evidencia en la obra monumental* Cuba: economía y sociedad, *comenzada en 1971 y de la que han aparecido once volúmenes. Su libro* Cuba: la forja de un pueblo *(1971) reúne algunos de sus más significativos ensayos.*

La antillanía, pretérito y futuro

Nadie puede dudar que el antillano existió como ser histórico inconfundible en nuestras islas de raíz española. Antillanos fueron, más que insulares, José Martí, Eugenio María de Hostos, Máximo Gómez, Luis Rivera, Betances, Lola Tió, Federico Henríquez Carvajal y tantos y tantos próceres. José de Diego fue llamado alguna vez, como tributo nostálgico a su gran sueño, *el último antillano.*

Pero ¿es la antillanía una condición perdida sin remedio? ¿Una bandera sin bastiones, abandonada por sus huestes? ¿Hay acaso razones que alienten la esperanza de un reencuentro futuro entre nuestras sociedades isleñas dispersas hoy en la vastedad del mar de los Caribes, alejadas más que por la geografía, por las barreras erigidas sobre la diversidad cultural, rezagos dramáticos de siglos dilapidados en ajenos conflictos coloniales?

La identificación total del puertorriqueño en suelo cubano libre, hasta ayer mismo, y la inclusión presente de los cubanos en la generosa corriente vital de Puerto Rico, prueban la supervivencia innegable de la antillanía. Razones semejantes nos ofrece Santo Domingo, brutalmente aislado de nuestro mundo durante treinta años felizmente cerrados.

Por ser tiempos poco dados a las expresiones grandiosas, los nuestros han quitado al ideal de identificación antillana su marco de elocuencia tribunicia; pero las experiencias presentes nos permiten ver cuanto hay de oportuno en este libro. Creemos que su oportunidad radica en el replanteo en estos momentos, del tema de la antillanía, que pudiéramos explorar como un nuevo horizonte, como una alternativa distinta hacia la redefinición de nuestra función americana.

Muchas décadas antes de que la admirable tozudez de Cristóbal Colón venciera todas las resistencias a su empresa de alucinado, *Antillia* aparecía en los mapas de un Mar Océano indefinido, como una isla imaginada. Precedía así al resto del Nuevo Mundo en la futura toponimia americana. Con la venida de los europeos, nuestras islas, rompeolas gigantesco, fueron pronto rebasadas por las primeras mareas colonizadoras. Islas del Mar Océano, West Indies, Indias Occidentales, nombres diversos impuestos por gentes distintas que se pelearían por ellas, convirtiéndolas en *la gallera del Nuevo Mundo,* según la dinámica y feliz imagen de Germán Arciniegas.

La situación geográfica que las colocó en el paso de la penetración europea y las hizo testigos del encuentro de dos mundos, señaló a las Antillas con un signo de profundo conflicto: el de una superposición de diferencias humanas, culturales, económicas, lingüísticas y religiosas, en un marco natural de unidad regional perfectamente identificable. Marco tan claramente definido en su unidad invitadora, que ya había estado a punto de ser cubierto en su totalidad por los arahuacos, cuya actividad descubridora y colonizadora les trajera desde las costas de la futura Venezuela, a salto de islas, hasta bien mediada la longitud de Cuba. El destino antillano de dispersión y conflicto se manifestó ya, antes del arribo de las naos colombinas, cuando la ferocidad guerrera de los caribes comenzaba a aniquilar, de sur a norte, los apacibles edenes arahuacos.

Asentado a poco costo el invasor europeo, vino la lucha por las islas estratégicas. La presencia española, volcada sobre Tierra Firme, quedó disminuida numéricamente en las Antillas. El precio de la retención de las islas mayores —rendida Jamaica— fue la pérdida de un rosario de bases insulares menores, hábilmente utilizadas por los agresivos marinos y mercaderes de Inglaterra, Francia y Holanda. Aun Dinamarca colocó sus banderas en nuestras vecinas Vírgenes, mientras Francia convertía el Occidente en la plantación tropical más productiva del siglo XVIII.

Cuba, Santo Domingo y Puerto Rico, las grandes Antillas españolas, retuvieron su condición de mundo aparte, acosado por la actividad y las apetencias de sus vecinos heréticos. Allí, en las islas próximas, estaba el enemigo. Con nosotros, la metrópolis lejana, defensora de todo con lo cual nos creíamos identificados. Ni las luchas, largas y duras por la libertad, ni las urticantes realidades manifestadas a posteriori, nos han liberado del complejo de lejanía cultural que se impone en nosotros frente a la vecindad real de las Antillas no españolas. La persistencia y profundidad de este distanciamiento puede concretarse en un hecho básico: ¿dónde está el libro que relate a nuestros jóvenes la historia integral de nuestro archipiélago? Cada una de estas islas retiene una discernible dependencia cultural e histórica de las viejas metrópolis, y se niega, digamos que inconscientemente, a su integración en la realidad concreta del archipiélago común, tanto al analizar las peripecias de su pasado, como ante las inquietantes realidades del presente.

Mas, los nuevos tiempos crean necesariamente nuevas perspectivas. Muchos, en el mundo antillano, creemos ver una revisión neta de estas influencias centrífugas. Se dirá que las islas ensayan una creciente autonomía política, que culmina en realidades más o menos afortunadas. Frustrada la Federación de las Antillas Británicas, emergen Jamaica, Trinidad-Tobago y Barbados, como nuevos estados. El camino hacia una mayor movilidad y decisión está abierto a las restantes islas. Pero lo político es interferido por la realidad geográfica. ¿Hasta dónde será viable la vida nacional aislada de estas islas, carentes por sí mismas, cada una, de suficiente soporte económico interno? El momento, pues, es de mirar hacia dentro y hacia lo próximo, no hacia lo externo y lo lejano. De explorar la vecindad real, no la imagen retenida por el espejismo de siglos de alejadora dependencia.

Mientras se manifiesta hoy muy marcada la tendencia hacia la reafirmación de cada personalidad nacional, como tal, con sus valores y sus realidades intransferibles, los problemas del mundo parecen identificarse paralelamente con soluciones de tipo regional. Tal es el modo presente reflejado en las Naciones Unidas y en las organizaciones que reúnen a los pueblos vecinos en cada continente y en cada mar. ¿No será el momento de ir recreando una nueva visión unificadora de lo antillano, sobre los hechos reales de nuestra geografía y de nuestra economía?

¿Sería posible coordinar un día, en escala regional, la actividad económica de los veintidós millones de habitantes de las Antillas —población mayor que la de Canadá; dos veces mayor que la australiana— ocupantes de un arco insular que alcanza desde Guanahacabibes, en el extremo occidental de Cuba, en la puerta de México, hasta la isla de Trinidad, en la antesala de Venezuela, sobre la América del Sur? Un área de 240.000 kilómetros cuadrados —equivalente a la del Reino Unido—, con recursos naturales presentes en sus suelos fértiles, con recursos minerales no escasos, playas soleadas todo el año y una población donde la diversidad lingüística se torna en relativa ventaja en la atracción de empresarios y visitantes de áreas culturales diferentes, tiene mucho que ofrecer en su basamento geográfico. Estas posibilidades, que sin duda existen, si bien sólo parcialmente utilizadas, se verían multiplicadas si el comercio, la agricultura, las comunicaciones y la utilización intensiva de los recursos fuesen integrados regionalmente. Sería éste, a nuestro juicio, el paso previo a la negociación de nuevas metas dentro de un mundo que, hoy y en el mañana inmediato, necesita planificar globalmente, en la búsqueda de una creciente integración que le permita sobrevivir ascendiendo.

En el Caribe, crucero del mundo, como lo definiera Martí, la coordinación económica de las Antillas podría convertirlas en un nexo positivo entre el Mercado Común Centroamericano, que es ya una hazaña regional de nuestras gentes, el creciente Mercado Común Latinoamericano, que incluirá a nuestra vecina mayor, Venezuela, y el Mercado Común Europeo. Aun para el África emergente este nuevo sueño antillano, de realizarse un día, ofrecería la atracción de lo familiar, porque ¿dónde como en nuestras islas ha sido más feliz y creadora la fusión cultural de europeos, americanos y aun asiáticos, con los africanos, fuerza humana preponderante en una vasta zona antillana?

¿Cómo funcionaría —podemos interrogarnos— esta coordinación antillana, que visualizamos apenas como un proyecto difuso, de realización difícil? ¿A favor de quiénes rendiría finalmente sus resultados? Éstas y otras podrían ser las preguntas inevitables que partirían de las gentes, realistas en unos casos, desconfiadas, en otros. A nadie escapa que, en primer término tendrían que ser vencidos reparos múltiples y resistencias obstinadas. La historia de las tierras antillanas nos revela que aquí, como en todas partes, el colonialismo secular vino a engendrar para muchos, como antítesis, no la nación, hecho más hondo, puro y trascendente, que es flor de madurez, sino el nacionalismo, instrumento más de negación que de afirmación, no siempre utilizado rectamente. Ante la inevitable resistencia de los nacionalismos, que es fácil prever ante la formulación de cualquier tipo de programa de unificación profunda del microcosmos insular, podríamos prefigurar la futura comunidad antillana como una anfictionía laxa, organizada a través de organismos de consulta, y unida por la realidad de las posibilidades económicas comunes, que serían un contrapeso a la disimilitud cultural y a la divergencia de la tradición y de la acción política. Este primer paso, aun así de muy difícil logro, facilitaría una creciente exploración de las vías abiertas al desarrollo regional.

En esta sinfonía antillana, a la cual cada isla, mayor o mínima, aportaría su suelo o su sol, su mar o sus entrañas mineralizadas, su música o su músculo, encontraríamos quizá la fortaleza que nos ha faltado hasta hoy en el aislamiento, debilidad que explica los trágicos complejos de inferioridad que pretenden desviar el destino de nuestras naciones.

Hace casi veinte años Gustavo Pittaluga, gran médico italiano, español por elección y cubano por destierro, escribió un libro bello y hondo, titulado *Diálogos sobre el Destino.* En su obra creía adivinar, tras un análisis profundo de lo que él llamó los factores constitutivos del destino de Cuba, la posibilidad de que nuestra isla mayor, alzada sobre la realidad geográfico-histórica, nacida de sí misma en su proyección cultural, pudiera un día ejercer sobre el vasto Caribe una hegemonía espiritual, de orientación y guía fraternal. Había en la pupila ejercitada del médico y del psicólogo, la visión real de una Cuba entonces en ascenso, a pesar de las fallas inevitables que él, como tantos cubanos antes y después, señalaron con el reclamo de su eliminación.

De la Cuba de entonces, regida por una Constitución ejemplarmente justa y minuciosamente previsora frente a las injusticias; de la Cuba nutrida como nación en el espíritu de libertad que la llevó a combatir con tanta generosidad como imprevisión el intento de regresión iniciado en 1952, es decir, de la Cuba que el doctor Pittaluga amó y quiso anticipar dirigente, independiente y próspera, hemos llegado a una Cuba regresada a la sujeción, y hundida en una atmósfera de división y odio a la que siempre fue ajena. Una gran oportunidad que amanecía perdimos los cubanos, pero este dolor de Cuba es también, si nos acogemos al pensamiento de Pittaluga, una pérdida para el gran sueño antillano.

Desde Puerto Rico, casi en el centro geométrico del arco insular que cierra el Mar Caribe, anclado el pensamiento frente a nuevas perspectivas ¿no parecen renacer las posibilidades del vasto proyecto interrumpido? La tarea que pareció justificada para la Cuba democrática, como hermana mayor ¿no podríamos verla hoy como posibilidad asomada en el destino futuro de Puerto Rico? Somos hijos de nuestros sueños y son ellos el más cálido y ligero de los equipajes, pero también carga peligrosa a veces. Nos previene ahora la posibilidad de que cualquier juicio expresado por un huésped agradecido —hombre o colectividad— pueda ser considerado lisonja interesada o, en un mejor caso, criterio desfocado por el reconocimiento o el afecto. Sabemos que no faltaría quien viera en el divagar de la imaginación, una intromisión grave en la orientación interna del país, pues a tal grado llega la pasión política parroquial en nuestras tierras latinoamericanas, que se pretende a veces identificar lo que es tendencia y logro nacional, con las banderas de sectores o grupos. Los cubanos sufrimos la huella candente de tal yerro, porque hicimos hábito disminuir nuestras realizaciones y virtudes, mientras exagerábamos nuestros vicios y fallas, hasta descubrir, perdidas raíz y patria, hasta dónde puede ser costosa la ambición provincia, desorientador el dogmatismo político y aplastante la ignorancia de las realidades del mundo.

Nuestra experiencia intransferible, siempre presente y explícita en la voz de cada cubano, molestia aceptada con generosa simpatía por nuestros amigos, y martilleo polémico insufrible por nuestros enemigos, nos hace disfrutar con profunda conciencia los bienes del espíritu que hoy forman parte de lo mejor de nuestra perspectiva puertorriqueña. Más que muchos otros, que nunca han sufrido la asifixia de su pérdida, apreciamos los cubanos del desierto el valor de la libertad individual, que es aquí no el precepto de un feble texto constitucional, pendiente del capricho de un caudillo armado, sino forma natural de convivencia. Este acatamiento a la dignidad plena del hombre, ley primera de la República de Martí, es un admirable logro nacional puertorriqueño, más notable aún si lo confrontamos con la tradición secular de nuestra historia de antillanos españoles. Si buscamos el contrario extremo, lo encontraremos en las tres décadas de ignominia vividos por un pueblo hermano, a sólo unas millas náuticas de distancia física, y a años-luz de lejanía de esta ciudad de San Juan.

Insistimos en este concepto básico de la libertad individual, que nos permite ser hombres, porque en el mundo actual se pretende sistemáticamente, aun por gentes que se hacen llamar inteligentes, disociar la libertad y el bienestar económico, como si ambos no fuesen demandas consustanciales en la dignidad humana. Puerto Rico ha logrado —y esto le da la primacía que con justicia pretendemos asignarle— consolidar un régimen de absolutas libertades individuales, mientras abre con fortuna el camino hacia esa tierra de promisión con la cual sueñan las dos terceras partes empobrecidas de la humanidad: el crecimiento económico.

Los hechos que se nos escapan con mayor frecuencia son los que tenemos más próximos, y vale la pena recordar aquí que Puerto Rico es, en 1966, el país tropical que ha logrado un más alto nivel de desarrollo en el mundo. Este es el hecho. Los matices y las condiciones históricas, políticas y económicas en que tal realización ha sido consumada, están y continuarán abiertas a debate. En tal debate son los puertorriqueños quienes deben tener voto y decisión. Pero el observador que trata de analizar objetivamente la realidad, ve destacarse condiciones reales y precisas, resultado de un proceso de crecimiento, las cuales merecen ser subrayadas en su valor intrínseco de lección y realización nacionales:

La opción en el cambio del rumbo político, económico y social, visibles en el Puerto Rico actual, nace como una decisión mayoritaria de los puertorriqueños, comprometidos en la tarea.

La raíz de este progreso se encuentra en esta decisión misma, lograda a través de un consensus, no de una decisión impuesta. Funciona así como un propósito aceptado de coordinación del esfuerzo humano insular; en participación consciente, identificada en cada uno de los hombres en ella empeñados, desde la dirigencia democrática al último miembro de la fuerza de trabajo.

Es por todo esto que hoy, cuando los estudiosos de las condiciones socioeconómicas del llamado *tercer mundo*, analizan problemas, posibles soluciones y logros en la ruta dura, trágica y agobiante que los conducirá un día a la eliminación de la miseria humana, Puerto Rico se les ofrece como una zona de aportación positiva. Si alguien lo dudase, le bastará pesquisar en los más disímiles informes técnicos, en las compilaciones estadísticas, en los análisis comparativos de la situación real de los pueblos en lucha contra el subdesarrollo, editados por los organismos mundiales donde convergen delegados de todos los mundos en que hoy se divide nuestro planeta. Allí podrán advertir, una y otra vez, la figuración de Puerto Rico entre la tercera parte afortunada de nuestra humanidad. Y si alguien pensara que la tarea ha sido y sigue siendo fácil, que compare las cifras puertorriqueñas con las de otros países, de América y de otras regiones de la tierra, consideradas, por inercia, ricas y prósperas, mientras era Puerto Rico una isla empobrecida, superpoblada y paralizada económicamente. Unas décadas han trastocado la imagen, y lo que es más importante aún, han transformado la realidad.

Es sobre esta realidad transfigurada, que hacemos descansar el aporte decisivo de Puerto Rico al ascenso socioeconómico antillano. ¿No podríamos extender a los pueblos del Caribe por decisión regional, muchas de las fórmulas ensayadas con tan buen éxito en Puerto Rico? ¿Hemos pensado, por caso, lo que sería en el paisaje humanizado de todas nuestras islas, la difusión de este milagro, cumplido casi totalmente en Puerto Rico, de la eliminación del bohío, herencia cuatrisecular de nuestros arahuacos y de las miserables rancherías suburbanas, y su sustitución constante por hogares modestos, habitables con decencia, como asiento de una vida familiar arraigada en la salud y en la intimidad respetable? Pueblos de agricultores y de peones agrícolas los nuestros, pero con poblaciones crecientes y suelos cuya capacidad máxima ha sido alcanzada ¿no podrían encontrar en el crecimiento multidiversificado de la industria puertorriqueña una posibilidad, fomentada por la demanda de veintidós millones de consumidores, integrados en la vastedad del mercado común del archipiélago? La revolución educacional que está viviendo Puerto Rico, con la mayor población universitaria a escala nacional, de Centroamérica y del resto de las Antillas, y una posición de primer rango mundial en cuanto a proporción de sus jóvenes con acceso a educación de nivel secundario ¿no merece ser emulada, cuando es requerimiento básico de nuestros pueblos emprender tareas semejantes para disponer de los recursos humanos indispensables a todo empeño nacional de desarrollo económico y social?

De consumarse esta magna empresa antillana, rebasaría limitaciones y esquemas de pensamiento actuales. Aun debilitaría hasta hacerlos innecesarios, nexos firmes, existentes hoy. Pero haría más permanente lo raigal. Esta nueva Antilla de promisión trascendería las meras raíces hispana, africana, británica o asiática, pero no eliminaría ni sustituiría el sustratum intransferible de nuestros grupos sociales, cuya integración se buscaría sin destruir su diversidad. La unión concretada a objetivos compatibles, garantizaría en cambio, por el reforzamiento económico, la autonomía hacia el mundo exterior y la libertad individual en lo interno. Nuestra compresión de isla a isla se intensificaría, y nuestras lenguas vernáculas irían hacia un encuentro. En el curso de los siglos de continuar la vigencia del sueño, llegaríamos antes que otras regiones del mundo, a la consumación de la raza cósmica. Pero, aun antes, las Antillas dejarían de ser portal conflictivo, diversidad incomunicada, crucero internacionalizado, para venir a ser, en sí mismas, congregación integrada, espacio humanizado definido, región económicamente coordinada y actuante en un modo donde las presencias regionales serían un factor de equilibrio capaz de sustituir el dominio agobiante de las superpotencias ■

Carlos Alberto Montaner (1943)

Ensayista, narrador y periodista. Abandonó Cuba en 1961 y ha sido profesor de Literatura de la Universidad Interamericana de Puerto Rico. Reside en España desde 1970. En el terreno de la literatura es autor de una novela, Perromundo *(1972), considerada por Seymour Menton en su* Narrativa de la revolución cubana *como «la mejor novela producida por los exiliados»; de dos libros de cuentos,* Póker de brujas *(1968) e* Instantáneas al borde del abismo *(1970) y de un volumen de motivaciones literarias,* De la literatura considerada como una forma de urticaria *(1980). Sus inquisiciones en el devenir histórico cubano y en su actualidad, centran la tarea ensayística de Montaner, cuyos dos títulos más maduros son:* Cuba: claves para una conciencia en crisis *(1982) y* Fidel Castro y la revolución cubana *(1983). En ellos traslada a la meditación la agudeza y el espíritu polémico, cuestionador, de sus artículos periodísticos.*

América Latina: la ciencia y la vergüenza

Flota sobre nuestras cabezas una pregunta dolorosa e inesquivable: ¿qué le debe el planeta a nuestra creatividad científica? ¿Cuál ha sido nuestro aporte innovador? ¿Qué hemos dado a la ciencia o a la tecnología? Hay, sí, ciertas inteligencias admirables —el Nobel de los argentinos, el Finlay de los cubanos y otra docena de nombres egregios—, pero eso es muy poco. Triste y desconsoladoramente poco. Trescientos millones de latinoamericanos, trescientas universidades, miles de millones de dólares empleados en hacernos cultos e instruidos, miles de libros traducidos e importados: ¿y qué? Pues casi nada en el capítulo del aporte científico y tecnológico. Nunca tantos les han debido tan poco a tantos. Me temo —y me lo temo casi con terror, porque es muy grave— que pertenecemos a una civilización en la que significa muy poco la ilusionada aventura de transformar la cultura. Nos acogemos jubilosos al Betamax y a la televisión a colores, a la cortisona y al Concorde, a la computadora digital y a la fibra sintética, pero sin siquiera plantearnos la inmoralidad esencial que esconde el hecho de ser parásitos intelectuales de otros mundos pese a nuestra potencial riqueza creativa. Sería una canallada exigirle a Burundi o al Congo un aporte tecnológico sustancial, dada la escasa «occidentalización» de esos países, pero sería igualmente deshonesto no exigirle a Perú, con cuatro siglos de universidades, o a México o La Habana, una contribución científica acorde con la remota implantación de Europa en esos países.

América Latina y Occidente

Porque la primera observación que debe hacerse —aunque Perogrullo se sonroje— es que América —toda, la gringa y la latina, la negra y la mestiza— no es ni más ni menos que una rama de Europa, con sus idiomas, sus usos y sus costumbres, con sus mitos, sus sueños y sus raíces, con sus defectos y virtudes, con el mismo repertorio de ademanes comunes. Nosotros somos Europa, aunque llevemos prieto el pellejo o rizada la cabellera. Europa, la más grande y avasalladora aventura espiritual que recuerda la especie, marginó a los pobladores precolombinos, barrió, orilló esas culturas y germinó al otro lado del Atlántico. Pero Europa no es sólo Pizarro, Cortés y Magallanes. Europa es Galileo, Leonardo, Copérnico, Kepler, Newton, Lavoisier y toda la *intelligentsia* inquieta y creativa de esta parte del mundo. Esa Europa —la sabia, la imaginativa— no parece haber dejado su huella en nosotros. ¿Por qué? ¿Acaso porque América Latina es la prolongación de España, y España también padece cierta esterilidad de imaginación científica? Sí, sin duda, pero hace siglo y medio que América Latina puso tienda aparte y la herencia española no puede seguir utilizándose como coartada. Somos nosotros los culpables de cuanto nos ocurre, y en primer término, por ser incapaces siquiera de establecer un diagnóstico correcto. ¿Cuándo se ha visto en América Latina un grupo político o social que proclame como objetivo básico del país soñado arrancar a su pueblo del servilismo intelectual y ponerlo en la primera línea de las naciones creativas y pensantes? ¿Cuándo ha invocado ningún revolucionario latinoamericano los deberes intelectuales de los que sistemáticamente desertamos? Nuestras revoluciones son algaradas primitivas de cuarteles y trompetas, concitadas para reclamar derechos. Nadie habla de deberes. Nadie se avergüenza de pertenecer a un mundillo subsidiario y culturalmente prescindible. Nadie se acoge a la más revolucionaria utopía: la de la transformación espiritual de América Latina.

La revolución necesaria

Y esa es la revolución pendiente, la grande, la importante, la que puede tener una significación trascendental. Porque sólo la frívola gentecilla aletargada por la retórica puede creer que las revoluciones trascendentales se hacen en encontronazos de clase o en refriegas «foquistas». Ocurre que las revoluciones se hacen en los laboratorios y en las universidades, o en los nobles recintos de ciertos cráneos privilegiados, y esas revoluciones son las que determinan el signo de la civilización en que vivimos. Porque no fue la lucha de clases la que determinó el surgimiento de la era industrial, sino que fue la máquina y la electricidad las que congregaron a las masas obreras en los telares de Liverpool. Y son la radio y la televisión las que han cambiado el panorama político, de la misma manera que la computadora y las «terminales individuales» tal vez acaben por incorporar a millones de seres al proceso de la toma de decisiones, ensanchando revolucionariamente la base democrática. Los hitos revolucionarios de estos siglos no son los ensangrentados mataderos de Argelia, Cuba, Viet-Nam o China, sino el silencioso descubrimiento de los antibióticos, de la computación, de la aceleración vertiginosa de los vehículos. Y no me refiero a la interpretación metafórica de la palabra «revolución», sino a una interpretación de carne y hueso, objetiva y realista. Mucha más importancia *política* ha tenido la píldora anticonceptiva, por su incidencia en la demografía, que los más cruentos tiroteos de nuestra turbulenta historia. Tal vez se haya matado un millón de mexicanos durante la revolución del 10, pero muchísimos más no han sido concebidos por la terriblemente revolucionaria píldora.

Son la ciencia y la tecnología las que forman y conforman nuestra sociedad. Son ellas las parteras de la historia, y no la violencia ni la lucha de clases. Es el tren el que nos da la colonización y no al revés. Los revolucionarios no son esos pobres tipos patéticos que andan por ahí matando y dejándose matar en función de unas extrañas supersticiones, sino las cabezas creativas que transforman el planeta. Esa es la única revolución importante, y —por lo visto— esa es la única en la que no nos alistamos.

¿Por qué no somos creativos ni innovadores?

Primero hay que descartar cualquier hipótesis racista. El latinoamericano o el español, situado en la atmósfera adecuada, pare ideas con la misma fecundidad que el británico o el norteamericano. Désele a Severo Ochoa un laboratorio, una biblioteca y un ambiente intelectualmente estimulante y hallará las primeras claves del enigma de la estructura de la vida. Déjesele en el desamparo de un medio universitario latinoamericano o español y probablemente se tornará estéril, porque los hallazgos científicos y tecnológicos no son el producto de razas, sino de culturas. Roma, que tan poco dada fue a la especulación científica, dio paso, mil años después, a los fabulosos italianos de los siglos XV y XVI. Las tribus bárbaras y atrasadas del norte de Europa devinieron en Inglaterra, Suecia, Dinamarca o Alemania. Las culturas se transforman. Cambian de rasgos sustantivos e incorporan nuevos hábitos y costumbres. Es el medio cultural lo que determina que los hallazgos científicos y tecnológicos germinen o aborten, porque los hombres creativos siempre están ahí, a la espera del caldo de cultivo propicio.

¿Cómo es ese caldo de cultivo, esa atmósfera nutricia del genio creativo? El primer elemento estimulante es el reconocimiento social. La reverencia que la sociedad esté dispuesta a hacerle a sus hombres creativos, la estimación espontánea y pública que les brinde. No me refiero al oficial aplauso ritual o a la condecoración a posteriori, sino a la admiración genuina que toda la población profese por la idea platónica del científico. Nada mueve más la voluntad del ser humano que el acicate del reconocimiento y el aprecio. (El dinero viene después, a mucha distancia, y más como una burda evidencia del éxito social, que como la recompensa real). ¿Existe en nuestra tabla de valores una significación especial para el talento científico o la urgencia innovadora? Me temo que no. No existe, en el seno de la familia, y mucho menos en el ámbito del Estado. La figura creativa del genio innovador ni siquiera está presente en nuestra jerarquía humana. «Ser un científico» es un sueño que no acarician nuestros niños, simplemente porque los adultos no han puesto a ese héroe en su horizonte vital. De manera que la primera y más urgente manipulación revolucionaria que hay que llevar a cabo, el punto de partida, es crear una atmósfera reverencial en torno al genio innovador. El día que situemos al pensador creativo en una escala superior a la del general, el político o el abogado, el día que lo rodeemos de merecida gratitud y adulación, estaremos fomentando la aparición de la casta científica.

Las universidades

Luego habría que darle herramientas y cobijo. ¿Dónde mejor que en los recintos universitarios? Pero no en nuestras universidades de hoy, empantanadas en el guirigay político, sujetas al dirigismo político y dedicadas a repetir lugares comunes y a graduar profesionales mediocres. Hace falta la universidad innovadora, creativa, totalmente a salvo de la revoltosa estupidez de unos cuantos estudiantes y profesores exaltados, y al margen de las intriguillas del gobernante de turno. Lo más autónoma posible, porque es evidente que el control burocrático es un freno letal a la actividad creativa. Esos grandes centros oficiales de investigación dan unos resultados mucho más pobres que la labor fragmentaria de muchos centros creativos. El español Centro Superior de Investigaciones Científicas, pese a su pomposo título, no es otra cosa que una semiestéril burocracia. En la ciencia y en la tecnología, el dirigismo centralizado produce resultados ridículos. Partos de montes. El ejemplo de España es notorio. El de la Unión Soviética es patético. ¿Qué cambio tecnológico sustancial ha surgido de esos millones de seres dedicados *oficialmente* a la investigación? Casi nada, exceptuando la proeza del sputnik y el desarrollo de la tecnología espacial. Póngase en el otro platillo el aporte occidental y se verá la diferencia. Es cierto que América Latina gasta muy poco en investigación, pero antes de gastar más, mejor sería que averiguara cómo «optimizar» —qué horrible palabra— su inversión, porque es muy probable que el dinero sólo sea un factor en la batalla por el desarrollo técnico y científico. Hay que tener en cuenta la escala de valores, el peso de la espontaneidad, los factores ambientales. Un reciente estudio norteamericano verificó la relación inversamente proporcional entre logros científicos y servidumbre burocrática. Cuando Washington, a cambio del dinero aportado, exigía control, papeleo, «red tape», los resultados eran infinitamente menores que cuando se limitaba a firmar el cheque. En el desarrollo de la ciencia y la tecnología —como en casi todo—, mientras menos Estado, mejor.

Nuestro dilema

Las grandes batallas de nuestra época se libran en el espacio exterior, en el universo microscópico de la estructura de la materia, en los vericuetos de la trasmisión de la herencia, en los mecanismos de la inmunología, en la vertiginosa ordenación de la información. Son cruciales batallas por dominar la materia, por acelerar nuestro movimiento en el espacio, por prolongar nuestras vidas. Cada descubrimiento, cada hallazgo, tienen una inmediata repercusión en nuestras vidas y de alguna manera cambian nuestro ordenamiento social, económico y político. La vacunación, la penicilina y la televisión han tenido más impacto en nuestras sociedades que todas las revoluciones efectuadas hasta la fecha. Si esto es así, ¿cómo puede una nación responsable renunciar a la investigación técnica y científica? ¿Cómo podemos, mansamente, resignarnos a habitar un modelo de sociedad pensado y diseñado en el exterior? Detrás de esa renuncia y de esa resignación no hay más que una profunda, triste e imperdonable irresponsabilidad ■

REPÚBLICA DOMINICANA

Pedro Henríquez Ureña (1884-1946)

El más conocido y relevante ensayista dominicano. Vasta es su obra, que se inició en 1905 con un breve volumen titulado Ensayos críticos, *al cual siguió* Horas de estudio *(1910), que no obstante ser también obra de juventud contiene algunos trabajos ya definitivos. De prosa magistral, sus ensayos abarcan desde el estudio filológico hasta la crítica literaria, puestos bajo su visión de creador humanista. De su extensa y variada producción sobresalen* Seis ensayos en busca de nuestra expresión *(1928),* Mi España *(1912), así como su estudio dedicado a Juan Ruiz de Alarcón. De sus monografías,* La versificación irregular en la poesía castellana *(1920) es un libro fundamental. Respecto a la República Dominicana,* El español en Santo Domingo *(1940) y* La cultura y las letras coloniales en Santo Domingo *(1936) son dos textos imprescindibles para conocer el significado y desarrollo de nuestra literatura. Pedro Henríquez Ureña fue asimismo un brillante profesor en universidades de Estados Unidos, México y Argentina.*

Caminos de nuestra historia literaria

La literatura de la América española tiene cuatro siglos de existencia, y hasta ahora los dos únicos intentos de escribir su historia completa se han realizado en idiomas extranjeros; uno, hace cerca de diez años, en inglés (Coester); otro, muy reciente, en alemán (Wagner). Está repitiéndose, para la América española, el caso de España: fueron los extraños quienes primero se aventuraron a poner orden en aquel caos o —mejor— en aquella vorágine de mundos caóticos. Cada grupo de obras literarias —o, como decían los retóricos, «cada género»— se ofrecía como «mar nunca antes navegado», con sirenas y dragones, sirtes y escollos. Buenos trabajadores van trazando cartas parciales: ya nos movemos con soltura entre los poetas de la Edad Media: sabemos cómo se desarrollaron las novelas caballerescas, pastoriles y picarescas; conocemos la filiación de la familia de Celestina... Pero para la literatura religiosa debemos contentarnos con esquemas superficiales, y no es de esperar que se perfeccionen, porque el asunto no crece en interés; aplaudiremos siquiera que se dediquen buenos estudios aislados a Santa Teresa o a fray Luis de León, y nos resignaremos a no poseer sino vagas noticias, o lecturas sueltas, del beato Alonso Rodríguez o del padre Luis de la Puente. De místicos luminosos, como sor Cecilia del Nacimiento, ni el nombre llega a los tratados históricos. De la poesía lírica de los «siglos de oro» sólo sabemos que nos gusta, o cuándo nos gusta: no estamos ciertos de quién sea el autor de poesías que repetimos de memoria; los libros hablan de escuelas que nunca existieron, como la salmantina; ante los comienzos del gongorismo, cuantos carecen del sentido del estilo se desconciertan, y repiten discutibles leyendas. Los más osados exploradores se confiesan a merced de vientos desconocidos cuando se internan en el teatro, y dentro de él, Lope es caos él solo, monstruo de su laberinto.

¿Por qué los extranjeros se arriesgaron, antes que los nativos, a la síntesis? Demasiado se ha dicho que poseían mayor aptitud, mayor tenacidad; y no se echa de ver que sentían menos las dificultades del caso. Con los nativos se cumplía el refrán: los árboles no dejan ver el bosque. Hasta este día, a ningún gran crítico o investigador español le debemos una visión completa del paisaje. Don Marcelino Menéndez y Pelayo, por ejemplo, se consagró a describir uno por uno los árboles que tuvo ante los ojos; hacia la mitad de la tarea le traicionó la muerte.

En América vamos procediendo de igual modo. Emprendemos estudios parciales: la literatura colonial de Chile, la poesía en México, la historia en el Perú... Llegamos a abarcar países enteros, y el Uruguay cuenta con siete volúmenes de Roxlo, la Argentina con cuatro de Rojas (¡ocho en la nueva edición!). El ensayo en conjunto se lo dejamos a Coester y a Wagner. Ni siquiera lo hemos realizado como simple suma de historias parciales, según el propósito de la *Revue Hispanique:* Después de tres o cuatro años de actividad la serie quedó en cinco o seis países.

Todos los que en América sentimos el interés de la historia literaria hemos pensado en escribir la nuestra. Y no es pereza lo que nos detiene: es, en unos casos, la falta de ocio, de vagar suficiente (la vida nos exige, ¡con imperio!, otras labores); en otros casos, la falta del dato y del documento: conocemos la dificultad, poco menos que insuperable, de reunir todos los materiales. Pero como el proyecto no nos abandona, y no faltará quien se decida a darle realidad, conviene apuntar observaciones que aclaren el camino.

Las tablas de valores

Noble deseo, pero grave error cuando se quiere hacer historia, es el que pretende recordar a todos los héroes. En la historia literaria el error lleva a la confusión. En el manual de Coester, respetable por el largo esfuerzo que representa, nadie discernirá si merece más atención el egregio historiador Justo Sierra que el fabulista Rosas Moreno, o si es mucho mayor la significación de Rodó que la de su amigo Samuel Blixen. Hace falta poner en circulación tablas de valores: nombres centrales y libros de lectura indispensables.

Dejar en la sombra populosa a los mediocres; dejar en la penumbra a aquellos cuya obra pudo haber sido magna, pero quedó a medio hacer; tragedia común en nuestra América. Con sacrificios y hasta injusticias sumas es como se constituyen las constelaciones de clásicos en todas las literaturas. Epicarmo fue sacrificado a la gloria de Aristófanes; Gorgias y Protágoras a las iras de Platón.

La historia literaria de la América española debe escribirse alrededor de unos cuantos nombres centrales: Bello, Sarmiento, Montalvo, Martí, Darío, Rodó.

Hay dos nacionalismos en la literatura: el espontáneo, el natural acento y elemental sabor de la tierra nativa, al cual nadie escapa, ni las excepciones aparentes; y el perfecto, la expresión superior del espíritu de cada pueblo, con poder de imperio, de perduración y expansión. Al nacionalismo perfecto, creador de grandes literaturas aspiramos desde la independencia: nuestra historia literaria de los últimos cien años podría escribirse como la historia del flujo y reflujo de aspiraciones y teorías en busca de nuestra expresión perfecta: deberá escribirse como la historia de los renovados intentos de expresión y, sobre todo, de las expresiones realizadas.

Del otro nacionalismo, del espontáneo y natural poco habría que decir si no se le hubiera convertido, innecesariamente, en problema de complicaciones y enredos. Las confusiones empiezan en el idioma. Cada idioma tiene su color, resumen de larga vida histórica. Pero cada idioma varía de ciudad a ciudad, de región a región, y a las variaciones dialectales, siquiera mínimas, acompañan multitud de matices espirituales diversos. ¿Sería de creer que mientras cada región de España se define con rasgos suyos, la América española se quedara en nebulosa informe, y no se hallara medio de distinguirla de España? ¿Y a qué España se parecería? ¿A la andaluza? El andalucismo de América es una fábrica de poco fundamento, de tiempo atrás derribada por Cuervo.

En la práctica, todo el mundo distingue al español del hispanoamericano: hasta los extranjeros que ignoran el idioma. Apenas existió población organizada de origen europeo en el Nuevo Mundo, apenas nacieron los primeros criollos, se declaró que diferían de los españoles; desde el siglo XVI se anota, con insistencia, la diversidad. En la literatura, todos la sienten. Hasta en don Juan Ruiz de Alarcón: la primera impresión que recoge todo lector suyo es que no se parece a los otros dramaturgos de su tiempo, aunque de ellos recibió —rígido ya— el molde de sus comedias: temas, construcción, lenguaje, métrica.

Constituimos los hispanoamericanos grupos regionales diversos: lingüísticamente, por ejemplo, son cinco los grupos, las zonas. ¿Es de creer que tales matices no trasciendan a la literatura? No; el que ponga atención los descubrirá pronto, y le será fácil distinguir cuándo el escritor es rioplatense, o es chileno, o es mexicano.

Si estas realidades paladinas se oscurecen es porque se tiñen de pasión y prejuicio, y así oscilamos entre dos turbias tendencias: una que tiende a declararnos «llenos de carácter», para bien o para mal, y otra que tiende a declararnos «pájaros sin matiz, peces sin escama», meros españoles que alteramos el idioma en sus sonidos y en su vocabulario y en su sintaxis, pero que conservamos inalterables, sin adiciones, la *Weltanschauung* de los castellanos o de los andaluces. Unas veces, con infantil pesimismo, lamentamos nuestra falta de fisonomía; otras veces inventamos credos nacionalistas, cuyos complejos dogmas se contradicen entre sí. Y los españoles, para censurarnos, declaran que a ellos no nos parecemos en nada; para elogiarnos, declaran que nos confundimos con ellos.

No; el asunto es sencillo. Simplifiquémoslo: nuestra literatura se distingue de la literatura de España, porque no puede menos de distinguirse, y eso lo sabe todo observador. Hay más: en América, cada país, o cada grupo de países, ofrece rasgos peculiares suyos en la literatura, a pesar de la lengua recibida de España, a pesar de las constantes influencias europeas. Pero ¿estas diferencias son como las que separan a Inglaterra de Francia, a Italia de Alemania? No; son como las que median entre Inglaterra y los Estados Unidos. ¿Llegarán a ser mayores? Es probable.

América y la exuberancia

Fuera de las dos corrientes turbias están muchos que no han tomado partido; en general, con una especie de realismo ingenuo aceptan la natural e inofensiva suposición de que tenemos fisonomía propia, siquiera no sea muy expresiva. Pero ¿cómo juzgan? Con lecturas casuales: *Amalia* o *María, Facundo* o *Martín Fierro,* Nervo o Rubén. En esas lecturas de azar se apoyan muchas ideas peregrinas; por ejemplo, la de nuestra exuberancia.

Veamos, José Ortega y Gasset, en artículo reciente, recomienda a los jóvenes argentinos «estrangular el énfasis», que él ve como una falta nacional. Meses atrás, Eugenio d'Ors, al despedirse de Madrid el ágil escritor y acrisolado poeta mexicano Alfonso Reyes, lo llamaba «el que tuerce el cuello a la exuberancia». Después ha vuelto al tema, a propósito de escritores de Chile. América es, a los ojos de Europa —recuerda d'Ors— la tierra exuberante, y razonando de acuerdo con la usual teoría de que cada clima da a sus nativos rasgos espirituales característicos («el clima influye los genios», decía Tirso), se nos atribuyen caracteres de exuberancia en la literatura. Tales opiniones (las escojo sólo por muy recientes) nada tienen de insólitas; en boca de americanos se oyen también.

Y, sin embargo, yo no creo en la teoría de nuestra exuberancia. Extremando, hasta podría el ingenioso aventurar la tesis contraria; sobrarían escritores, desde el siglo XVI hasta el XX, para demostrarla. Mi negación no esconde ningún propósito defensivo. Al contrario, me atrevo a preguntar: ¿se nos atribuye y nos atribuimos exuberancia y énfasis, o ignorancia y torpeza? La ignorancia, y todos los males que de ella se derivan, no son caracteres: son situaciones. Para juzgar de nuestra fisonomía espiritual conviene dejar aparte a los escritores que no saben revelarla en su esencia porque se lo impiden sus imperfecciones en cultura y en dominio de formas expresivas. ¿Que son muchos? Poco importa; no llegaremos nunca a trazar el plano de nuestras letras si no hacemos previo desmonte.

Si exuberancia es fecundidad, no somos exuberantes; no somos, los de América española, escritores fecundos. Nos falta «la vena», probablemente; y nos falta la urgencia profesional: la literatura no es profesión, sino afición, entre nosotros; apenas en la Argentina nace ahora la profesión literaria. Nuestros escritores fecundos son excepciones; y ésos sólo alcanzan a producir tanto como los que en España representan el término medio de actividad; pero nunca tanto como Pérez Galdós o Emilia Pardo Bazán. Y no se hable del siglo XVII: Tirso y Calderón bastan para desconcertarnos; Lope produjo él sólo tanto como todos juntos los poetas dramáticos ingleses de la época isabelina. Si Alarcón escribió poco, no fue mera casualidad.

¿Exuberancia o verbosidad? El exceso de palabras no brota en todas partes de fuentes iguales; el inglés lo hallará en Ruskin, o en Landor, o en Thomas de Quincey, o en cualquier otro de sus estilistas del siglo XIX; el ruso, en Andreyev: excesos distintos entre sí, y distintos del que para nosotros representan Castelar o Zorrilla. Y además, en cualquier literatura, el autor mediocre, de ideas pobres, de cultura escasa, tiende a verboso; en la española, tal vez más que en ninguna. En América volvemos a tropezar con la ignorancia; si abunda la palabrería es porque escasea la cultura, la disciplina, y no por exuberancia nuestra. *Le climat* —parodiando a *Alceste*— *ne fait rien à l'affaire.* Y en ocaciones nuestra verbosidad llama la atención, porque va acompañada de una preocupación estilística, buena en sí, que procura exaltar el poder de los vocablos, aunque le falte la densidad de pensamiento o la chispa de imaginación capaz de trocar en oro el oropel.

En fin, es exuberancia el énfasis. En las literaturas occidentales, al declinar el romanticismo, perdieron prestigio la inspiración, la elocuencia, el énfasis, «primor de la scriptura», como le llamaba nuestra primera monja poetisa doña Leonor de Ovando. Se puso de moda la sordina, y hasta el silencio. *Seul le silence est grand,* se proclamaba ¡enfáticamente todavía! En América conservamos el respeto al énfasis mientras Europa nos lo prescribió; aún hoy nos quedan tres o cuatro poetas vibrantes, como decían los románticos. ¿No representarán simple retraso en la moda literaria? ¿No se atribuirá a influencia del trópico lo que es influencia de Víctor Hugo? ¿O de Byron, o de Espronceda, o de Quintana? Cierto; la elección de maestros ya es indicio de inclinación nativa. Pero —dejando aparte cuanto reveló carácter original— los modelos enfáticos no eran los únicos; junto a Hugo estaba Lamartine; junto a Quintana estuvo Meléndez Valdés. Ni todos hemos sido enfáticos, ni es éste nuestro mayor pecado actual. Hay países de América, como México y el Perú, donde la exaltación es excepcional. Hasta tenemos corrientes y escuelas de serenidad, de refinamiento, de sobriedad; del modernismo a nuestros días, tienden a predominar esas orientaciones sobre las contrarias.

América buena y América mala

Cada país o cada grupo de países —está dicho— da en América matiz especial a su producción literaria: el lector asiduo lo reconoce. Pero existe la tendencia, particularmente en la Argentina, a dividirlos en dos grupos únicos: la América mala y la buena, la tropical y la otra, los *petits pays chauds* y las naciones «bien organizadas». La distinción, real en el orden político y económico —salvo uno que otro punto crucial, difícil en extremo—, no resulta clara ni plausible en el orden artístico. Hay, para el observador, literatura de México, de la América Central, de las Antillas, de Venezuela, de Colombia, de la región peruana, de Chile, del Plata; pero no hay una literatura de la América tropical, frondosa y enfática, y otra literatura de la América templada, toda serenidad y discreción. Y se explicaría —según la teoría climatológica en que se apoya parcialmente la escisión intentada— porque, contra la creencia vulgar, la mayor parte de la América española situada entre los trópicos no cabe dentro de la descripción usual de la zona tórrida. Cualquier manual de geografía nos lo recordará: la América intertropical se divide en tierras altas y tierras bajas; sólo las tierras bajas son legítimamente tórridas, mientras las altas son de temperatura fresca, muchas veces frías. ¡Y el Brasil ocupa la mayor parte de las tierras bajas entre los trópicos! Hay opulencia en el espontáneo y delicioso barroquismo de la arquitectura y las letras brasileñas. Pero el Brasil no es América española... En la que sí lo es, en México y a lo largo de los Andes, encontrará el viajero vastas altiplanicies que no le darán impresión de exuberancia, porque aquellas alturas son poco favorables a la fecundidad del suelo y abundan en las regiones áridas. No se conoce allí «el calor del trópico». Lejos de ser ciudades de perpetuo verano, Bogotá y México, Quito y Puebla, la Paz y Guatemala merecerían llamarse ciudades de otoño perpetuo. Ni siquiera Lima o Caracas son tipos de ciudad tropical: hay que llegar, para encontrarlos hasta La Habana (¡ejemplar admirable!), Santo Domingo, San Salvador. No es de esperar que la serenidad y las suaves temperaturas de las altiplanicies y de las vertientes favorezcan «temperamentos ardorosos» o «imaginaciones volcánicas». Así se ve que el carácter dominante en la literatura mexicana es de discreción, de melancolía, de tonalidad gris (recórrase la serie de los poetas desde el fraile Navarrete hasta González Martínez), y en ella nunca prosperó la tendencia a la exaltación, ni aun en las épocas de influencia de Hugo, sino en personajes aislados, como Díaz Mirón, hijo de la costa cálida, de la tierra baja. Así se ve que el carácter de las letras peruanas es también de discreción y mesura; pero en vez de la melancolía pone allí sello particular la nota humorística, herencia de la Lima virreinal, desde las comedias de Pardo y Segura hasta la actual descendencia de Ricardo Palma. Chocano resulta la excepción.

La divergencia de las dos Américas, la buena y la mala, en la vida literaria, si comienza a señalarse, y todo observador atento la habrá advertido en los años últimos; pero en nada depende de la división en zona templada y zona tórrida. La fuente está en la diversidad de cultura. Durante el siglo XIX, la rápida nivelación, la semejanza de situaciones que la independencia trajo a nuestra América, permitió la aparición de fuertes personalidades en cualquier país: si la Argentina producía a Sarmiento, el Ecuador a Montalvo; si México daba a Gutiérrez Nájera, Nicaragua a Rubén Darío. Pero las situaciones cambian: las naciones serias van dando forma y estabilidad a su cultura, y en ellas las letras se vuelven actividad normal; mientras tanto, en «las otras naciones», donde las instituciones de cultura, tanto elemental como superior, son víctimas de los vaivenes políticos y del desorden económico, la literatura ha comenzado a flaquear. Ejemplos: Chile, en el siglo XIX, no fue uno de los países hacia donde se volvían con mayor placer los ojos de los amantes de las letras; hoy sí lo es. Venezuela tuvo durante cien años, arrancando nada menos que de Bello, literatura valiosa, especialmente en la forma: abundaba el tipo del poeta y del escritor dueño del idioma, dotado de facundia. La serie de tiranías ignorantes que vienen afligiendo a Venezuela desde fines del siglo XIX —al contrario de aquellos curiosos «despotismos ilustrados» de antes, como el de Guzmán Blanco— ha deshecho la tradición intelectual y ningún escritor de Venezuela menor de cincuenta años disfruta de reputación en América.

Todo hace prever que, a lo largo del siglo XX, la actividad literaria se concentrará, crecerá y fructificará en «la América buena»; en la otra —sean cuales fueren los países que al fin la constituyan—, las letras se adormecerán gradualmente hasta quedar aletargadas ■

Max Henríquez Ureña
(1885-1970)

Como su hermano Pedro, es también ensayista y cultivó la poesía. Las primeras obras que publicó son Whistler y Rodin *(1906),* Ánforas *(1914),* Rodó y Rubén Darío *(1919). Maestro y animador de la cultura, fue periodista literario e impulsor de grupos de creadores, tanto en Santo Domingo como en Cuba, país donde residió largos años. Se destaca especialmente en la crítica y en la historia literarias:* El intercambio de influencias literarias entre España y América *(1926),* La influencia francesa sobre la poesía hispanoamericana *(1940),* Panorama histórico de la literatura dominicana *(1945),* Breve historia del modernismo *(1954),* Panorama histórico de la literatura cubana *(1963).*

Panorama histórico de la literatura dominicana

(Fragmento)

Los Trinitarios

El 16 de julio de 1838 quedó constituida, por iniciativa de Juan Pablo Duarte (1813-1876) y bajo su presidencia, la sociedad secreta *La Trinitaria*, cuyo objeto era conspirar en favor de la independencia dominicana. Así quedaron iniciados los trabajos preparatorios de la revolución que reivindicó para los dominicanos el derecho de gobernarse por sí mismos y constituir una nación libre, independiente y soberana que tuviera por territorio el de la antigua colonia que en la isla había conservado España hasta 1821.

En la mocedad, Duarte había ido al extranjero a completar su educación. Pasó primero un tiempo en los Estados Unidos de América; de ahí se dirigió a Inglaterra, después a Francia y por último a España. En ese viaje perfeccionó su conocimiento del inglés y del francés y se dedicó con ahínco a estudios científicos y filosóficos. Cuando regresó a Santo Domingo, hacia 1833, había madurado ya en su mente el propósito de consagrarse por entero al ideal de la independencia. Reunió en torno suyo una pléyade de jóvenes dominicanos a quienes daba clase de filosofía, literatura y matemáticas, y al mismo tiempo adiestraba en el manejo de las armas; no era extraño ese maridaje de las armas y las letras en quien se proponía realizar, hoy con la prédica y mañana con la acción, la obra de la independencia de su pueblo. Poseía inteligencia esclarecida y vasta cultura general. Reflexiones y sentencias que resumen sus ideas fueron conservadas en la memoria por sus discípulos y amigos a quienes predicaba el más generoso interés por la vida pública. «La política —decía— no es una especulación: es la ciencia más pura, y la más digna, después de la filosofía, de ocupar las inteligencias nobles.» Dejó excelentes testimonios de la elevación y dignidad de su espíritu en las declaraciones públicas que hubo de formular en diversas oportunidades y en las cartas que de él se conservan. «Ofrendemos en aras de la patria lo que a costa del amor y trabajo de nuestro padre hemos heredado», dice a su madre y hermanas en momentos en que urgía alegar recursos supremos para el triunfo de la causa nacional. Y cuando la ciudad de Puerto Plata quiere proclamarlo Presidente de la República, exclama: «Sed felices, hijos de Puerto Plata, y mi corazón estará satisfecho, aun exonerado del mando que queréis que obtenga; pero sed justos lo primero, si queréis ser felices. Ése es el primer deber del hombre. Y sed unidos, y así apagaréis la tea de la discordia y venceréis a vuestros enemigos, y la patria será libre y salva. Yo obtendré la mejor recompensa, la única a que aspiro...»

A Duarte se debe un primer proyecto de Constitución política de la República Dominicana, escrito en aquellos días de lucha y de esperanzas. Entre las ideas fundamentales que inspiran el proyecto merece destacarse la importancia asignada a las instituciones municipales —célula de las nacionalidades— que Duarte eleva a la categoría de Poder, pues para él debe dividirse el Gobierno en cuatro poderes, que enumera en el orden siguiente: Municipal, Legislativo, Judicial y Ejecutivo. En diversos artículos se manifiesta y reitera que «la Ley Suprema del Pueblo Dominicano es y será siempre su existencia política como Nación libre e independiente de toda Dominación, Protectorado, intervención e influencia extranjera». La insistencia con que este concepto se repite a lo largo del proyecto puede parecer innecesaria si no se tiene en cuenta que existía, en el momento de constituírse la República, un núcleo de hombres influyentes que, temerosos de que los dominicanos no pudieran rechazar y vencer militarmente a los haitianos, muy superiores en número, abogaban por llegar a un entendimiento con Francia o alguna otra gran potencia que le prestara protección. No es de extrañar, por ello, que Duarte, opuesto a toda transacción de esa índole, repita más de una vez en su proyecto de Constitución la repulsa a toda ingerencia extranjera, como vuelve a hacerlo cuando pasa a enumerar las condiciones esenciales que habrá de tener el gobierno de la nación: «Puesto que el Gobierno se establece para bien general de la asociación y de los asociados, el de la Nación Dominicana es y deberá ser siempre y ante todo, *propio* y jamás ni nunca de imposición extraña, bien sea ésta directa, indirecta, próxima o remotamente; es y deberá ser siempre *popular* en cuanto a su origen, *electivo* en cuanto al modo de organizarle, *representativo* en cuanto al sistema, *republicano* en cuanto a su esencia y *responsable* en cuanto a sus actos.»

Duarte tuvo marcada afición por la poesía, que cultivó sin pretensiones, como quien obedece a una íntima necesidad de expansión. No carecen, sin embargo, de sentimiento poético y de ocasionales aciertos de expresión algunos de sus versos, que únicamente conocían sus amigos y nunca dio a la publicidad: sólo llegaron a divulgarse después de su muerte.

Su hemana predilecta, Rosa Duarte y Díez (1819- 1888), anotó y comentó muchos hechos de la historia de la vida de Juan Pablo Duarte y de la independencia de la nación dominicana. Los *Apuntes para la historia de la isla de Santo Domingo y para la biografía del general dominicano Juan Pablo Duarte y Díez*, escritos por Rosa Duarte, no brillan por la elegancia del estilo, aunque sí por el calor de vida con que describe hombres y acontecimientos y por el caudal de documentos y cartas que acopia. Además en Rosa Duarte hay que admirar un carácter firme y un mente elevada.

Los jóvenes amantes del estudio y de la buena lectura que acompañaron a Duarte en los trabajos de *La Trinitaria* eran, en su mayoría, dados a escribir, si bien, más que la literatura, les preocupó siempre la defensa de sus ideas políticas. Entre ellos hubo versificadores, periodistas, oradores y publicistas de algún mérito, y lo que es más, a ese grupo perteneció un notable escritor y poeta: Félix María del Monte.

Los trinitarios más significados no pasan de veinte. Habitualmente se cuentan, de acuerdo con una lista reconstruida por José María Serra, nueve fundadores incluyendo a Duarte y a esos nueve se agregan otros nombres de iniciados de la primera hora, facilitados por Duarte y sus hermanos y por Juan Nepomuceno Ravelo y Félix María Ruiz.

[El autor resume en los siguientes párrafos los aspectos más significativos en la biografía de los trinitarios más sobresalientes, y continúa:]

La independencia dominicana fue proclamada en la noche del 27 de febrero de 1844. En ausencia de Duarte, que para preservar su vida, perseguido activamente por mandato del nuevo Presidente de Haití, general Charles Hérard Rivière, había escapado ocultamente al extranjero en unión de Juan Isidro Pérez y Pedro Alejandro Pina, el movimiento emancipador quedó bajo la dirección de Francisco del Rosario Sánchez y Ramón Mella, que alcanzaron el éxito en la arriesgada empresa, pues la ciudad de Santo Domingo capituló antes de transcurrir cuarenta y ocho horas de iniciado el pronunciamiento.

Fue un Trinitario, Félix María del Monte, que entonces contaba veinticinco años, quien escribió horas después con el nombre de *Canción Dominicana* el primer himno de guerra dominicano, al cual puso música otro copartícipe del movimiento y antiguo socio de *La Filantrópica*, Juan Bautista Alfonseca (1810-1875):

¡Al arma, españoles!
¡Volad a la lid!
Tomad por divisa:
¡Vencer o morir!

Resalta en ese himno la siguiente estrofa, llena de elegante arrogancia:

Sepa el mundo que a nombres odiosos
acreedores jamás nos hicimos,
y que siempre que gloria quisimos
nuestro carro la gloria arrastró.

No fue ése el único canto de guerra escrito al margen de los acontecimientos. Duarte compuso otro himno bélico, lleno de viriles exhortaciones:

¡Si nos niega el laurel la victoria,
del martirio la palma alcancemos!

Al capitán venezolano, Juan José Illas, que había conspirado en unión de los Trinitarios y junto con ellos se lanzó a la lucha por al magno ideal que ellos acariciaban y él hizo suyo, se debe otro himno, del cual ha sobrevivido alguna que otra estrofa:

A la lid, al combate, a la gloria,
compatriotas, unidos marchemos
y en la cruz de la espada juremos
¡guerra, guerra al haitiano agresor!

Más que por sus versos, el nombre de Juan José Illas perdura en la isla dominicana por su leal adhesión a la causa separatista, en favor de la cual conspiró y combatió, y por la devoción que profesaba a los fundadores de la República, singularmente a Duarte, Sánchez y Mella, de quienes fue luego compañero de infortunio y de destierro.

Cuando Duarte llegó al país, el 14 de marzo, transcurridas apenas dos semanas de proclamada la independencia, el grupo conservador, que abogaba por el establecimiento de un protectorado francés y tenía a su frente hombres del crédito intelectual de Tomás Bobadilla, se había adueñado de importantes posiciones en el seno de la Junta Central Gubernativa constituida por los patriotas. Duarte se pronunció en contra de la idea del protectorado. El general José Joaquín Puello acudió el 9 de junio, con las fuerzas de su mando, a respaldar a Duarte; y los defensores del protectorado se apresuraron a refugiarse en el consulado francés, temerosos de la ira del pueblo que se había amotinado en los alrededores del local de la junta. La composición de la Junta Central Gubernativa fue modificada y entró a presidirla Francisco del Rosario Sánchez. Aquél fue «el dieciocho Brumario dominicano», según frase del Cónsul francés, Juchereau de Saint-Denis.

Divididas las corrientes de opinión entre los dominicanos, el general Pedro Santana, militar de fortuna que había ganado prestigio en diversas acciones de guerra y era aliado del grupo conservador, fue aclamdo por sus soldados como Jefe Supremo del Ejército y de la Nación. Con tal carácter hizo irrupción semanas más tarde en Santo Domingo e impuso una nueva reorganización de la Junta Gubernativa, de la cual fue electo presidente el 16 de julio.

Desde ese momento quedó planteado de manera radical el antagonismo que existía entre dos ideologías contrapuestas en el seno mismo de la revolución de independencia: de un lado, el grupo conservador, encabezado ahora por Santana y constituido por los que sólo confiaban en el imperio de la fuerza y en caso necesario estaban dispuestos a gestionar el apoyo de una potencia extranjera para eliminar a los haitianos; del otro, el grupo liberal o idealista de Duarte y sus amigos, que ponían su fe en la capacidad de los dominicanos para obtener por sí solos la independencia y establecer un régimen republicano basado en la plena soberanía del pueblo.

Los liberales intentaron en vano contrarrestar la corriente adversa. Mella lanzó en las provincias del norte el nombre de Duarte para el cargo de Presidente de la República. Pero la fuerza triunfó. Duarte y sus mejores amigos fueron perseguidos y encarcelados. El ejército del Sur elevó el 1 de agosto una petición a la Junta Central Gubernativa pidiendo para ellos el más severo castigo como «reos de lesa nación». Dos días después un grupo de ciudadanos, en un documento que firmaron con el humanitario propósito de salvar la vida de los acusados, pidió habilidosamente que se les castigara imponiéndoles la pena de expulsión del territorio nacional «más bien que pasar por la pena de verlos condenados a muerte». Éste fue el resultado que se obtuvo: el 10 de septiembre fue embarcado Duarte con destino a Hamburgo, en unión de Juan Isidro Pérea y otros compañeros de infortunio; Sánchez, Mella, Pina y otros próceres, además del venezolano Juan José Illas, salieron desterrados en diferentes fechas y con distinto rumbo. Duarte resumió en forma de patético romance aquel triste acontecimiento:

> *Ellos, que al nombre de* Dios
> Patria y Libertad *se alzaron;*
> *ellos, que al pueblo le dieron*
> *la Independencia anhelada,*
> *lanzados fueron del suelo*
> *por cuya dicha lucharan;*
> *proscritos, sí, por traidores*
> *los que de lealtad sobraban;*
> *se les miró descender*
> *a la ribera callada*
> *se les oyó despedirse,*
> *y de su voz apagada*
> *yo recogí los acentos*
> *que por el aire vagaban*

Más tarde habría de cantar Duarte las melancolías del exilio en estos versos de *La cartera del proscrito:*

> *¡Llegar a tierra extranjera*
> *sin idea alguna ilusoria,*
> *sin porvenir y sin gloria,*
> *sin penates ni bandera!*

La idea que Duarte defendió con indomable tesón, la independencia sin limitaciones ni protectorados, triunfó de todos modos, y así quedó consagrada en el artículo primero de la Constitución política promulgada en noviembre de 1844: «Los Dominicanos se constituyen en nación libre, independiente y soberana, bajo un gobierno esencialmente civil, republicano, popular, representativo, electivo y responsable.» Como es fácil apreciar, los conceptos esenciales de este artículo concuerdan, hasta en la elección de los vocablos, con los expuestos en el proyecto de Ley Fundamental redactado por Duarte, y una síntesis concisa y clara del credo patriótico que él había predicado.

La pena de destierro impuesta a Duarte y sus amigos quedó sin efecto cuatro años después, por disposición legislativa aprobada el 26 de septiembre de 1848; pero Duarte no regresó al país. Algunos lustros más tarde —a pesar de que la idea del protectorado se había desvanecido ante la repulsa de la opinión y al amparo de las victorias militares que demostraron que los dominicanos podían defender por sí solos su independencia—, el Presidente Santana, que con ligeras alternativas había seguido siendo a lo largo del tiempo el árbitro de los destinos de la nación, perdió la fe en la estabilidad de la República y se acogió en definitiva a la vieja tendencia de los que un día persiguieron con ansia la protección y el apoyo de una gran potencia. Volvió esta vez los ojos a España y fue aún más lejos: decidió, por medio de pronunciamientos militares, la reincorporación del territorio dominicano a la monarquía española.

Los patriotas dominicanos se apresuraron a protestar con las armas en la mano contra este hecho insólito; pero las primeras tentativas reivindicadoras de la independencia no tuvieron éxito, entre ellas la encabezada por Sánchez, que inmoló la vida en la demanda. Después de larga y madura espera, fue el 16 de agosto de 1863 cuando pudo iniciarse formalmente la magna guerra de restauración nacional, y pronto quedó establecido en la ciudad de Santiago de los Caballeros un nuevo gobierno republicano. Duarte abandonó su prolongado destierro y fue hacia el campo de batalla. Allí estaba Mella que, víctima de grandes quebrantos, murió a poco, todavía en plena lucha restauradora, con esta exclamación en los labios: ¡aún hay patria!

Duarte se encaminó nuevamente al extranjero para dar cumplimiento a una misión que le confió el gobierno de la nación en armas ante algunas repúblicas de la América del Sur. En 1865, triunfante la campaña de restauración nacional, la República Dominicana quedó reintegrada en el disfrute de los plenos atributos de su soberanía y su independencia; pero Duarte adoptó la firme decisión de permanecer en el extranjero y ya no volvió más. Todo lo había sacrificado en aras de la patria que fue hija de su inspiración y de su fe: ¿para qué volver, si cada día era más enconada la lucha que libraban entre sí las facciones políticas, y él no quería servir de pretexto o de banderín de discordia? Con su desasimiento de toda ambición personal en la vida pública dio un bello ejemplo de dignidad moral.

Su credo nacionalista está condensado en los siguientes párrafos, donde, a la vez que recuerda las vicisitudes que sufrió por sustentar el ideal de la independencia absoluta, se adelanta a señalar las inquietantes incógnitas que su certera visión de estadista vislumbraba en el porvenir:

«Si me pronuncié dominicano independiente, desde el 16 de julio de 1838, cuando los nombres de patria, libertad y honor nacional se hallaban proscritos como palabras infames, y por ello merecí, en el año 43, ser perseguido a muerte por esa facción entonces haitiana, y por Rivière, que la protegía y a quien engañaron; si después, en el año 1844, me pronuncié contra el protectorado francés ideado por esos facciosos, y cesión a esta potencia de la península de Samaná, mereciendo por ello todos los males que sobre mí han llovido; si después de veinte años de ausencia he vuelto espontáneamente a mi patria, a protestar con las armas en la mano contra la anexión a España llevada a cabo a despecho del voto nacional por la supercherería de ese bando traidor y parricida, no es de esperar que yo deje de protestar (y conmigo todo buen dominicano) cual protesto y protestaré siempre, no digo tan sólo contra la anexión de mi patria a los Estados Unidos sino a cualquier otra potencia de la tierra, y al mismo tiempo contra cualquier tratado que tienda a menoscabar en lo más mínimo nuestra independencia nacional y cercenar nuestro territorio o cualquiera de los derechos del pueblo dominicano.

»Visto el sesgo que por una parte toma la política franco-española, y por otra la anglo-americana, y por otra la importancia que en sí posee nuestra isla para el desarrollo de los planes ulteriores de esas cuatro potencias, no debemos extrañar que un día se vean en ella fuerzas de cada una de aquéllas, peleando por lo que no es suyo. Entonces podrá haber necio que, por imprevisión o cobardía, ambición o perversidad, correrá a ocultar su ignominia a la sombra de esta o aquella bandera y como llegado el caso no habrá un solo dominicano que pueda decir: yo soy neutral, sino que tendrá cada uno que pronunciarse contra o por la patria, es bien que yo os diga desde ahora (por más que sea repitiéndome) que por desesperada que sea la causa de mi patria, siempre será la causa del honor, y que siempre estaré dispuesto a honrar su enseña con mi sangre!» ■

Frank Moya Pons (1944)

Ensayista e historiógrafo. Estudió en la Universidad Autónoma de Santo Domingo, donde se graduó en Filosofía. Posteriormente realizó estudios de Historia de América Latina en Georgetown University y en The Catholic University of America en Washington, D.C. Desde 1964 enseña Historia dominicana, siendo catedrático de la Universidad Católica Madre y Maestra. Son bien conocidas sus publicaciones: La Española en el siglo XVI *(1971),* La dominación haitiana *(1972) e* Historia colonial de Santo Domingo *(1974), así como numerosos artículos, ensayos y estudios aparecidos en revistas nacionales.*

Raíces del problema dominicano

Me propongo realizar una reflexión sobre algunas de las causas de nuestra incapacidad para superar los problemas del desarrollo. Durante veinte años los dominicanos y las agencias extranjeras de ayuda internacional hemos producido cientos de estudios globales y sectoriales y hemos celebrado cientos de cursos, seminarios, mesas redondas, conferencias y encuentros en los cuales se han conocido y discutido excelentes diagnósticos acerca de la agricultura, el comercio, la industria, la construcción, la salud, las finanzas públicas, la educación y la balanza de pagos. El material que contienen todos esos trabajos es de indudable calidad y ha sido utilizado para elaborar proyectos y programas de desarrollo que han contribuido a resolver algunos problemas, pero aparentemente no ha servido para colocar al país dentro de una dinámica de crecimiento económico autosostenido con una equitativa distribución del ingreso.

En realidad, y a pesar de todos esos esfuerzos, la situación económica del país es hoy mucho más difícil de lo que era en años anteriores y si algún consenso existe hoy acerca de la situación económica dominicana éste es que el nuevo gobierno que se instaló el pasado 16 de agosto ha encontrado el Estado al borde de la bancarrota y con problemas financieros tan graves que exigen rápidas y valientes soluciones.

Muchas de esas soluciones han sido propuestas durante años en esos estudios y diagnósticos y han sido postuladas en los varios esquemas globales de política económica que han presentado los gobiernos a la consideración de la nación. Pero aun cuando tenemos conciencia de las posibilidades técnicas de acción, lo cierto es que algunos ciudadanos seguimos preguntándonos si esas soluciones que proponen nuestros técnicos y políticos son suficientes para entender el problema dominicano en su conjunto.

La pregunta que muchos nos hacemos continuamente es ¿por qué si sabemos cuáles son nuestros más importantes problemas, y si teóricamente conocemos sus soluciones, las empresas del Estado van de peor en peor, la captación de recursos fiscales es cada año proporcionalmente menor, el CEA va hacia la quiebra, los negocios no prosperan, la industria funciona a menor capacidad de lo deseable, el comercio se queja y los empresarios sacan sus dólares al exterior? ¿Por qué ya no hay inversión extranjera en el país? ¿Por qué ha habido tanta tensión entre el sector privado y el gobierno?

Yo creo que tengo una explicación. A mí me parece que una gran parte de los problemas del país se derivan de un núcleo fundamental de estructuras que los dominicanos hemos heredado y a las cuales casi nunca les ponemos atención a la hora de estudiar las soluciones a esos problemas. Esas son estructuras que vienen dadas desde mucho antes de nosotros nacer y, por lo tanto, no son ni han sido la creación de ninguno de los gobiernos que hemos conocido en el curso de nuestras vidas, por lo que al señalarlas debe quedar claro que no me estoy refiriendo a ningún gobierno en particular, a pesar de las evidentes coincidencias.

Una estructura que limita y condiciona el funcionamiento de la economía dominicana es el pequeño tamaño de nuestro territorio y el reducido número de nuestra población, que todavía en 1920 era de menos de un millón de personas y que apenas hace dos años sobrepasó los cinco millones de habitantes. Algo que nuestros economistas, planificadores y políticos raramente tienen en cuenta es que durante siglos éste fue un país despoblado, literalmente despoblado, con pequeños pueblos de unos cuantos miles de habitantes que llevaban el nombre de ciudades, pero en donde la sociedad transcurría dentro de los cauces de un estilo de vida esencialmente aldeano, pueblerino, parroquial, provinciano o como quiera llamársele. Normalmente se pierde de vista que hasta hace menos de veinte años la dominicana era una sociedad sumamente tradicional dividida en dos clases, con la mayoría de la población habitando en los campos y trabajando como peones de plantaciones azucareras o de hatos ganaderos, o explotando la tierra en pequeñas parcelas de subsistencia que producían un excedente anual de tabaco, frijoles, arroz o café para ser colocado en los mercados urbanos, ya fuera para abastecer el consumo interno o para la exportación. Nuestros técnicos, académicos y políticos repiten mucho los conocidos porcentajes de la población urbana y la población rural que han registrado nuestros censos, pero no han ido al fondo de las implicaciones de esos números para explicar su significado, que dice que la nuestra ha sido siempre, incluso hasta ahora, una sociedad esencialmente rural y campesina, tradicional y aldeana, dependiente y pobre, de cuyo seno han surgido formas políticas e institucionales que se han sustentado siempre en la intensidad de las relaciones primarias interpersonales, en los lazos de familiaridad y parentesco y, naturalmente, en relaciones de dependencia y de servicio basadas en el patronazgo y la clientela, en el compadrazgo y en el caudillismo.

En sociedades de economía pequeña y de organización campesina con asentamientos aldeanos las cosas no pueden marchar de la misma manera que lo hacen en grandes sociedades urbanas, industrializadas y modernas en donde la existencia de grandes mercados internos o externos favorecen la creación de economías de escala que exigen altos grados de competencia y de flexibilidad para atender eficientemente los negocios, ya sean éstos de carácter público o de carácter privado. En las sociedades modernas, la disciplina industrial rompe con la personalización de las relaciones humanas y establece nuevas jerarquías basadas en la eficiencia y en el rendimiento económico. El individuo sobrevive porque es eficiente, trabajador y productivo y no porque pertenece a una familia o grupo o partido o casta determinados, o porque cuenta con la protección especial de algún gran patrón, caudillo, jefe o patriarca familiar o político. En las sociedades industriales occidentales, el Estado ha llegado a ser un instrumento al servicio de los intereses privados que soportan el peso de la organización económica y, a través de sus empresarios, renuevan constantemente su tecnología, sus capitales, sus sistemas de producción y de administración. Por ello, el Estado ha sido organizado para fomentar el desarrollo de los negocios y para mantener un clima permanente de protección y promoción de la inversión, porque en esas sociedades se entiende que mientras mayor es la inversión, mayor es el empleo, y mientras mayor es el empleo, mayor es el mercado. Con lo que lógicamente se concluye que mientras mayor es el mercado, mayores son los negocios, mayores las ganancias y mayores los impuestos. Así, todos ganan y la economía se sostiene bajo una dirección articulada entre los intereses del sector privado y las metas del sector público.

En otras sociedades de pequeña economía sucede todo lo contrario, como ha sido el caso de la República Dominicana. Aquí la población siempre fue mayoritariamente pobre, muy pobre, y analfabeta. La principal fuente de vida fue generalmente la agricultura conuquera o, dicho más técnicamente, la agricultura de subsistencia, debido a que la tecnología disponible y el mercado interno no permitían más que la explotación de pequeñas parcelas y no resistían unidades urbanas muy grandes, por lo que los asentamientos humanos no podían pasar de ser simples aldeas que controlaban recursos limitados y que no podían escapar de la pobreza. Como en toda sociedad aldeana, la comunidad tenía un gran peso en el control de la vida social y en el desenvolvimiento de la conducta individual. La aldea estaba organizada muy claramente desde tiempos inmemoriales, con sus tradiciones, sus jerarquías, sus controles y sus rígidas estructuras de parentesco y de liderazgo. En la aldea todo el mundo era pobre o casi pobre, siempre lo había sido y se esperaba que su familia también siguiera siéndolo, como había sido siempre. Solamente en las ciudades o en el extranjero había ricos y la conexión entre éstos y la aldea se establecía por intermedio de los jefes, caudillos o patriarcas que desde siempre habían gobernado el lugar o la región. A través de ellos fluía el control de la tierra, de las aguas, de los créditos, de las mercancías y de los otros recursos que la comunidad, por su pequeñez o por su atraso cultural, no era capaz de aprovechar. En los pueblos más grandes, la contraparte de la aldea era el vecindario, comunidad con su organización social casi tan estructurada como la aldeana, a diferencia de que sus miembros estaban más orientados a la prestación de servicios que a la producción primaria. En ambos universos sociales, quiero enfatizar, la vida transcurría a la manera tradicional y sus relaciones con la élite urbana eran siempre de dependencia y servicio, de tensión de clases a veces, y de sometimiento político todo el tiempo.

Un ingrediente adicional era el catolicismo que todos compartían, unos con mayor convicción o entusiasmo que otros, pero que marcaba profundamente la mentalidad tradicional. En una sociedad de ritmo de cambio lento y de pobreza secular, el catolicismo proporcionaba una ideología económica pasiva, al difundir la noción de que la pobreza era una virtud y de que el lucro excesivo era pecado. Como religión de pobres, que fue como se desarrolló originalmente el catolicismo, su noción de la pobreza como virtud fue durante siglos una creencia universalmente aceptada mientras la mayoría de la población fue pobre y mientras se observaba un equilibrio social basado en la pobreza de la mayoría de los miembros de la sociedad dominicana. Como ideología y como representación mental y moral del mundo, el catolicismo reforzaba, por otra parte, la conciencia moral en el uso de los recursos limitados de la aldea, del vecindario o de la comunidad. En este tipo de sociedades, con catolicismo o sin él, sus miembros desarrollan y sostienen con todos los elementos de la tradición la noción de que al ser los recursos tan escasos, solamente aquél que les quita a los demás parte de lo que les pertenece, es capaz de superar la pobreza. Lo que quiere decir que el enriquecimiento se considera como moralmente erróneo porque supone la apropiación de recursos ajenos y se percibe como socialmente subversivo porque supone el debilitamiento de la base que sustenta la vida de la comunidad.

Por ello, en la aldea la lucha de clases no es la pugna entre grupos de interés firmemente articulados, sino entre grupos primarios contra grupos primarios, de familias contra familias y, mayormente, de la mayoría de los miembros de la aldea contra los pocos individuos que han demostrado inventiva, talento, iniciativa o liderazgo suficientes como para romper el círculo de la pobreza y convertirse en nuevos «empresarios» de nuevas gestiones económicas que rinden más que las otras actividades. En las aldeas y comunidades, el empresario, el innovador, tiende a ser rechazado por los aldeanos. Para que los demás miembros no adquieran o desarrollen conductas similares, la comunidad desarrolla excelentes medios de control social que comprenden una interesante gama de murmuraciones, chismes, intrigas, envidias, calumnias, insultos que hacen ver al grueso de la población que la conducta desviada del nuevo «empresario» innovador es algo que merece castigo. El fin económico de la aldea es, pues, que la pobreza se distribuya de la manera más equitativa posible.

Los que están familiarizados con la moderna antropología económica, saben que me refiero a una cosa que se llama hace tiempo «la teoría del bien limitado», muy útil para comprender el funcionamiento de las sociedades pequeñas con economías pequeñas y sociedades aldeanas. Pero ¿cómo se aplica todo esto a lo que ha pasado en la República Dominicana en los últimos veinte años y a lo que está pasando en el país en estos mismos días?

Creo que si examinamos la dinámica del desarrollo dominicano reciente, podremos encontrar algunos hilos conductores entre la teoría del «bien limitado» y el clima de pesimismo y desconfianza que desde hace unos cuatro años existe entre nuestros empresarios. Pensemos un poco hacia atrás cuando Trujillo comenzó a desarrollar su complejo industrial, ganadero y azucarero. La voracidad y la violencia con que Trujillo se hizo rico lo convirtió en la fuerza social y política más subversiva que jamás ha operado en la República Dominicana, pues desarticuló prácticamente todas las estructuras tradicionales dominicanas e introdujo en el país una dinámica de crecimiento económico y de enriquecimiento sin consideración a los intereses del resto de la sociedad, cuyos controles sociales se quebraron ante la inmensa fuerza militar de la Dictadura.

La dinámica capitalista que Trujillo introdujo en la sociedad tradicional dominicana permitió la creación de nuevos grupos empresariales en el sector comercial importador y exportador, y en el sector industrial. En aquella sociedad de apenas tres millones de habitantes, de limitado mercado interno y de salarios congelados, la industria y el comercio prosperaron gracias a que el país gozó por largos años de buenos precios de exportación que le permitieron pagar sus importaciones en bienes de capital y de consumo, pero también prosperó la industria gracias a que el Estado la protegió contra cualquier tipo de interferencia como no fuesen los intereses particulares del Dictador. Toda oposición al profundo proceso de cambio social y económico que significaba la revolución capitalista de Trujillo se pagaba muy caro, por lo que los valores aldeanos y tradicionales de la sociedad dominicana fueron consistentemente reprimidos por un aparato estatal que enfatizaba la modernidad económica, el espíritu de empresa, el afán de lucro y la acumulación de la riqueza. La radio y la televisión, la propaganda y la educación fueron orientadas hacia la creación de una conciencia nueva antitradicional, antialdeana, anticampesina, pro-urbana y pro-industrial en la sociedad dominicana.

La gran revolución capitalista que necesitaba este país se inició con Trujillo, pero es una lástima que este gigantesco proceso de cambio haya sido distorsionado por las aberraciones de su personalidad, entre ellas su criminalidad, pues la repulsa que generó su régimen en el seno de la sociedad dominicana también sirvió para apoyar el resurgimiento de los valores aldeanos una vez muerto el Dictador. Recordemos lo que pasó en la República Dominicana poco tiempo después del derrocamiento de la Dictadura, en 1961. Toda la industria y los bienes de Trujillo pasaron al Estado, que quedó en manos de grupos liberales que se comprometieron a construir una democracia representativa. Recordemos que en pocos años se crearon miles, literalmente hablando, miles de asociaciones, grupos de interés, instituciones y grupos de presión que debilitaron enormemente el poder del Estado y contribuyeron a crear una base institucional más amplia que la que existió en la Era de Trujillo. También se crearon los partidos políticos y surgieron nuevos periódicos y estaciones de radio y televisión. Poco a poco el vacío político de Trujillo fue llenado por numerosas fuerzas nuevas procedentes de todos los niveles de la sociedad dominicana, muchas de ellas dirigidas o compuestas por hombres y mujeres del sector tradicional de la vida dominicana.

Muy pronto se difundió la noción de que no era posible lograr la democracia si no se lograba antes el desarrollo económico. Una gran efervescencia desarrollista se apoderó de las mentalidades más modernas. Pronto se hizo evidente que el desarrollo tenía dos caminos: la vía capitalista y la vía socialista. Ahí estaban Cuba y Puerto Rico, Rusia y Europa. Durante años los partidos y sus grupos universitarios subsidarios, profesorales y estudiantiles, difundieron la idea de la revolución, en tanto que los grupos privados difundían la idea de que la industrialización, la libre empresa, la inversión extranjera y la democracia eran la mejor solución. En la década de los años sesenta el Estado nunca estuvo en manos de los revolucionarios. Siempre estuvo manejado por antiguos burócratas trujillistas enrolados en el nuevo movimiento liberal o por empresarios cuyas familias habían hecho fortuna en la Era de Trujillo. El Estado volvió a ser nuevamente un instrumento de protección y desarrollo para el sector industrial y comercial. Las mentalidades más modernas se concentraron en los negocios y poco a poco los partidos se fueron quedando con los líderes aldeanos que, al morir Trujillo, encontraron en el socialismo y en el comunismo una ideología igualitaria que andaba más a tono con la noción tradicional del bien limitado que con la motivación económica del lucro.

A partir de la Guerra Civil de 1965, y debido a que en 1966 el poder quedó en manos de un partido neotrujillista, los partidos se abstuvieron de participar en los esfuerzos desarrollistas del gobierno de turno, por la repugnancia moral que les producía la política de protección desmedida a los nuevos grupos comerciales e industriales y a la empresa extranjea. Durante casi diez años los partidos estuvieron actuando para impedir que el Estado se convirtiera en lo que había sido durante la Era de Trujillo: un instrumento al servicio del sector privado, organizado para fomentar, promover y proteger los negocios privados dentro del sistema capitalista. En ese desesperado esfuerzo por combatir el capitalismo, que los partidos políticos liberales e izquierdistas confundían con el trujillismo, sus dirigentes perdieron de vista que la gran transformación que la sociedad dominicana demandaba, y todavía demanda, es la conversión de una sociedad tradicional y atrasada, biclasista, rural y no industrializada, en una sociedad capitalista, abierta, pluralista, democrática y urbanizada. Aunque parezca paradójica esta afirmación, durante más de diez años los partidos políticos de izquierda se instituyeron en un conjunto de fuerzas sumamente reaccionarias al no percibir que la vía del desarrollo dominicano era la vía capitalista y al promover esquemas de organización social basados en ideologías socializantes, pero referidos fundamentalmente a las experiencias y valores aldeanos de sus miembros y dirigentes.

¿Cómo se puede probar esto? Pues observando la ferocidad con que los mil y un líderes de los partidos de izquierda han vivido regateándose entre sí ese escasísimo recurso que es el liderazgo político. Observando cómo han pasado casi veinte años regateándoles a los gobiernos prácticamente todas las iniciativas que implican la transformación de las estructuras agrarias, de los sistemas de trabajo o del clima de inversiones para el desarrollo. Observando cómo esos líderes se conducen al estilo de la aldea y el vecindario, ventilando públicamente sus diferencias internas y proyectando a escala nacional los problemas de su vecindario político gracias al auxilio que les prestan la radio, los periódicos y la televión. La murmuración, el chisme y la intriga aldeanos se proyectan ahora sobre el conjunto de la nación. Gracias a los medios de comunicación, la aldea ha crecido y se ha acomodado a la escala de la nación. Y es natural que así sea, puesto que las estructuras tradicionales que han soportado el funcionamiento de la sociedad dominicana no han cambiado, a pesar del crecimiento económico de los últimos veinte años. El analfabetismo permanece, la marginalidad urbana se ha multiplicado, la pobreza crece y la ideología aldeana encuentra terreno fértil en la inmensa masa de desempleados, buscavidas y chiriperos que escuchan y siguen a una clase media igualmente aldeana que aspira a suplantar a la élite que heredó el poder económico, político y social que dejó Trujillo.

Ahora bien, los partidos de izquierda sólo han aportado el ingrediente ideológico. Hay otros ingredientes y otros actores en el escenario dominicano y entre ellos se destacan muy claramente los empresarios. Recuerdo el año 1967 cuando se organizó un grupo de hombres preocupados por la falta de una conciencia empresarial en el país. Acción Pro-Desarrollo se llamaba ese grupo. Ellos creían que a pesar de que el país había tenido un par de décadas de crecimiento industrial y comercial, todavía los líderes o participantes en ese movimiento no tenían conciencia de que todos juntos formaban un empresariado nacional, una élite económica, un conjunto de fuerzas con intereses similares. El hecho más patente de las investigaciones que se llevaron a cabo para formar a Acción Pro-Desarrollo era que los empresarios dominicanos apenas se conocían entre sí, o apenas se reconocían a sí mismos como grupo. Una causa importante, entre otras muchas, era que el capitalismo dominicano era entonces, y todavía lo es en gran medida, un capitalismo familiar y aldeano.

Este fenómeno del capitalismo familiar tiene sus implicaciones. Como institución propia de una economía pequeña que no permite el desarrollo de grandes empresas de capitalización pública, la empresa familiar refleja todos los vicios y virtudes de la economía aldeana. Por ejemplo, la eficiencia no es siempre el valor supremo de la empresa, porque en la economía aldeana casi todas las demás empresas son ineficientes. La empresa es normalmente propiedad de una familia prominente en el mundo social y en el mundo político; luego la imagen de la empresa va asociada a la imagen pública, social o política del dueño o jefe de la empresa. El mérito dentro de la empresa no se acumula solamente en función de la productividad o eficiencia del empleado, sino en función de la lealtad del empleado al patrono. De ahí que el sindicato o la organización laboral sean vistos como una traición al patrón. Las relaciones patrón-empleado son de tipo paternal, y ambas partes tienden a reforzar esos lazos de dependencia. Por otra parte, como la empresa está concebida como un negocio familiar, se resiste interiormente a crecer más allá de las posibilidades gerenciales de los miembros de la familia involucrados en su administración.

Ahora bien, más importante que todo ello, para los fines de este análisis, es que la empresa familiar, por lógica, responde en última instancia a intereses familiares que no siempre son de naturaleza económica, y por ello la competencia con otras empresas está muchas veces teñida de una intensa carga de emocionalidad personal. El mundo de la empresa transcurre dentro de un universo económico de recursos limitados. La competencia existe y es muy fuerte, pero no sólo en el plano del mercado, sino en el plano de la acción política, ya que en la aldea todo el mundo se conoce y sabe que existen canales para lograr el favor de los que controlan el Estado. De esta manera, las estrategias que muchas empresas ponen en juego para asegurar su supervivencia están más ligadas a la capacidad de maniobra política de sus dirigentes que a la competencia gerencial de sus administradores. Con ello se distorsionan muchos aspectos del lado de la oferta del mercado y no es posible lograr lo que algunos empresarios más ilustrados hace tiempo que andan proponiendo: la integración del sector privado en un gran bloque de intereses que influya decisivamente en el Estado para que la política económica sea diseñada enteramente en su favor.

Lo más interesante del fenómeno es que el Estado ha caído desde hace cuatro años en manos de una nueva élite burocrática que procede de partidos de izquierda o mantiene en su seno a miles de burócratas aldeanos que, sin ser de izquierda, sustentan una ideología administrativa de tipo estatista que identifica el bienestar del país con la conveniencia del gobernante de turno. No siempre es fácil al sector privado transitar por el seno de esta burocracia estatal de espíritu aldeano sin enfrentar numerosos obstáculos. Hay burócratas para quienes el empresario es un elemento subversivo que amenaza el destino de su aldea nacional con sus motivaciones de lucro. Nunca se vio más claro este fenómeno que a partir de 1978, cuando el Estado fue cerrado a toda influencia constructiva del sector privado. El Estado quedó en manos de un equipo burocrático aldeano y el sector privado se movilizó en una intensa batalla para lograr ser oído a través de sus organizaciones más representativas.

Lo más instructivo de toda esta experiencia es que durante años los partidos han ido adquiriendo una ideología populista, de izquierda o de derecha, no importa, pero siempre populista. Este populismo ha llegado a penetrar otras instituciones dominicanas y es una especie de sangre universal que fluye a través de los medios de comunicación, del Estado mismo y de la Iglesia. Este populismo es tan generalizado, tan universal, que en estos últimos veinte años los dominicanos hemos llegado a invertir los pocos valores elitistas que heredamos de la colonia. En este proceso, el populismo se ha ido mezclando con el estatismo burocrático, y ambas actitudes han venido conformando una especie de ideología oficial básica que supone que no es posible el desarrollo si no se realiza bajo la dirección y con los recursos del Estado. Como ésa es una ideología socialmente aceptada y políticamente compartida por los partidos, los burócratas se sienten legitimados en la administración del Estado y suponen que su actuación es siempre correcta con tal de que sea realizada siempre en nombre del pueblo. Esto, me parece, es una aberración de la democracia, pues dentro de esa norma de acción se cometen impunemente los más grandes disparates políticos y financieros sin que la ciudadanía pueda defenderse o la misma aldea pueda pedir cuentas por el dispendio de recursos que llevan a cabo sus administradores.

El populismo y el estatismo llevados a ultranza son dos elementos subyacentes en toda la historia de la quiebra de CORDE y del CEA, así como de los grandes déficit en que ha ido incurriendo el gobierno central para ocultar y subsanar los déficit de las empresas estatales y de las instituciones descentralizadas. Trujillo nos cegó con la ilusión de que el Estado dominicano era todopoderoso, como todopoderoso fue él durante unos treinta años. Los herederos de Trujillo, desde el poder o fuera de él, han pasado más de veinte años creyendo que el Estado es capaz de hacerlo todo y que solamente desde el Estado pueden resolverse los problemas económicos, sociales y culturales del país. Esta óptica se ha generalizado de tal manera en el seno de las masas que hoy, y desde hace tiempo, los dominicanos tienden a creer que deben esperarlo todo del Estado: los empleos, los favores, los esfuerzos constructivos y las soluciones a los problemas del desarrollo.

Emborrachados por esta ilusión, los gobiernos dominicanos han realizado o encargado cientos de estudios y proyectos de desarrollo que no han servido para resolver la situación, porque han sido hechos por técnicos y burócratas para quienes el Estado parecía ser la única realidad social y política. Después de veinte años de experimentación con la democracia, los dominicanos hemos avanzado mucho, es cierto, pero no hemos logrado articular un consenso acerca de lo que queremos y cómo vamos a alcanzar lo que queremos. En los últimos cuatro años el Estado ha caído en manos de personas de ideas filosocialistas, populistas o estatistas que por razones geopolíticas están obligadas a manejar nuestra economía mixta a la manera capitalista, y hay que ver los enormes conflictos de conciencia con que han vivido algunos de nuestros técnicos y burócratas cuando, después de haber pasado más de diez años hablando en contra del capitalismo y proponiendo soluciones socialistas o socializantes, se vieron obligados a desempeñar posiciones en la administración pública que los obligaron a cambiar de retórica y a defender políticas económicas diseñadas para preservar el funcionamiento del capitalismo en la República Dominicana. Por el lado de los partidos, se puede observar que sus líderes han seguido presionando al Estado y a los empresarios para que se distribuya equitativamente la pobreza nacional entre un número cada vez mayor de dominicanos, mientras el empresario se debate en crisis políticas y en crisis de conciencia que lo mantienen dividido e incapacitado para influir decisivamente en la formación de una política económica coherente. Algunas de esas crisis de conciencia están ligadas a un cierto complejo de culpa, creado por la noción de que el lucro es algo socialmente injusto y moralmente cuestionable.

La política económica de la pasada década logró desarrollar al empresariado dominicano a costa del Estado. Estudios recientes sobre la política de incentivos, así como sobre el régimen fiscal dominicano, indican que el gran financiador y subsidiador del crecimiento industrial y comercial dominicano ha sido el Estado, y que hoy la bancarrota oficial se debe en mucho a la forma voraz con que la empresa dominicana ha recabado del Estado los mayores favores, así como a la forma irresponsable con que los administradores públicos han manejado el Estado creyendo que los recursos daban para todos y para todo.

Parte del gran problema dominicano es una cuestión de conciencia. Lo que el filosocialismo de los políticos, de los intelectuales, de los académicos y de algunos administradores públicos oculta, y lo que el estatismo y el populismo de los técnicos y los políticos también ocultan es que la pequeñez de la economía dominicana no da para todos, que no hay recursos para ser repartidos satisfactoriamente entre todos, y que mantener campañas políticas electorales u oficiales bajo el supuesto de que habrá tierra, agua, casa, escuelas, empleo, salud y diversión para los cinco millones y medio de dominicanos no es otra cosa que un gran engaño o una gran ilusión. No hay nadie en este país ni fuera de él que pueda dar vivienda a todos los dominicanos en los próximos cuatro años, ni reforestar todo el territorio que ha sido devastado, ni reponer los ríos, ni dar tierras que sirvan a todos los campesinos que no la tienen. El problema dominicano no se resuelve en cuatro años ni en ocho. Ni mucho menos lo puede resolver el Estado actuando por sí solo con una política económica populista que ha llenado de empleos improductivos la nómina de la administración pública o que ha dejado desmoronarse los ingenios y las empresas estatales. Tampoco puede el sector privado resolver por sí solo los problemas nacionales. Es cierto que la noción de lucro como pecado es una construcción ideológica elaborada sobre un edificio social que depende de recursos muy limitados, pero también es cierto que hay que retribuir a la sociedad parte del excedente que se le extrae como resultado de la tecnología más avanzada o de la gestión empresarial más sofisticada y eficiente.

El sector empresarial debe acercarse al Estado y éste debe abrirse a los empresarios. Las modernas sociedades capitalistas, a pesar de las diferencias relativas de tamaño, han avanzado gracias, entre otras cosas, al equilibrio de intereses que han logrado entre el sector privado y el Estado. La economía dominicana no resiste que el sector privado y el Estado vivan como dos alacranes. Es necesario que los burócratas oficiales comprendan que su función es proteger la iniciativa privada, alentando a los más hábiles que son generalmente los más productivos, y que se acostumbren a aceptar a los hombres a quienes el lucro los mueve a invertir, de la misma manera que aceptan, o siguen, a aquéllos a quienes la ambición de poder o de gloria los lleva a servir en la política.

Es necesario, también, que los empresarios se acostumbren a ceder y a ver el proceso político como un proceso de ajuste continuo a circunstancias cambiantes que vienen dadas no sólo por las coyunturas de precios internacionales, sino también por las ideas morales y políticas subyacentes. Hay una razón oculta para cada acción humana, aunque ésta sea muchas veces una sinrazón. Una de las grandes sinrazones dominicanas ha sido la de no entender que nunca hemos dejado de ser una aldea económica limitada, con recursos limitados y con una ideología social tradicional y aldeana que nos impide reconocernos como lo que somos: como una comunidad que necesita unirse y entenderse antes de que las nuevas tensiones nos arrastren al conflicto abierto. Hasta ahora la sociedad dominicana ha estado resolviendo pacíficamente sus conflictos sociales y ha logrado establecer una democracia representativa. En la medida en que el sector privado le pida a esta democracia lo que ella no puede dar, o en la medida en que los que manejan el Estado y los partidos ofrezcan lo que esta democracia tampoco puede dar, en esa misma medida estamos debilitando su viabilidad.

Hemos crecido económicamente, hemos logrado modernizar bastante nuestras ciudades, hemos expandido el sector industrial y el sector comercial, hemos desarrollado nuestros servicios y nuestras comunicaciones, pero hemos creado una sociedad dual, en la cual la modernidad de las ciudades, de los bancos, de los aeropuertos y de las comunicaciones no ha logrado eliminar el fenómeno subyacente de la vida aldeana de la sociedad tradicional. El gran problema dominicano reside en la gran tensión existente entre dos sociedades yuxtapuestas e imbricadas hasta tal punto que los valores sociales fundamentales aparecen desdibujados y confundidos en una maraña de retórica y de demagogia que ha terminado ocultando cuáles son las metas finales del desarrollo y dentro de cuál sistema pueden ser alcanzadas esas metas. El gran dilema dominicano reside en la definición práctica de las metas nacionales, en el no definir si vamos o no vamos a desarrollar el país dentro del capitalismo o dentro del socialismo. En el no definir si el Estado va a ser un instrumento para el desarrollo de los negocios o si, por el contrario, va a continuar siendo lo que ha querido y no ha logrado llegar a ser: un Estado benefactor que no logra generar una dinámica de creación de riqueza que le permita cumplir con todos sus compromisos y metas de bienestar social.

El problema dominicano va más allá de lo que dicen los estudios técnicos. El problema dominicano es un problema de conciencia ■

Federico Henríquez Gratereaux (1937)

Dice de él Max Henríquez Ureña en su Panorama histórico de la literatura dominicana: *«Entre los jóvenes de la última promoción se destaca como ensayista y crítico Federico Henríquez Gratereaux, cuyos trabajos de crítica interpretativa, que tratan de escudriñar en lo hondo del pensamiento del autor enjuiciado, son verdaderamente notables y representan entre nosotros una renovación de los procedimientos y del alcance del análisis crítico». A este certero juicio sólo cabría añadir que posee un estilo ágil y directo y que sus textos se caracterizan por la carga polémica que contienen. Ha publicado* La feria de las ideas *(1984), Premio Nacional de Ensayo Pedro Henríquez Ureña (1980).*

Andrajos intelectuales

En todas las repúblicas de América hay una peculiar tradición intelectual formada por hombres que se han preguntado por «el ser» de sus respectivos países. Han querido reducir a fórmula o a esquema las particularidades de sus sociedades. Se han preguntado angustiados: ¡Dios mío, qué cosa somos! Es esta una pregunta que tiene muchos lados o aspectos. Quiere decir que no sabemos cuál es nuestra psicología social; también quiere decir que no tenemos claras normas íntimas de cultura; de modo tangencial estos hombres confiesan, casi sin quererlo, que no poseen una interpretación histórica de nuestras sociedades. Por último, sus preguntas se dirigen al área de la política. ¿Somos ingobernables? ¿Somos económicamente dependientes? ¿Es imposible la democracia en la América hispana?

Estas averiguaciones desesperadas —hechas a veces sin el instrumental intelectual adecuado y sin reglas metódicas— son sociales, históricas, políticas y culturales. La búsqueda de «el ser» no se refiere aquí a la *substancia* griega que ha enmarañado las cabezas de los filósofos durante siglos. Ser es, en este caso, sinónimo de consistencia. ¿En qué consisten nuestras sociedades mestizas, mulatas, euroindias, afroantillanas? Quedan así incluidos en el *embrujo* teórico el tema de la raza y el de la cultura en general.

Unos han inquirido por la religión, sea ésta cristiana o africana, americana-precolombina, o importada de Asia o de Europa. Otros han mirado hacia la economía; otros se han preguntado si religión y cultura son o no sistemas comunes de referencias sociales. Quieren saber si en las sociedades iberoamericanas participan, todos los grupos y todas las clases, de algunas creencias, opiniones y condicionamientos. Desean saber qué cosas comunes unen a blancos y a negros, a ricos y a pobres.

Esta manera tan completa de escarbar intelectualmente llega, desde lo social e histórico, a tocar cuestiones de arte y de estética. Los nativistas, indigenistas o teluristas pelean contra hispanistas, europeístas o universalistas. El asunto es una idagación tan profunda, que pone los dedos mentales en nuestra sexualidad, en nuestras maneras sapienciales de filosofía; y también en nuestras sociedades, gobiernos, artes, cultura y sentimientos; hasta se pretende escrutar en el futuro de este «continente de la esperanza», una esperanza que no se cumple.

En muchos lugares se les dice a estas preocupaciones «asunto de raíces». Raíz es algo que no se ve, que está bajo tierra muy profundamente cimentado; que se saca a la superficie con dolor, y con desprendimiento y revelación de todas las materias que la acompañan. *Raíces de Nuestro Espíritu* es el título que el dominicano Guido Despradel Batista dio a su célebre conferencia de mil novecientos treinta y seis.

Pedro Henríquez Ureña escribió *Seis Ensayos en Busca de Nuestra Expresión*. Octavio Paz, en *El laberinto de la soledad*, nos habla de *El Pachuco y Otros Extremos*, de *Los Hijos de la Malinche*. Zum Felde, en Uruguay, Picón Salas en Venezuela, Haya de la Torre en Perú; en México Vasconcelos y el gran Alfonso Reyes; Pedreira en Puerto Rico, Da Cunha en Brasil, todos quieren saber qué somos. A Sarmiento y a Alberdi, un par de viejos argentinos egregios, no es conveniente olvidarlos. Otros han tratado de edificar una gaseosa «filosofía americana».

En materia poética hemos visto en América verdaderas contiendas de mercado. A Rubén Darío se le ha echado en cara que él sólo hablaba de príncipes de Golconda, de Canéforas y de Japonerías. No cantaba «la realidad de su tierra». Se evadía por las claraboyas de la mitología, del orientalismo y de la arqueología. Nuestro Domingo Moreno Jiménez sería el *contraposto* de estas preferencias temáticas de Darío. La «vieja de los piñonates», *La Niña Pola*, el vocear de los huevos, el tabaco malo —temas de su poesía—, nos remiten al «mundo real», a nuestro pequeño mundo local, con la esperanza de conseguir el tono emocional con que el escritor vive las cosas y temas sobre los cuales escribe. Nativistas nacionalistas, y universalistas-escapistas, son los rótulos que aplican en América a estos dos modos de expresión literaria. Pero no tiene la razón ninguna de estas bandas intelectuales. La verdad, como es frecuente, no está en estos exasperados puntos de vista.

Algunos positivistas americanos del pasado, fueron antihispanistas. Creían que el progreso de nuestros pueblos consistía en desespañolizarse, pero no siempre fueron, a la vez nativistas, indigenistas, teluristas. Las guerras de la independencia dejaron viva una corriente social *matricida*, de antiespañolismo, no sólo político, sino también cultural. Los teluristas-antiespañolistas quisieron volver a la autoctonía indígena precolombina. Entre estos polos osciló, durante mucho tiempo, el péndulo de la «cultura americana». Aquí habría que agregar la presencia de los antiespañolistas afrancesados.

A los hispanistas conservadores y católicos replicaron en las Antillas los africanistas arreligiosos, también políticamente revolucionarios. Pero ningún nativista he conocido que tenga apellido taíno o nahuatl. Todos se llamaron Martínez o García o Pérez o Gómez.

Los poemas de Manuel del Cabral, para usar un ejemplo próximo, digamos los de *Compadre Mon*, que reflejan lo popular dominicano; la gallera, la pobreza del campo en tiempo de sequía, el caudillo mujeriego, el soldado alcoholizado, la dialéctica del revólver —son poemas escritos en tercetos— forma estrófica europea; con influencia surrealista —que es una teoría estética europea—. Son poemas escritos en lenguaje española —una lengua europea—, bajo normas de sensibilidad artística europea. Que en ellos transparezca lo dominicano —lo africano y lo español, la violencia, el cuchillo y el ron— no excluye que como obras de arte tengan que seguir modelos formales europeos.

Tradición poética taína no existe, ni tampoco podemos inventarnos otra lengua literaria. La lengua es cosa recibida; es una psicología colectiva que nos forma y nos conforma. Cabral está obligado o escribir:

Como un Bécquer salvaje,
trae el viento golondrinas.

Esas golondrinas están historizadas en la lengua y en los sentimientos a causa —o por culpa— del romanticismo español. ¿Pero puede ser lo salvaje el ideal de la cultura americana? ¿Para huir de la colonización cultural, para «ser nosotros mismos», debemos imitar al orangután?

Norteamérica sí tiene ya una literatura y un arte y un ciencia no sentidos como problemas. No sé si alguna vez a los escritores norteamericanos les ha importado que la lengua inglesa no sea oriunda de América. Y tal vez sea oportuno recordar que la literatura iberoamericana no comienza con la independencia, sino que empieza a formarse en la época colonial. ¿Habría entonces que rumiar más los «pensamientos americanos», saborear aún más los bocados de arte americano? ■

NOVELA
PUERTO RICO

Enrique A. Laguerre
(1906)

Pocas veces la publicación de una primera obra ha concitado tantos elogios como la edición de La llamarada *(1935), primera novela de Laguerre. No sólo recibió el premio del Instituto de Literatura Puertorriqueña y la aprobación unánime de la crítica, sino que a su autor se le consideró el sucesor del gran novelista Manuel Zeno Gandía. Sucesivas novelas vendrían a consolidar el prestigio de Laguerre:* Solar Montoya *(1941),* El 30 de febrero *(1943),* La resaca *(1949),* La ceiba en el tiesto *(1956),* El laberinto *(1959 —publicada en inglés con el título de* The Labryrinth *y seleccionada por el Book Club de Londres como «la novela del mes»— y* Cauce sin río *(1962).* El laberinto *tiene su acción en el ambiente hispánico de Nueva York y en un país hispanoamericano sometido a una dictadura. Su prosa es ágil y dinámica. En fin, la amplia obra de Laguerre lo sitúa como la figura novelística más destacada de la actualidad en Puerto Rico.*

El laberinto

I

Caía ya la noche cuando entró en el zaguán. Raro que aún no hubiesen encendido las luces. Detúvose un momento antes de penetrar la oscuridad. Caminó luego despreocupadamente, poseído de inefable júbilo, como si por vez primera tuviese amplia conciencia de que no lo habían dejado sin sitio en el mundo. Dentro de unos segundos estaría contando los escalones, uno a uno, sin apremio; llamaría a Rosana; se dejaría dar un abrazo antes de invitarla a salir de paseo.

De pronto, observó que alguien bajaba. Y que otros dos hombres salían de debajo de la escalera. No pudo evitar converger con los tres en el mismo sitio. En seguida, como rayos, dos, tres tiros. Luego, una breve pausa, profunda como un sumidero. Desplomóse quien bajaba la escalera, sin un grito, sin una queja. Sonó otro rayo. Los dos hombres corrieron hacia la calle; él intentó seguirlos, pero se quedó paralizado; entonces sintió el escozor de una quemadura sobre la sien izquierda y un dolor agudo en el pie derecho.

Todavía llevaba en la retina una viva impresión: la ligera desproporción de movimientos que sorprendió en uno de los hombres fugados, casi imperceptible, que se acentuó cuando el que huía pasó de la sombra del zaguán a la claridad de la calle. Con toda probabilidad el fugado tendría una pierna ligeramente más larga que la otra. El asombro no le permitió ver más detalles que éste, tan leve, y al mismo tiempo, tan vivo. Advirtió que las detonaciones le habían ensordecido. Tal vez estaba mal herido. Había oído decir que a veces uno mismo no se da cuenta de la gravedad de una herida propia. Un pensamiento lo enloquecía: ¿Quiénes serían los que huyeron? Se habría puesto a gritar a voz en cuello: «¿Por qué tenía que sucederme a mí? ¿Por qué a mí?»

Consiguió arrastrar un pie, pero tropezó con el caído. Una vez más intentó perseguir —o seguir, no sabía— a los que huyeron, pero no tuvo voluntad; además, ya era tarde. Ya se habrían confundido con la muchedumbre que regresaba de las fábricas.

Como por magia, el zaguán se inundó de luz; la gente bajó en tropel escalera abajo. Todos traían gritos y comentarios; los ojos se le llenaron de dedos acusadores al hombre de pie ante el otro hombre caído. Sin poder hablar, miraba, asombrado, cuanto sucedía en derredor.

—¡Asesino! ¡Asesino! —gritó alguien. Hasta su oído bajó una voz maternal:

—¿Fue usted, Porfirio? —Era doña Isabel, en cuya casa se hospedaban el hombre de pie y el hombre tendido en el suelo, Adrián Martín, un santiaguino desterrado.

Pero Porfirio Uribe seguía mirando, sin ver ni entender, y no supo qué decir. En realidad, no entendía nada: por qué convergió con los otros hacia el arranque de la escalera cuando sonaron los tiros; cómo pudieron escapar aquellos dos; por qué se le metían en los ojos los dedos acusadores...

—¡Vean! ¡Está manchado de sangre!

Ah, sí; ahora recordaba: al caer Adrián Martín —¡qué increíble!— tropezó con él y por poco se va al suelo también. Como aturdido por un sueño malo, Porfirio se miró las manchas de sangre. Percibió, más doloroso, el escozor de la sien. Además, no había duda, estaba herido en el pie derecho; fue el disparo al suelo, después de la pausa trágica, sobre el cuerpo caído.

—¡Aquí está el revólver!

—¡No lo toquen hasta que venga la policía! —Quien así habló se dirigió al teléfono. Porfirio oyó sus palabras: *Han asesinado a un latino. Otro latino es el culpable.* ¡El otro latino era él mismo, Porfirio Uribe, vivo de milagro!

—¡Diga algo, Porfirio! —suplicó doña Isabel—. Y los circunstantes: —¡Este hombre es incapaz de matar! ¡Le conozco bien!

Como él persistía en su silencio, doña Isabel quedóse anonadada.

Y todos escrutaban a Porfirio, quien seguía sin saber qué hacer, en el centro del círculo de curiosos, como en una jaula de zoológico. ¿Encerraban así al ejemplar de una especie que se había creído extinta?

A los pies de Porfirio el cadáver de Adrián Martín. ¡Ah, si el «cadáver» pudiera hablar y lo dijese todo! Quizá el caído no habría muerto aún.

Ahora recordaba que en días atrás Adrián y él tuvieron una agria discusión porque el santiaguino, su vecino de la habitación próxima, insistía en teclear la maquinilla hasta altas horas de la noche. La disensión atrajo al corredor a doña Isabel, Rosana y dos huéspedes. Doña Isabel aplacó los ánimos.

No volvieron a hablarse Adrián Martín y Porfirio Uribe. En este instante, doña Isabel sintió la obligación de decir:

—Ayer tarde alguien llamó por teléfono a Adrián. Había algo misterioso en sus respuestas.

Muy pocos se dignaron volver los ojos hacia doña Isabel. Algunos la contemplaron con desconfianza, como si fuera cómplice. A ella se le encogió la voluntad de ser justa.

De la calle entró en este preciso momento Rosana, la hija de doña Isabel. Se levantó en la punta de los pies para mirar por sobre los hombros de los curiosos y preguntó:

—¿Sucede algo?

—Poca cosa —dijo, burlona, una de las mujeres— un muerto.

—Han matado a Adrián —respondió doña Isabel.

—¡Quién pudo haber...! —balbuceó sin terminar la frase; se puso pálida y, aterrada, buscó la respuesta en Porfirio: —¡No! ¡No es posible!

La policía se abrió paso con los codos. Mientras un agente se doblaba a palpar el caído y proclamarlo muerto, otro preguntó a Porfirio:

—¿Cómo sucedió? ¡Quiero saberlo!

Porfirio habría gritado: «¡Yo también quiero saberlo!» Pero permaneció extrañamente mudo.

—*Pororican,* ¿ah? ¿Por qué mató a este hombre? ¡Hable!

—¿Quién presenció el asesinato? —inquirió el otro agente.

Pero nadie respondió nada. En

medio del silencio una voz dejó caer estas palabras:

—¡Debe ser este hombre! ¿No ven que es puertorriqueño? ¿Qué hace el Departamento de Limpieza que no los barre de la ciudad?

Porfirio lo oyó sin protestar. Se le figuró inconcebible que lo creyeran criminal sólo por ser puertorriqueño; sobre todo, si al parecer nadie estaba enterado de sus sacrificios por hacerse abogado: precisamente esa mañana le habían dado el diploma.

No tuvo voluntad para sacar de sus bolsillos el papel y el pasaje de regreso a Puerto Rico. Había decidido salir de Nueva York dentro de tres días. ¿Por qué le sucedía este percance casi en vísperas de su regreso? No comprendía nada. ¡Tanto encerramiento y tantas fatigas para estudiar y hacerse abogado, tantas vueltas para conseguir un pasaje en tiempos de guerra, y suceder esta desgracia!

El frustrado ademán de sacar los papeles del bolsillo incitó a uno de los guardias a cachearlo. Se estremeció un poco, porque era cosquilloso. El agente examinó los papeles; no los devolvió. Porfirio se quedó con el brazo extendido, tal vez imaginándose que estaba en una oficina.

—*Break it up!* —decían los agentes con empujones.

La gente comenzó a dispersarse. Dentro de poco llegaría la ambulancia. Uno de los policías envolvió el revólver en un pañuelo y lo guardó cuidadosamente. Como quien descubre la clave de todo un misterio, fijó sus ojos en Rosana.

—¡Ah, ya sé! Usted es la mujer.

—¿Qué mujer?

—¡Por quien se pelearon! ¡Tiene que haber una mujer! ¡Son latinos! —Y miró a su alrededor con aires de Sherlock Holmes.

—Por lo menos trate de ser original —dijo, incómoda, Rosana.

—¡Es usted! ¡Confiese que fue por usted por quien se pelearon!

—Es mi hija —explicó doña Isabel—, y es chica bien criada y de buena familia. Uno de mis antepasados fue gobernador de Puerto Rico.

—*You don't say!* —exclamó, con aspaviento cómico, el agente. Preguntó luego: —¿Dónde se hospedan estos hombres?

—En mi casa —contestó doña Isabel.

Volvió el agente a fijar su atención en Rosana. Casi alardeaba de su genialidad detectivesca. Pero la muchacha optó por burlarse:

—Ah, sí, se pelearon por mí.

—¡Cuidado con lo que dice! ¡Está usted en la obligación de guardar compostura!

—Su madre y usted vengan con nosotros y este hombre —ordenó el otro policía al notar que la ambulancia estaba ya frente a la puerta de entrada.

Esta vez, dirigiéndose a Porfirio, el Sherlock Holmes insistió:

—*Is this the woman?*

Desde la escalera, la misma mujer zafia de antes murmuraba:

—Tenía que ser así. Este tipo no hablaba con nadie. Ya sabía yo que algo se traía entre manos.

Experimentaba Porfirio una extraña mutación, sólo de sentirse inventado por los prejuicios. Con actitud de indecible extravío contempló a la mujer que así hablaba, sorprendido de haber vivido doce años en la ciudad. En realidad de verdad, ¿qué se ha hecho en veinte siglos de civilización cristiana?

Habría protestado, pero, ¿para qué? Su protesta hubiese caído en el vacío. Nada duele tanto como sentirse uno enjuiciado, sin tener la oportunidad de defenderse. Y después de todo, ¡nada tenía que decir! *¡Dios en lo alto, altísimo, cuán doloroso es lo que sucede acá abajo!*

En el *Police Patrol,* junto a Porfirio, doña Isabel empezó a culparlo; ¡ella, mujer respetable, en aquel vergonzoso carro! Él respondía con una mirada triste, quería explicar, ¡pero no sabía qué explicar!

Se puso a contemplar la ciudad por la ventanilla y sintió una desilusión tan aguda, que se le desmadejaban los músculos. Precisamente esta mañana se había creído dueño de sí mismo, por vez primera, en toda su vida, cuando, luego de ocho años de trabajo y estudio, había terminado su carrera de abogado. Por la tarde estuvo con su amigo Alfredo Laza en el Parque. Y en los momentos en que regresaba a la casa para invitar a Rosana a celebrar el acontecimiento, circunstancialmente convergió, con otros tres hombres, en el sitio de la desgracia. Repasaba mentalmente los detalles de sus últimos pasos, una y otra vez, como una obsesión.

Desde la ventanilla del *Police Patrol* veía pasar la gente con sus presencias sordas, casi fantasmales. ¿Quién saldría en defensa suya? La propia doña Isabel estaba arrepentida de haber dicho unas palabras amables en favor suyo.

Le saltaba a la imaginación, como signo de martirio, aquel cuento de la mitología griega: el del laberinto de Creta. *Quien en el laberinto entrase, de allí salir no podría; del antropófago monstruo segura víctima sería.* En aquel infiernillo sin salida cayó Teseo, héroe; tan renombrado como el mismo Hércules. Tuvo la fortuna de que la hija del rey, Ariadna, viniese en su ayuda y pusiera en sus manos el hilo orientador que habría de facilitar la muerte del monstruo y la salida del laberinto.

Conocía el relato que venía a su memoria como un sueño, por boca de su madrina Catalina, a cuyo amparo se hizo hombre, allá en Coamo, Puerto Rico. Desde entonces había asociado los sucesos de su vida con la lejana leyenda. Llegó a desarrollar una ansiedad delirantemente evasiva, a pesar del aparente sosiego de su actitud.

En los cuatro primeros años de su residencia en Nueva York, estuvo al borde de la perdición. Luego, ya empleado en el Correo —Sección de Cartas Muertas—, se «retiró del mundo» a estudiar, a hacerse abogado, con el propósito de regresar triunfante a Coamo. Creyó que la educación le pondría al alcance el hilo de Ariadna.

Seguro de que aún se hallaba en el laberinto, sentíase aturdido, sin comprender nada, convencido de no recibir ayuda de nadie. Todo era sordo y ciego en torno suyo; aun el momentáneo apoyo de doña Isabel se convirtió en rencorosa hostilidad. Y Rosana sumida en un silencio sin miradas de aliento.

Sentado junto a la puerta de la jaula la palpó involuntariamente, dominado por la idea confusa de lanzarse a la calle y no sufrir más, ser un guiñapo de sangre y carne deshecha bajo los robots rugidores.

A nadie se le ocurría preguntarle: «¿Qué vida has llevado durante los últimos ocho años en Nueva York?» Lo insultaban con *Pororican,* ¿ah?, como si ser *pororican* fuese ilegal, un delito. Nadie tenía curiosidad por saber su vida de araña en el Correo y en su habitación, sin divertirse, sin mujer, sin padres ni hermanos, ¡solo, solo, solo!, entre cartas muertas y textos de Colegio, casi traspapelado, invisible para los ciegos y los sordos.

Ni doña Isabel ni Rosana hablaron de ello; quizá ya lo pensaban criminal, por haber sido testigos de la agria discusión suya con Adrián Martín aquella desventurada noche.

Miraba con obstinación por la ventanilla para sólo ver un angustioso laberinto de indiferencia y frialdad. De vez en cuando, los policías le miraban de reojo y uno de ellos mascullaba: *Pororican! I bet that's the woman!* Era una fijación; se moriría si resultaba falsa su genial deducción.

A Porfirio Uribe le recomía las entrañas el haber hecho tan denodados esfuerzos por ser persona decente; ¡y que nadie le diese importancia a eso! Sintió lástima por un mundo que había tardado millones de años en hacerse para que luego los hombres se empeñasen en destrozarlo sin remedio.

Prometíase mantener su equilibrio racional, pero caía, sin poderlo evitar, en una extraña locura, en un aturdimiento que le hacía ver, casi irreales, a la gente de su alrededor. Todos pretendían sostener como bueno un estado de cosas de que él, Porfirio Uribe, era víctima. *Ésta no puede ser doña Isabel Cortines, que estuvo a punto de ser monja, que reza todas las noches y no falta a misa, que sueña una celda religiosa para su hija. Y ésta no puede ser Rosana, algo inestable, eso sí, pero artista, de promesa según aseguran cuantos saben de estas cosas. Y estos dos policías no pueden ser humanos, sino unos robots sin conciencia.*

Doña Isabel se recriminó con voz imperceptible casi:

—¡La viuda de Cortines en este trance! Merezco el castigo por haberme fugado del convento a casarme con un hombre detestable. ¡Si al menos mi hija se consagrara al Señor!

—¿Qué dices, mamá?

—Cavilando, hija mía. ¿Qué vas a hacer? ¿Cuándo vas a dejar ese oficio del demonio para dedicarte al Señor? Cuando sucedió eso —miró de reojo a Porfirio— estaba esperándote para hablar contigo.

—Mamá, nada hay de pecado en el arte comercial, mi profesión. ¿Cuántas veces debo repetírtelo? Con eso me gano la vida.

—¡Pero pintas indecencias! ¡Sabe Dios lo que pueda sucederte!

—El arte no es indecencia.

—Me asuste andar con policías.

El Sherlock Holmes dijo:

—¿Qué hablan ustedes en ese trabalengua odioso?

Rosana lo zahirió:

—Ustedes se esfuerzan por hacernos ver que la libertad es un mito.

El otro agente se rió. Las mujeres callaron.

Entonces Rosana se fijó en Porfirio; le entraron unos espontáneos deseos de consolarlo, de darle cuanto él quisiera. Le habría dicho: *Vamos a estar juntos, muy juntos, y me cuentas tus penas.* Y habría sido generosa con él. Quizá podría él sembrar ilusiones en la vida de ella.

Nunca antes había pensado eso

de Porfirio Uribe, que llevaba más de tres años viviendo cerca de ella, sin conocerla apenas. Él aparentó siempre no fijarse en ella. Y a ella no le gustaba la vida de topo de él: estudiaba sin cesar, metido en su habitación, sin ir siquiera a Coney Island o al cine; salía por el túnel a su otra cueva, el lugar donde trabajaba. Ni siquiera iba a dar vueltas a Times Square, en donde a veces se ve la luna como un triste farol japonés.

Si alguna vez salía, de mes en mes, era con Alfredo Laza. Contaban sus prosaicas aventuras de hombres, con risotadas, mientras Rosana aguardaba impacientemente unas palabras a Alfredo que la hicieran estremecer. Pero él la trató siempre como a la chiquilla de nueve o diez años a quien conoció al ir a vivir en la pensión de doña Isabel.

El inconfesado amor por Alfredo —a quien veía de vez en vez, y eso, casi siempre, cuando ella lo buscaba con el pretexto de mostrarle unas pinturas— se manifestaba en violenta antipatía por este hombre retraído, Porfirio Uribe.

Al darse cuenta de que él la espiaba aprovechó la presencia de Adrián Martín en la casa para coquetear con éste. Además, mucho le gustaría que Uribe le llevase el cuento a Alfredo Laza. ¡Ésa era su venganza! Pero Alfredo no respondía. Pensaba ella que el corazón se le consumía. Probablemente convendría apagar este fuego en la promiscuidad...

Apenas comprendía lo peregrino de este apego a un hombre frío, mucho mayor que ella. Recordaba la vez en que él se fue de la casa, al tiempo de estar ella entre los doce y trece años. En realidad doña Isabel fue quien lo echó; él se había peleado con otro huésped, un hombre de más de cincuenta años, de quien la señora pensaba muy bien.

A través de los años Alfredo Laza, que no era ningún Adonis, sino más bien feo, cordial e inquieto, llegó a ser para Rosana algo así como una ensoñación. Si le preguntaran por qué no sabría la respuesta...

Rosana no sabía de los sueños de Porfirio de casarse con ella cuando saliese abogado. Este mismo anochecer, después del triunfo, iba él derechito a proponerle:

—Vamos al cine; voy a decirte algo muy importante.

El pensamiento de ahora lo obliga a volver los ojos para contemplarla por unos segundos. Ella sonríe —sonrisa de ofrecimiento, generosa— y él baja la vista.

¿Cómo no se fijaba ella en él? No era apuesto como un artista de cine; pero se sacrificó por labrar un porvenir. ¡Y ella se fijó en Adrián! Tal vez por eso no toleraba a Adrián. Con Adrián se le quebraba a ella la voz, casi con súplica de gata, se le humedecían los labios entreabiertos y sus ojos adquirían un tinte añil.

Porfirio no lo entendía, no la entendió nunca, pero pudiera haber sido el premio lógico del triunfo. ¡Se lo merecía él, en verdad! Sintióse atraído a ella desde que llegó al *Boarding,* años atrás, cuando aún Rosana estudiaba en una Universidad de Downtown.

Ahora se daba exacta cuenta por qué le molestaba más de la cuenta la máquina de escribir de Adrián Martín. ¿Por qué se acercaba ella a Adrián y él, Porfirio Uribe, como si no existiese? Además, jamás se le acercó para decirle: «Vigila tus pasos, hay una amenaza para tu vida». Eso se lo decía a Adrián. Le gustaba hablar acerca del futuro de ciertas personas; sobre todo, si eran hombres «marcados por el destino», según solía decir con risa mentirosa. ¿Se acercó a Adrián en realidad porque «ya sabía»?

Parecía anticipar sólo lo desagradable, muy en particular si «se sentía unida» a alguien. En cuanto a Porfirio, o no tenía ningún interés en él o él no estaba «marcado». No obstante, ¡había que ver los sucesos de hoy! ¿Quién dijo que él no estaba «marcado»? Pero ahora Rosana le sonreía misteriosamente y sus ojos adquirían aquel extraño tinte añil...

Después de curarle la pequeña herida del pie y la leve quemadura de la sien, se puso a considerar su absurda situación de acusado por la muerte de Adrián Martín. Experimentaba vértigos, como si se hubiese arrojado de cabeza al vacío. Pensó en algo leído no sabía dónde: la sangre recorre más de doscientos kilómetros diarios, en un incesante tiovivo. ¡Más de doscientos kilómetros de vueltas y más vueltas de este tiovivo de sangre! Mientras tanto, el corazón suena su viejo organillo de dos notas...

Se había dejado llevar al cuartel, sin un gesto de protesta o rebeldía, porque ya llevaba las de perder por pertenecer a una minoría mal vista y desamparada y porque, aunque no se lo hubiera dicho Rosana con su voz quebrada era un hombre «marcado». Cuando creyó salir del laberinto, se percató de que Adriana olvidó tenderle el hilo. Y aquí estaba, perdido, con el mostruo de frente.

En este momento temió estar, como estuvo en otras circunstancias de su vida, al borde de la locura. Se aleccionaba mentalmente: «Calma. Calma». Hacía cabriolas mentales sobre la cuerda invisible entre la sensatez y la locura. Si una vez estuvo a punto de ir a parar a un manicomio y se sobrepuso, ahora no supo que habría de suceder. No hablaba por no exasperarse. La misma idea martillaba sin cesar en su cerebro. ¡Ocho años en la Sección de Cartas Muertas, sin pensar en que algún día habrían de ponerlo en pública subasta!

Pensaba en lo anormal de aquella vida: ocho años de reclusión y silencio. ¿Serían un signo de locura?

En los momentos de riesgo o de triunfo, siempre recurría a su amigo, a Alfredo: Alfredo le alejó del escándalo, con Alfredo celebró el triunfo esta tarde en el Parque. ¿Por qué no lo había pensado antes?

—Alfredo Laza estuvo conmigo esta tarde —confesó.

—¿Voy por él? —se apresó Rosana.

—Vamos —dijo el policía.

—Antes de retirarme —dijo Rosana— debo decir que ayer tarde Adrián recibió una llamada, después de la cual me dijo: «Mañana debo salir unos momentos al oscurecer, pero vuelvo pronto». El día anterior me había invitado al cine.

El enojo de doña Isabel se hizo muy evidente:

—Por eso no quieres dedicarte al servicio del Señor, donde debes estar.

Indiferente a los comentarios de su madre, agregó Rosana:

—No era la primera vez que lo llamaban. Me dijo Adrián que eran paisanos suyos.

—¿Cómo se llamaban?

—No sé.

—¿No los vio nunca?

—Nunca.

—Vamos donde el amigo de Uribe —se decidió el policía.

Salieron. Preguntan a Porfirio:

—¿Dónde estuvo esta tarde con su amigo?

—En un restaurante del Parque. Me invitó para celebrar mi triunfo. Hoy recibí el diploma...

Se busca los bolsillos. Luego se dirige al policía:

—Ustedes tienen los papeles; los tomaron allá en el zaguán.

—Aquí están.

El sargento los examina.

—Es verdad. ¿Por qué se iba usted a su país?

—Quería ser abogado en mi pueblo. —Y casi ingenuamente: —Ser un líder del Partido de la Mayoría, casarme, tener hijos, ser un poco feliz.

Contó cómo había estudiado mientras trabajaba en el Correo.

—Al entrar en el zaguán no me di cuenta de nada hasta ver los fogonazos y sentirme ensordecido por los disparos.

—De modo que no vio a nadie.

—Sólo unas sombras. Cuando el herido se desplomó y sonó el otro disparo y los dos hombres echaron a correr, los vi salir del zaguán oscuro a la luz. Conocería a uno de ellos.

—¿Lo había visto antes?

—No. Al apurarse, tenía unos movimientos raros, como de persona ligeramente coja. Si lo viera otra vez, en las mismas circunstancias, lo conocería.

Los policías no pudieron aguantar la risa:

—Parecen tontos, *these pororicans.*

Al inquirir de doña Isabel sobre la conducta de Uribe ella asegura que siempre fue satisfactoria. Sí, tuvo una pequeña discusión con Martín cuando se preparaba para los exámenes, porque el santiaguino escribía a máquina en altas horas de la noche.

—¿Les gustaba su hija a ambos?

—Yo he criado cristianamente a mi hija y espero que sea una *sister*...

—*Quite a sister, I bet!*

En esto, alguien entra en la sala con unos papeles. Sí, señor, Porfirio Uribe había estado en la cárcel, hace cerca de diez años. Vendía *bolita.* Dio escándalos en las cantinas y en la vía pública.

—*You were a sort of bouncer.*

Lo admitió. Pero ésa fue otra vida, para no vivirse más. Ninguna deuda tenía con la ley. ¿No bastaban sus ocho años de encierro, trabajo y estudio? Repetía esto por cuarta vez, como si lo dijese por vez primera.

Quiso ser más explícito.

—No tuve padre ni madre y me crié con mis padrinos Estéfano y Catalina. Mi padrino estaba celoso porque un vecino miraba a mi madrina...

El padrino Estéfano se entretenía tocando solos de bombardino mientras vigilaba los pasos de su mujer. Le daba celos cuando oía la risa fácil de ella. A veces denunciaba su ira con bruscos resoplidos que traducía en inarmonías en el bombardino.

Ya estaba Porfirio en tercer año de escuela secundaria, cuando oyó que tras de la inarmonía del bombardino, sonó el golpe del instrumento en el suelo.

De pronto vio salir del patio a la madrina, que corría tratando de ahogar los gritos. Detrás iba Estéfano. Fue tarde para evitarlo: él le dio alcance y la apuñaló hasta dejarla tendida en la calle. Soltó luego el arma y se puso a llorar, echado sobre ella, mientras la calle se llenaba de ojos desorbitados, carreras y espanto. El padrino Estéfano lloraba como un bombardino roto...

Porfirio se interrumpió para contemplar a los policías. Decididamente eran unos robots; reía la ranura de sus bocas para soltar esto:

—*They are funny, these pororicans.*

Porfirio no veía nada gracioso en su relato. Temblaba con sólo rehacer los detalles de aquella tragedia. Su madrina era una mujer extraordinaria. Lo crió como si fuera el hijo propio, y el padrino Estéfano no era malo, pero sí feo y celoso. Mató a su mujer en un arrebato de locura.

—Me quedé solo, en grima. Como no encontré trabajo en Puerto Rico viene a Nueva York. Me hallé desorbitado, me dejé llevar por la perturbación y me escapé de la vigilancia de Dios.

Para qué negarlo, si era verdad. Tampoco había hallado trabajo, porque se pasaba por una de las crisis más espantosas de la historia de la nación. No podía vender ni manzanas. Casi todo el mundo las vendía.

Lo primero que aprendió fue una frase muy común entonces: *Can you spare me a few pennies?* Después, la bolita, los escándalos en las cantinas y en la vía pública. ¿Por qué negarlo? Estuvo en la cárcel por poco tiempo, más por fanfarrón que por algún delito grave. Eso era todo. Se curó; se aisló de las malas compañías; luego vino Ariadna —la educación— con su hilo...

—Llamen a mis superiores y compañeros del Correo y a mis maestros y compañeros del Colegio.

Los llamaron, en efecto. El del Correo fue el primero en llegar. Aseguró que Mr. Uribe era estudioso y trabajador, se había hecho abogado, había dejado el empleo para regresar a Puerto Rico.

—Ahora, la verdad es —agregó sobándose la barbilla— uno nunca sabe qué han de hacer estos puertorriqueños.

Ya parecía un chiste la dichosa repetición. En otras circunstancias, el propio Porfirio se habría reído. El policía se rascó varias veces, para reírse estentóreamente, como si proclamase: ¿No se lo dije? ¡Ahí lo tienen!

Ayer por la tarde, en su último día de trabajo, el jefe le había dicho a Uribe:

—No lo hubiera creído capaz de hacerse abogado.

Le miraba insistentemente el uniforme de empleado de correo y creía imposible que Porfirio pudiese escapar al uniforme. Era como si preguntase: ¿Qué le pasaría a la tortuga si llegase a perder su carapacho? Y no parecía perdonarle su dedicación al estudio.

—*Gosh, a pororican!*

Todos parecieron sonreír pensándolo sin su caparazón. Hasta el propio Porfirio se sonrió. Ganas le dieron, al retirarse, de tirarle una trompetilla al jefe, pero pensó que eso sería grosero. Pero no pudo contener una sonrisa de burla al pensar en el jefe sin su carapacho de tortuga ■

Edgardo Rodríguez Juliá (1946)

Profesor de literatura española e hispanoamericana en la Universidad de Puerto Rico. Con su primera novela, La renuncia del héroe Baltasar *(1974), atrajo la atención de la crítica que lo consideró una promesa de la joven narrativa hispanoamericana. Esta promesa habría de cumplirse en su plenitud con la publicación de* La noche oscura del Niño Avilés *(1984), de cuyo lenguaje Juan Goytisolo ha podido afirmar que posee «ese fino oído literario que revela la presencia segura del verdadero escritor».*

La renuncia del héroe Baltasar
(fragmento)

La primera renuncia de Baltasar se consumó aquel 1 de junio del año 1753, fecha de su enlace matrimonial con Josefina Prats, hija del Secretario del Gobierno, General Prats. ¿A qué renunciaba Baltasar? En primer lugar, renunciaba a su propia raza, a su propio pueblo. Un negro se casa con la hija del primer dignatario colonial. Significa ello que este desclasado, este intruso tendría que renunciar a su negritud, a la cultura de los barracones —que es trasunto de las antiquísimas culturas de la costa occidental de África— y asumir todas las fórmulas sociales, culturales y religiosas de la «buena sociedad» blanca del Puerto Rico colonial del siglo XVIII. Renunció también a la memoria de su padre, a la obra revolucionaria de aquel Ramón Montañez, capitán de la primera y más feroz revuelta de negros que conoció aquel convulso siglo. De hecho —como ya aclaré en mi trabajo anterior sobre Baltasar— el enlace matrimonial entre el hijo del revoltoso y la hija del Vicegobernador, se encaminaba a lograr el apaciguamiento del ímpetu revolucionario que con tanto valor creó Ramón Montañez. Con este matrimonio se pretendía narcotizar la indignación negra por medio de una figura de cuentos de hada. Baltasar Montañez crearía en los negros la falsa ilusión de la libertad y el tránsito social. Se pretendía frenar el impulso revolucionario con la figura de un héroe popular que conciliara las dos clases antagónicas. Baltasar Montañez se convertía en traidor a la causa de su padre, ya que se dejó utilizar para confundir a su pueblo, para aliviar unas tensiones sociales que de continuar habrían significado la abolición de la esclavitud o el derrocamiento del gobierno colonial. El héroe de las fiestas hípicas de San Pedro y San Pablo del año 1753, se rebelaba contra las cenizas de su propio padre.

Las autoridades coloniales hicieron lo indecible por edificar en torno a Baltasar el atractivo del mito y la magia. No sólo mandaron a edificar un monumento a la memoria del milagro que asistió a su persona, sino que pretendieron hacer de él una figura carismática destinada a lograr la confianza de su pueblo. El retrato al óleo que le hizo Juan Espinosa, en el año 1754, muestra a un joven y apuesto negro vestido con el uniforme virreinal de Calatrava y el sable dorado de la orden inquisitorial de Indias. En fin, pasado un año aquel humilde picador de caña se convertía en funcionario colonial de alta jerarquía. Hoy no nos cabe la menor duda de que el incidente del caballo despeñado en las fiestas hípicas de 1753, fue un milagro montado para cautivar la imaginación popular. Para sostener el anterior aserto, les presento este despacho del Obispo Larra —la eminencia gris de la política colonial del XVIII— al Secretario de Gobierno Prats: «Y Vuestra Excelencia gritará: ¡Sálvalo, Santo Cristo de la Salud! y con ello se inflamarán los corazones de pío sentimiento y la voz de ¡Milagro! resonará desde algún rincón, y todo ello para la exaltación de la fe en Cristo. El jinete —que en ocasión ya ha recibido órdenes de cabildo a lo relativo— frenará su equino —magnífico animal por lo que han referido en testimonio los palafreneros del obispado— al borde mismo de la muralla. Todo lo dicho causará gran confusión, y los ánimos de esta buena feligresía que me honro en llevar por el camino de la salvación eterna, atribuirán a causa divina lo que tiene causa humana. Es menester lograr en los corazones pía reverencia a este milagro manifestado por hombres; pero justificado por Dios Padre Celestial para sosiego y paz de su amada grey.» Aunque el despacho está mutilado en su parte superior es clara la intención que lo anima: el Secretario Prats pedirá un milagro cuando el joven jinete se acerque peligrosamente a la muralla y el caballo amenace con despeñarlo; desde algún rincón un milagrero pagado por el obispo gritará ¡milagro! cuando el caballo se detenga bajo las diestras bridas de Baltasar. Se irá, de este modo, conformando la primera parte de la leyenda, del mito heroico y milagroso de Baltasar. Es interesante subrayar la referencia que el Obispo Larra hace a las «órdenes de Cabildo» recibidas por Baltasar. Ello nos confirma la sospecha de que Baltasar estuvo enterado de todo desde el principio, y que «su milagro» fue montado con su anuencia y colaboración. Es importante recalcar esto porque luego Baltasar —en algunos de sus escritos— hablará del milagro con plena convicción de su naturaleza divina.

Luego de su matrimonio con Josefina Prats, el joven y apuesto héroe visitará las colonias de negros establecidas en las plantaciones norteñas. Como un Prometeo que pretende robarles el fuego a los dioses coloniales, anunciará que su presencia en La Fortaleza de Santa Catalina significará mucho bien para su pueblo. De este modo, el traidor a la revolución comenzada por Ramón Montañez, pretendía crearse la imagen de benefactor que aliviaría la esclavitud de los negros. En fin, se trataba de realizar lo que hoy llamaríamos una política reformista. Toda esta gestión era dirigida por el Obispo Larra, e iba encaminada a lograr el apaciguamiento tan firmemente deseado. Baltasar era una marioneta de Larra; un emancipado que gestaba —tras el bien cuidado disimulo que siempre lo caracterizó— el engaño y la opresión de su propio pueblo. El secretario del Obispo Larra nos comenta en su *Crónica de lo sucedido bajo el obispado del muy insigne y santísimo su Excelencia Don José Larra de Villaespesa:* «Muy de provecho para el buen estado del gobierno civil de esta plaza ha sido el santísimo enlace entre Baltasar Montañez y Doña Josefina Prats. Desde que el muy santo Obispo Larra bendijo en santísimo sacramento esta unión, el sosiego ha sido restaurado a la amada grey. La negrada primitiva e idólatra que pretendía violar lo querido por naturaleza y sancionado por

Dios Padre Celestial, ha entrado en el cauce que su propia condición le ha signado. Este humilde testigo que escribe estas brevísimas estampas, ha visto cómo el llamado Baltasar Montañez ha recorrido con muy magníficas muestras de culto los sectores más convulsos por las antiguas rebeliones de Lucifer. El populacho le rinde culto a este muñeco, a este héroe de muy real simulacro, e imagina en él la esperanza de cumplimiento del anómalo y diabólico deseo de romper cadenas, y de este modo violar lo dispuesto por el Señor de los cielos. El llamado Baltasar desempeña a perfección suma su papel conciliatorio entre las dos razas que habitan esta muy grácil y bella isla, y restaura al más firme plinto la hegemonía del cristiano sobre el hereje. Este hombre ha dado suficientes signos de grave político, y adelanto ello porque alienta las heréticas y malvadas esperanzas de libertad en la negrada al mismo tiempo que coloca firme brida en sus conscupiscentes ímpetus, proclamándose él como adelantado de sus ansias, y notable garantizador de las mismas. Con habilísimo dolo distrae la diabólica violencia con la muy fútil esperanza, mientras mantiene firme las bridas del desbocado caballo que es su raza. Aunque no es hombre que mantenga nuestra prudencia libre de recelos, su bien cuidado disimulo al corresponder con su gentuza va destinado a lograr, para su propia y baja persona, todos los placeres que el poder ofrece, y ello nos coloca en muy ventajosa oportunidad de hacer un hecho de concordia entre su conveniencia y nuestra natural privilegiada condición. Su bien arreglada fachada de emancipador le conviene a su persona; pero también —y ello por orden natural y no sutil dolo político— a nuestra santificada monarquía.»

El secretario del Obispo Larra señala los buenos frutos políticos que se han cosechado luego del matrimonio de Baltasar y Josefina. Efectivamente, el ímpetu revolucionario de los negros ha sido detenido por esta fantasía social y política ideada por el Obispo Larra. El matrimonio ha narcotizado, adormecido la conciencia de la propia esclavitud. Se ha pretendido negar la necesidad de la revolución. La negrada ha sido confundida por medio de la ilusión de libertad. El apaciguamiento se ha consumado.

Ahora bien, volvamos atrás y profundicemos en las circunstancias que rodearon este extraño matrimonio: En primer lugar, tenemos suficiente evidencia documental para probar la renuencia del Secretario General Prats a que su hija fuera víctima de este sacrificio al Moloc negro. Según mis últimos descubrimientos, hubo una acre correspondencia entre el Obispo Larra y el Secretario de Gobierno Prats. La negativa de Prats culminó con el arresto y encarcelamiento de éste; pero su destitución de cargo no se realizó sino hasta después del enlace. Excepto una, todas las crónicas de la época acusan la presencia de Prats en la boda de su hija. Pero, por otro lado, al investigar a fondo comenzamos a sospechar que el Secretario Prats se encontraba, en el momento de la ceremonia nupcial, bajo arresto domiciliario. Aquel 1 de junio del año 1753 ocultó —detrás de la música frenética de los celebrantes negros y el complicado protocolo colonial— el secuestro de la familia Prats. El colaborador de Larra en el milagro del Santo Cristo de la Salud, rehusaba ofrecer la voluntad y virginidad de su bella hija como medio para lograr el buen fin del sosiego político. Reconsideramos así nuestra opinión en *Historia y guía de San Juan*. En aquella oportunidad señalamos al Secretario Prats como autor del matrimonio. Hoy corregimos aquella opinión, y, a la luz de la más reciente investigación, establecemos que fue Larra el padre de la idea. Pero lo anterior no explica por qué sostuvimos, por tanto tiempo, una tesis equivocada. Veamos: El documento que me obligaba a sostener la equivocada tesis es la *Crónica oficial de los muy dignos Secretarios del Obispo Don José Larra en torno al muy apoteósico matrimonio de Don Baltasar Montañez y Doña Josefina Prats*. ¿Quiénes fueron estos secretarios? Uno de ellos se llamó Don Ramón García Oviedo, y, de acuerdo a la costumbre protocolaria del tiempo, ostentaba el seudónimo de Juan del Gólgota. El otro, Don Alonso Bustamante y Morales, recibió el extraño purificante —así se les llamaba a estos sobrenombres— de El confeso de la calavera. Cuando leí por vez primera los testimonios que escribieron en torno a las nupcias, no me percaté de un detalle altamente significativo. En una de las crónicas —la de Don Alonso Bustamante y Morales— se redacta una larga lista de dignatarios presentes en la boda. Resalta el hecho —y mi torpeza fue infinita al no percatarme de ello desde un principio— de la ausencia del Secretario Prats en dicha lista. Según el manuscrito autógrafo de la Biblioteca Carnegie, esta crónica fue escrita el 10 de junio de 1753. El 22 de julio de ese mismo año se escribió otra crónica, la de Don Ramón García Oviedo. En esta última se reitera, de modo casi obsesivo, la presencia de Prats en el llamado «balcón nupcial de La Fortaleza»; también se recalca el buen ánimo del Secretario General y su amplia sonrisa de orgulloso padre. Escuchemos la crónica en una de sus narraciones: «Y allí también adornaba con su dignísimo talante el muy excelente Secretario de la Generalía Prats, y esta brillante luz insular atendía a la ceremonia con la notable satisfacción del bendito padre que sabe conducir a sus amadísimos hijos por el camino del Señor. Allí estaba en prestancia de muy suprema índole, sonriente y de sobria elegancia adornado, y todo ello llevado al supremo delirio de la esplendorosa condición al cubrir su bello cuerpo con en extremo rico y vistoso uniforme de la Orden de San Jerónimo de las colonias. ¡Bello adorno de la autoridad insular! Allí despedía luz para todos los siglos venideros. ¡Este gran señor de nuestras Indias!» La primera vez que examiné estos documentos leí primero el que les acabo de leer, que fue escrito un mes después de celebrada la boda. Luego, al leer el que lleva fecha del 10 de junio, que fue redactado —probablemente como noticia de la *Gaceta Insular*— unos días después de la boda, no me percaté —torpísimo investigador que soy— de la omisión que se hace del nombre del Secretario General Prats. Mucho tiempo transcurrió antes de que yo volviera —y esta vez con cuidadosa lupa— a examinar estos documentos. ¿Qué descubro para asombro mío? En adición a la ya referida omisión en la crónica del 10 de junio, el manuscrito autógrafo de la crónica del 22 de julio tampoco contenía alusión al Secretario del Gobierno; pero sí contenía unas adiciones al margen del texto donde se hacía alusión a la presencia de Prats. Fue de estas adiciones que saqué el trozo que les acabo de leer. Pero mis sorpresas aumentaban. La letra de las adiciones es completamente distinta a la del texto. Es obvio que las adiciones no fueron hechas por Don Ramón García Oviedo. Inmediatamente comencé a sospechar. Vuelvo a la crónica de Don Alonso Bustamante, que es la primera crónica redactada sobre el enlace matrimonial. Fechada el 10 de junio, es el testimonio más próximo al suceso. Don Alonso —aunque probablemente estuvo muy al tanto de la suerte de Prats— quiso evitar el espinoso asunto con una omisión voluntaria de cualquier referencia al padre de la novia. Es evidente que el Obispo Larra recibe con molestia esta primera crónica. La omisión que ella hace de Prats es un dedo acusador. Porque si para nosotros no fue notable la ausencia de Prats, fue porque leímos primero la crónica alterada del 22 de julio. El Obispo Larra le escribe la siguiente misiva a la persona que haría la alteración de la segunda crónica: «Fue con singular sorpresa que me he percatado de lo muy nocivo que es para la bendita salud del cuerpo político la crónica de protocolo hecha en referencia a la boda que ha sido reciente ocupación nuestra. Y ello así porque en esta crónica testada por El confeso de la calavera se hace muy notable la ausencia del Secretario del Gobierno Prats. Reconozco mi torpísima distracción protocolaria al no emitir órdenes de índole muy particular sobre tan grave asunto; pero, a todos los modos, el culpable de dicho testimonio será muy castigado, ya que como funcionario de la corona debería ser más sensible a las graves necesidades de ésta para su mantención. El único consuelo que a estas horas nos resta es que mi secretario de cámara y escribiente consular de protocolo episcopal, el excelentísimo Don Ramón García Oviedo, ha comenzado testimonio nuevo sobre el notable suceso. Y en esta novísima crónica la mentira piadosa —que por voluntad divina es el único remedio a este gravísimo trance— equivale a la verdad, porque es ella la única que puede mantener un estado ne paz, y es la paz el único fin de un Dios todo misericordioso»... ¿A quién fue dirigida esta carta? No hay documento que apoye la siguiente aseveración; pero creo que la carta fue dirigida a Baltasar Montañez. Es notable cómo el Obispo Larra se disculpa por la omisión del cronista. Sólo a Baltasar Montañez —por ser éste el basamento de su política colonial y esclavista— el obispo Larra mostraba tan humilde disposición. Ahora bien, nuestra cuidadosa lupa sigue esclareciendo misterios: Las adiciones hechas a la crónica de Oviedo se las atribuimos a Baltasar Montañez. La grafía de estas adiciones corresponde a la de varios manuscritos de Baltasar que conservamos. El estilo es el de Baltasar: ampuloso, retórico, resultado de una asimilación cultural precipitada. Recordemos que Baltasar fue hombre de escasas letras antes de casarse con Doña Josefina. Su gran inteligencia —quizás genial— le posibilitó adquirir, en pocos años, una gran cultura; pero esta herencia, exenta del lento crisol de los años, resultó ser una patética caricatura. Baltasar exagera el estilo hiperbólico de la intelectualidad española del siglo XVIII. Aquel estilo dieciochesco que Heltfeld llamó «crepúsculo del barroco», se convierte, bajo su insegura pluma, en una exageración de lo ya desmesurado. Ahora bien, no es únicamente el estilo rococó lo que resalta en su prosa: Ya se prefigura aquí el estilo histérico de su *Crónica de la muy ingeniosa concepción de una arquitectura militar del paisaje.* Pero no es la histeria del visionario lo que se trasluce en la adición; la exaltación arranca del resentimiento ante el «¡Bello adorno de la autoridad insular!» que no quiere ver a su hija casada con un negro. La rabia ante la ausencia de su suegro, el enconado resentimiento ante la humillante falsificación de la presencia de Prats, llegan a su punto culminante con estas violentas y dolidas palabras: «Allí despedía luz para todos los siglos venideros. ¡Este gran señor de nuestra Indias!» El giro «adorno de la autoridad insular» es muy de Baltasar, y aparece en la crónica antes aludida. Escuchemos a Baltasar narrando cómo conoció al arquitecto Juan Espinosa: «Hacia el año 1754 no vivía un solo arquitecto civil en la isla. Fue por esa razón que el Secretario del Gobierno General Prats —cuya benevolencia ha sido adorno de la autoridad insular—»... Hoy sabemos que la construcción de la capilla del Cristo no la pudo haber ordenado Mateo Prats. Hacia el año 1754 ya estaba encarcelado y destituido de su importante cargo. ¿Por qué Baltasar construye toda esta inmensa farsa? Baltasar necesita la presencia y aceptación de Don Tomás. Rechazado y herido, Baltasar y su diabólico orgullo construirán una fábula en que Prats desea honrar la memoria del negro milagroso. Hoy podemos señalar, sin peligro de equivocación, que la construcción de la famosa capilla fue realizada por encomienda del Obispo Larra.

En julio de 1753 aparece la Crónica redactada por el secretario Oviedo con adiciones de Baltasar. Recibe la bendición del Obispo Larra. Se fragua la mentira piadosa: el Sr. Mateo Prats aprobó el matrimonio de su hija con el negro Baltasar. Era preciso que el pueblo conociera la «opinión oficial» sobre el espinoso asunto. Todo el mundo, de ahora en adelante, deberá imaginar la complacida sonrisa del Secretario Prats, su presencia en aquel triste balcón nupcial del Palacio de Gobernación.

Buena parte de la comunidad de dignatarios coloniales le negó su aprobación a la farsa de Baltasar y el Obispo Larra. En carta enviada al Secretario de asuntos jurídicos de la Plaza de San Juan Bautista —fiscal de la época— el Obispo Larra exige el inmediato arresto y juicio de Don Alonso Bustamante. El delito ya lo sabemos: negarse a incluir en el listín de funcionarios a un hombre que en los momentos del infame casorio hilvanaba —con el recuerdo de la frescura angelical de su hija— su desesperación en alguna oscura, húmeda celda de San Felipe del Morro. Don Alonso fue encarcelado el 24 de julio de 1753, y el desenlace de su vida todavía es oscuro misterio para nosotros los investigadores. Escuchemos las palabras de Larra al Secretario de asuntos jurídicos: «Será de muy gran provecho para la tranquilidad de esta plaza, el inmediato arresto y levantamiento a culpa del súbdito Don Alonso Bustamante. El llamado súbdito ha dado a pública luz —edicto de plazoleta— un nefasto documento que por su naturaleza falsaria atenta contra la paz de la amada grey.» Para esa misma fecha el Obispo Larra escribía en su libro *Aforismos para la santa y verdadera educación del hombre de estado:*

«La verdad fuera de oportunidad es tan nociva a la seguridad de los estados como el fuego de Marte. No hay hombres de más peligrosa dispuesta que aquellos que colocan la verdad sobre las necesidades del bien universal. Verdad sin piedad que no toma en consideración la muy débil naturaleza de los hombres y su condición, es tan repugnante como el veneno de aquellos políticos que creen en el dolo —¡oh *cave dolum*!— como única manera de gobierno. Por ello Dios, en su más que infinita sapiencia, nos ha otorgado el muy loable instrumento político de la muy sedante mentira piadosa, que es dulce verdad que tiene origen, no de la soberbia de aquellos impíos que se creen merecedores de beatificación por aquella pureza que daña el talento que Dios les ha dado a los hombres para su pervivencia, sino del reconocimiento de nuestra caída naturaleza sumida en el pecado, y que tiende más hacia la delectable pasión que hacia la primorosa verdad. La piadosa mentira se humilla ante la soberbia de la verdad; pero es de muy grande humildad ante el espectáculo de nuestra humana condición. La piadosa mentira es fabricar a lo humano la divina verdad. La verdad es oscuro reflejo sólo a través de la falsedad de los hombres. Sin Falsedad sería ella una muda y oscura doncella perdida en el silencio del universo terrorífico.» ■

CUBA

Alejo Carpentier (1904-1979)

De padre francés y madre rusa, se inició en la literatura cubana en la década del veinte como integrante del Grupo Minorista y de la Revista de Avance, *en la que publicó poemas de factura negrista. Vivió en Francia de 1928 a 1940, entrando en contacto con los surrealistas. Tras unos cortos años en Cuba, fijó su residencia en Venezuela desde 1945 hasta 1959, año en que volvió a la isla al triunfar la revolución. No obstante, sus tareas diplomáticas lo mantuvieron de nuevo alejado de su país. Así pues, la obra de Carpentier está hecha mayormente en el extranjero. Su primera novela,* Ecue-Yamba-O, *data de 1933, pero es con* El reino de este mundo *(1949) donde comienza realmente su vertiginosa carrera literaria. Lo que él designaría como «real-maravilloso» tiene su continuidad en* Los pasos perdidos *(1956) y culmina en* El siglo de las luces *(1962). Después se produce en su creación un largo hiato y cuando nuevas obras suyas aparecen —*El recurso del método *(1974),* Concierto barroco *(1974),* La consagración de la primavera *(1978)— no logran la altura alcanzada por las anteriores. Carpentier es también autor de dos libros de ensayos,* La música en Cuba *(1946) y* Tientos y diferencias *(1966).*

El siglo de las luces

Capítulo XLV

Como un largo y tremebundo trueno de verano, anunciador de los ciclones que ennegrecen el cielo y derriban ciudades, sonó la bárbara noticia en todo el ámbito del Caribe, levantando clamores y encendiendo teas: promulgada era la Ley del 30 Floreal del Año X, por la cual se restablecía la esclavitud en las colonias francesas de América, quedando sin efecto el Decreto del 16 Pluvioso del Año II. Hubo un inmenso regocijo de propietarios, hacendados, terratenientes, prestamente enterados de lo que les interesaba —tan prestamente que los mensajes habían volado por sobre los barcos—, al saberse, además, que se regresaría al sistema colonial anterior a 1789, con lo cual se acababa de una vez con las lucubraciones humanitarias de la cochina Revolución. En la Guadalupe, en la Dominica, en la María Galante, la noticia fue dada con salvas e iluminaciones, en tanto que millares de «*cidenvat* ciudadanos libres» eran conducidos nuevamente a sus antiguos barracones, bajo una tempestad de palos y trallazos. Los Grandes Blancos de antaño se echaron a los campos, seguidos de jaurías, en busca de sus antiguos siervos, devueltos por caporales con cadenas al cuello. Tal fue el miedo de una posible confusión ante esa caza desaforada, que muchos manumisos de la época monárquica, poseedores de comercios y pequeñas tierras, reunieron sus pertenencias con el ánimo de irse a París. Pero a tiempo les atajó el intento el nuevo Decreto, del 5 Messidor, que prohibía la entrada en Francia de todo individuo de color. Bonaparte estimaba que ya sobraban negros en la Metrópoli, temiendo que su gran número comunicara a la sangre europea «el matiz que se había extendido en España desde la invasión de los moros»... Víctor Hugues recibió la noticia una mañana, en el despacho de la Casa de Gobierno, en compañía de Sieger: «Gran cimarronada vamos a tener», dijo el agente de negocios. «No les dejaremos tiempo», replicó Víctor. Y al punto mandó recados urgentes a los dueños de haciendas y jefes de milicias, para una reunión secreta que tendría lugar al día siguiente. Se trataba de actuar primero, publicándose la Ley de Floreal después de que la esclavitud, de hecho, quedara restablecida... Trazado el plan de acción, en medio de una alegría que estuvo a punto de desbordarse en excesos inmediatos, se esperó la hora del crepúsculo. Las puertas de la ciudad fueron cerradas; las fincas próximas, ocupadas por la tropa, y al estampido de un cañonazo disparado a las ocho de la noche, todos los negros que habían sido liberados por obra del Decreto del 16 Pluvioso, se vieron rodeados por amos y soldados que los condujeron presos, a una pequeña llanura situada a orillas del Mahury. A medianoche se hacinaban, allí, varios centenares de negros temblorosos, atónitos, incapaces de explicarse el objeto de aquella concentración forzosa. Quien trataba de desprenderse de la masa humana sudorosa y amedrentada, era empujado a patadas y culatazos. Al fin apareció Víctor Hugues. Parándose en un barril, a la luz de los hachones, para ser visto por todos, desenrolló lentamente el papel en que aparecía transcrito el texto de la Ley, dándole lectura con tono solemne y pausado. Pronto traducidas en jerga por quienes mejor las habían escuchado, las palabras corrieron, de boca en boca, hasta los confines del campo. Se hizo saber luego, a los presentes, que quienes se negaran a someterse a su antigua servidumbre, serían castigados con la más extremada severidad. Al día siguiente, sus propietarios vendrían a posesionarse nuevamente de ellos, conduciéndolos a sus respectivas fincas, haciendas y habitaciones. Los que no fuesen reclamados, serían puestos en venta pública. Un vasto llanto, convulsivo, exasperado —llanto colectivo, semejante a un vasto ulular de bestias acosadas— partió de la negrada, en tanto que las Autoridades se retiraban, escoltadas por una ensordecedora batería de redoblantes... Pero ya, en todas partes, unas sombras se hundían en la noche, buscando el amparo de la maleza y de las selvas. Quienes no habían caído en la primera redada, se iban al monte, robaban piraguas y botes para remontar los ríos, casi desnudos, sin armas, resueltos a regresar a la vida de sus ancestros, donde los blancos no pudiesen alcanzarlos. A su paso por las haciendas distantes, daban la noticia a los suyos, y eran diez, veinte hombres más, los que abandonaban sus tareas, desertaban los plantíos de índigo y de giroflé, para engrosar los grupos cimarrones. Y eran cien, doscientos, seguidos de sus mujeres cargados de niños, quienes se internaban en las junglas y arcabucos, en busca del lugar donde podrían fundar palenques. En su fuga, arrojaban semillas de barbasco en los arroyos y riachuelos, para que los peces, envenenados, infectaran las aguas con los miasmas de su putrefacción. Más allá de aquel torrente, de aquella montaña vestida de cascadas, empezaría el Africa nuevamente; se regresaría a los idiomas olvidados, a los ritos de circuncisión, a la adoración de los Dioses Primeros, anteriores a los Dioses recientes del Cristianismo. Cerrábase la maleza sobre hombres que remontaban el curso de la Historia, para alcanzar los tiempos en que la Creación fuese regida por la Venus Fecunda, de grandes ubres y ancho vientre, adorada en cavernas profundas donde la Mano balbuceara, en trazos, su primera figuración de los quehaceres de la caza y de las fiestas dadas a los astros... En Cayena, en Sinnamary, en Kurú, en las riberas del Oyapec y del Maroní, se vivía en el horror. Los negros insometidos o levantiscos eran azotados hasta morir, descuartizados, sometidos a torturas atroces. Muchos fueron colgados por las costillas en los ganchos de los mataderos públicos. Una vasta caza al hombre se había desatado en todas partes, para regocijo de los buenos tiradores, en medio del incendio de chozas y pajonales. Donde tantas cruces quedaban, marcando las tumbas dejadas por la Deportación, se dibujaban ahora, sobre ponientes enrojecidos por las llamas que de las casas habían pasado a los campos, las formas siniestras de las horcas o —lo que era peor aún— de los árboles frondosos, de cuyas ramas pendían racimos de cadáveres con los hombros cubiertos de buitres. Cayena, una vez más cumplía su destino de tierra abominable.

Sofía, enterada un viernes de lo perpetrado el martes anterior, recibió la noticia con horror. Todo lo que había esperado encontrar aquí, en este avanzado reducto de las ideas nuevas, se traducía en decepciones intolerables. Había soñado con hacerse útil entre los hombres arrojados, justos y duros, olvidados de los dioses porque ya no necesitaban de Alianzas para saberse capaces de regir el mundo que les pertenecía; había creído asomarse a un trabajo de titanes, sin miedo a la sangre que en los grandes empeños podía ser derramada, y sólo asistía al restablecimiento gradual de cuanto parecía abolido —de cuanto le habían enseñado los libros máximos de la época que debía ser abolido. Después de la Reconstrucción de los templos volvíase al Encierro de los Encadenados. Y quienes tenían el poder de impedirlo, en un continente donde aún podía salvarse lo que del otro lado del Océano se perdía, nada hacían por ser consecuentes con sus propios destinos. El hombre que había vencido a Inglaterra en la Guadalupe; el Mandatario que no había retrocedido ante el peligro de desencadenar una guerra entre Francia y los Estados Unidos, se detenía ante el abyecto Decreto del 30 Floreal. Había mostrado una energía tenaz, casi sobrehumana, para abolir la esclavitud ocho años antes, y ahora mostraba la misma energía en restablecerla. Asombrábase la mujer ante las distintas enterezas de un hombre capaz de hacer el Bien y el Mal con la misma frialdad de ánimo. Podía ser Ormuz como podía ser Arimán; reinar sobre las tinieblas como reinar sobre la luz. Según se orientaran los tiempos podía volverse, de pronto, la contrapartida de sí mismo. «Tal parece que yo fuese el autor del Decreto», decía Víctor, al escuchar por primera vez, en boca de ella, una andanada de duros reproches, recordando a la vez, con algún remordimiento a cuestas, cuanto debía su encumbramiento a la noble Ley de Pluvioso del Año II. «Más bien parece que todos ustedes hubiesen renunciado a proseguir la Revolución —decía Sofía—. En una época pretendían traerla a estas tierras de América». «Acaso estaba aún influido por las ideas de Brissot, que quería llevar la Revolución a todas partes. Pero si él, con los medios de que disponía, no pudo convencer siquiera a los españoles, no seré yo quien pretenda llevar la Revolución a Lima o a la Nueva Granada. Ya lo dijo uno que ahora tiene el derecho de hablar por todos (y señalaba un retrato de Bonaparte que había venido a colocarse recientemente sobre su despacho): *Hemos terminado la novela de la Revolución; nos toca ahora empezar su Historia y considerar tan sólo lo que resulta real y posible en la aplicación de sus principios*». «Es muy triste empezar esa historia con el restablecimiento de la esclavitud», dijo Sofía. «Lo siento, pero yo soy un político. Y si restablecer la esclavitud es una necesidad política, debo inclinarme ante esa necesidad»... Seguía la disputa con un regreso a las mismas ideas, irritaciones, impaciencias, despechos de la mujer ante claudicaciones que rebajaban estaturas, cuando el domingo apareció Sieger interrumpiendo un envenenado coloquio: «Increíble pero cierto», gritó desde la puerta, con arrabalero tono de vendedor de gacetas. Y se quitaba un viejo gabán de invierno, pelliza muy sudada, con cuello de pieles comido por la polilla, que usaba en días de lluvia —y llovía, en efecto, a ráfagas descendidas de las Altas Tierras, acaso de las lejanías ignotas de donde descendían los Grandes Ríos, allá donde había monolitos rocosos perdidos entre nubes a los que jamás hubiese ascendido el hombre. «Increíble pero cierto —repitió, cerrando un enorme paraguas verde que parecía hecho con hojas de lechuga—. Billaud-Varennes está comprando esclavos. Ya es amo de Catón, Tranche-Montagne, Hipólito, Nicolás, José, Lindoro, a más de tres hembras destinadas a las faenas domésticas. Vamos progresando, señores, vamos progresando. Claro está que para todo se tienen razones cuando se ha sido Presidente de la Convención: *Harto me he dado cuenta* (e imitaba el engolado acento del personaje) *que los negros, nacidos con muchos vicios, carecen a la vez de razón y de sentimiento, sin entender más normas que las que se imponen con el miedo.*» Y se reía el suizo al creer que había remedado con gracia el modo de hablar del Terrible de otros días. «Dejemos eso», dijo Víctor, de mal talante, reclamando unos planos que Sieger traía en una cartera de piel de cerdo... Y pronto, acaso en seguimiento de esos mismos planos, empezaron los Grandes Trabajos. Centenares de negros traídos de la hacienda, hostigados por la tralla, se dieron a arar, cavar, rovolver, ahuecar, rellenar, las tierras robadas a la selva en dilatadas extensiones. En los siempre retrocedidos linderos del humus caían troncos centenarios, copas tan habitadas por pájaros, monos, insectos y reptiles, como los árboles simbólicos de la Alquimia. Humeaban los gigantes derribados, ardidos por fuegos que les llegaban a las entrañas, sin acabar de calar las cortezas; iban los bueyes de los hormigueantes campos al aserradero recién instalado, arrastrando largos cuerpos de madera, aún repletos de savias, de zumos, de retoños crecidos sobre sus heridas; rodando raíces enormes, abrazadas a la tierra, que se desmenbraban bajo el hacha, arrojando brazos que aún querían prenderse de algo. Se asistía a una confusión de llamas, de embates, de salomas, de imprecaciones, en torno a los trenes de halar, cuyos caballos, al cabo del harto esfuerzo necesitado por el descendimiento de un quebracho, salían de la barahúnda, sudorosos, alisados por la espuma, con las colleras laderas y los ollares pegados a los camellones que sus cascos embestían. Y cuando hubo madera suficiente, se alzaron los andamiajes: sobre palos desbastados a machete, sumáronse pasarelas y terrazas, anunciando construcciones que no acababan de definirse. Nacía un mañana aquella extraña galería circular, aún tenida en esqueleto, que esbozaba una rotonda futura. Ascendía la torre destinada a un menester desconocido, apenas definida por un contorno de vigas entrecruzadas. Allá, metidos entre los nenúfares del río, trabajan los negros en empedrar las bases de un embarcadero, aullando de dolor cuando los clavaba el estoque de una raya, los arrojaba al aire la descarga de un torpedo, o de las verijas se les prendía el colmillo de las morenas grises, cerrando como candado. Aquí eran terraplenes, escalinatas, acueductos, arcadas nacidas de un cercano yacer de piedras talladas que mal atacaban, ensangrentando las manos de los peones, unos cinceles devueltos a las forjas porque se mellaban al cabo de diez martillazos. Asistíase, en todas partes, a una proliferación de tirantes y vigas, de tornapuntas y ménsulas, de levantamientos y enclavaciones. Se vivía en el polvo, el yeso, el serrín y el granzón, sin que Sofía acertara a explicarse lo que se proponía Víctor, con esas obras múltiples modificaba sobre la marcha, rompiendo con los lineamientos de planos cuyos papeles enrollados le salían por todos los bolsillos del traje. «Venceré la naturaleza de esta tierra —decía—. Levantaré estatuas y columnatas, trazaré caminos, abriré estanques de truchas, hasta donde alcanza la vista». Sofía deploraba que Víctor gastara tantas energías en el vano intento de crear, en esta selva entera, ininterrumpida hasta las fuentes del Amazonas, acaso hasta las costas del Pacífico, un ambicioso remedo de parque real cuyas estatuas y rotondas serían sorbidas por la maleza en el primer descuido, sirviendo de muletas, de cebo, a las incontables vegetaciones entregadas a las perpetua tarea de desajustar las piedras, dividir las murallas, fracturar mausoleos y aniquilar lo construido. Quería el Hombre manifestar su presencia ínfima en una extensión de verdores que era, de Océano a Océano, como una imagen de la eternidad. «Diez canteros de rábanos me harían más feliz», decía Sofía por molestar al Edificador. «Me parece estar oyendo *El Adivino de la Aldea*», respondía él, metiendo la cara en sus planos ■

Guillermo Cabrera Infante (1929)

Crítico de cine de la revista Carteles, *director de* Lunes de Revolución *(1959-1961), diplomático en la Embajada de Cuba en Bruselas, vive en el exilio desde 1965. Su novela* Tres tristes tigres *(premio Biblioteca Breve de Seix Barral en 1964) lo da a conocer en el mundo. Pero ya antes había publicado un excelente libro de cuentos,* Así en la paz como en la guerra *(1962), contentivo de trece vigorosas viñetas de la lucha contra la tiranía de Batista. Si, como señala Menton, «el único protagonista (de* TTT*) es realmente el lenguaje», esta característica sería una constante en los siguientes libros de Cabrera Infante —con excepción, y sólo parcialmente, de* La Habana para un infante difunto *(1979). Su brillante lenguaje está presente en* Vista del amanecer en el trópico *(1974) y* Exorcismos de esti(l)o *(1976), al igual que en los artículos y ensayos de* O, *y en sus incursiones cinematográficas:* Un oficio del siglo XX *(1963-1973) y* Arcadia todas las noches *(1978).*

Tres tristes tigres

Ella cantaba boleros

Ahora que llueve, ahora que este aguacero me hace ver la ciudad desde los ventanales del periódico como si estuviera perdida en el humo, ahora que la ciudad está envuelta en esta niebla vertical, ahora que está lloviendo recuerdo a La Estrella, porque la lluvia borra la ciudad pero no puede borrar el recuerdo y recuerdo el apogeo de La Estrella, porque quitaron la censura y me pasaron de la página de espectáculos a la de actualidad política y me paso la vida retratando detenidos y bombas y petardos que dejan por ahí para escarmiento, como si los muertos pudieran detener otro tiempo que no sea el suyo, y hago guardia de nuevo pero es una guardia triste.

Dejé de ver a La Estrella un tiempo, no sé cuánto y no supe de ella hasta que vi el anuncio en el periódico de que iba a debutar en la pista del Capri y ni siquiera sé hoy cómo dio ese salto de calidad su cantidad de humanidad. Alguien me dijo que un empresario americano la oyó en Las Vegas o en el Bar Celeste o por la esquina de 0 y 23, y la contrató, no sé, lo cierto es que estaba su nombre en el anuncio y lo leí dos veces porque no lo creí y cuando me convencí me alegré de veras: de manera que La Estrella por fin llegó dije y me asustó que su eterna seguridad se mostrara un augurio porque siempre me asusta esa gente que hacen de su destino una convicción personal y al mismo tiempo que niegan la suerte y la casualidad y el mismo destino, tienen un sentimiento de certeza, una creencia en sí mismos tan honda que no puede ser otra cosa que predestinación y ahora la veía no solamente como un fenómeno físico, sino como un monstruo metafísico: La Estrella era el Lutero de la música cubana y siempre estuvo en lo firme, como si ella que no sabía leer ni escribir tuviera en la música sus sagradas escrituras pautadas.

Me escapé del periódico esa noche para ir al estreno. Me habían contado que estaba nerviosa por los ensayos y aunque al principio fue puntual había dejado de ir a uno o dos ensayos importantes y la multaron y por poco la sacan del programa y si no lo hicieron fue por el dinero que habían gastado en ella y también que rechazó la orquesta, pero sucede que no se fijó cuando le leyeron el contrato que estaba bien claro que debía aceptar todas las exigencias de la empresa y había un cláusula especial en donde se mencionaba el uso de partituras y arreglos, pero ella no conocía la primera palabra y la segunda se le pasó, seguro, porque debajo, junto a la firma de los dueños del hotel y del empresario, estaba una equis gigante que era su firma de puño y cruz, así que tenía que cantar con orquesta. Esto me lo contó Eribó que es bongosero del Capri y que iba a tocar con ella y me lo contó porque sabía mi interés en La Estrella y porque vino al periódico a darme explicaciones y atenuar mi disgusto con él por motivo de un gesto suyo que por poco me cuesta que no sólo no contara yo el cuento de La Estrella, sino el cuento a secas. Iba del Hilton al Pigal y atravesaba la calle Ene cuando debajo de los pinos que hay junto al parque, allí frente al rascacielos del Retiro Médico vi a Eribó que conversaba con uno de los americanos que tocan en el Saint John y me acerqué. Era el pianista y no conversaban sino que discutían y cuando los saludé vi que el americano tenía una cara extraña y Eribó me llevó para un lado y me preguntó: ¿Tú hablas inglés?, y yo le dije: Un poco, sí, y él me dijo: Mira, aquí mi amigo tiene un problema y me llevó al americano y en aquella situación rara y en inglés le dijo al pianista que yo me iba a ocupar de él y se viró para mí y me dijo, Tú tienes carro, preguntándome, y le dije que sí, que tenía carro y me dijo, Hazme el favor, búscale un médico, y dije, Para qué, y me dijo, Un médico que le ponga una inyección porque este hombre tiene un dolor terrible y no se puede sentar a tocar así y tiene que tocar en media hora, y miré al americano y la cara que tenía era de dolor de veras y pregunté, ¿Qué tiene?, y me dijo Eribó, Nada, un dolor, por favor, ocúpate de él que es buena gente, hazme ese favor, que yo me tengo que ir a tocar, porque el primer show está al acabarse, y se viró para el americano y le explicó y me dijo, Hasta luego, tú, y se fue.

Íbamos en la máquina buscando yo un médico no por las calles sino en la mente, porque encontrar un médico que quiera ponerle una inyección a un adicto a la heroína no es fácil de día, mucho menos de noche y cada vez que cogíamos un bache o atravesábamos una calle el americano gemía y una vez gritó. Trate de que me dijera qué tenía y pudo explicarme que tenía algo en el ano y primero pensé que sería otro degenerado y luego me dijo que no eran más que hemorroides y le dije de llevarlo a una casa de socorros, a Emergencias que no estaba tan lejos, pero él insistía en que no necesitaba más que una inyección calmante y quedaría como nuevo y se retorcía en el asiento y lloraba y como yo había visto El hombre del brazo de oro no tenía la menor duda de dónde le dolía. Entonces recordé que en el edificio Paseo vivía un médico que era amigo mío y fui y lo desperté. Estaba asustado porque pensó que era un herido en un atentado, un terrorista al que le estalló una bomba o tal vez un perseguido por el Sim, pero le dije que yo no me metía en nada, que no me interesaba la política y que lo más cerca que había visto a un revolucionario era a la distancia focal de dos metros cincuenta y me dijo que estaba bien, que lo llevara a su consulta, que él iría detrás y me dió la dirección. Llegué a la consulta con el hombre desmayado y tuve la suerte de que el policía de posta llegara en el momento en que trataba de despertarlo para hacerlo pasar a la casa y sentarlo en el portal a esperar al médico. El policía se acercó y me preguntó que qué pasaba allí y le dije quién era el pianista y que era amigo mío y que tenía un dolor. Me preguntó qué tenía y le dije que almorranas y el policía repitió: Almorranas, y yo le dije: Sí, almorranas, pero entonces lo encontró más raro que yo lo había encontrado y me dijo: No será éste uno de esa gente, me dijo haciendo una seña peligrosa y le dije: No, qué va, él es un músico, y entonces mi pasajero se despertó y le dije al policía que lo llevaba para dentro y a él le dije que tratara de caminar bien porque este policía que tenía al lado estaba sospechando y el policía entendió algo, porque insistió en acompañarnos y todavía recuerdo la verja de hierro que chirrió la entrar nosotros en el silencio del patio de la casa y la luna que daba en la palma enana del jardín y los sillones de mimbre fríos y el extraño grupo que hacíamos sentados en aquella terraza del Vedado, en la madrugada, un americano y un policía y yo. Entonces llegó el médico y cuando vio al policía al encender las luces del portal y nos vio a nosotros allí, el pianista medio desmayado y yo bien asustado, puso la cara que debió tener Cristo al sentir los labios de Judas y ver por sobre su hombro los esbirros romanos. Entramos y el policía entró con nosotros y el médico acostó al pianista en una mesa y me mandó a esperar en la sala, pero el policía insistió en estar presente y debe haber inspeccionado el ano con un ojo vigilante porque salía satisfecho cuando el médico me llamó y me dijo, Este hombre está mal, y vi que estaba dormido y me dijo, Ahora le di una inyección, pero tiene una hemorroides estrangulada y hay que operarlo enseguida, y yo fui el asombrado porque después de todo tuve suerte: jugué un billete jugado y me saqué. Le expliqué quién era bien y cómo lo encontre y me dijo que me fuera, que él se lo llevaría a su clínica que no estaba lejos y se ocuparía de todo y salió a despedirme a la calle y le di las gracias y también al policía que siguió su posta.

En el Capri había la misma gente que siempre, quizá un poco más lleno porque era viernes y día de estreno, pero conseguí una buena mesa. Fui con Irenita que quería siempre visitar la fama aunque fuera por el camino del odio y nos sentamos y esperamos el momento estelar en que La Estrella subiría al zenit musical que era el escenario y me entretuve mirando alrededor y viendo las mujeres vestidas de raso y los hombres que tenían cara de usar calzoncillos y las viejas que debían volverse locas por un ramo de flores de nylon. Hubo un redoble de tambores y el locutor tuvo el gusto de presentar a la selecta concurrencia al descubrimiento del siglo, la cantante cubana más genial después de Rita Montaner, la única cantante del mundo capaz de compararse a las grandes entre las grandes de la canción internacional como Ella Fitzgerald y Katyna Ranieri y Libertad Lamarque, que es una ensalada para todos los gustos, pero buena para indigestarse. Se apagaron las luces y un reflector antiaéreo hizo un hoyo blanco contra el telón malva del fondo y por entre sus pliegues una mano morcilluda buscó la hendija de la entrada y detrás de ella salió un muslo con la forma de un brazo y al final del brazo llegaba La Estrella con un prieto micrófono de solapa en la mano que se perdía como un dedo de metal entre sus dedos de grasa y salió entera por fin: cantando Noche de ronda y mientras avanzaba se veía una mesita redonda y negra y chiquita con una sillita al lado y La Estrella caminaba hacia aquella sugerencia de café cantante dando traspiés en un vestido largo y plateado y traía su pelo de negra convertido en un peinado que la Pompadour encontraría excesivo, y llegó y se sentó y por poco silla y mesa y La Estrella van a dar todos al suelo, pero siguió cantando como si nada, ahogando la orquesta, recuperando a veces sus sonidos de antes y llenando con su voz increíble todo aquel gran salón y por un momento me olvidé de su maquillaje extraño, de su cara que se veía no ya fea sino grotesca allá arriba: morada, con los grandes labios pintados de rojo escarlata y las mismas cejas depiladas y pintadas rectas y finas que la oscuridad de Las Vegas siempre disimuló. Pensé que Alex Bayer debía estar gozando dos veces en aquel gran momento y me quedé hasta que terminó, por solidaridad y curiosidad y pena. Por supuesto no gustó aunque había una claque que aplaudía a rabiar y pensé que eran mitad amigos de ella y la otra mitad la pandilla del hotel y gente pagada o que entraba gratis.

Cuando se acabó el show fuimos a saludarla y, por supuesto, no dejó entrar a la Irenita en su camerino que tenía una gran estrella afuera pintada de plata y con los bordes embarrados de cola: lo sé muy bien porque me la aprendí de memoria mientras esperaba que La Estrella me recibiera el último. Entré y tenía el camerino lleno de flores y de esa mariconería de los cinco continentes y los siete mares que es la clientela del San Michel y dos mulaticos que la peinaban y acomodaban su ropa. La saludé y le dije lo mucho que me gustó y lo bien que estaba y me tendió una mano, la izquierda, como si fuera la mano del papa y se la estreché y sonrió de lado y no dijo nada, nada, nada: ni una palabra, sino sonreír su risa ladeada y mirarse al espejo y exigir de sus mucamos una atención exquisita con gestos de una vanidad que era, como su voz, como sus manos, como ella, simplemente monstruosa. Salí del camerino lo mejor que pude diciéndole que vendría otro día, otra noche a verla cuando no estuviera tan cansada y tan nerviosa y me sonrió su sonrisa ladeada como un punto final. Sé que terminó en el Capri y que luego fue al Saint John cantando, acompañada por un guitarra solamente, donde su éxito fue grande de veras y que grabó un disco porque lo compré y lo oí y después se fue a San Juan y a Caracas y a Ciudad México y que dondequiera hablaban de su voz. Fue a México contra la voluntad de su médico particular que le dijo que la altura sería de efectos desastrosos para su corazón y a pesar de todo fue y estuvo allá arriba hasta que se comió una gran cena una noche y por la mañana tenía una indigestión y llamó un médico y la indigestión se convirtió en ataque cardíaco y estuvo tres días en cámara de oxígeno y al cuarto día se murió y luego hubo un litigio entre los empresarios mexicanos y sus colegas cubanos por el costo del transporte para traerla a enterrar a Cuba y querían embarcarla como carga general y de la compañía de aviación dijeron que un sarcófago no era carga general sino transporte extraordinario y entonces quisieron meterla en una caja con hielo seco y traerla como se llevan las langostas a Miami y sus fieles mucamos protestaron airados por este último ultraje y finalmente la dejaron en México y allá está enterrada. No sé si todo este último lío es cierto o es falso, lo que sí es verdad es que ella está muerta y que dentro de poco nadie la recordará y estaba bien viva cuando la conocí y ahora de aquel monstruo humano, de aquella vitalidad enorme, de aquella personalidad única no queda más que un esqueleto igual a todos los cientos, miles, millones de esqueletos falsos y verdaderos que hay en este país poblado de esqueletos que es México, después que los gusanos se dieron el banquete de la vida con las trescientas cincuenta libras que ella les dejó de herencia y que es verdad que ella se fue al olvido, que es como decir al carajo y no queda de ella más que un disco mediocre con una portada de un mal gusto obsceno en donde la mujer más fea del mundo, en colores, con los ojos cerrados y la enorme boca abierta entre labios de hígado tiene su mano muy cerca sosteniendo el tubo del micrófono, y aunque los que la conocimos sabemos que no es ella, que definitivamente ésa no es La Estrella y que la buena voz de la pésima grabación no es su voz preciosa, eso es todo lo que queda y dentro de seis meses o un año, cuando pasen los chistes de relajo sobre la foto y su boca y el pene de metal: en dos años ella estará olvidada y eso es lo más terrible, porque la única cosa por que siento un odio mortal es el olvido.

Pero ni siquiera yo puedo hacer nada, porque la vida sigue. Hace poco, antes de que me trasladaran, fui por Las Vegas que está abierto de nuevo y está con su show y su chowcito y la misma gente de siempre sigue yendo todas las noches y las madrugadas y hasta las mañanas y estaban cantando allí dos muchachas, nuevas, dos negritas lindas que cantan sin acompañamiento y pensé en La Estrella y su revolución musical y en esta continuación de su estilo que es algo que dura más que una persona y que una voz, y ellas que se llaman Las Capellas cantan muy bien y tienen éxito, y salí con ellas y con este crítico amigo mío, Rine Leal, y las llevamos a su casa y por el camino, en la misma esquina de Aguadulce, cuando paré en la luz roja, vimos un muchacho que tocaba la guitarra y se veía que era un guajirito, un pobre muchacho que le gustaba la música y quería hacerla él mismo y Rine me hizo parquear y bajarnos bajo la llovizna de mayo y meternos en el barbodega donde estaba el muchacho y le presenté a Las Capellas y le dije al músico que ellas se volvían locas por la música y cantaban pero bajo la ducha y que no se atrevían a cantar con música y el muchacho de la guitarra, muy humilde, muy ingenuo y muy bueno dijo, Prueben, prueben y no tengan pena que yo las acompaño, y si se equivocan las sigo y las alcanzo, y repitió, Vamos, prueben, prueben, y Las Capellas cantaron con él y él las seguía lo mejor que podía y creo que las dos bellas cantantes negras nunca cantaron mejor y Rineleal y yo aplaudimos y el dependiente y el dueño y una gente que estaba por allí aplaudieron también y nos fuimos corriendo debajo de la llovizna que ya era aguacero y el muchachito de la guitarra nos siguió con su voz, No tengan pena que ustedes son muy buenas y van a llegar lejos si quieren y nos metimos en mi máquina y llegamos hasta la casa de ellas y nos quedamos allí dentro del carro esperando que escampara y cuando paró de llover seguíamos hablando y riéndonos hasta que se hizo un silencio íntimo en el carro y oímos, bien claro, fuera, unos golpes en alguna puerta y Las Capellas pensaron que era su madre que llamaba la atención, pero se extrañaron porque su madre es Muy chévere, dijo una de ellas y volvimos a oir el toque y nos quedamos quietos y se volvió a oir y nos bajamos y ellas entraron en su casa y su madre estaba durmiendo y no vivía más nadie en la casa y el barrio estaba durmiendo a esa hora y nos extrañamos y Las Capellas empezaron a hablar de muertos y de aparecidos y Rine hizo unos cuantos juegos malabares con los bustrofantasmas y yo dije que me iba porque me tenía que acostar temprano y volvimos Rine y yo de regreso a La Habana y pensé en La Estrella y no dije nada, pero al llegar al centro, a la Rampa, nos bajamos a tomar café y encontramos a Irenita y una amiga sin nombre que salían del Escondite de Hernando y las invitamos a ir a Las Vegas donde no había show ni chowcito ni nada ya, solamente el tocadiscos y estuvimos allí como media hora tomando y hablando y riéndonos y oyendo discos y después, casi amaneciendo, nos las llevamos para un hotel de la playa ■

REPÚBLICA DOMINICANA

Tulio Manuel Cestero (1877-1954)

Escritor modernista y entusiasta divulgador de esta corriente literaria. Cultivó la crítica, el ensayo y la novela, y a él se debe una serie de estampas impresionistas sobre las principales figuras del movimiento modernista. Pero es la novela el género en que más sobresale, especialmente con La sangre (1915), *su narración larga más conocida, que él subtituló «Una vida bajo la tiranía.» En la misma hay un juego con el tiempo sumamente interesante al tratarse de la evocación de un preso político de su infancia y adolescencia desde la cárcel. Cestero era poseedor de un estilo rico en imágenes elegantes y de gran armonía que ejerció gran influencia sobre sus contemporáneos. Otras novelas suyas son:* Sangre de primavera *(1908) y* Ciudad romántica *(1911).*

La sangre

V

La llave gira en la cerradura, el cerrojo rechina en las anillas, chirrían los goznes y la puerta parte, al abrirse, la estera que la luz ha extendido sobre los ladrillos. El alcaide entra, portador del cestillo de mimbre, y seguido de un penado astroso.

—Buenos días.

—Buenos días.

El carcelero, barcino, reconcho y vulgar, macizo, sesentón, con el manojo de llaves pendiente del cinto, avanza hasta la mesita.

Antonio, por hablar, por oir una voz humana, siquiera fuese la propia, interpela:

—¿Quién lo trajo?

—El viejo...

Se encamina a la mesa, evocando la figura de aquel negro viejo, con ancas de eunuco, belfos fláccidos y húmedos, argollas de plata en las orejas, quebrada cintura, que caminaba a trancos, puesta en la cabeza la tabla de pan de gloria, que pregona por las calles al son de:

Pan sobao..., é,
Tostaíto..., é,
Pa tomá con té,
Pa bebé ca fé.

Como en la casa no hay criados, él se presta a traerle las comidas, casi por caridad. La cestilla, desflecados los bordes y rotas las asas por el trajín, contiene el desayuno. Sin duda que el alcaide lo recibió a las ocho de la mañana y se lo sirve a las diez, después de un registro minucioso. El preso, habituado a tales penalidades, extrae la cafeterita de hoja de lata, un pan partido en dos, untado de mantequilla norteamericana, y una arepa de maíz amarillo. Entre bocado y bocado, sorbe por el pico el café frío, mientras el penado carga en hombros el buché con las excretas que, agitándose, expanden sus pestilencias. El alcaide se balancea en el mecedor. Tiene ganas de charlar, pero la altivez de Antonio le cohibe. Siempre seco, nunca le da pie. Masca callado con desgana visible. Tras el último sorbo, el preso le recomienda:

—Mande decir a casa que me envíen ropa limpia y libros.

El alcaide recoge la cesta, y de un tirón cierra la puerta, haciendo sonar con fuerza el cerrojo y la llave.

Supino sobre el catre, Antonio ensarta de nuevo el hilo de sus recuerdos.

Cuando el 1.° de septiembre volvió al Colegio, cambió de clase. Sus compañeros fueron entonces jóvenes que le superaban en más de tres años; él era el único que vestía aún calzones, y por cierto que, encogida la tela por las continuas lavadas, se le engarabitaban por encima de las rótulas, sin que a su vez la chupa bajara más allá de la rabadilla, obstinada en durar sin estirarse a la par que el dueño. Dos simientes trajo en el espíritu, las cuales, al fermentar, le habían de distraer de los estudios: las pasiones políticas hervorosas, en cuyo ambiente respiró durante las vacaciones y que continuarían entrando en ráfagas por las ventanas, y la imagen de una muchachita, hermana de uno de los condiscípulos, entrevista en el patio en las visitas de los sábados, y a la cual había hecho plantón al sol y bajo la lluvia de la esquina, y escrito cartitas, que arrojaba al balcón cuando estaba sola. En ambos frutos en agraz mordió con ganas, y sus jugos acidulados le producían sensaciones perturbadoras.

Comenzó de nuevo el desfile interminable de los días. Las noticias se reflejaban en las caras de los externos, que repetían lo oído en sus casas, y así, adobadas por los intereses de cada bando, difundíanse por aulas y claustros las alternativas de la guerra hasta que se supo que Moya y Monción habían traspuesto la frontera. Lilis había triunfado, y al estusiasmo en los moyistas sucedía el temor a las persecuciones y venganzas, que con la altanería de los vencedores avivarían los odios.

Antonio, a fin de ganarse las motas para los jalaos, que compraba por un agujero practicado en un muro del patio, por donde se comunicaba con una casa del vecino callejón, y las golosinas que traían las dulceras, puso mesa de memorialista, escribiendo las cartas amatorias que los compañeros enviarían los domingos de salida con las criadas, o lanzarían los audaces con su propia mano. Así se inició en las letras, y la tarifa que regía su industria marcaba sus admiraciones: en las de a tres por un real, se refería a César y a la conquista de las Galias; en las de a medio, a Napoleón. Un profesor encomió un borrador que le fue aprehendido en su libro de texto. Sus compañeros le distinguieron, y, a su vez, se sintió superior a ellos, aumentándose sus simpatías por aquel de sus maestros, que tenía en los tobillos la huella de los hierros, y traía a las aulas el rumor de sus polémicas, que escribía en la mesa desvencijada de la clase las cartas a la novia, y la prosa inflamada y restallante de sus artículos, soplos caldeados del ágora. A solas, Antonio ensayaba sus gestos, el porte viril de su testa, deseando imitarle en todo. Ningún elogio le placía tanto, y su satisfacción rebozó el día en que le encargara repasar la lección; parecióle recibir el mandato de comunicar a los demás la influencia que le dominaba; sin embargo, era una simple lección de geografía, en la cual las maderas tintóreas de Chile se mezclaban con aquellos nombres de ríos y montañas que las hazañas estupendas de conquistadores hispanos y libertadores americanos han hecho célebres. Cierto día le pilló aceptando una dádiva, un medio, para perdonar una falta. La pluma, que en tal momento lanceaba al tirano, cayó sobre el papel. La recia palmeta de roble se alzó indignada, aduriéndole la diestra pecadora. Ningún castigo le dolió tanto. Lloró con ira aquella debilidad, que le rebajaba ante su modelo.

Entre los profesores se contaban un extrajero librepensador, tenaz, laborioso, quien, ¡extraño contraste!, siendo probo, caía en servilismo político nada grato —jamás tuvo las simpatías de sus discípulos, a pesar de la largueza con que les repartía en premio libros y dinero, y de que nunca les pegó—; y otro, nutrido de ciencia, timbre del plantel del cual procedía, un tanto indiferente a la inquietud de aquellas adolescencias, que seguía las explicaciones dibujando a la pluma, y si las truhanerías le sobornaban, les echaba. Además, por las aulas pasaban de tiempo en tiempo figuras errantes de proscriptos o traídas por el oleaje de la vida, a los que el espíritu filantrópico del Padre Billini acogía. Dos no olvida Antonio: el venezolano Miguel E. Pardo, cuando hacía sus primeras armas con la pluma, el recuento de cuyas campañas periodísticas y duelos les distraía en la asignatura de lectura razonada que regentó, y un inglés, alto, de fluvial barba blanca, pulcro, las manos finas, que decía descender de los Courtenay de las Cruzadas, y profesaba las de francés y astronomía en mal castellano. Tales aves de paso, arrojaban una semilla al azar, o dibujaban en sus memorias perfiles que al discurrir de los días les hacían reir o añorar.

Antonio cumplió los dieciséis años. Se creía un hombre y reñía con los profesores, y hasta con el mismísimo don Marcelino se atrevió, colgándosele de las barbas.

¡El Prefecto no les inspiraba ya temor! La tos, rompíale el pecho cavernoso, sacudíale, y los chicos, con el ardimiento de la sangre nueva y sana, alzaban el puño.

Transcurrió un año más. La reclusión pesábale. En las noches se escapaba con dos o tres de los mayores para asistir a las zarzuelas que en el Teatro de La Republicana se representaban, o recorrer los barrios en busca de sancochos, en la época en que se celebraban las fiestas consagradas a los patrones, y arriesgábanse de cuando en cuando por el de las meretrices. Tascaba el freno. Las lecturas en la quietud del patio excitaban sus ansias. No le bastaba vaguear, quería realizar, e impaciente medía el lapso que le separaba del fin del curso, de cuyos exámenes saldría armado Caballero de la Ciencia con su título de Bachiller. ¡Cómo se pondrían la madrecita, que en el pueblo riente, mueve y mueve la paila de dulce de leche, y la novia, pues había sido correspondido por vez primera, y por intermedio del hermanito de ella recibía cartitas que le sabían a almíbar!

El carnaval de este año señala un hito en su existencia, deslubrándole primero con su lujo, e hiriéndole luego hasta provocar su indignación. Eran los días del Empréstito. Aquello no se había visto jamás. Los diablos cojuelos, de toscas caretas, cencerros, puercas vejigas, descalzos, sustituidos por pandillas organizadas por jóvenes. Antonio formó en una de ellas. Todos los diablos del mismo color, rojos o negros, lucían carátulas finas, profusión de cascabeles, y campanillas, y racimos de grandes vejigas de vaca, bien infladas y hasta limpias. La vieja roba-la-gallina, que enantes recorría las calles, con un macuto lleno de maíz en el brazo izquierdo y una escoba enastada en la diestra, seguida de vagabundos, que volteaban en cada esquina al grito de

Roba la gallina,
Palo con ella,
Ti-ti-tí,
Manatí,

huía desalojada de sus dominios por las comparsas de indios emplumados y relucientes de cuentas, que en torno de un mástil encintado, enhiesto en las bocacalles, trenzan danzas, por las que remedan a los negros Minas, que en las Pascuas del Espíritu Santo venían desde su aldea fluminense de San Lorenzo a bailar sus tangos africanos al son de los cañutos, compuesta de parejas distinguidas que sobre tallos de caña brava bailaban con elegancia. Las mojigangas barrocas, de vecinos de los solares del Almirante y Aguacate, oriundos de Curazao, que acompañándose de acordeón y güira vociferaban hasta altas horas de la noche.

Rumbambá, rumbambá,
Mi caballero,
Rumbambá, rumbambá,
Por ti me muero,

callan corridas a la vista de la mascarada que figura la Cámara de Diputados, tan perfectamente imitada que pocos hablan y hasta copian el físico de algún representante popular, o pasmadas por el espectáculo de un navío que navega sobre ruedas; y los grupos de dominós, payasos, frailes, monjas, murciélagos y Parcas, que disfrazando la flor y nata capitaleña de seda y raso, alegran y perfuman las calles en la primanoche y bailan en las casas donde no hay piano. Los engalanados coches de plaza y los particulares, en las tardes del domingo, lunes y martes, conducen al Presidente, a los notables de la política y del comercio, quienes derraman sobre las mujeres, sentadas en las aceras o asomadas a balcones y ventanas, copia de rosas, arroz pintado, confites, pomos de esencia, ovillos de hilo, objetos de fantasía, muñecos, y en el ardor del combate, cuanto en las tiendas hay que pueda servir de proyectil más o menos galante. La locura carnavalera, alimentada por las libras esterlinas del banquero holandés, agitaba las manos de los privilegiados que al sol primaveral encadenaban la autonomía financiera de la República. Antonio se sintió arrebatado por el torbellino, recibió y devolvió los objetos que esparcía la insensatez desde los coches; pero cuando el Miércoles de Ceniza puso la cruz en las frentes, apagando el júbilo de los cascabeles, y el viento barrió los restos del arroyo, pensó con tristeza y vergüenza que su maestro, preso en la Torre del Homenaje, por haberse opuesto en la prensa al Empréstito, le reprochaba su debilidad, y con el mismo impulso que le empujara días atrás bajo una careta bicorne, escribió un artículo corto, cotejando las teorías de los economistas sobre el empleo reproductivo de los empréstitos con las escenas de Carnestolendas, y las flores y joyas con que los magnates, divididos en banderas adversas, obsequiaban a tiples y coristas en el Teatro, para terminar amenazando a aquéllos con el anatema de los Padres de la Patria. Lo copió con su mejor letra, envióle a El Eco de la Opinión, y al siguiente domingo le deleitó la lectura de su prosa de estudiante, ceñida a las reglas de la Retórica. ¡Cómo había manejado los trozos! ¡Y qué sonoridades tenía su nombre impreso! El lunes temprano, los sabuesos de la Gobernación le husmearon, pero contra ellos prevalecieron las puertas de San Luis Gonzaga y la cólera del Padre Billini. El tío Tomás, que conservaba su empleo en la aduana, y de quien las malas lenguas echaban cuentas del sueldo con sus gastos y sus ahorros convertidos en casas, vino a verle y le regañó, aconsejándole: «Muchacho, déjate de lirismos, y sé prudente, que Lilís no olvida ni perdona.»

En julio se graduó; pero no le fue dable ir a abrazar a su madre; debía permanecer en el asilo del Colegio. Leyó con furia, sin orden ni método, incitado por los títulos o la fama de los autores, mezclando los juristas con Sué y Víctor Hugo, los economistas y los poetas, deleitábanle los versos de Mármol contra Rosas, los doce Césares de Suetonio y los discursos de Castelar. De tales graneros, extrajo algún provecho, indigestando mente y memoria de hechos y nombres históricos, frases rotundas y palabras sonoras y brillantes, que luego habían de vibrar en su prosa con redobles de tambor.

Después, ingresó en el profesorado, sin vocación, como medio de vida, hasta la tarde de un domingo en que, a la salida del circo de toros, tensos aún los nervios por los lances de la corrida, un oficial de la Policía le puso la mano en el hombro a la voz de «venga conmigo, de orden del Gobernador»... Lilís tiene, en verdad, excelente memoria. Ese día y en el mismo sitio, se hicieron numerosos presos; decíase que Moya y los expulsos se movían. Desde entonces, ¡cuántas veces había entrado por la puerta monumental de la Fortaleza ascendiendo las gradas de piedra de la Torre! Unas por sus escritos, otras por conspiraciones o porque acaecían levantamientos en el Cibao. Su nombre figuraba en las listas de la Gobernación y, cierta vez, se le inculpó conjuntamente con otros correligionarios del incendio de la cocina de un bohío de San Carlos. Había habitado todos los calabozos de la Torre; éste, el de Peynado, donde Báez mantuvo durante seis años al general Jacinto Peynado; el del aljibe, húmedo, casi subterráneo; el del pañuelo, que tiene la forma de un pañuelo esquinado; la Capilla, con su ventanillo que permite robar al celo de los carceleros el espectáculo de unos metros de calle; el de Colón, donde se dice, sin ser cierto, que fue encerrado el Descubridor por Bobadilla; el del Profeta... ¡Qué horror! ¡Entre estos muros siniestros, en este ambiente mefítico, había vivido lo florido de su juventud, enterrando sueños de gloria y de amor! ■

Marcio Veloz Maggiolo (1936)

Pertenece a la joven generación de narradores dominicanos. Ha sido catedrático de Historia de la Cultura y de la Civilización en la Universidad Autónoma de Santo Domingo, director de su Departamento de Extensión Cultural, periodista, investigador de antropología. En 1962 recibe los premios nacionales de literatura y poesía, y la William Faulkner Foundation, de la Universidad de Virginia, le concede un premio por su novela El buen ladrón. *Sus obras de teatro* Y después las cenizas *y* Creonte *han sido estrenadas por el Teatro Nacional de Bellas Artes. Su otra pieza,* El cáncer nuestro de cada día, *fue premiada en el concurso de la Fundación de Bellas Artes. Además del título citado, como novelistas es autor de* Los ángeles de hueso *y* De abril en adelante. *Se le considera «un ejemplo de prosa viva y de fuerza narrativa».*

De abril en adelante
SUBCAPÍTULO

En el fondo Paco tiene razón. No creo que una misa salve tu alma; ni creo que te haría cambiar en caso de que estuvieses vivo. Ahora el padre Pascual levanta el cáliz —Tienes los ojos llenos de terror y las manos sudadas. Has entrado en tu habitación. Eres el feroz coronel que ya no besa a su mujer y que sólo vive para sí mismo, para ellos. Veo el terror en tus ojos (¿acaso es terror? Quizás furia contenida. Nadie conoce mejor que yo tus reacciones) y tus manos están sudadas; sobre los nudillos encallecidos, las enormes arrugas— y lo baja con lentitud. Aquí están tus amigos; te acompañan en la misa. ¿Oran por ti?... Me gustaría saber qué piensa el general pensionado Rolández: «Traidoramente llevaste noticias, portabas noticias inventadas y las depositabas en el despacho del Generalísimo... Fuiste siempre ruín, Aguirre; ahora vienen a rezarte el padrenuestro que estás en los cielos cuando estás, realmente, en el infierno, si es que lo hay. Al coronel Aguirre debo esta "jubilación"; a ti la debo, compadre, Aguirre, que me bautizaste la hija menor y le sugeriste al Capitán que la mayor era buena para él... Quisiera saber qué hago en este acto que ni comprendo ni me interesa, tal vez vengarme un poco, reírme de tu muerte, porque todo el mundo sabe que te suicidaste porque no podías con tu propia conciencia... No debía hablar yo de conciencia, porque en vez de matar a mi compadre cuando el Capitán se llevó a mi hijita y luego me la casó con un sargento de su escolta, me quedé silencioso, herido, pero sin el valor para rebelarme y perder mis treinta años de militar. Al fin y al cabo estaba viejo y sabía que ambicionabas mi cargo, por eso sugeriste al Generalísimo que me sustituyera, que me sacara de en medio; supe que habías sido el ideólogo de mi jubilación así como fuiste el que ideó mi deshonra familiar. Sin embargo somos iguales; estoy aquí porque jamás te perdonaré; jamás te habré de perdonar y te sigo en la muerte, silencioso, porque el no seguirte sería renunciar a mi odio, a mi honor de militar de carrera, muy diferente de ti, que hiciste carrera a partir de cabo, cuando se te dio la oportunidad de estudiar, cuando tus protectores —el Jefe y yo mismo— te dimos la oportunidad de ir a la Academia Militar»... santamaría madrededios... o lo que piensa de ti la viuda Sanctis «ruega por nosotros los pecadores —es que no sé si eras bueno o malo; decían lo uno y lo otro. Pero tu mujer nunca me informó de que eras tan malo como rumoraban... Realmente jamás me interesó la política, ahora y en la hora de nuestra muerte amén...»... «Y de él dicen muchísimas cosas, doña Clotilde, como aquello de que murió enemigo de su hijo porque dizque se metió a comunista... Yo creo que el muchacho era medio rebelde, eso sí es verdad; y todavía está metido, porque siempre aparece en los comunicados y en esas hojas sueltas que lanzan en la Universidad los comunistas». (Al través de cualquier rendija del tiempo veo tus charreteras doradas y tus labios carnosos; esos labios de los que me enamoré, cuando aún éramos muy jóvenes y decidiste hacerte militar raso por el solo deseo de poder trabajar y formar un hogar junto a mí. Te veo allá, en los días felices de la pobreza, cuando nació

Paco, y me molesta pensar que hayamos recorrido un camino tan oscuro, y lo que es peor aún, que te haya acompañado, por amor o por lo que fuese, durante tan largo tiempo. Cuantas veces quise deshacer aquel matrimonio me aterrorizaste con la idea de que el Generalísimo controlaba la vida privada de todos sus amigos íntimos.. Estábamos presos en la mirada del Jefe; vivíamos inmersos en la vigilia constante del Benefactor de la Patria y Padre de la Patria Nueva, como le llamaban; el primer maestro, primer anticomunista, benefactor de la iglesia, primer de todo, nos observaba. ¡Para qué te llamaron al campo de batalla!, asesinato de muchachos. Sabías que no te dejaría marchar. Una mujer decente no se acuesta con un hombre sucio de sangre.. Ya me imaginaba cuál era su función dentro de ese grupo de amigotes que visitaban diariamente: aquel Johnny, el de los grandes bigotes; y el general alto delgado. Todos planificando muertes y yo allí, presintiendo... Tienes los párpados cuajados de sudor —padrenuestroqueestásenloscielossantificadoseatunombrevengaanoselturei-no— y las manos también sudadas. Levanto al pequeñuelo, te muestro su rostro, ¿dónde vas papá?, te digo como si te lo dijera él, te lo digo por alegrarte —elpannuestrodecadadiadánoslehoy— por verte feliz, casi por despedirme, «Me voy a la porra»... Ya lo sabía, era el crimen y la matanza ordenados —perdónanosnuestrasdeudasasícomo nosotrosperdonamosanuestrosdeudoresylíbranosdelmalamén— por el Jefe, por su gente, por sus amigotes. («Yo no es que le tenga odio, ni que le tenga nada, pero al fin y al cabo una misa es una misa. No puede uno como sacerdote ponerse a juzgar las actitudes de los mortales. Nuestra postura debe ser —señornoeresdignode, nosoydignodequeentresenmimoradaperounapalabratuyaymialmaserácurada— imparcial. Lo interesante es ver el gentío que acude a estas misas de militares muertos. La pobre viuda qué va a hacer, su misa y nada más. Allí está el hijo mayor, Paco, dicen que es comunista, pero me parece más bien un chico inquieto y nada más —elseñorseaconnosotros-ycontuespíritu—, un pobre chico incomprendido, con ese sarampión que pasan todos los de su condición, todos esos que se sienten culpables de una vida que realmente no han realizado ellos mismos...) Ah, cómo eras de terco, cómo eras de cobarde en el fondo. Tu mujer, yo, trataba de hacerte comprender que cada día te hundías más y más. Creíste que no me enteraba de tus andanzas. Supe de tus amantes, de tus queridas, y no es que no pudiese yo tener amantes y queridos, como era costumbre, es que en mi casa paterna, pobre y religiosa, aprendí que una mujer vale más por su moral, por su bondad, por su actitud frente a la provocación de los corrompidos. Y aquella noche comenzaba lo de Constanza. Aquella noche, o madrugada, no sé, salías a cazar imberbes. Entonces renunciaba yo definitivamente al cariño que abrigaba por ti, coronel Aguirre. Constanza rebosó mi desesperación. (Allí está Paco, silencioso; pensará sin dudas en su padre. Debe haber sufrido mucho. Dicen que el coronel mató a uno de sus amigos; dicen que una vez Paco intentó saber el paradero de un tal Pipí y que Aguirre le pegó una bofetada enorme. Pero también comentaban que hacía ya tiempo que Paco se había rebelado contra el régimen del Jefe. Los que fuimos gobiernistas nada podemos hacer, pero yo, por ejemplo, qué podría reclamarle a mi hijo Tulio, a mi hijo, que se hartó de tantas mentiras a las que yo no podía renunciar. Aguirre no fue inteligente en ese aspecto; si hubiese sido lo que yo para mis muchachos... Y no es que no estuviese yo comprometido. Si vamos a ser francos casi todos los que firmamos el documento contra la «dictadura» ya muerto el Jefe, fuimos unos cobardes; no fue arrepentimiento, fue oportunismo, Muerto el Generalísimo sabíamos que, tarde o temprano, el poder quedaría en la calle. Por eso nos apresuramos en la lucha contra los «herederos»; era el único modo de limpiarnos, de mostrar un arrepentimiento de última hora que pudiese salvarnos, aunque en el fondo sabíamos que una actitud igual no borraba nuestro pasado, y que en el mejor de los casos aquello era hipocresía. Yo que fui ministro de justicia, de educación; yo que tuve cargos en todos los niveles durante treinta años no pude hacer otra cosa que arrepentirme íntimamente de firmar aquel documento de la Unión Cívica Nacional y quedarme siendo «gobiernista» para mis adentros. Allí se agruparon los traidores al «gobiernismo» anterior. Aguirre siguió siendo un hombre clave, un hombre dispuesto a *quemarse*, él no tenía por qué ser político; él debía —como debimos hacerlo los cobardes que abandonamos el «gobiernismo» luego de muerto el Jefe— seguir luchando por su causa, fuese o no criminosa, por su causa y por los herederos que podrían haber hecho posible el renacimiento de su causa... No dejo de admirar a Aguirre. No dejo de admirarlo.)

Luego supimos —coronel— lo que pasó con aquellos jóvenes. Leerás mi pensamiento de madre, y te preguntarás, ¿entonces, y esta misa, para qué? Ahí está Paco, en la última fila, dispuesto a marcharse antes de que la comunión termine; avergonzado de recibir cualquier pésame o condolencia; culpable hasta cierto punto. Se ha ido a vivir solo, ya lo sabrás; recibe a sus amigos y habla conmigo diariamente por teléfono. Me visita una o dos veces por semana y ya no sé qué es lo que hace con su vida. Desea ser escritor. A los treinta y dos años no sabe aún qué ruta elegir. Le llaman «comunista»; lo acusan de traidor a los ideales de la Unión Cívica, ¿te acuerdas?, aquella Unión Cívica que reunió a tus amigos «disidentes» y a la que me uní yo a espaldas tuyas. Mi Paco fue uno de sus gestores. Después se fue asqueando, según dice. Vino el golpe de Estado y lo apalearon; protestó cuando murió su amigo Manolo asesinado en las montañas; volvió a protestar cuando los norteamericanos se metieron en 1965 y asesinaron a tantos dominicanos. Pero esta vez protestó con el fusil en la mano; tú lo sabes. Y ya, desde entonces, no tiene más fe que en la guerra; me lo han ido empujando hacia la violencia; me lo han ido arrinconando: ni empleos, ni trabajo fijo. No acepta, no quiere aceptar un centavo mío; tengo que mantener su amor por lo que le place enviándole dinero por trasmano, indirectamente. Es columnista de dos periódicos nacionales que le pagan por ello con el dinero que suministro para mantenerle esta afición que quizás un día tendrá resultados positivos. No son malos —me lo dice la gente— sus escritos, pero el día en que descubra el truco no sé qué podrá suceder. Soy la buena madre, Aguirre, hice mi hijo con buen corazón y quiero mantenerlo así, pleno de ideales, como ahora, atado a algo positivo; bueno en el fondo, porque preocuparse de los demás es la mejor de las bondades. (Mamá se empeña en estos actos que me llenan de rabia. Toda esta cáfila de hipócritas tratará de acercarse a mí, tratará de hacerme ver que siente mucho la muerte del coronel Aguirre. Aquí estoy yo: trajeado de negro, con mi oscura corbata de deudo. ¡Ah, el pobre deudo! Pienso en el infeliz Manuel, el segundo atentado lo dejó inválido para siempre. Me escribió una carta que conservo como una reliquia: «por fin el coronel Aguirre se salió con la suya, compañero». Por fin te saliste con la tuya. Luego pude revisar tus archivos; no encontré casi nada, pero cuando fueron tomados los archivos del Palacio Nacional, una vez huyeron los familiares del Generalísimo, entre la correspondencia que los de la Unión Cívica decidieron quemar porque les comprometía, encontré una nota del Generalísimo: «Coronel Aguirre, si vuelve usted a fallar en el caso Suárez le haré sustituir.» El Jefe nunca te la envió. Acostumbraba a impartir sus órdenes verbalmente cuando implicaban compromisos de este carácter. El destino, o no sé qué, hizo que guardara aquella nota y que fuera a parar a sus archivos. Manuel Suárez tenía razón; ahora, medio paralítico, le he visto hace unos meses en el Ensanche Ozama, en casa de una hermana. Le he obsequiado la nota en reconocimiento de una culpa que no tengo, de tu culpa, que siendo la de mi padre también es un poco la mía. Recordamos los días de Nueva York, los días en que salíamos a las manifestaciones antigobiernistas de exiliados. Días en que miles de espías tomaban fotos de los asistentes a los «mítines» para remitirlas a los servicios de inteligencia nacional. Ese Manual Suárez, que no se perdía uno, está ahora paralítico, casi en silla de ruedas gracias al coronel. Lo peor de todo, lo más terrible, es que ahora elogia a los yanquis. Dice que él no es dominicano, sino puertorriqueño. Han comprado su cerebro utilizando su inutilidad. Lo han pensionado; dos de los que realizaron contra él el último atentado fueron apresados por la policía y declararon haber recibido dinero y órdenes del consulado dominicano. Seguramente la trama fue llevada a cabo, «telefoneada», desde Santo Domingo por el coronel Aguirre. Ahí está Manuel Suárez, dice que los comunistas son unos cuales; desbarra, me produce pena y asco a la vez. Le hablé de su amigo Daniel y me contestó que no, que no quería verlo; me sugirió que mi vista le perjudicaba, que dijo que él sabía... Que se alegraba de verme, ahora en 1968, pero que todo aquello fue una locura de juventud. Que se arrepentía de haberse tirado en Maimón a luchar contra la dictadura del Generalísimo y se alegraba de que la fragata lo hubiese devuelto a tierra, y así... Mamá sigue empeñada en todo esto; en mantener la misma imagen falsa de la vida que ha llevado. Odio todo este acontecer. Lo odio tanto como odiaba tener que lijar maniquíes de plástico en mi primer trabajo newyorkino. Manuel Suárez me consiguió el empleo. La fábrica, ubicada al sur de Manhattan —donde las calles pierden la numeración y comienzan a tener nombres— exactamente en Canal Street, era propiedad de un dominicano llamado también Manuel, un santiagueño que huyó de la tiranía desde Santiago mismo y que se ufanaba de jamás haber estado en la capital del país. Me dio empleo de inmediato. Antes hablamos de sus aportes en dinero y armas para los tantos intentos de derrocar el régimen. Pesimista y rabioso, don Manuel renegaba de todo el mundo. Me presentó al jefe de la fábrica, al temible *«boos»*, un puertorriqueño de pelo crespo que hablaba en inglés y español al mismo tiempo, y que de seguro era analfabeto en ambos idiomas. El moldeador era un tal Raposo —al que luego he visto con un gran negocio de automóviles usados en Santo Domingo—, ganaba setenta y cinco dólares semanales, y protestaba continuamente porque en otras fábricas se ganaba ciento veinticinco, ya que según él, el plástico y sus componentes acaban con los pulmones. A los dos días de lijar maniquíes perdí el cuero de los dedos; el *«boos»* me presionaba continuamente —Manuel me decía que tenía interés en que yo fracasara, pues necesitaba el empleo para un sobrino que acababa de llegar desde Caguas—; me echaba en cara mi ineptitud. Un día le lancé un golpe y rodó por el piso de madera cayendo entre una pila de aserrín; uando quiso levantarse le pateé en plena cara. Los empleados corrieron. Ese día fui despedido y el *«boos»* me amenazó con someterme judicialmente. Le mandé al c... y nuevamente le invité a pelear. Los empleados, casi todos dominicanos, estuvieron de mi parte. Luego pasé a una fábrica de plisar faldas. Allí ganaba 45 dólares semanales —cinco dólares más—; me largué a la semana siguiente: el *«boos»* era un dominicano que me exigía el diez por ciento de las primeras diez semanas. Más adelante, fui pintor de casas en New Jersey; Manuel y yo lo hacíamos sábados y domingos. Me fui hartando. No era posible aquella vida. Tomé un día el omnibus hacia las Naciones Unidas, solicité una de las plazas de mecanógrafo vacantes; me probaron y me hicieron llenar las «aplicaciones»; hice lo mismo en los dos diarios castellanos de entonces; había sido corrector de pruebas en Santo Domingo. Llené mis «aplicaciones». Esperé. Traté de entrevistarme con varios dominicanos influyentes, con largos años de residencia en Nueva York. No deseaban contactos con anti-gobiernistas. No querían líos con el FBI. Muchos eran agentes del gobierno, otros simples tipos que evitaban complicar su vida. De modo que cuando se produjo el magnicidio regresé violentamente desde Puerto Rico. Aún el poder estaba en manos de los herederos del régimen y de un presidente civil que no sabía qué hacer con tanto poder entre los dedos. De ahí en adelante (tú lo sabes, coronel) comencé a hacerme político; inicié esta lucha por descifrarme a mí mismo que me ha ido radicalizando cada vez... Ahora vienen estas viejas; estas viudas del viejo régimen; ya han besado a mamá. A mí no, a mí para qué. Yo tengo otro mundo.

CAPÍTULO

«Sonó el conocido cañoneo.
(Arreglar aquí la frase. La palabra «conocido» resulta ríspida. No tiene fuerzas suficientes.)

«Por debajo de los puentes de madera crujieron las raíces de una primavera sorda.
(Demasiado poético. ¿Qué es eso de «las

raíces de una primavera sorda»? La novela debe ser directa. Debe tener cierta garra. Eso me parece sumamente vago. Trata de hacerlo más directo, más impactante —perdona la palabreja—, por ejemplo: «por debajo de los puentes de madera crujieron las raíces de la primavera, sordamente». Es mi opinión.)

«Miramos hacia el cielo; los aviones tenían la forma de enormes gavilanes encaramados en el infinito.
(Me gusta la construcción; es ligera, fácil. Sustituiría «tenían forma» por «simulaban», es más directo y económico.)

«Ni sol, ni luna. La sombra o la semi-sombra ardía en las calles y nuestras pisadas se hacían más densas por momentos. (Esto de calificar de «densas» las pisadas me parece atrevido. Yo diría «más tensas» o «más intensas». No sé lo que realmente pretendes decir. También eso de la sombra o «la semi-sombra» me parece vago.) ■

CUENTO
PUERTO RICO

Abelardo Díaz Alfaro
(1919)

El cuentista puertorriqueño de más renombre dentro y fuera de la Isla. Su labor como trabajador social en los medios rurales puertorriqueños le da ocasión de familiarizarse con la vida del campesino, que tanta importancia va a tener en su obra. Dos de sus libros, Terrazo *(1947) y* Mi isla soñada *(1967) lo sitúan como un agudo escritor realista que explora los ambientes del interior de Puerto Rico, pero que, a diferencia de los costumbristas, va más allá de la pincelada superficial o pintoresquista, recreando personajes y situaciones con real profundidad, a más de evidenciar una intensa preocupación de estilo.*

La lanchita de Cataño
Viaje mínimo

Me acerco al mar de Cataño al atardecer. Un sol rojizo incendia las palmeras de Bahía y Palo Seco. Isla de Cabras se cubre de una sombra violácea. San Juan a lo lejos se tamiza de una luz suave, que enrojece los murallones viejos... Las ciudades al atardecer como que se esfuman, se tornan irreales.

Me allego a la playa. Es un cintajo de plata, que se amengua allá en el horizonte de palmeras. El agua lame tiernamente la arena. Un botecito danza y juguetea, como arrullado por las olas leves. La luz del sol se torna fría en el agua de mar. Unas gentes se sientan en unos muros cerca de la playa. Son unos viejos pensativos y unos enamorados. Unos muchachos caminan por la orilla del mar y se siluetean en negro contra la ciudad irreal de San Juan y contra el espejo purpúreo del horizontel.

Oigo el silbato de la lanchita de Cataño. Y nacen en mi espíritu juveniles recuerdos de mis viajes mínimos. De mis embarques de San Juan a Cataño, de Cataño a San Juan. ¡Qué fascinación me ofrecía el mar con sus gaviotas pueriles, con sus tijeretas delgadas, con las boyas cabeceadoras de la bahía! Y quise que mis hijos gozaran de mis viajes mínimos. Viajes mínimos más grandes en mi alma que el de los argonautas de la leyenda.

El muellecito sigue siendo el mismo. Viejo, los palos mugrientos hundidos en el mar, prendidos de algas marinas.

Pita la lancha. Y se acerca al muellecito. Se sientan las gentes de distintas razas en los bancos de espera. Y cuando llega la lanchita de San Juan, se levantan y pasan por el torno... ¿A qué irán esas gentes a San Juan a la hora crepuscular? ¡Quién sabe los motivos del hombre en estos viajes mínimos! ¡Qué me lleva a San Juan, sino un retorno a la niñez, la búsqueda de un remanso? ¿A qué irá ese anciano de la barba blanca, apostólica, que apenas habla? Está todo penetrado de silencios.

La lanchita atraca al muelle, da contra las gomas colgantes para amenguar el golpe. Con unas cuerdas la detienen, en cabeceo grácil, junto al muelle. Y suben las gentes. Unos hacia la parte superior y otras hacia el fondo de la nave. Subo la escalinata y me siento en los bancos de madera. Es la misma vieja lancha de mi niñez. Por un tragaluz de proa contemplo la cara morena del capitán. Toca una campana. Suena un silbido. Se escucha el borbotar del agua. El motor hace vibrar toda la lancha. La estremece. Gira en torno de sí misma, y adelanta su proa hacia San Juan. Penetra el aire puro de mar a los pulmones. El olor salitroso. El sol se esconde más tras las palmeras y éstas parecen danzar una misteriosa liturgia oceánica. Empiezan a encenderse las luces del pueblicito de Cataño. Unas azules, otras rojas, otras amarillentas. Las casas se desdibujan y las luces parecen flotar. Se escucha el borbotar de la lanchita que avanza cansina. Se sabe de memoria el viaje mínimo. Una boya rojiza flota sobre el agua. Sobre ella hay un alcatraz anciano. El agua se torna negra, se adensa de sombras junto a la lancha. Pero allá en el horizonte fulge como una falange. Más allá una boya más pequeña, corcho rojizo flotando al socaire. La lancha avanza y las gentes intiman. Se unen en este corto viaje. El viejo rompe el silencio. El mango del bastón bajo la barba plateada.

—Lindo atardecer...

Y se queda mirando el vuelo de los alcatraces. Suspiros negros del mar. Planean al ras del agua. Se hunden. Salta una espuma plateada. Reaparecen. Estiran el cuello largo. Mis hijos ríen. La señora del frente me habla de sus hijas. Ella va y viene todos los días de Cataño a San Juan. El viaje para ella no es tan grato. El viejo me dice con voz patriarcal:

—¡Que Dios se los bendiga!

He querido que mis hijos gocen aquellos mínimos lances de mi niñez. He pensado que mi vida se construyó de viajes pequeños. Que a veces el destino le traza un cauce fijo al hombre, un camino limitado, como el ir de la lanchita de Cataño a San Juan. Los hijos ríen, gozan. Cuando pasa la otra lanchita y se topan en la ruta, estallan en risas. Pero el viaje no es el mismo. Entonces iba de San Juan a Cataño, de Cataño a Bayamón y de Bayamón a casa de tío Leopoldo en Toa Alta. Con la vieja maleta que me compró el padre bueno... Una maleta que llevaba unas muditas de ropa, pero una carga llena de esperanzas.

El viaje es distinto. El viaje es para el remanso, para aquietar la turbulencia de la vida en las cosas toscas. Los niños ríen y yo medito.

El aire frío, el sonido del motor, el escupitajo del mar contra la proa adormecen. El ayudante del capitán enciende unos farolitos en la parte superior y dos luces rojas en la proa. La mole ruinosa, la mole antigua de San Juan se recorta contra el horizonte.

Miles de luces. Se columbran ya los barcos fantasmagóricos. Con sus cruces en negro, con las panzas anchas, con el tejido sutil de las arboladuras —telarañas inmensas. Un bote de pesca pasa muy cerca con sus faroles de gas. Parece un bote de difuntos. Las luces sobre el mar en la noche semejan «velas» temblorosas y los hombres fantasmas acuáticos.

La lancha avanza entre las boyas que marcan su ruta. Unos se duermen. Dos enamorados se arrullan. Comienzan ya a pararse algunos pasajeros... San Juan está próximo. Apenas diez minutos, un cuarto de hora. Pero he vivido este tiempo con intensidad. Quizás con más intensidad que si hubiera ido lejos, allende los roquedales de Cabras hasta sitios remotos. El secreto del hombre es vivir lo mínimo.

Las gentes se paran. En un deseo incomprensible de llegar. Yo me he quedado sentado. Como en olvido del viaje. Como hundido en las luces. Como solidario del cabeceo de la lancha en el mar. El viejo no se mueve. Los ojos claros escrutan el horizonte. Se oye un silbato. La lancha que sale de San Juan avisa que pronto estaremos en los muelles. La luz fosforescente del Banco Popular se destaca sobre el puerto. Un barco albeante como garza está adormecido en el muelle de la Aduana. Es el buque que pone las boyas.

Un marino en mangas de camisa, en la caleta, va encendiendo las luces del puertecito. Se contemplan los muelles dormidos. El Muelle Número Uno. Una luz difusa cae al agua sobre los pilotes del muelle. Adentro en los almacenes se contemplan las estibas. Un sereno se pasea sobre las dársenas... Hay algarabía. Ya hemos llegado a San Juan.

Descienden las gentes de la lancha, pero me quedo sentado. Retornaré a Cataño, repetiré el viaje. Es el último viaje de la lancha. El viejo se levanta. Se despide. La mujer del frente acaricia las niñas. Pero me quedo. Daré uno, dos viajes. Un viaje pequeño, pero rico en la poesía de los crepúsculos, en la fantasmagoría de las luces de la bahía, en la irisación del mar.

Ya escribí de los muelles al atardecer. Pero no había escrito de este viaje a Cataño desde San Juan. Esta lanchita es parte de mi existencia, de la de todos los puertorriqueños. Muchos sólo se han embarcado hasta Cataño.

Llegan otras gentes a la lancha. La misma regresa ahora a Cataño. Caras criollas: unas jubilosas, otras pensativas. Unas blancas, otras oscuras. Un limpiabotas me ofrece sus servicios. Uno sale a venderme unos platanutres. La lancha choca contra las gomas colgantes del muellecito. Retornaré a Cataño. Sí, el viaje será distinto.

La noche se ha tirado sobre la bahía. Sólo hay luces y sombras. Cataño, a la distancia, es ahora un collar de luces. Los niños no quieren bajar. El viaje los ha emocionado.

No voy ahora para Cataño, ni de

Cataño a Bayamón, a Toa Alta, a la casa del tío Leopoldo. No. El viaje mínimo ha sido distinto. Ya uno no es el mismo. El tío murió. Y no llevo una maleta vieja con unas muditas de ropa. Llevo otras cosas en el alma.

Unas muchachas hablan de novios. Y de lo que le dijo Toñito y repite Toñito, como si la vida de todos estuviera saturada de Toñito. Viajes mínimos también. Lo mínimo de la vida lo llena todo. ¿No será la vida más parecida a un viaje mínimo entre los puertos cercanos, que un viaje largo e interminable sobre el tiempo? ¿Pero para qué filosofar? Si todo esto está saturado de poesía. El mar está más lleno de luces. Cabrillean en las aguas negras. Se alargan los reflejos. Las luces de Cataño son azules, rojas, amarillentas. ¡Qué bueno sería nunca llegar! Nunca llegar a ese puerto sórdido del vivir.

La lancha pita, retorna a San Juan. Se estremece el buque pequeño. Se sacude. Es la misma vieja lancha donde di mis viajes de niño. Pero el trayecto ha sido distinto. Mis hijos lo gozaron como yo, en la niñez. ¡Pero es imposible!

El cielo está claro. Es el cielo criollo de noviembre. Los murallones en sombra se recortan contra ese cielo nítido. La lancha jadea, rezonga, escupe, deja una estela blanca. Otra vez a Cataño, hasta concluir el viaje mínimo.

Sí, mi vida se ha tejido de lo mínimo. He querido levar anclas hacia puertos distantes. Pero estoy amarrado a los puertos pequeños. Un viaje pequeño, pero lleno de boyas, de gentes, de luces flotantes, de sueños.

Cataño es un pez sombroso con escamas parpadeantes sobre el lomo irreal. ¡Ha terminado el viaje mínimo! ■

Wilfredo Braschi
(1918)

Aunque nacido en Nueva York, vino a Puerto Rico a muy temprana edad. Y muy joven ingresó en la redacción del periódico La Democracia, *donde se iniciaría su brillante carrera de periodismo. Pues si Wilfredo Braschi no tuviera más obra que la periodística, ella sería suficiente para garantizarle un sitio en las letras puertorriqueñas. Y de ello es muestra elocuente su libro* Cuatro caminos, *crónicas de viaje que le prologó Samuel Gili Gaya y que fue laureado por el Instituto de Literatura Puertorriqueña. Aunque sus piezas narrativas han aparecido ocasionalmente en revistas y periódicos, revelan un seguro dominio por parte de su autor en este nada fácil género literario. Concreción, firme trazado de los personajes, buen desarrollo temático son algunos de sus rasgos más sobresalientes. Su libro de cuentos* Metrópoli *apareció en 1968.*

El padre

Su nombre crecía alrededor de aquel otro nombre, como si fuera una enredadera. En realidad no tenía que avergonzarse de esta suerte de dependencia. Al fin y al cabo el nombre lo había heredado: era tan suyo como la piel que le cubría los huesos.

—Soy el hijo de Tanio Urbino —dijo al llegar ante el grupo de artistas.

Le miraron entre curiosos y admirados. El aire bajo la carpa era pesado y olía a estercolero, como si estuviesen removiendo la tierra las patas rugosas del elefante. Aquel ambiente no le parecía extraño, percibiendo en la sangre algo así como una inyección de «circo».

Allí estaban todos los que ya conocía de oídas. El hecho de que no estuviese presente Tanio Urbino no le inquietaba demasiado.

Además, en todas partes, en los carromatos, en los volantes, anunciando el debut, en la prensa, en la televisión, en la radio, resonaba retumbante el nombre —su nombre— ¡Tanio Urbino! Por eso cuando se le comunicó que su padre no estaba allí fue lo mismo que si lo viese.

El perfil de Tanio Urbino, padre, a su juicio, venía a ser, aunque le pareciese extraño, la imagen ondulante de un circo visto desde lejos. Para él, Tanio Urbino, aparte de constituir la presencia en carne y hueso de su progenitor —el que le enviaba cheques para su manutención en el colegio de internos— representaba la poesía misma del circo, aquella carpa de la que tanto le hablara su madre.

A los quince años las ilusiones de Tanio Urbino, hijo, consistían, sobre todo, en conocer a Tanio Urbino, padre. Muerta su madre, quien estuvo siempre recordándole el circo, describiéndoselo, Tanio Urbino, hijo, se propuso, con un mapa ante los ojos, recorrer el itinerario del circo Urbino. Decidió realizar el viaje a espaldas de sus tutores del colegio y sin escribir antes a su padre, irrumpiendo inesperadamente en la carpa.

—¿De modo que también te llamas Tanio Urbino?

La interrogante la formuló una voz gangosa. Tuvo la impresión de que aquel puñado de artistas resultaba una sola persona, igual que si fueran mellizos múltiples. En rigor no podía distingur un rostro de otro, ni el tono diferente de las palabras. Sumergido en la penumbra un tanto sofocante del circo, con su picante vaho a zoológico, a potrero, o a estadio de boxeo, llegó a perderse en una especie de autohipnosis. Del Circo Urbino derivaba la impresión de un cuadro visto antes, de una escena que le hubiesen vaciado en transparencias cerebro adentro.

—¡Vaya, si yo te tuve en brazos el día de tu nacimiento!

El coro a un tiempo heterogéneo explotó en una carcajada. Le absorbía la idea de que los allí presentes formaban parte de su propia familia y que privaba una misma tonalidad en todas las voces.

Arriba, en el entretejido de sogas y de trapecios, adivinaba la peripecia mayor del circo y le venía a la memoria la imagen de la madre que en su juventud había sido volatinera hasta que la invadió un miedo cerval a caerse y dejarle huérfano. Y tuvo la extraña sensación de que entre los artistas se hallaba también ella, en espíritu.

—¿Dónde puedo ver a mi padre?

El coro de artistas se volvió para mirarle y al joven le pareció una vez más que toda aquella gente tenía un rostro común que los identificaba, y que todos los ojos convergiendo sobre él se convertían de súbito en uno solo, como si la compañía entera se transformara en un Polifemo y le hiriera con su único ojo agudo y reluciente.

—Aquí mismo...

La voz —¿era una voz o muchas

voces?— saltaba de las bocas con blandura de algodón, con esa gracia alada de los maromeros que se las conocen todas. ¿Por qué hablaban en monosílabos los artistas del Circo Urbino? Oyéndoles se quedaba perplejo y le asaltó el temor de que molestaba o de que...

El pequeño vehículo que entró atronando el espacio abierto bajo el mástil de la carpa, una moto estridente, vino a turbar sus reflexiones.

Era un mensaje para Tanio Urbino y el hijo experimentó el orgullo de su prosapia circense, si bien sólo tenía una vaga estampa de aquella existencia trashumante. Cierto que Amelia Varano, su madre, le había relatado tantas anécdotas sobre el circo Urbino, que ya éste le era familiar. De Tanio Urbino, sin embargo, no acababa de explicarse por qué, allá en su niñez lejana, su madre solía hablarle con un acento misterioso. De ahí que sólo pudiese imaginarlo en el flamear de la carpa al viento, en el rugido del león y en el estallido del látigo de los domadores.

Ahora, entre los miembros de la «troupe», lo reconstruía con gran esfuerzo en una figura sin rostro que pronto vería por primera vez.

—Es un telegrama para el jefe...

¡El jefe, el propietario del circo Urbino, Tanio Urbino, y él, su hijo, su heredero! Pero... ¿dónde estaba su padre?

Se enteró de que éste con frecuencia se esfumaba como por arte de magia.

—Tendrás que esperar un buen rato —subrayó la misma voz gangosa.

Otra de las artistas añadió:

—Aunque mejor podrías, si es que no le has anunciado la visita, volverte al colegio...

Y supo cómo Tanio Urbino acostumbraba enojarse por lo más mínimo, soltando palabrotas que hacían temblar a sus subalternos. Desconocía ese aspecto de su personalidad. Jamás había podido convencer a su madre de que le llevara ante él. Cuando Amelia Varano murió, su padre no estuvo en el sepelio y ya en el colegio adonde fuera enviado se encontró como en un vacío, solo, con un mundo de añoranzas: una carpa al viento, unos trapecios, unos payasos y un rostro de perfil desconocido. Venía a romper esa incógnita, a escuchar esa voz, a saber, por fin, cómo era su padre. Pero éste no aparecía y por un momento tuvo la sensación de que su soledad se acentuaba y de que Tanio Urbino, a lo mejor hablaría en la misma voz de la «troupe», isócrona y remota.

—Creo que si has venido por tu propia voluntad, enojarás a tu padre. Harías mejor en marcharte.

El comentario, formulado por una mujer con el pelo rojo y el cuerpo apretado por unos pantalones de pana negra, trajo a su mente la imagen de un hombre de anchas espaldas, con un látigo en la mano, botas lustrosas y un vozarrón como para asustar a una jauría de fieras.

Aquélla podría ser la nueva amiga de su padre, la de turno... y fue hundiéndose poco a poco en un pesado silencio cuando de pronto alguien dijo:

—¡Ahí llega Tanio!

Adivinó un ligero temblor en la voz del que hablaba y volvió el rostro hacia donde se dirigían todas las miradas. Contempló al recién llegado. No, aquél no podía ser Tanio Urbino. ¡Imposible! Sin embargo, todos le saludaban y le llamaban por su nombre. Comenzó de improviso a forjarse en su mente la figura que él buscaba, la que no sospechaba que pudiera surgir de la bruma de su cabeza. Nadie le presentaba. Todos hablaban de la próxima función, de la posibilidad de un beneficio escolar, de los pronósticos de una posible lluvia ¡y él allí, a solas! Hubiera querido gritarles que contaran con él, que le presentaran. ¿Era aquél, de veras, Tanio Urbino? Su voz sonaba como la de todos los miembros de la compañía circense, ni más ni menos. Acaso un leve tono humorístico, una palabra desgarrada y una sonrisa. ¡Aunque no, aquél no podía ser él!

Su madre se había limitado a hablarle de su padre en términos genéricos, sin dejar constancia de su estampa humana. Ahora, allí estaba un hombre desconocido a quien él no alcanzaba a descubrir y no se aventuraba a correr para gritarle ¡padre! Entre los allí reunidos nadie se movía para presentarle y él, él se hallaba agarrotado y con los pies como de plomo. Una voz, una de aquellas voces atonales y gangosas, sin colorido, desganadamente dijo:

—Tanio, tu hijo está aquí. Ha venido del colegio a verte.

Una cabeza arrepollada, ancha; unos ojillos tristes y unas manitas cortas se volvieron hacia él. El enano, el enano aquél, el que no podía creer que fuera su padre, caminaba a su encuentro y se balanceaba como todos los enanos con un movimiento de simio.

—Hijo, perdona que no te haya escrito nunca. No quería que me conocieras. Como ves, no soy más que un enano, un pobre enano que no quiere que su hijo se avergüence de él. Nada más que eso.

A Tanio Urbino, hijo, le invadió de súbito una onda de ternura. Se abrazó a su progenitor y le vio, por fin, como le había soñado, más alto que el mástil del circo, tan alto como las nubes y tuvo la impresión de que iba elevándose hasta las estrellas, cielo arriba ■

René Marqués
(1919-1979)

Dramaturgo, cuentista, novelista, ensayista. Su obra La carreta *—traducida a varios idiomas y montada en diversos escenarios mundiales— es la pieza fundamental del teatro puertorriqueño. Como cuentista su libro* En una ciudad llamada San Juan *(1960) bastaría para situarlo como uno de los creadores de la narración moderna en Puerto Rico. Y su novela* La víspera del hombre *(1959), premio de la Fundación William Faulkner, de la Universidad de Virginia, se cuenta entre las obras más logradas de la novelística puertorriqueña. En relación directa con las preocupaciones estéticas e ideológicas que han diseñado su creación literaria, se manifiesta su tarea ensayística, que intenta poner a Puerto Rico dentro de las corrientes artísticas e ideológicas contemporáneas. Por todo esto, René Marqués resume al más amplio creador intelectual de Puerto Rico.*

Purificación en la Calle del Cristo

—La casa está sola —dijo Inés, y Emilia asintió.

Aunque no era cierto. Allí también estaba Hortensia, como siempre (las tres reunidas en la gran sala), las tres puertas de dos hojas cerradas como siempre sobre el balcón, las persianas apenas entreabiertas, la luz del amanecer rompiéndose en tres colores (azul, amarillo, rojo) a través de los cristales alemanes que formaban una rueda trunca sobre cada una de las puertas, o un sol tricolor, trunco también, cansado de haber visto morir un siglo y nacer otro, de las innumerables capas de polvo que la lluvia arrastraba luego, y de los años de salitre depositados sobre los cristales una vez transparentes, y que ahora parecían esmerilados, oponiendo mayor resistencia a la luz, a todo lo de afuera que pudiera ser claro, o impuro, o extraño (hiriente en fin).

—¿Te acuerdas? —preguntó Inés. Y Emilia asintió.

No era preciso asentir a algo determinado, porque la vida toda era un recuerdo, o quiza una serie de recuerdos, y en cualquiera de ellos podía situarse cómodamente para asentir a la pregunta de Inés, que pudo haber sido formulada por Hortensia, o por ella misma, y no precisamente en el instante de este amanecer, sino el día anterior o el mes pasado o un año antes, aunque el recuerdo bien pudiera remontarse al otro siglo: Estrasburgo, por ejemplo, en aquella época imprecisa (impreciso era el orden cronológico, no el recuerdo ciertamente) en que las tres se preparaban en el colegio de señoritas para ser lo que a su rango correspondía en la ciudad de San Juan, adivinando ella e Inés que sería Hortensia quien habría de deslumbrar en los salones, aunque las tres aprendieran por igual los pequeños secretos de vivir graciosamente en un mundo apacible y equilibrado, donde no habría cabida para lo que no fuese bello, para las terribles vulgaridades de una humanidad que no debía (no podía) llegar hasta las frágiles *Fräuleins,* protegidas no tanto por los espesos muros del colegio como por la labor complicada de los encajes, y los tapices, y los lieder de Schubert y la férrea caballerosidad de los más jóvenes oficiales prusianos. ¡Hortensia! Hortensia en su traje de raso azul cuando asistió a la primera recepción de La Fortaleza (el Gobernador General bailando una mazurca con su hermana mayor, bajo la mirada fría de papá Burckhardt). Eso es. Hortensia ya en San Juan. El colegio, atrás en el tiempo. Y ella, Emilia, observando el mundo deslumbrante del palacio colonial en esa noche memorable, al lado de la figura imponente de la madre. (Mamá Eugenia, con su soberbio porte de reina; su cabello oscuro y espeso como el vino de Málaga, sobre el cual tan bien lucía la diadema de zafiros y brillantes; con su tez pálida y mate que el sol del trópico inútilmente había tratado de dorar, porque ya el sol de Andalucía le había dado el tinte justo; con su traje negro de encajes y su enorme pericón de ébano y seda donde un cisne violáceo se deslizaba siempre sobre un estanque con olor a jazmín). Y ella, Emilia, con sus trenzas apretadas (odiosas trenzas), hecha un ovillo de rubor cuando el alférez español se inclinó galante a su oído para murmurar: *Es usted más hermosa que su hermana Hortensia.*

Inés vio a Emilia asentir a su pregunta y pensó: *No puedes recordar, Emilia. Los más preciosos recuerdos los guardo yo.*

Porque a su pregunta, ¿Recuerdas?, supo que Emilia iría a refugiarse en el recuerdo de siempre. Que no era en verdad un recuerdo, sino la sombra de un recuerdo, porque Emilia no lo había vivido.

Emilia, con sus trenzas apretadas (hermosas trenzas) se había quedado en casa con la vieja nana. (Emilia, con su pequeño pie torcido desde aquella terrible caída del caballo en la hacienda de Toa Alta, obstinada en huir de la gente, aun en el colegio, siempre apartada de los corros, del bullicio; haciendo esfuerzos dolorosos por ocultar su cojera, que no era tan ostensible después de todo, pero que tan hondo hería su orgullo; refugiándose en los libros o en el cuaderno de versos que escribía a hurtadillas). Y ella, Inés, no logrando lucir hermosa en el traje color perla que hacía resaltar su tipo mediterráneo, porque tenía el mismo color de tez de mamá Eugenia, el mismo cabello espeso y oscuro, pero inútilmente porque nada había en sus rasgos que hiciese recordar la perfección helena del rostro materno (era francamente fea: desde pequeña se lo había revelado la crueldad del espejo y de la gente) y su fealdad se acentuaba entre estos seres excepcionalmente hermosos: papá Burckhardt, con su apariencia de dios nórdico, Hortensia, mamá Eugenia, y aun la lisiada Emilia, con su belleza transparente y rítmica, como uno de sus versos. No debió entonces sorprenderle el haber escuchado (¡sin proponérselo, Dios Santo!) las palabras que el joven alférez deslizara al oído de Hortensia: *Es usted la más deslumbrante belleza de esta recepción, señorita Hortensia* (fue poco después de haber bailado Hortensia la mazurca con el Gobernador General). Y en realidad no le sorprendió. Le dolió, en cambio. No porque ella dejase de reconocer la belleza de su hermana, sino porque las palabras provenían de él.

Emilia se levantó y, cojeando lastimosamente, fue a pasar con suavidad su pañuelito de encajes por la mejilla izquierda de Hortensia.

—Le pusiste demasiados polvos de arroz en este lado —explicó al sorprender la mirada inquieta de Inés. Luego volvió a sentarse.

Las tres permanecieron silenciosas e inmóviles (Emilia e Inés sin apartar los ojos de Hortensia).

—¿Verdad que está hermosa? —preguntó Emilia en voz baja.

Lo estaba. Amorosamente la habían vestido con sus galas de novia. Bajo la luz del cirio todo lo blanco adquiría un tinte amarillento. O era quizá el tiempo. El velo se había desgarrado. Pero los azahares estaban intactos. Y las manchas del traje pudieron disimularse gracias a los pliegues hábilmente dispuestos por Inés. Lástima que la caja no fuese digna de su contenido: un burdo ataúd cedido por Beneficencia Municipal.

Emilia suspiró. Esperaba. Pero Inés no parecía tener prisa. Estaba allí, encorvada, con su escaso pelo gris cayéndole sobre la frente, el rostro descuartizado por una red implacable de arrugas profundas, terriblemente fea en su callada determinación. Y a Emilia se le ocurrió pensar qué hubiese hecho Inés en el lugar de Hortensia. Aunque de inmediato se vio forzada a rechazar la proposición porque *nadie* pudo haber estado en el lugar de Hortensia. Hortensia dijo *no* a la vida. Quienquiera que le hubiese revelado la verdad habría sido cruel en demasía. (¿Hubo alguien que en realidad conociese a Hortensia? ¿Hubo alguien que *previese* su reacción?)

De todos modos lo supo: el rapacillo de la mulata (la mulata que tenía su puesto en un zaguán de la calle Imperial), el que gateaba entre los manojos de saúco y albahaca y yerbabuena, tenía azules ojos. Un alférez español puede amar hoy y haberle dado ayer el azul de sus ojos al rapacillo de una yerbatera. Hasta la imponente mamá Eugenia dio sus razones para excusar el hecho. (Papá Burckhardt, no. Papá Burckhardt siempre dejó que el mundo girara bajo su mirada fría de naturalista alemán, convertido en hacendado del trópico.) Pero Hortensia dijo *no,* aunque antes había dicho *sí* y aunque los encajes de su traje de novia hubiesen venido de Estrasburgo. Y la casa de la calle del Cristo cerró sus tres puertas sobre el balcón de azulejos. El tiempo entonces se partió en dos: atrás quedóse el mundo estable y seguro de la buena vida; y el presente tornóse en el comienzo de un futuro preñado de desastres, como si el *no* de Hortensia hubiese sido el filo atroz de un cuchillo que cercenara el tiempo y dejase escapar por su herida un torbellino espantoso de cosas jamás soñadas: La armada de un pueblo nuevo y bárbaro bombardeó a San Juan. Y poco después murió Eugenia (de anemia perniciosa según el galeno, sólo para que papá Buckhardt fríamente rechazase el diagnóstico porque mamá Eugenia había muerto de dolor al ver una bandera extraña ocupar en lo alto de La Fortaleza el lugar que siempre ocupara su pendón de rojo y gualda). Y cuando el lujoso féretro de caoba desapareció por el zaguán, todos tuvieron conciencia de que el mundo había perdido su equilibrio. Como lo demostró papá Burckhardt al pisar ya apenas la casa de la calle del Cristo. Y pasar semanas enteras en la hacienda de Toa Alta desbocando caballos por las vegas de caña. Hasta que un día su cuerpo de dios nórdico fue conducido por cuatro peones negros a la casa de los soles truncos sin que pudiera reconocérsele en su improvisado sudario de polvo y sangre. Y el mundo se hizo aún más estrecho, aunque a su estrechez llegaran luego noticias de una gran guerra en la Europa lejana, y cesara entonces la débil correspondencia sostenida con algunos parientes de Estrasburgo, y con los tíos de Málaga. Pero habrían de transcurrir dos años más para que en San Juan muriera la nana negra, y en Europa Estrasburgo pasara a las manos de Francia, y el mundo fuese ya un recinto cerrado al cual sólo tuviese acceso el viejo notario que hablaba de las contribuciones, de crisis, de la urgencia de vender la hacienda de Toa Alta a los americanos del Norte. (Y Hortensia pudiese acoger siempre la proposición con su sonrisa helada: *Jamás nuestras tierras serán de los bárbaros.*)

Inés casi se sobresaltó al ver a Emilia levantarse e ir a pasar su destrozado pañuelito de encajes por la mejilla de Hortensia. Le pareció pueril la preocupación de Emilia por los polvos de arroz. Si ella le había puesto más polvos en la mejilla izquierda a Hortensia había sido sencillamente para ocultar la mancha negruzca que desde hacía años había aparecido en aquella zona de la piel de su hermana. Nunca hacía cosa alguna sin motivo. Nunca.

Emilia estaba nerviosa (era obvio que estaba nerviosa) y sin embargo se mostró decidida cuando le comunicó su plan. Había temido alguna resistencia de parte de su hermana. Pero Emilia había alzado a ella su mirada color violeta y había sonreído al murmurar: *Sí. Purificación.* Sin duda interpretaba el acto de un modo simbólico. Era una suerte. Hacía tanto tiempo que Emilia no escribía versos. En el cofre de sándalo descansaba el manojo de cuartillas amarillentas. (Mamá Eugenia siempre sonrió leyendo los versos de Emilia. Papá Burckhardt, no. Porque Emilia jamás osó mostrarle su cuaderno.) A ella, a Inés, le producían en cambio un extraño desasosiego. *Soy piedra pequeña entre tus manos de musgo.* Le desconcertaba la ausencia de rima. Y sin embargo, sentía como el vértigo de un inasible ritmo arrastrándole a un mundo íntimo que le producía malestar. Emilia nunca explicaba sus versos. Y ese misterioso estar y no estar en el ámbito de un alma ajena le seducía y le angustiaba a la vez. *Tu pie implacable hollando mis palabras, tu pie de fauno sobre una palabra: amor.* No podía precisarlo, pero había algo obsceno en todo esto, algo que no era posible relacionar con el violeta pálido de los ojos de Emilia, ni con su pie lisiado, ni con su gesto de niño tímido y asustadizo. O quizá lo obsceno era precisamente eso, que fuese Emilia quien escribiese versos así. Lo peor había sido el *tu* innombrado, pero siempre presente en las cuartillas amarillentas. *Soy cordero de Pascua para TU espada, Valle del Eco para TU voz. ¡La angustia de ese tu...!* (¿Podía ser otro que él?)

No tenía prisa. Sabía que Emilia estaba ya impaciente. Pero ella no podía tener prisa. Necesitaba esos minutos para volcarse toda dentro de sí misma. Porque habían sido muchos los años de convivencia y miseria, de frases pueriles y largos silencios, de hambre y orgullo y penumbra y vejez. Pero nunca de estar a solas consigo misma. Viviendo Hortensia había sido imposible. Pero ahora...

El tiempo era como un sol trunco (azul, amarillo, rojo) proyectando su esmerilada fatiga sobre la gran sala. Sin embargo, el tiempo había sido también transparente. Lo había sido en aquel instante para Hortensia con su bata blanca de encajes. Estaba casi de perfil y el rojo de un cristal daba sobre su cabeza produciendo una aureola fantástica de sangre (o de fuego quizá). Ella la observaba a través del espejo de la consola. Y deseó de pronto que la vida fuese un espejo donde no existieran las palabras. Pero las palabras habían sido pronunciadas. La fría superficie de la luna había rechazado su voz, y las palabras flotaban aún en la gran sala, irremediablemente dispersas, sin posibilidad alguna de recogerlas (de aprisionarlas de nuevo en su garganta), porque la vida no cabía dentro del marco del espejo, sino que transcurría más acá, en el tiempo, en un espacio sin límites, donde otra voz podía responder a sus palabras:

—Gracias por decírmelo —y era la voz de Hortensia. Luego un silencio corto y agudo como grito, y de nuevo la voz—: No me casaré, desde luego.

Sus ojos se apartaron entonces del perfil reflejado junto al piano y resbalaron por la imagen de su propio rostro. Y toda su carne se estremeció. Porque jamás había visto su fealdad como en aquel instante. Y vio a Hortensia (su imagen en el espejo) apartarse del piano de palo de rosa y acercarse a ella lentamente. Y en su movimiento había abandonado la zona de cristal rojo y pasado por la zona del cristal azul, pero al detenerse a sus espaldas ya había entrado en la zona del cristal amarillo, de modo que su rostro parecía envuelto en un polvillo de oro, como si después del tiempo de la vida y del tiempo del sueño entrase en un tiempo que podía ser de eternidad desde el cual sus ojos fuesen capaces de romper el misterio del espejo para buscar los otros ojos angustiados, y aunque la voz de Hortensia no tuviese el poder de traspasar la superficie límpida no era preciso que así fuese porque las palabras, de ser pronunciadas, rebotarían como imágenes para penetrar en su fealdad reflejada y hacerla sentir el pavor de esa fealdad (o acentuar el pavor ya desatado):

—Es mejor así. Porque jamás *compartiría* yo el amor de un hombre. ¡Jamás!

Y ella sintió verdadero espanto, pues le pareció que Hortensia no se refería a la yerbatera de la calle Imperial. Y pensó en Emilia. Pero el espejo no contenía en su breve mundo la imagen de Emilia, sino la suya propia. [Y de pronto todas las palabras pronunciadas, las suyas también: *Tiene una querida, Hortensia; y un hijo en esa mulata,* le golpearon el pecho con tal ímpetu que le impidieron respirar.] Y el espejo fue convirtiéndose en una bruma espesa que crecía, y su cuerpo empezó a caer en un abismo sin límites, cayendo, cayendo más hondo, hasta chocar bruscamente contra un suelo alfombrado de gris.

El cuerpo de Hortensia permanecía en una zona a la cual no llegaba la luz tricolor del alba. Sólo el cirio derramaba su débil claridad de topacio sobre el rostro enmarcado de azahares y tul.

Inés observaba los labios secos petrificando la sonrisa enigmática, los mismos labios que en tantos años de miseria (y soberbia, y hambre y frases pueriles) jamás abordaron la palabra que hubiese dado sosiego a la eterna incertidumbre, la palabra que hubiese hecho menos infernal su tarea de proteger el orgullo de Hortensia y la invalidez de Emilia, de fingirse loca ante los acreedores, y vender las joyas más valiosas (y la plata), de cargar diariamente el agua del aljibe desde que suspendieron el servicio de acueducto, y aceptar la caridad de los vecinos, y rechazar las ofertas de compra por la casa en ruinas, e impedir que los turistas violaran el recinto en su búsqueda bárbara de miseria (alejando los husmeantes hocicos ajenos de la ruina propia y el dolor).

Emilia no podía apartar su mirada de la tenue llama del cirio, y le parecía la manecita dorada de un niño que se abría y cerraba así, a intervalos caprichosos, y le vinieron a la memoria unas palabras incomprensibles: *Sólo tu mano purificará mi corazón.* ¿Isaías? No era un texto sagrado. Algo más próximo (¿o remoto?) en el tiempo. Sólo *tu mano*... ¡Sí! En las cuartillas amarillentas del cofre de sándalo. ¡Eran palabras suyas! Sonrió. Su corazón en el cofre de sándalo. Donde no habría de llegar la sonrisa helada de Hortensia ni la mirada inquisitiva de Inés. El único lugar donde puede sobrevivir el corazón en un mundo sin razón alguna para la vida.

Volvió sus ojos hacia Inés. Esperaba la realización del acto. Un bello acto, ciertamente. ¿Cómo pudo ocurrírsele a su hermana? Bien, se le había ocurrido. Y ella aprobaba aquel acto de purificación. Porque todo lo bello, lo que había sido hermoso, estaba contenido en aquella caja tosca que proveía la Beneficiencia Municipal. (Todo lo que es bello y debe perecer, había perecido.)

Vio en ese instante a Inés ponerse de pie y tuvo un ligero estremecimiento. Le pareció más alta que nunca y creyó descubrir en su gesto y su mirada algo terriblemente hermoso que hacía olvidar momentáneamente su horrible fealdad. *¡Al fin!*, pensó, y poniéndose de pie, preguntó sonriendo:

—¿Ya?

Inés vio la sonrisa de Emilia y sintió una punzada en un lugar remoto de su pecho, porque inexplicablemente aquellos labios de anciana habían sonreído con la frescura y el encanto de una niña. Oyó luego la voz cascada decir:

—Espera por mí.

Y vio a Emilia alejarse, con su horrible cojera más acentuada que nunca, hacia la habitación de la izquierda. Sola ya con Hortensia, echó una ojeada a la sala. Sus ojos se detuvieron en la enorme mancha irregular que, como el mapa de un istmo que uniera dos mundos, partía desde el plafón hasta el piso. Sobre el empapelado que una vez fuera gris y rosa el agua había grabado su huella para hacer eterno en la sala el recuerdo del temporal. Y fue en ese mismo año de San Felipe cuando ella supo la otra catástrofe. Y es que el viejo notario le ahorró en esa ocasión todos los preámbulos: la hacienda de Toa Alta había sido vendida en subasta pública para cubrir contribuciones atrasadas. Desde entonces la miseria fue el girar continuo de un remolino lento, pero implacable, que arrastraba, por lustros, por décadas, hasta llegar al tiempo en que los revolucionarios atacaron La Fortaleza, y se descubrió el cáncer en el pecho de Hortensia. Ya no era posible tener conciencia del hambre porque el torbellino había detenido su girar de *tempo* lento ante la avasallante destrucción de las células (y el huir de sangre, y el dolor hondo que roía sin gritos). Pero sangre y dolor petrificáronse en el pecho sin células y la sonrisa se puso fría en los labios de Hortensia. Y ayer su cuerpo no tenía aún la rigidez postrera. Ella lo sabía porque terminaba en ese instante de lavar el cadáver cuando al zaguán llegaron los extraños con sus ademanes amplios y sus angostas sonrisas de funcionarios probos: el Gobierno había decidido que la casa (la de la Calle del Cristo, la de los soles truncos) se convirtiese en hostería de lujo, para los turistas, y los banqueros, y los oficiales de la armada aquella. No fue preciso fingirse loca porque en esta ocasión estaba enloquecida. Y sus largas uñas con olor a muerta claváronse en el rostro que tenía más próximo, hasta que saltó la sangre, y desaparecieron las sonrisas. Y después sus puños golpearon despiadadamente, con la misma furia con que había combatido la vida; golpeando, así, ¡así!, contra la miseria, y los hombres, y el mundo, y el tiempo, y la muerte, y el hambre, y los años, y la sangre, y de nuevo la vida y el portalón de ausubo que los otros habían logrado cerrar en su precipitada huida. Y en la pared de la sala, la enorme mancha del tiempo dibujaba el mapa de dos mundos unidos por un istmo. Y era preciso destruir el istmo.

* * *

Emilia salió de la habitación y vio a Inés de pie, inmóvil, con la vista fija en la pared de enfrente. Avanzó penosamente y fue a depositar el pequeño cofre de sándalo a los pies del féretro. *Mi corazón a tus pies, Hortensia.* Luego volvióse hacia Inés y quedóse en actitud de espera. La vio apartar los ojos de la pared y dejarlos resbalar por su rostro hasta fijarlos por un instante en el cofre de sándalo, y luego alejarse hacia la consola y tomar una bolsa de seda negra que ella no había observado sobre el mármol rosa y regresar junto a Hortensia. Estaban ambas ante el féretro abierto e Inés derramó el contenido de la bolsa negra sobre la falda de Hortensia. Ella observó con asombro aquellos objetos que habían creído devorados por el tiempo (o por el hombre quizá; en fin, por la miseria y el tiempo).

* * *

Inés tomó la sortija de brillantes y trabajosamente pudo colocarla en el anular izquierdo de Hortensia. Luego colocó la de perlas en el dedo de Emilia. La ajorca de oro y rubíes fue a adornar la muñeca de Hortensia. Con la diadema de zafiros y brillantes en su mano, se detuvo indecisa. Echó una ojeada a la cabeza postrada, ceñida de azahares, y con gesto decidido volvióse y ciñó la diadema de máma Eugenia en la frente de Emilia. Tomó al fin la última prenda (el ancho anillo de oro de papá Burckhardt) y colocándolo en su propio dedo anular, salió presurosa de la estancia haciendo crujir la madera reseca de la casa en ruinas.

* * *

El leve resplandor del cirio arrancaba luces fantásticas a los brillantes en el dedo de Hortensia. Y Emilia vio pasar como una sombra a Inés, por el fondo, con un quinqué en la mano. El olor a tiempo y a polvo que caracterizaba la sala empezó a desvanecerse ante el olor penetrante a petróleo. De pronto a los rubíes de la ajorca se les coaguló la sangre. (Porque la sala toda se había puesto roja.) Y Emilia vio a Inés acercarse de nuevo y detenerse junto a Hortensia. Y encontró la figura erguida de su hermana tan horriblemente hermosa sobre el trasfondo de llamas, que con gesto espontáneo apartó la diadema de sus propias sienes y ciñó con ella la frente marchita de Inés. Luego fue a sentarse en el sillón de Viena y se puso a observar la maravilla azul de los zafiros sobre las crenchas desteñidas, que ahora adquirían tonalidades de sangre, porque el fuego era un círculo purificador alrededor de ellas.

Y estaban allí, reunidas como siempre en la gran sala; las tres puertas sobre el balcón, cerradas como siempre; los tres soles truncos emitiendo al mundo exterior por vez primera la extraordinaria belleza de una luz propia, mientras se consumía lo feo y horrible que una vez fuera hermoso y lo que siempre fuera horrible y feo, por igual ■

José Luis González
(1926)

Hijo de padres puertorriqueños, nació en la República Dominicana. Es uno de los iniciadores del cuento moderno en Puerto Rico. Es el suyo un arte narrativo directo, sintético, despojado de toda ornamentación innecesaria, tras el cual se adivina la huella de Faulkner y

Hemingway. Su inclinación política lo lleva a tratar temas relacionados con la problemática socioeconómica del hombre puertorriqueño, pero siempre con autenticidad y eficacia artísticas. En la sombra *(1943),* 5 cuentos de sangre *(1945),* En este lado *(1954) y* Mambrú se fue a la guerra *(1972) son algunos de sus títulos en la narración corta. Ha publicado las novelas* Paisa *(1950) y* Balada de otro tiempo *(1978). Entre sus ensayos destacan* Literatura y sociedad en Puerto Rico *(1976) y* El país de cuatro pisos *(1979).*

En el fondo del caño hay un negrito

I

La primera vez que el negrito Macarín vio al otro negrito en el fondo del caño fue temprano en la mañana del tercer o cuarto día después de la mudanza, cuando llegó gateando hasta la única puerta de la nueva vivienda y se asomó y miró hacia la quieta superficie del agua allá abajo.

Entonces el padre, que acababa de despertar sobre el montón de sacos vacíos extendidos en el piso, junto a la mujer semidesnuda que aún dormía, le gritó:

—¡Mire... eche p'adentro! ¡Diantre'e muchacho desinquieto!

Y Macarín, que no había aprendido a entender las palabras, pero sí a obedecer los gritos, gateó otra vez hacia adentro y se quedó silencioso en un rincón, chupándose un dedito porque tenía hambre.

El hombre se incorporó sobre los codos. Miró a la mujer que dormía a su lado y la sacudió flojamente por un brazo. La mujer despertó sobresaltada, mirando al hombre con ojos de susto. El hombre se rió. Todas las mañanas era igual: la mujer despertaba con aquella cara de susto que a él le provocaba una gracia sin maldad. La primera vez que él le vio aquella cara de susto a la mujer no fue en un despertar, sino la noche que se acostaron juntos por primera vez. Quizá por eso a él le provocaba gracia verla salir así del sueño todas las mañanas.

El hombre se sentó sobre los sacos vacíos.

—Bueno —se dirigió entonces a ella—. Cuela el café.

La mujer tardó un poco en contestar:

—No queda.

—¿Ah?

—No queda. Se acabó ayer.

Él casi empezó a decir: «¿Y por qué no compraste más?», pero se interrumpió cuando vio que la mujer empezaba a poner aquella otra cara, la cara que a él no le hacía gracia y que ella sólo ponía cuando él le hacía preguntas como esa. La primera vez que él le vio aquella cara a la mujer fue la noche que regresó a la casa borracho y deseoso de ella se le fue encima, pero la borrachera no le dejó hacer nada. Quizá por eso a él no le gustaba verle aquella cara a la mujer.

—¿Conque se acabó ayer?

—Ajá.

La mujer se puso de pie y empezó a meterse el vestido por la cabeza. El hombre, todavía sentado sobre los sacos vacíos, derrotó su mirada y la fijó por un rato en los agujeros de su camiseta.

Macarín, cansado ya de la insipidez del dedo, se decidió a llorar. El hombre lo miró y preguntó a la mujer:

—¿Tampoco hay ná pal nene?

—Sí... Conseguí unas hojitah'e guanábana. Le gua'cer un guarapillo 'horita.

—¿Cuántos días va que no toma leche?

—¿Leche? —la mujer puso un poco de asombro inconsciente en la voz—. Desde antier.

El hombre se paró y se puso los pantalones. Después se allegó a la puerta y miró hacia afuera. Le dijo a la mujer:

—La marea 'tá alta. Hoy hay que dir en bote.

Luego miró hacia arriba, hacia el puente y la carretera. Automóviles, guaguas y camiones pasaban en un desfile interminable. El hombre sonrió viendo cómo desde casi todos los vehículos alguien miraba con extrañeza hacia la casucha enclavada en medio de aquel brazo de mar: el «caño», sobre cuyas márgenes pantanosas había ido creciendo hacia años el arrabal. Ese alguien, por lo general, empezaba a mirar la casucha cuando el automóvil, o la guagua o el camión, llegaba a la mitad del puente, y después seguía mirando, volteando gradualmente la cabeza hasta que el automóvil, o la guagua o el camión, tomaba la curva allá adelante. El hombre sonrió. Y después murmuró:

—¡Pendejos!

A poco se metió en el bote y remó hasta la orilla. De la popa del bote a la puerta de la casa había una soga larga que permitía a quien quedara en la casa atraer nuevamente el bote hasta la puerta. De la casa a la orilla había también un puentecito de madera, que se cubría con la marea alta.

Ya en la orilla, el hombre caminó hacia la carretera. Se sintió mejor cuando el ruido de los automóviles ahogó el llanto del negrito en la casucha.

II

La segunda vez que el negrito Macarín vio al otro negrito en el fondo del caño fue poco después del mediodía, cuando volvió a gatear hasta la puerta y se asomó hacia abajo. Esta vez el negrito en el fondo del caño le regaló una sonrisa a Macarín. Macarín había sonreído primero y tomó la sonrisa del otro negrito como una respuesta a la suya. Entonces hizo así con la manita, y desde el fondo del caño el otro negrito también hizo así con su manita. Macarín no pudo reprimir la risa, y le pareció que también desde allá abajo llegaba el sonido de otra risa. La madre lo llamó entonces porque el segundo guarapillo de hojas de gunábana ya estaba listo.

Dos mujeres, de las afortunadas que vivían en tierra firme, sobre el fango endurecido de las márgenes del caño, comentaban:

—Hay que velo. Si me lo 'bieran contao, 'biera dicho qu'era embuste.

—La necesidá, doña. A mí misma, quién me 'biera dicho que yo diba llegar aquí. Yo que tenía hasta mi tierrita...

—Puch nojotroh fuimoh de los primeroh. Casi no había gente y uno cogía la parte máh sequecita, ¿ve? Pero los que llegan ahora, fíjese, tienen que tirarse al agua, como quien dice. Pero, bueno, y... esa gente, ¿de dónde diantre habrán salío?

—A mí me dijeron que por ái por Isla Verde 'tan orbanisando y han sacao un montón de negros arrimaoh. A lo mejor son d'esoh.

—¡Bendito...! ¿Y usté se ha fijao en el negrito que mono? La mujer vino ayer a ver si yo tenía unas hojitah de algo para hacerle un guarapillo, y yo le di unas poquitah de guanábana que me quedaban.

—¡Ay, Virgen, bendito...!

Al atardecer, el hombre estaba cansado. Le dolía la espalda. Pero venía palpando las monedas en el fondo del bolsillo, haciéndolas tintinear, adivinando con el tacto cuál era un vellón, cuál de diez, cuál una peseta. Bueno... hoy había habido suerte. El blanco que pasó por el muelle a recoger su mercancía de Nueva York. Y el obrero que le prestó su carretón toda la tarde porque tuvo que salir corriendo a buscar a la comadrona para su mujer que estaba echando un pobre más al mundo. Sí señor. Se va tirando. Mañana será otro día.

Se metió en un colmado y compró café y arroz y habichuelas y unas latitas de leche evaporada. Pensó en Macarín y apresuró el paso. Se había venido a pie desde San Juan por no gastar el vellón de la guagua.

III

La tercera vez que el negrito Macarín vio al otro negrito en el fondo del caño fue al atardecer, poco antes de que el padre regresara. Esta vez Macarín venía sonriendo antes de asomarse y le sorprendió que el otro también se estuviera sonriendo allá abajo. Volvió a hacer así con la manita y el otro volvió a contestar. Entonces Macarín sintió un súbito entusiasmo y un amor indecible hacia el otro negrito. Y se fue a buscarlo ■

Emilio Díaz Valcárcel (1929)

Perteneciente a los jóvenes escritores puertorriqueños empeñados en modernizar la narración insular acorde con las tendencias actuales de este género, se integra a la nueva narrativa hispanoamericana. Hay una evidente preocupación social en sus temas como lo revela su libro El hombre que trabajó el lunes, *cuyo título recuerda otro similar del escritor norteamericano Howard Fast. Díaz Valcárcel incorpora también a su narrativa seres marginales como el traficante de drogas, la mujer lesbiana, la frustrada en la relación sexual matrimonial, pero sobre todo al soldado puertorriqueño que ha peleado en Corea sin que realmente tenga conciencia de la lucha en que estuvo inmerso.*

El asalto

I

Reclinado contra la pared de troncos, entumecido hasta los huesos, Genaro Peña movía los pies despaciosamente para hacer circular la sangre. Se había mantenido así desde las diez y calculaba que, por el silencio que arropaba ahora la compañía, serían cerca de las tres. Por momentos, con una urgencia cada vez más punzante, asaltaban su memoria la vegetación del trópico, las tardes cálidas y sin viento, y entonces el frío, agazapado entre los parapetos, le mordía con más fiereza. Él, que jamás antes de ahora había presenciado una nevada, había terminado por acostumbrarse a la idea de las ventisqueras heladas, de las extremidades doloridas, de la escarcha fangosa de las fortificaciones. Muchos de sus compatriotas conocían de antemano el fenómeno. Lo habían visto llegar, por primera vez en sus vidas, a Nueva York o a las inmensas granjas del Sur donde, antes de ser enganchados por el ejército, trabajaron, bajo un sol de escasa consistencia, en la recolección de frutos. Pero él jamás había salido de su pueblito natal. La orden de enrolamiento le sorprendió (¿de dónde venía aquello, qué había que hacer?) con las manos espolvoreadas de harina, amasando el trigo, con aquel sensual movimiento de manos, en el fondo de la panadería. El trigo era blanco como la nieve, pero era caliente, con una blandura y una calidez casi humanas. Tibio como el brazo de la hermana Concepción cuando, junto a él en la banqueta del templo, le rozaba estremecido por la encendida palabra del ministro.

Sin dejar de mover los pies, como en una marcha que condujera a ningún sitio, pensaba: «Cuando llegue allá, contaré a mis hermanos qué cosa es la guerra». Dijo para sí, irguiéndose ante aquel grupo que le observaba en silencio: «Hermanos, roguemos al señor por la paz del mundo.» Repitió las palabras, dirigiendo la mirada hacia cada uno de aquellos rostros. Le sonaban bien y el ministro, aquel hombre rechoncho y desgarbado, le demostraría su reconocimiento con unas palmaditas en la espalda.

Dijo en voz alta, en el tono que adoptaría en la iglesia:

—Sólo la oración, hermanos...

Y en ese instante, contra su voluntad, recordó al sargento. Lo imaginó patrullando los destacamentos en una de sus recorridas nocturnas. Emergía de pronto, como salido de bajo tierra, seco, verdoso y con aquella respiración sibilante que acusaba un viejo padecimiento asmático. Examinaba con ojo experto y exigente las recámaras de los fusiles, los pertrechos, sacudía a los centinelas, lanzaba salivones en los platos que no habían sido fregados, y terminaba por reventar con arriesgadas patrullas a los indiciplinados. Por la tarde había visitado los parapetos, seguido de un coreano —un hombre amarillo y sonriente, jamás visto por aquellos lugares— para dar la voz de alerta: se sospechaba —simple sospecha, pero había que mantener la guardia en alto— que los mongoles de la otra banda se traían entre manos un banzai para esos días. «Este lo sabe», dijo y señaló con un rápido movimiento de cabeza al coreano, quien lo miró y sonrió sin entender. Y añadió, escrutando las caras que mantenían los ojos en el piso.

—¿Quién no sabe lo que es un mambo con esa gente?

El coreano se puso serio —evidentemente consideraba que aquel momento lo exigía, aunque sin tenerlo muy claro— y el sargento, mirando a un punto distante, se extendió explicando la injusticia de los de arriba al escamotearle refuerzos al Regimiento, arguyendo que, mientras otras unidades engordaban con gente fresca, el 65 se iba diluyendo de escaramuza en escaramuza.

—Pero hay que demostrarles a

esos cocorocos que los tenemos en su sitio— finalizó, llevándose las manos a las entrepiernas.

El coreano lo miró entre sorprendido y divertido, y al fin sonrió.

—*Chavi*— dijo, y volvió a sonreír.

Con la garganta seca, entiesado, mantenía la vista en el blanquizal que se distendía en sombras allá lejos. Había algún punto, detrás de la brumosa lejanía, donde la tierra, rugosa y como palo, comenzaba a corcovear y a levantarse en pequeños promontorios para subir luego formando grandes estribaciones cubiertas de pinos y abedules que él jamás había visto. Una vida extraña —pero humana, al fin— latía detrás de aquel paraje hosco. Decenas de miles de milicianos, con sus uniformes acolchados, las metralletas cruzadas a sus espaldas —se decía que jamás las dejaban de lado— pulularían en sus cuevas, y más allá aún, al resguardo de la cordillera, por los vastos dominios del Inyín (¿cuántos habían muerto aquí, atrapados como ratas?) donde debían existir grandes extensiones de arrozales en estío, todo un pueblo entregado a la vida y a la muerte cotidianas. Para este tiempo, forzados por la fría estación de seis meses, los pequeños y rugosos labriegos se acuclillarían en toscas habitaciones esperando el deshielo de los légamos. Las mujeres, tras atizar el brasero, echadas de costado en las esteras, darían de mamar a chiquitines sonrosados. El luto se cernía también sobre aquellas regiones, pensaba él, como en todo territorio alcanzado por la guerra. Como, en fin, sobre su propia tierra.

El centinela próximo había dejado de roncar, y lo imaginó con el rifle automático dirigido sobre los sacos de arena, descansando y dispuesto a todo.

—Señor —musitó—, ¿cuándo terminaremos con esto?

II

Había comenzado a cabecear cuando advirtió la bengala bamboleándose en lo alto. Su luz daba un color violáceo a los irregulares manchones de nieve. Hacia el norte, solitario, retumbó un disparo. Acto seguido resonó un coro de fusiles. Y la paz —luego de otros disparos salteados, después del primer sobresalto— volvió a caer sobre los destacamentos. En la tregua siguiente, los músculos se aflojaban mientras regresaba el frío que, por un momento, había sido olvidado.

El sargento apareció con la carabina apuntando al suelo.

—¿Qué rayos pasa aquí? —decía—. ¿A qué le disparan?

Él lo sintió detenerse detrás suyo. Le observaría de arriba abajo, la cara ladeada, meneando la cabeza. Luego adivinó —aparecía y desaparecía con el mismo sigilo— que se había marchado —escuchaba ahora su voz a cierta distancia, sola y obstinada, única— y sentía que sus ojos aún recorrían su espalda. Los tiene en su sitio, pensó. Y de inmediato se condenó por haberlo pensado. ¿Qué diría el ministro de una frase así? En su país, y después en el ejército, no había oído sino eso. «El 65 los tiene en su sitio». «El coronel los tiene en su sitio». «El sargento los tiene en su sitio». «El ministro los...» Se detuvo de golpe, despejado del sueño que había recomenzado tras la partida del sargento. Alzó la vista para abarcar un trecho mayor del desolado paraje a través de la ventanita. La bengala se había desvanecido, bajo el cielo que se hizo más negro y más bajo, pero estallaron otras, renovando la luminosidad que perdía la primera.

Enderezó la vista y se puso a espiar las manchas heladas (harina, pensó: harina de otro costal, y sonrió) que reverberaban bajo la luz que venía de arriba. Posó la mano enguantada sobre la Biblia, que le calentaba el lado del corazón, reposando en el bolsillo de la guerrera, y oró con calma, moviendo minuciosamente los labios. Una paz sin nombre le embargaba, y advirtió que el frío, como un demonio, escapaba de sus miembros. ¡Señor, Señor, Señor!, pensó. Con los párpados pesados, vio cómo el ministro amonestaba a los pecadores que curioseaban por las ventanas del templo y se dedicaban a cuchichear y a disimular risitas. Después las panderetas iniciaron aquel ritmo de plena, y el brazo de la hermana Concepción, no ya rozándole, sino adhiriéndose al suyo desde la muñeca al codo, le comunicaba aquella calidez, aquella profunda sensación de vértigo con un movimiento más pausado, menos —llegó a considerar él— casual. ¡Oh, Santo Espíritu!, musitaba, y la sangre le golpeaba las sienes.

A poco, mientras la imagen del ministro, gesticulante, se desvanecía como una bengala, empezó a cabecear de nuevo. De pie, reclinado contra un tronco, experimentaba una grata flojedad en los miembros. Se iba deslizando hacia abajo poco a poco, pero los inesperados tirones de los músculos —despiertos por sí mismos, dueños de una curiosa autonomía— le despabilaban, haciéndole abrir los ojos. La imagen, pequeña y extraordinariamente definida, del sargento chilló en su cerebro. Despertó del todo, con la mano apretada aún sobre el Viejo Testamento. ¿Qué te pasa?, se amonestó en silencio. Dígame, *piefcí* Peña, ¿qué le pasa? «No me pasa nada, sargento», se dijo, «pero llevo más de seis...» ¿Qué hora sería? Se subió de hombros, y miró con desgana, mortificado, aquel interminable páramo que le hería los ojos. Dio un paso al frente y asomó la cara por la ventanilla. Pero sólo había desolación, y una desviación del terreno allí donde había corrido un pequeño arroyo de grandes piedras zules. Alguna vez había sumergido los pies en el agua transparente, meses antes de que las nubes, en borbollones, tomaran aquella consistencia pesada. Para esos días ya lo grandes pájaros nocturnos, que sobresaltaban a la soldadesca con sus cantos, habían empezado a emigrar hacia regiones más hospitalarias. Él había sentido la tierra encogerse y ponerse rígida bajo sus pies y constató, ufano y conmovido, que el mundo de los hombres, así como el de los insectos y el de los animales, se preparaba a recibir, con alegre ajetreo, el invierno. Los árboles, aislados con soberbia los más grandes, organizados en grandes masas terrosas los de menor talla, escalaban con profusión de ramas encabritadas los picos. Una vida nueva y abrigada comenzaba a agolparse en los graneros. En las habitaciones, el fuego asumía la resistencia al clima que el hombre, desamparado sin sus descubrimientos, jamás ostentaría. Sorprendido, él había observado con entusiasmo el viraje —inconcebible en su país— de la Naturaleza. Algún día, había pensado, podría contarles a sus hermanos, una noche cualquiera a la salida de la iglesia, las cosas que le había tocado presenciar.

Descansó la cabeza sobre un tronco y cerró los ojos invadido por una sensación de relajamiento. El del rifle automático había empezado a roncar de nuevo, y él experimentó una leve compasión por aquel muchachote lampiño y rudo. «No le gusta esto», se dijo, «y lo soporta como puede». Lo imaginó enhorquetado sobre la saliente de un tronco, un pie colgando y otro afirmado levemente en tierra, el cogote hacia atrás, boquiabierto, la manaza, acostumbrada al arado, enguantada ahora, descansando flojamente sobre el caño del arma. «No será el único», se dijo. La tierra misma parecía hundida en un profundo sopor. El letargo surgía de ella, culebreaba pies arriba y desconyuntaba a los soldados sobre las culatas.

Bostezó largamente, en silencio, y gozó de antemano la tarde que se avecinaba tras la jornada de esa noche. Se vio así mismo, de mediana estatura y un poco encorvado, la frente despejada bajo los mechones castaños, acercándose al jergón y metiéndose sin desvestirse, con todo y botas, en la bolsa de dormir. Roncaría hasta tarde y a medianoche le tocaría, si no había un cambio inesperado, alguna guardia de a lo sumo cuatro horas.

—No es mucho —dijo, aburrido. Y volvió a bostezar, larga y dulcemente—. Pero, ¿qué te pasa? —agregó con desenfado—. Estás a punto de quedarte como un leño. ¡Oh, Señor! —musitó con agradecida dejadez, sabiendo alejado el peligro—. Que sea lo que Tú dispongas.

Se desperezó. La sangre fluía cálidamente, con un cosquilleo reconfortante. Se enderezó y enfiló el rostro hacia la estrecha ventanita. La nieve estaba iluminada en un punto intermedio entre la falda de la colina y las fortificaciones. Unas bengalas, en vías de difumarse, venía hamaqueándose lentamente hacia la tierra.

III

«El hombre de las bengalas también se quedó dormido», dijo por lo bajo, moviéndose con inquietud. Hacía poco más de media hora que el sargento había vuelto a inspeccionar los puestos de guardia, increpando al del rifle automático, que roncaba emitiendo pequeños silbidos. Luego había desaparecido.

Un disparo resonó en las trincheras. Él clavó la vista en el lugar donde empezaba a subir el terreno y dio un paso al frente. Del otro lado de la quebrada se advertía, entre las sombras, un hormiguero de hombres que avanzaba hacia la pendiente. Algunos corrían moviendo rápidamente los pies y se lanzaban de cabeza.

A ambos costados de los destacamentos empezaron a repicar, con aquel seguro martilleo, las ametralladoras. El automático quemaba en una sola ráfaga las municiones, y luego de una pausa volvía a escupir, casi de un solo golpe, su carga. De todos los puntos de la compañía, y desde la parte baja de la colina, crepitaban las armas.

¿Cuánto faltaría para la madrugada? Después de un largo servicio, una de las ametralladoras —él no hubiera podido asegurar cuál— se había silenciado. No muy lejos habían establecido otra. La habrían traído a toda prisa para apuntalarla en el lugar donde habría enmudecido un rifle.

Cerró los ojos. —¡Señor!— invocó, y se dejó caer de rodillas.

Algo restalló contra un saco, despanzurrándolo. Acto seguido supo por intuición, mientras mantenía el Viejo Testamento apretado contra el rostro, que alguien se había detenido detrás suyo. Pero no se volvió.

—Por la paz— dijo, y sintió el caño pegado a su nuca.

Inclinó la cabeza. La hermana Concepción, engurruñada y con los labios grises, clavaba sin pestañear los ojazos en el vacío. El ministro dirigía la palabra a un grupo de viejas. Se escuchaban algunas de sus frases, dichas con aquel énfasis suyo: «Un gran muchacho... El Señor lo acoja... Vocación.» «Peña», dijo una voz a sus espaldas. Y él reconoció, con cierta sorpresa, la voz del sargento. El caño se apretó aún más contra su nuca. «Levántese», dijo el ministro, difumándose.

—Levántase— dijo el sargento, y él supo que lo decía por segunda vez.

El caño se le hundía bajo el cogote, y tuvo la visión del dedo presionando el gatillo. Tiró dos veces del disparador, y reculó ante la doble coz de la culata.

—Ahora verá —dijo el sargento—, y se colocó en la ventanilla, disparando de una sola vez el peine. Pareció, en un brevísimo instante, el chiquillo que enseña a otro el funcionamiento de un juguete. Su voz había sido un tanto afectuosa, de maestro que comprende las dificultades del discípulo. El sargento se volvió rápidamente y le empujó hacia la ventanilla. —Ahora usté— dijo.

Disparó dos veces, mientras el sargento, en un abrir y cerrar de ojos, abastecía su arma y la apretaba contra sus riñones. Pero la boca de la carabina se retiró al instante, y, sin verlo, supo que se había desplomado. Se volvió. Estaba allí, en la penumbra iluminada por los relampagazos, la cabeza alzada sobre un tronco, jadeando con la barbilla sobre el pecho.

—Agua— dijo.

Genaro destapó la cantimplora y se la pegó a los labios. El otro bebió con avidez, atragantándose, y su garganta gorgoteó como un caño descompuesto. Está hecha hielo, pensó, sacudiendo la cantimplora y sintiendo la piedra golpear en el aluminio. Luego la puso a un lado y desabotonó el abrigo del sargento. Este se quiso incorporar, afirmando las manos a sus costados e irguiendo el cuello.

—Quieto— dijo Genaro, y le descubrió entonces la herida en la cintura.

Por un momento, mientras le aplicaba la primera ayuda, se sintió casi feliz. Eso era lo mejor que podía hacer en la guerra. Había rechazado su puesto, abrigado y bien comido, en la cocina, con el objeto de hacer de enfermero y ayudar en esta forma a quien fuese necesario ayudar. Esto le había acarreado un serio contratiempo la vez que el teniente Simpson le sorprendió llevando la cantimplora a los labios de un adversario moribundo.

—Déjeme —dijo el sargento—, y coja el rifle.

De la mochila, arrinconada junto a la puerta, extrajo vendajes, desinfectante y esparadrapo. Trabajaba rápidamente, en la oscuridad, moviendo con experiencia los dedos, desapartando la ropa empapada, enjungando y lanzando la gasa sanguinolenta.

—¿Cree que son muchos? —dijo el sargento.

—¿El qué?

El otro pareció impacientarse.

¡Ellos! —dijo—. Que sin son muchos.

—Unjú —dijo Genaro.

—¿Y por qué no coge el rifle?

—Estése quieto. Debe haber sido una granada.

Escuchaba, mientras trabajaba sobre el herido, el fragor de las metralletas en la colina.

—Coja el rifle —insistió el sargento—. ¿Qué clase de hombres tiene este regimiento? Primero la Kelly Hill...

Sí, pensó, *desde* la Kelly Hill.

—La Prensa nos puso por el piso —dijo el sargento—. ¿No entiende? No podemos hacer otro pachó.

Una ráfaga dio sobre los sacos, aullando, y la arena endurecida se precipitó crepitando sobre los dos hombres. El sargento escupió y se quejó brevemente.

—Duele —dijo—. Ellos habían corrido primero que nosotros.

¿Ellos?, se dijo. En realidad, todo el mundo había corrido en aquella guerra.

—Los mismos americanos —dijo el sargento, como si adivinara el pensamiento del otro—. Abrieron a correr. Pero los periódicos nos jorobaron a nosotros.

—No hable —le dijo—. Le hace daño.

—Hay que demostrarles que... —el sargento se retorció. El dolor le producía rabia.

El automático había enmudecido, y supo que hacía rato de eso. Una desesperación fría, taimada, empezaba a colmarle. Vio, en un momento salvador, los ojos cerrados del ministro, la papada, enrojecida por la hoja de afeitar, sobre el raído cuello, los brazos regordetes alzados hacia lo alto; los fieles caían fulminados por su palabra, humillados y contritos ante la impalpable presencia. Esa fue la noche en que la hermana Concepción atrapó su mano entre la suyas.

—Coja el rifle —dijo el sargento—. ¡Cójalo!

IV

Hacía más de una hora que había comenzado la batalla. La última ametralladora, después de una larga ráfaga, como si el dedo se hubiera quedado enroscado en el gatillo, se había acallado hacía algún tiempo. Al principio, él creyó llegado el momento de insertarle un nuevo cinturón de balas, y esperó con secreta ansiedad, pero la máquina no volvió a tabletear.

Por el monte resonaron unos estallidos sordos, como bajo tierra. Venían acercándose rápidamente. El sargento intentó levantarse, pero cayó de espaldas.

—¡No! —dijo, y lanzó un rugido.

Genaro puso la mano sobre su frente; lo devoraba la fiebre. Vino aquí porque estaba herido, pensó, pero no me lo dijo; los tiene en su sitio. Y esta vez la frase no le produjo malestar alguno.

—¿Cómo se siente? —le preguntó, y comprendió que la pregunta no tenía objeto.

—Frío.

Genaro le subió el abrigo hasta la barbilla. Pero eso tampoco tenía objeto.

—Calma —le dijo y le pareció que la palabra había sonado a burla.

Alguien cruzó chapoteando frente a la puerta. Luego pasaron hacia el sur, a escape, otros hombres.

Un proyectil rebotó sobre su casco. Acto seguido advirtió que la mejilla sangraba. Se secó con el hombro, descuidadamente, y miró al otro, entornando los ojos en la oscuridad.

—Frío —dijo con dificultad el sargento.

Soplaba una ventisquera que ululaba en el hueco de la puerta. Volvió a enjugarse la mejilla, con un lento movimiento de cabeza, atento a los resplandores que iluminaban las trincheras.

Las explosiones se acercaban ahora a la guarida vecina. ¿Mi turno?, pensó él.

Pasos apresurados llegaban desde el norte. Un lenguaje extraño invadía los destacamentos ■

CUBA

Alfonso Hernández Catá (1882-1940)

Nació en Santiago de Cuba y murió en un accidente de aviación en Río de Janeiro. Desde 1909 perteneció al Cuerpo Diplomático. Novelista y cuentista, sus títulos se cuentan por decenas. Sus mejores logros se encuentran en sus cuentos y novelas breves, pronto traducidos a varios idiomas y acogidos con entusiasmo por los lectores. Injustamente postergado, sus cuentos rivalizan con los mejores de «Clarín» o de la Pardo Bazán. Su prosa posee gran riqueza, su expresión es clara y pulcra; supo conciliar la sobriedad narrativa con un gran poder de evocación. Destacan entre sus títulos Cuentos pasionales *(1907),* La juventud de Aurelio Zaldívar *(1912),* Manicomio, El bebedor de lágrimas, Los frutos ácidos *(1915), entre otros muchos.*

Los ojos

Ahora que ya está todo concluido —decía la carta—; ahora que el fallo injusto del Jurado ha puesto entre la sociedad y yo una barrera de treinta años que mi escasa salud no me consentirá saltar, quiero darte a ti, que aun en los días envenenados inmediatos al crimen tuviste palabras de piedad y me exhortaste a decir algo en mi defensa, la razón de aquel obstinado mutismo. Si me has visto seguir los debates con resignación; si oíste al defensor rogarme en vano que le diera un apoyo, siquiera débil, para añadirlo a mis buenos antecedentes y cimentar su alegato, no lo tomes por desvío o embrutecimiento. Precisamente cuando él insinuaba la posibilidad de algún disturbio cerebral, yo sentía encenderse mi cordura como una luz y, después de alumbrar todas las posibilidades, decirme cuán estériles serían mi disculpa, mis «motivos», que sólo podrían ofrecer, sin mancharse de mentira, causas fugaces e incorpóreas a quienes para disponer de mí tenían el argumento irrecusable de los hechos.

¿No asesiné? Sí. ¿No está manifiesta la alevosía del asesinato? Sí. Bajo el movil oscuro del crimen, ¿no aparece claro que no recibí de ella ofensa ni siquiera excitación alguna? También. Por eso, cuando habló el fiscal de sadismo y de otras sandeces, viste en mis labios aquella sonrisa de impotencia interpretada por todos como una confesión... Y, sin embargo...

Hoy que después de un año de presidio, vencido por las privaciones, domado por las labores manuales, siento la indiferencia pública cerrarse como la puerta de otra cárcel espiritual sobre el recuerdo de «mi caso», me obsesiona la necesidad de explicar este «sin embargo». Y para no decirlo a ninguno de estos seres desventurados o perversos que conviven conmigo, pongo tu nombre al principio de este papel y escribo esta carta, que acaso no me decida a enviarte nunca.

¡Cuán absurda debe parecer esta historia a infinidad de hombres vulgares y felices a quienes el misterio no ha elegido para ahincar en ellos su garra! Para no añadir obstáculos a la casi imposibilidad de explicación, he de proceder con método y remontar el curso de mi vida hasta la niñez. Tú, que te sentaste conmigo en los bancos del Instituto, creerás conocerla tan bien como yo; mas siempre hay en las vidas rincones ocultos no revelados ni aun a los más próximos. Así, te extrañará saber que el día de nuestro examen de Retórica —¿te acuerdas?—, cuando me dio aquel desmayo que muchos compañeros juzgaron marrullería o gana de apiadar a los profesores, vi por primera vez los ojos que habían de perderme.

Los vi claramente, no sé si dentro o fuera de mí, destacar del fondo de una cara de facciones indeterminadas, las pupilas grises, los iris muy negros y la esclerótica de color pajizo. Aquello duró sólo un segundo; pero la mirada fue tan intensa, que durante muchos días quedó grabada en mi sensibilidad. Y las dos o tres veces que quise decir a mis padres o a algunos amigos, a ti mismo, algo de la alucinación, una voluntad más fuerte que mi ansia paralizó mi boca.

El examen fue el 4 de junio del 82, a mediodía; me acordaré siempre. Y mi emoción, al resolverse en congoja, hizo diferir el último ejercicio para dos días después. Obtuve notas brillantes, y mi pobre padre me compró en premio el reloj tan deseado desde hacía tiempo. Pero ni el regalo ni las felicitaciones lograron adormecer la inquietud de volver a ver aquellos ojos. Y esa inquietud fue poco a poco transformándose en terror.

Toda puerta, toda ventana, todo sitio por donde pudieran entrar, me causaba zozobra. Y a veces, en medio de una conversación, mi interés se apartaba de las palabras para seguir en el aire algo invisible, algo deseoso de plasmarse y de tender hacia mí las curvas flechas de las pestañas, el círculo gris, el puntito negro chispeante y la pajiza almendra con su brillo de concha marina...

Esta tortura duró muchos días, casi hasta el otoño. Mi vida era entonces de ejercicios al aire libre, de nutrición sana; y a pesar de eso languidecía. Los médicos, después de auscultarme y de hacerme preguntas difíciles, diagnosticaron un poco de anemia, sin sospechar que todo aquello era obra de los ojos malditos. Yo tomaba los reconstituyentes para no contrariar a mamá, y procuraba aturdirme con los juegos, interesarme por todas las cosas, esperando hallar en cada sueño la medicina única: el olvido.

Y casi olvidé... ¿Qué no puede olvidarse a los catorce años? Pasaron diez, cursé en la Escuela de Arquitectura, y los estudios, las ilusiones y la pubertad fueron retoños tan fragantes que más de una vez pensé en la antigua alucinación, y un mohín de mofa separó mis labios.

A pesar de eso, un día me sorprendí al recordar tan bien aquellos ojos, y otro hube de realizar dolorosos esfuerzos para no pintarlos en un dibujo cuyo modelo me parecía mucho menos vivo que mi visión interna. Entonces comprendí que debajo de las floraciones primaverales guardaba el tronco la carcoma; que los ojos terribles no estaban muertos, sino ausentes, y que un día u otro se me volverían a aparecer.

Esta sensación de terror se agudizó y duró varios días, durante los cuales, con alternativas, tuve la impresión de que los ojos estaban como indecisos entre mirarme o no... Luego comenzaron a alejarse.

No es que desaparecieran de mi memoria, sino que al pensar en ellos los veía muy lejanos, igual que durante los diez últimos años, como al través de unos gemelos poderosos usados al revés. Esta anormalidad no modificaba ni mi vida de relación ni mis estudios. Salí de la escuela con el número cinco, me independicé, conocí a mi mujer, nos casamos...

Mi existencia era activa y fructífera. Sano de cuerpo y de espíritu, triunfaba de las envidias profesionales, y a cada esfuerzo sucedía la recompensa. Hasta el no tener hijos, el carácter frívolo de mi mujer y la holgura económica, contribuían a procurarme la paz propicia a mis labores. Tú has conocido mi casa, mis obras, y comprenderás cuán poco quejoso debía estar yo de eso que llaman suerte. Sin tener nada de ogro, al contrario, gustábame ponerme a cubierto, siquiera un rato cada día, de la turbamulta social; y ahora te confieso que no era por empaque de hombre de estudio, sino por la necesidad del recogimiento preciso para pensar en los ojos terribles...

Porque desde el temor de la segunda aparición ni un sólo día pude pasar sin dedicarles un rato; rato tan desagradable, tan imperativo e imprescindible a mi espíritu como algunas funciones fisiológicas al cuerpo. ¿No recuerdas haberme visto muchas veces, al sonar las cuatro, despedirme con celeridad pretextando una ocupación que jamás especificaba ni retrasaba? Acaso también tú me atribuíste alguna aventura. Confiésalo.

Era que mi espíritu, habituado al método riguroso de las matemáticas, llegó a regular la irregularidad que lo minaba... A las cuatro, estuviera donde estuviera, recogía los puentes levadizos que me unían a la realidad, me aislaba en mí mismo, y me ponía a pensar en los ojos con toda mi alma. Este doloroso tributo, oculto para todos, no entorpecía en lo más mínimo mi inteligencia ni quebrantaba mi salud. Ya sabes que hasta la misma mañana del crimen hice mi gimnasia y trabajé con perfecta lucidez, y que he combatido victoriosamente las insinuaciones piadosas del defensor, obstinado, igual que tantos, en atribuir a falta de razón los actos cuya razón desconocen. Una existencia perfecta de equilibrio en cada día, de la cual hubiera un instante de vesania y de horror, ésa era la mía.

Los meses pasaban sin aportarme ningún consuelo. A veces preocupábame la idea de sufrir una manía pueril o el comienzo de la locura; mas la regularidad de mis trabajos, mi bienestar físico y la imposibilidad de hablar o insinuar siquiera algo de aquello, me convencieron de que los ojos eran reales y de que estaban ligados a mi vida por un hilo invisible, elástico, fortísimo, que sólo la Muerte podría cortar con su segur...

Una tarde, de vuelta de reconocer un edificio ruinoso, volví a tener la impresión tremenda de que los ojos se acercaban. Habían pasado siete años desde la última sensación semejante, y, sin embargo, reconocí en seguida la misma clase de inquietud, de dolor. Los ojos se acercaron lentamente durante muchos días, hasta que un domingo tuve la certeza de tenerlos ya próximos y de poder de un momento a otro encontrármelos, verlos objetivamente, como los había visto tantas veces dentro de mí desde el día del examen de Retórica.

¡Y, al fin, los vi; los vi no sólo un instante y en el aislamiento excitado favorable a las quimeras, sino largo rato y en medio de la calle!

Era de tarde, poco después de «su hora», cuando se me aparecieron. Y, como la primera vez, no percibí ni el cuerpo ni las facciones de la cara a que pertenecían. Súbitamente sentí algo punzarme hasta el fondo de los huesos, y volví la cabeza seguro de ver los iris tenebrosos, las aceradas pupilas, los óvalos vítreos de blancura terrible... Lleno de valor, y para acabar de una vez, fui a su encuentro en lugar de huírles; y durante un rato anduvimos así por entre la gente, hasta que los vi meterse en una travesía solitaria y después en el tercer portal de la derecha. Yo estaba solo, y todo mi valor se volatilizó. Incapaz de volverme atrás, seguí andando, y al pasar frente al zaguán los vi fulgir en la sombra y hube de realizar un esfuerzo enorme para no entrar tras ellos...

El mismo miedo multiplicó mis energías: eché a correr, me mezclé jadeante a la muchedumbre, regresé a casa, y tuve la heroicidad de hablar de cosas pueriles para ocultar mejor mi secreto. Encontré a mi mujer en la cocina, pues acababa de despedir a la criada, y dos veces tuve intención de confesarle todo, o al menos decirle que me encontraba enfermo; mas tampoco pude, y devoré en silencio mi fiebre fría y lúcida. Y en el largo insomnio, asaeteando las tinieblas con la mirada, el mismo temor me hizo desear en vano que se me volvieran a mostrar... ¡Ah qué larga noche! ¿Cómo iba a figurarme yo que los tenía tan cerca?... ¡Tan cerca!

A la mañana siguiente fui a la oficina y estuve trabajando en unos proyectos, aunque sin lograr sacudir el malestar. Al mediodía llegué a casa, entré con mi llave, y ya en el comedor me senté a leer los periódicos según costumbre. Mi mujer no tardó en llegar, me dio el beso habitual y se sentó frente a mí. Yo leía algo de teatros y luego la fuga de un banquero. Leía tan prodigiosa y fantásticamente interesado, que no sentí cuando sirvieron la sopa, y mi mujer hubo de llamarme la atención:

—Vaya, vamos a comer... Aquí tienes a la criada nueva.

Alcé la cabeza y debí ponerme muy pálido, porque la vi sobresaltarse y acudir en mi ayuda.

—¿Qué te pasa? ¿Te sientes mal?

Denegaba con el ademán, y de mis labios no podía salir ni una frase... ¿Has comprendido lo que era? Los ojos terribles estaban allí, vivos, claros, más claros que nunca; pero no en la penumbra de un rostro como otras veces, sino en la cara de la nueva criada. Y, sin concordar con las facciones, con los ademanes, con la sonrisa humilde, me miraban con aquel mirar sólo visible para mí, y reducían, aniquilaban mi voluntad de estar sereno, lo mismo que la llama del soplete vence la resistencia del metal.

Yo habría gritado, huido: me fue imposible: dócil al consejo de mi mujer, obstinada en atribuir a debilidad y exceso de trabajo el accidente, empecé a comer clavada la vista en el plato. Y ellas dos se pusieron a hablar, a hablar... Yo no oí con el oído, sino con el corazón, aquellas palabras a la vez sencillas y pavorosas.

—Usted debe ser muy joven, ¿verdad?

—Sí, señorita. Nací el 4 de junio del 82.

—¿A qué hora, a qué hora? —le pregunté sin contenerme ya.

—¡Qué cosas tienes! ¿Cómo va a saber eso?

—A mediodía, señorito... Lo sé porque mi madre me lo ha dicho muchas veces... En seguida de nacer me sacaron de aquí, y estuve entre la vida y la muerte. Luego nos fuimos a la Argentina, y hace diez años volvimos y casi estuvimos decididos a venir aquí a vivir; pero a mi padrastro le salió otra buena colocación allá y nos fuimos otra vez.

—Allí han estado siete años. ¿No es eso?

—¿Cómo lo sabe usted?

—Pero ¿tú conoces a esta chica? ¿Por qué estás así?

Y una energía independiente de mi voluntad me hizo reponerme, tomar un aspecto tranquilo y decir con acento sincero:

—Tengo idea de haber conocido a su padrastro... ¿Y hace mucho tiempo que llegaron ustedes?

—Ayer. Como estamos solas mamá y yo, y los parientes no tienen habitaciones bastantes y no nos recibieron como pensábamos, pues yo le dije: «Lo que ha de ser después, que sea en seguida.» Y busqué casa.

¡Y mientras ella citaba hechos y fechas, yo las cotejaba con rapidez terrible, comprobando el porqué de aquellas alternativas de proximidad y alejamiento, de amenaza y de engañosas esperanzas de liberación, que habían marcado mi vida hasta entonces!

¿Cómo describirte ahora los hechos que se amontonan, que se atropellan? Sin duda, salvo los ojos, todo era bondadoso en la pobre muchacha. Mi mujer le tomó gran apego, y a cada uno de mis pretextos para despedirla supo argumentar, cual si recelase que yo no podía decirle el verdadero motivo. Desde entonces llevé a mi propia casa una vida de persecución, de tortura. Al abrirme la puerta, al entrar en una habitación, al transponer un pasillo, los ojos se fijaban en mí, y sus iris de ébano parecían decirme: «¿Creías que no vendríamos a buscarte? Ya estamos aquí; ya no nos iremos nunca más.» Al principio inventé ocupaciones, invitaciones, para escapar; pero al mismo tiempo la fuerza magnética de los ojos me atraía, y concluí, para no separarme de ellos, por hacer en casa muchos trabajos que antes realizaba fuera. Te juro que en esa atracción para nada entraba su cuerpo. Apenas recuerdo que era menuda, desgarbada, y que su rostro —como han notado los periódicos con su indelicadeza de siempre— nada debió tener de seductor. Acaso hubiera en su sonrisa algo de bondad... Pero una bondad ajena a todo incentivo sensual.

«Yo bien quisiera libertarte y libertarme yo... ¡Tú no sabes cómo son estos ojos!» —parecían repetir sin palabras los finos labios que luego vi tumefactos y cárdenos. Y si al decir el fiscal las petulantes insulseces que dijo acerca de las degeneraciones yo hubiera podido explicar a los jurados la verdad o ponerles ante la vista los ojos funestos y hacer hablar a los propios labios de la muerta, que de seguro me habrían dado las gracias por haberlos librado de la terrible vecindad de aquellas pupilas, ahora estaría libre...

¿Comprendes ya? ¿Debo aún contarte el resto? ¿Cómo describirte aquella vida, aquel huir constante, en la estrechez de la casa, de los ojos que era imposible dejar de mirar? Lo que pasó habría sucedido mucho antes si en cien ocasiones mi mujer no me hubiera prestado, con sólo su presencia, ayuda inconsciente. Pero, al cabo, un día nos encontramos solos, y...

Yo la sentía rebullir en la cocina, y estaba alerta sobre mis planos, pidiendo en una oración de todo mi ser que se quedara allá, y al mismo tiempo con la convicción de que esa plegaria no sería atendida. La espera debió durar mucho rato; no sé... Fue una de esas horas en que se siente el elemento de eternidad de cada minuto... ¿Por qué extremaban los funestos ojos su crueldad martirizándome con aquella interminable espera? ¿Ellos mismos no habían dicho, sirviéndose de la boca bondadosa, que lo que había de suceder después era mejor precipitarlo?

Al fin sentí pasos. Me levanté de un golpe, y en la oscuridad del pasillo mis manos se tendieron con furor homicida hacia los puntos enemigos que fosforecían en la sombra y avanzaban hacia mí, armados también con las armas invencibles de su mirada. ¿Por qué hubo de ocurrir el encuentro en las tinieblas, donde yo no podía ver su cara, su cuerpo menudo, su cuerpo fino como un tallo, todo cuanto podía contemplar mi encono; donde sólo los podía ver a ellos? Hubo en esto algo misterioso y fatal.

Todavía hoy me agita el terrible equívoco de la escena... Yo no sentía nada contra ella, te lo juro, sino solamente contra sus ojos. Si mis dedos atenazaron su garganta fue por un ademán torpe, instintivo. Si en vez de abrir los párpados desmesuradamente y mostrarme las pupilas, el iris estático y el blanco grande y viscoso, los cierra, te juro que me habría conformado con esa victoria, y que mis manos habrían aflojado generosamente... Pero estaba escrito que los ojos habían de ensañarse en ella y en mí. Ya el cuerpo se desmadejaba inerte, ya en la piel había rigidez y frialdad, y permanecían abiertos, retándome. Y no se cerraron hasta mucho después, cuando todo era ya inútil.

¡Ah, si en vez de cegarme la cólera yo hubiera envarado los dedos índices, como dos lanzas, y los hubiera clavado en ellos!... ¡Qué gratitud me hubiera guardado para siempre la cieguecita!

Y eso es todo, amigo... No lo digas a nadie. ¿Para qué ya? Mi mujer ha muerto, dicen que de dolor. ¡La pobre! A su existencia vulgar alcanzó también el maleficio de los ojos diabólicos. Todo se me aparece ahora remoto en este aislamiento. La ruda labor, el aire confinado, la media muerte con que la sociedad castiga, los sobrellevo sin irritaciones.

Cada semana trazo una rayita en mi celda, y ya hay muchas..., aunque bien veo que la pared—imagen de mi vida— es pequeña para contener las que me faltan. Detrás de cada uno de los patios un naranjo asoma un poco de ramaje, que ya ha verdecido dos veces. Y ahora estoy aguardando con impaciencia sus flores, como si se encendieran sólo para mí... Alguna vez la nostalgia de mi vida rota me sube en marejadas al corazón, y lloro, y me desespero, y me mustio; pero en seguida lo inevitable de mi culpa me consuela y, a manera de bálsamo, me penetra la certidumbre de que ya los ojos no podrán aparecérseme nunca más; de que ya no están ausentes, sino muertos.

Para apagarlos fueron precisas dos vidas y una libertad: tres vidas, en fin. ¡Pero se apagaron!...

Te escribo de noche, viendo al través de mi ventanuco un pedazo de cielo espolvoreado de plata... Aún me faltan veintiocho años, seis meses, dos días y casi medio, porque deben ser cerca de las doce... ¡Ah, si al menos mañana empezara el naranjo a florecer! ■

Lino Novás Calvo (1903-1983)

Nacido en España, a los siete años fue enviado a Cuba. Tuvo una infancia y una juventud difíciles, viéndose obligado a desempeñar todo tipo de trabajos: pinche de cocina, mozo de cafetería, peón en un ingenio azucarero, vendedor de carbón, chófer de taxi. Se dio a conocer en la Revista de Avance, *en 1927, con un poema. Sin embargo, pronto derivaría hacia el cuento, del cual es sin duda el escritor más importante que tuvo Cuba en la primera mitad de este siglo. Influido por la dinámica de la narrativa norteamericana —Sherwood Anderson, Faulkner, Hemingway—, sin embargo Novás Calvo, como señala la estudiosa de su obra Lorraine Roses, «absorbió las modalidades del campesino, del inmigrante pobre, del negro y su forma peculiar de decir». Dueño de un estilo conciso y sugerente, y de una capacidad admirable para crear ambientes, de él son las magníficas colecciones de cuentos* La luna nona *(1942),* Cayo canas *(1946), así como de la novela* El negrero *(1933). Exiliado de Cuba desde 1960, su última obra es otro volumen de relatos,* Maneras de contar *(New York, 1970).*

¡Trínquenme ahí a ese hombre!

¡Amarren bien a ese hombre! Está loco. Loco-loco. Flaco, y viejo, como lo ven, y cubierto de flores-de-sepulcro, no se fíen. Ahora lo ven ahí, mansito, como gallo pillo, tomando resuello. De pronto puede dar un brinco. No lo dejen. ¡Trínquenme bien ahí a ese hombre!

Yo soy el Pelado. Sí. Me llaman el Ruso. Fui Barbero y dicen que al hablar con alguien miro siempre al espejo. Pero ahora miro a ese hombre. Ahora sé lo que pasó, y quiero contarle algo a él mismo, corriendo, antes de que se lo lleven. Atando cabos, me sé las cosas. De no haber estado loco... Yo no lo sabía. No se faja uno con un loco; es fajarse con dos, el hombre y la locura. Yo andaba por aquí; vivo aquí, allá arriba, en el bajareque aquel del jardinero. Ahí está mi vieja. Tengo mi perro, mi arrequín, voy con mis mandados, por mi cuenta. Entonces vengo aquí, le fío a este viejo. Nadie lo sabía —que era loco—. Sabía ocultarla —la locura—. Le fío, y doy vales a mi cuenta en la bodega, y no sé, ni yo ni nadie, que el viejo está loco, ni que tiene guano en el güiro. Trae la muchacha del campo, se echa el ayudante con los gallos, cura con hierbas y con Tulita a la mujer vieja y enferma que tiene en cama, lleva gallos todas las temporadas a la valla y pierde. Y con todo nadie sabe que tiene guano escondido. Escondido, como la locura.

Esto fue hace un año. Trajo la muchacha. La vieja estaba ya en cama, soldada a la cama. Fue por entonces. El ayudante estaba ya aquí. Antes iba por ahí, por los repartos, buscando gallos, que afeitaba y llevaba a las vallas y nunca casaba. Luego iba a los galleros, se los vendía por fonfones. Vino al viejo. Le trajo fonfones; y luego vino la muchacha, y el ayudante dio en dar vueltas. Quizás como yo, según dicen, y también él miraba al espejo, con su ojo haragán. Miraba a los gallos, los rejones, los pollos nuevos. Se agachaba, les pasaba la mano, los abosaba contra sus fonfones, en el traspatio. Luego iba la muchacha con comida, por entre los plátanos, las cajeles y las guayabas, como bailando. Erguida, una caña brava, de nudos altos y redondos, girando entre las matas. Se le veía desde fuera, del camino, del otro solar, del yerbazal, a través de la casa de ventanas abiertas, la casa de puertas abiertas: la mujer tirada en la cama, callada, mirando al techo, las goteras, las lagartijas, los sapos, las arañas. Ahí sujeta, fija, los ojos abiertos, como una muerta. Pero viva, todavía, queriendo vivir, y pensando.

Primero, la vieja. La que primero lo vio todo, aun antes de que pasara. El viejo se fue al campo. Dijo que iba a comprar pollos finos. Tulita vino entonces con hierbas, se quedó en la casa, con la enferma, cuidándola. O quizás velándola. El ayudante se quedó con los pollos, solo, durmiendo en el traspatio. La enferma no lo había visto. Ella no miraba a la gente ni a nada, salvo al techo. El ayudante no miraba tampoco a la gente. No iba a la calzada, a la bodega, a la esquina de noche con el grupo de nosotros. Luego la enferma quiso verlo. Preguntó su edad, lo llamó junto a la cama. El viejo estaba aún en el campo. Había estado lloviendo y las gotas caían, lentas, sobre el rostro enfermo y blanco y verde y descarnado de la vieja. El ayudante se echó para atrás: Tulita lo empujó para alante. La vieja miraba aún el techo y las gotas que le caían en la cara. Y luego, de noche, con la luz encendida y la ventana abierta miraba a las ranas, retrepadas en palitos, el chinito encueros, pegadas unas a otras, como mangos verdes y amarillos, mirando a la vieja con sus ojos sin párpados. Cientos de ranas verdes, amarillas, de ojos fijos y saltones, mirando a la vieja desde el palito. Ella miraba el techo, inmóvil, como las ranas.

—Quiero ver al muchacho —dijo la enferma.

Tulita lo trajo. La enferma tardó en mirarlo. Luego volvió, lentamente, la cabeza en la almohada. No el cuerpo, ni siquiera los ojos. La cabeza tan sólo. Entonces él vio que no estaba muerta. Pero ella no habló. Quiso sonreírle, fue recogiendo los labios de encima del boquete sin dientes; volvió a juntarlos. Pero sonrió con los ojos, sin moverlos. Nada más. Volvió la cabeza, miró de nuevo al techo. El muchacho se fue hacia atrás, trastabillando. Después la enferma despegó de nuevo los labios.

—Es joven —dijo la enferma—. Está sucio, pero es joven. Y buen mozo.

Nada más. Tulita no entendió por de pronto. El viejo estaba aún en el campo, y volvió solo, y no trajo pollos ni nada. Venía chévere. Había ido a La Habana y traía un flus nuevo, y pajilla y zapatos nuevos. Esos mismos que lleva, pero nuevos. Después fue al apeadero, una tarde y salió a la calzada. Entonces traía la muchacha. La vimos salir a la calzada, zanqueando, subir al camino, la cabeza hacia atrás, la cintura allá arriba, los senos allá alante. El viejo iba delante. Una pariente, dijo luego. La traía —dijo— para cuidar a la enferma. Ésta no hablaba. Tulita siguió yendo, con preparos; callaba también. Sonreía. Miraba al ayudante, me miraba a mí, husmeando, sonreía. La enferma sabía mucho, dijo Tulita. No estaba viva ni muerta, por completo. Quizás haya un intermedio, un sitio desde donde la enferma veía, fríamente, las cosas. Por eso sonrió. Mandó llamar al muchacho, y vio que era joven, y ella sabía. Sólo ella. La joven no era pariente, y el viejo no había ido a comprar pollos finos. Pero la enferma no se iba. Acaso él pensara que al volver ya no estaría, pero ella no quiso irse. Se estaba yendo, pero de pronto se detuvo y se quedó en ese rellano esperando. Desde allí vio fríamente lo de acá; no sé si lo de allá. Vio al viejo yéndose al campo a buscar a la muchacha, y quiso ver al ayudante.

—Es buen mozo —dijo la enferma—. Todavía no me muero.

No se murió todavía. Ya se estaba yendo, pero fue como si hubiera pedido prestado algún tiempo para ver algo. Nada más que para eso. Verlo, oírlo, saberlo: eso era todo. Le bastaba. Podía irse en paz. Ayer se fue. Ya lo sabía, ya lo había visto.

La vieja no me llamó a mí, como al ayudante. Yo no importaba, para ella. Sólo el ayudante.

—Ése es el hombre —le dijo a Tulita—. El ayudante.

Yo, nada. Si ella viviera y pudiera decirlo, lo diría. Ella sabía que yo, para la muchacha, nada. Yo venía aquí, le fiaba al viejo, miraba a la muchacha, pasaba al traspatio, miraba a los gallos, veía venir la muchacha, como bailando, entre las matas. Veía al viejo entre las matas acechando, cortando plátanos, recogiendo en pomos su zumo rojo, su sangre. Pensaba que era yo —el viejo lo pensaba. Me lo dijo:— Tú no te acerques a ella, me dijo. Me enseñó el machete. Luego entregó la sangre de plátano a Tulita y ésta la llevó a su casa. El ayudante cuidaba los gallos por sí solo, y vino la temporada, pero nada. Los gallos estaban cuidados, afeitados y todo, pero el viejo no los llevó a la valla. El ayudante llevó tres, apostó a los contrarios y cobró fuerte. Dijo que eran del viejo. La cátedra les apostó por ser del viejo, y el ayudante, del otro lado, cobró fuerte. Luego vino diciendo que les había apostado a ellos y perdido. Le pasó la cuenta al viejo, y éste, de noche, tuvo que ir a la botija y sacar plata, y dársela al ayudante, encima. El viejo creyó estar solo. El ayudante dijo que se iba a su casa, en Miraflores, a ver a la vieja, pero se quedó en el yerbazal y vio al viejo ir a la botija. La muchacha se hizo dormida, pero siguió también al viejo, por su lado, para ver lo que no viese el ayudante. Ya estaban de acuerdo. La enferma estaba en cama, con los ojos abiertos y todavía esperaba.

—Tú no te acerques —me dijo el viejo—. No te acerques a ella o te chapeo.

A mí, no al ayudante, me lo dijo.

¡El criar fama! El ayudante era quien miraba al espejo, realmente. Allí estaba la muchacha. Los dos eran jóvenes, y el viejo era viejo, y flaco, y seco, y lleno de flores-de-sepulcro. Mírenle las manos. Mírenle la cara. ¡Agárrenlo! Trínquenlo bien. Miren cómo me ha puesto. Trínquenlo, que está loco, bien a la silla.

Eso era. La enferma lo sabía, y por eso no se iba del todo. Sabía que el viejo había ido al campo por esa muchacha, porque era joven, y tenía ese cuerpo, pero que también el ayudante era joven, y tenía su cuerpo. La enferma no pensó en mí, ni dijo no te acerques, y en la calzada los otros me pinchaban, y no pensaban en el otro. ¡El no criar fama! El ayudante no la miraba a la muchacha. No andaba tras ella, mirándola, a la vista de todos, bajeándola con los ojos. No hablaba de muchachas, sino de gallos, y sus gallos siempre perdían; y el viejo ya no pensaba en los gallos sino en la muchacha. Por eso la trajo. Creyó que la vieja estaría ya muerta o que se moriría en seguida. Tulita se lo dijo. Pero aún no era tiempo.

—Todavía me queda algo por ver —le dijo a Tulita; la vieja se lo dijo. Tú misma vas a ver algo. Luego me cuentas —dijo la vieja.

Pero nadie vio nada, realmente. Nadie los vio juntos, a la muchacha y el ayudante, desenterrando el guano, escapando, de noche, por el aromal, entre las cañas bravas, hacia el río. Pero eso era lo cierto. El viejo no quería creerlo. Yo no estaba ya aquí. Me había ido. Yo no sabía nada, pero tenía que irme. No había chance. Yo sabía ya que no había chance con la muchacha y creí que era porque yo soy el Pelado, y me llaman el Ruso, y esas cosas. Me lo dijeron los otros, en la calzada. Entonces me fui para otro barrio, el de Santa Amalia, para no verla. Fue cuando las lluvias. Se desbordó el arroyo y me arrastró durmiendo cinco cuadras. Pero eso es aparte. El viejo creyó que yo me había llevado la chiquita y matado, quizás, al ayudante. Me estuvo buscando, furioso, y yo sin saber nada. Entonces volví. No podía evitarlo, y volví. Ya habían pasado las lluvias. Pero entonces ya el viejo sabía que la muchacha se había ido con el ayudante y con su guano en el güiro y que yo no era nada. Se lo dijeron, pero nadie cogió aún al ayudante ni a la muchacha, y quizás no los cojan nunca. Entonces la vieja había esperado bastante, y se fue también, para el otro lado, muy tranquila. Fue cuando yo vine. El viejo no estaba aquí, y cuando vino, ya ustedes saben. Está loco. Loco. Uno no se faja jamás con un loco, porque son dos a fajarse contra uno. ¡Aguántenlo! Trínquenlo bien en esa silla. Ésa es la historia. ¡A él mismo se la cuento! ■

Enrique Labrador Ruiz
(1902)

Escribe de él Max Henríquez Ureña: «Labrador Ruiz representa en Cuba una revolución en los métodos y técnicas de la ficción narrativa». Se refiere, sobre todo, a la trilogía de novelas que su mismo autor califica de «gaseiformes»: El laberinto de sí mismo *(1933),* Cresival *(1936) y* Anteo *(1940). Sin embargo, con posterioridad Labrador Ruiz evoluciona hacia una narrativa menos experimental y a partir de* Carne de quimera *(1947) entrega una producción más ágil y testimonial, aunque el solaz de la fantasía persiste en* Trailer de sueños *(1949). El cambio de rumbo se opera con su novela* La sangre hambrienta *(1950) y con el volumen de relatos* El gallo en el espejo *(1953), donde su maestría para recrear el mundo íntimo, sicológico de sus personajes y el medio, la circunstancia en que se desenvuelven, van de la mano. Como él mismo ha declarado, Labrador Ruiz es un forjador de ambientes, pero de ambientes donde lo imaginario y lo verídico se anudan.*

El gallo en el espejo

Nunca tuvo Guachi muchas esperanzas de celebrar su Nochebuena porque, entre otras cosas, carecía de plata. Pero del 20 al 30 seguramente se presentaría algo que hacer, desde cargar algunas maletas en piqueras de guagua hasta conducir jaulas de pollos, guacales de frutas o matules de legumbre de las hortalizas al mercado; algo, algo... Estos días siempre son propicios al movimiento; la gente va de un lado a otro, hace compras y en cualquier momento, por supuesto, sería posible festejar la fecha.

En el huevo del ojo se le ve que ha pasado algún tiempo frugalísimo durante el cual ha debido comer esas ensaladas de aire y esas tajadas de chiflo, tan famosas. Alguna aventurilla le ha tentado; no ha caído. Es un muchacho con principios que no quiere mezclarse, a pesar de sus amigos, a la mala faena. Ha roto el vínculo de la familia, se ha escapado de la casa y no sabe en qué emplear sus 18 años ociosos. Se ha escapado de la casa porque le fastidia ser gravoso a su madre, estar pesando sobre ella y necesita abrirse paso, conquistar el mundo. Sólo que de este modo...

—Guachi: te viene bien abril una puelta... No te vas a pasal la vida esperando que te caiga del cielo.

—¿El qué? Yo no nací pa eso.

Y Guachi soporta la burla de los amigotes que merodean por el mercado, pasa lo suyo, toma su café con leche cuando lo consigue (la completa, cuando la suerte le bate), duerme en cualquier portal y piensa que si alguien le diera a vender unos billetes de lotería no haría mala cosa. Porque él desea ganarse la vida honradamente y cumplir, cumplir siempre. ¿No está en tratos para sacar su carretilla con viandas o frutas, un día de estos, así que tenga para el fondo y la garantía?

Un zapato se le ha roto ya, por el contrafuerte, por donde casi nunca se rompen los zapatos. ¡La de tropezones que ha dado! La de tropezoness y reculones... Y piensa que tal vez si fuera de noche en busca de aquellos otros de vaqueta con que correteaba el barrio, que deben estar todavía debajo de la cama donde los dejó, podría hacer un cambalache y salir de apuro. Pero su camisa no está mucho mejor que esos zapatos, y el pantalón, bien mirado, ¿siquiera es decente? «¡No hay suerte pa el hombre honrao!»

«Yo iría —se dice—. Hace tres meses que no veo a la vieja. Pero me da vergüenza... Sobre todo que me pongan la vista encima aquellos que antes siempre me tuvieron —¡válgame Dios!— por lo que debía haber sido: un buen hijo trabajador.»

—Pareces un finao —decía la madre un tiempito atrás; y quería decir que de tan sucio y destartalado semejaba eso, un finao. Porque nadie daba a finao el valor de finitud, sino de abandono y destrozo.

—¡Qué lááástima! —gritaba el borracho que andaba a pie todo El Moro, toda La Lira, que dormía entre El Moro y La Lira como quien dice: él, que siempre estaba entre pinto y valdemoro—. ¡Qué lááástima!

Y esto lo plañía como en un silbo desgarrado, dando tumbos en su noche de miserere. Y los muchachos le preguntaban:

—¿Lástima de qué, Zamora? ¡Tas completo!

—Que Zamora beba... ¡Qué lááástima!

La madre le decía:

—Mira, Guachi, a lo que se llega por mala cabeza. Portarse bien, no hacer locuras que te volverás un perdío, como Zamora. Ya eres finao, pero si te bañas, si te limpias... ¡A ver, las medias! Voy a lavarlas... ¡A ver, su camiseta! Mi fillo no es un finao...

Y, ¡lo que quiere el pie!, bien que se veía camino de su casa. Pensó que su mamá después de todo era su mamá, un poco materia adjunta y minúscula, galifarda sin remedio, cosa que le sonroja un tanto, pero su mamá al fin... ¿Cuándo su mamá iba a dejar de hablar tan raro? Bien que en trasantaño anduviese con todos esos ous y meus, pero ahora ¿todavía? Si hasta los gusarapos que sirven por el Vedado ya no dicen así, aunque hayan venido ayer de allá, y se vuelven biyayas y parlan una letra de guardacandelas. «¡No hay derecho, comadre!»

A su casa iba, no sin incertidumbre, a ver la vieja, a buscar los zapatos. Venía a pie desde el mercado, con su poco de cansancio, esperando que cayera la noche para que los vecinos no le reconociesen y a lo mejor:

—¡Miren a Guachi, que se le acabó la cuelda! Ya volvió.

—¡El pobre Guachi! La estampa de la herejía... El viento no se cocina, ¿eh?

Como seda se desliza frente a una casa de concreto, la única en todo el barrio; en los dos barrios: en La Lira, en El Moro. Miró por la cancela a hurtadillas. Unas muchachas estaban en palique:

—¿Qué te parece lo de Bismark?

—Pues me estropeó el domingo. Yo tenía que salir a Rancho Boyeros, a un asalto de cumpleaños, ¡y ya ves! Me rompió las medias.

—¡Qué perrito el tuyo! Y eso que dicen que está criado debajo del escaparate. En too se mete.

Le deslumbró una luz potente cerca de su casa, iluminando su casa, la miseria de casa en que vivía su madre. Bajo los focos vio el aguilón de una grúa girando en todas direcciones, removiendo tierra y lodo para dar paso a un camino. Veía eso que es trabajo y se ruborizó, no por fuera sino por dentro. Luego se dijo:

—Ese Bismark es el perrito salchicha que le regalaron a... ¿Cómo se llama esa muchacha?

Y viró en redondo. El brazo mecánico de la grúa como que le estaba acusando sin piedad, por holgazán y vagabundo. ¿Qué cuento es ese? ¿Qué confusión siembra en su alma? Y ya no pensó más en su madre, ni en sus zapatos, ni en el pollón aquel que ya sería un gallo y al cual su madre quiere como a un familiar cercano.

La pobre María Bidó, todavía muchacha de servir a los 60 años, como se acercaba la Navidad estaba muy triste, no veía a su hijo, se sentía achacosa y si se le preguntaba:

—¿Que tiene la doña? Dígalo, no lo escriba.

—¿Además el calendario? —respondía—. Morriña...

A veces acaba una carta, la única de ese tiempo que recibiera en toda su vida, copiada de tal cual manualillo, a saber: «Distinta damisela: Confíome a bondade quí non poide fallar á quen posexe unha fermosura deslumeante, pra qui me perdoe o es trevimiento de isquirbir-le, o qui fago abrigado pal-a pasión demasiado vemente qui as suas olladas espertaron no meu curazón...»

Por allá quedaba la firma del padre de Guachi, mohosa, herrumbrosa; una sombra de humo como era el padre ahora. ¿Y dónde se había metido el hijo, proyecto de sombra también? Porque no da señales de vida, se marcha y no vuelve...; eso es, tal hizo el otro en tiempos.

La pobre María Bidó había hecho una promesa; vestirse de saco un año si su hijo se quitaba de lo que andaba, cualesquiera que fuese el asunto en que se amarra. ¡Oh! Su corazón no hace más que preguntarse: «¿En qué malas piedras pone su planta el chico este? Debe andarse en muy buenos malos pasos...» Criado muy libremente porque su papá —decía María— nunca se ocupó de meterlo en cintura, saltarín de riscos y peñascales, flor de las afueras, le dejaron hacer cuanto quiso sin ocuparse nunca de averiguarlo. El padre había criado puercos y el hijo se había criado si no como esos gochos, punto menos: comer, hocicar, dormir... ¡y en santa paz!

Pero la pobre María Bidó no se angustia mucho porque también tiene ¿cómo decirlo?, otro hijo. O se angustia en una suerte de encantamiento, porque el otro hijo le resarce de los dolores que le produce Guachi. O el Guachi y este, váyase a ver, es la misma cosa.

A veces sostiene conversaciones muy curiosas con desconocidos que se interesan por ese bulto que siempre lleva a cuestas:

—¡Ababoles! Meterse a lo suyo; no es ningún finao...

O bien responde a aquellos que saben bien lo que lleva allí:

—Maldito. No preguntes por gusto. Te harás muy feo y orejudo.

Le había dado por plantarse a

media tarde en el parque Trillo, junto a un banco de hierro y listón, haciendo hora para seguir a su trabajo. Pero como ponía el asunto sobre el banco y ¡vamos!, los bancos están hechos para que se siente la gente y no se manchen la ropa, María sacaba un trapo y tendiéndolo cuidadosamente emitía con ternura:

—Tesoro; así no harás daño. Arrecochínate bien...

Los transeúntes miraban aquello y pensaban: «Debe estar chiflada esta mujer...» El guardaparque daba la vuelta, se detenía maquinalmente y ella, una y otra vez:

—Puedo quedar ¿no es eso? Todo está bien, el paño lo pongo por si acaso...

De tanto detenerse ante ella el guardaparque, María tomó confianza y pasaba más tiempo ante el banco, de pie, siempre de pie, mirando para su amor. Un día un comerciante retirado se detuvo a interrogar:

—¿Y qué hace usted con ese gallo aquí, mujer?

—Pero si es un pollo, caballero —dijo ella—. Un pollo...

—Bueno ¿y qué? Le pregunto qué hace.

Muy asustada, sólo acertó a decir, de corrido:

—Le paseo... Le traigo a ver el verde. No tiene más que nueve meses, un pollo... ¡y mire qué carne! No parece sino carne de gente. La señora de la casa donde trabajo le dio con la uña en la pechuga ¡Mala! ¿A que no se figura usted por qué hizo eso? ¡Quién va a saberlo! ¡Oh! fíjese qué plumita esta del rabo... Esto sí es pluma bonita; la misma con que se hacen los plumeros chinos. Sí, señor. Mi fillo es muy bueno; se garra con las uñas a esto que le pongo... como si fuera faldellín. Le llevo aniñado, con su almohadita y todo. La señora tiene que admitirlo; ese fue el trato. Y ella le dio con la uña, me parece a mí, por si tenía abajo sangre azul, de tan majo como se ve. ¡Ababoles! No hace daño a nadie. Yo llego a la cocina, lo marro a la pata de una silla pra que no ande estorbando, y él se está quieto ahí hasta que le echo el desayuno. Desayuna igual que yo: pan mojao con leche; pan blando... Aquí, en mi cartera ¿qué llevo? Señor... Maíz y arroz pra él. Cuando tóco la cartera, tenga o no hambre, él se acerca, viene corriendito... Sabe que es su comida, porque él, mi fillo no come cualesquiera cosa. Le quiero como a fillo; duerme conmigo y el muy ladino me abre el día canta que te canta, bonito que canta ya... Si viera cómo canta el chequetín de su madre... ¿que si me sigue? Como a sombra; no pierde paso... Y aquí lo traigo, señor, pra que mire el verde... No, yerba no come; no quiere tocarla; pero el verde gústale.

—¿Y por qué no lo deja en la casa?

—¿En mi casa? Solito el pobre...

—¿Tiene miedo que se lo roben?

—Robarlo pueden, ¡hasta mí!, pero tendrán primero que matarme. Yo velo.

—¿Y si lo matan?

—Lo seguiré cuidando, lo seguiré viendo, muerta y todo.

El hombre se inclinó y con una delicadeza, con simpatía:

—¿Qué le pasa? ¿Está herido?

—Se le trastornó una patica. Fui por almidón, sebo y pabilo. Díle masaje; púsele una bizma. Esto tiene; una bizma. Sanará...

Hubiera querido proponerle trabajo en su casa, pero pensó en su mujer, la cual era muy quisquillosa. «Y es una lástima, porque se ve que tiene buenos sentimientos y caridad cristiana... ¡Oh, se encuentra poca gente así!»

La cúmbila habla de sus hazañas, de los negocios que hay que hacer, de las estúpidas persecuciones policiales, de lo poco que se puede contar con ese Guachi, tan zoquete que no pone media.

—No silve ni pa desvalijal un camión roto, lo más fácil del mundo. Bueno, ando en un ten con ten con él; no le doy ná.

—Si se ha constituío a pedil —dijo otro—. No hace más que pedil, como un poldiosero, ¡tan joven! Con lo bien que abriría una puelta...

Pasó Lanza con su fotingo escandaloso y gritó:

—¿Alguno va de camino? ¡Pal Cotorro!

—Bueno, si me llevas en el asiento del bobo...

Los asientos de atrás estaban ocupados por dos placeros y su conversación era muy viva. Uno decía que estaba pensando dedicarse a sembrar lichí, que los chinos andan pagando a ochenta centavos la docena tal si fuera una ambrosía. ¿Lo era? «A los tres años se da —aseguraba éste— y dicen que se da muy bien. En China a veces ni a los ocho... Pero aunque sea a los cinco aquí...» Y describía el *litchí chinensis*, rojo como púrpura, suave de carne, del tamaño de un mamoncillo..., buscado, muy buscado por los que saben comer. El otro hablaba de clavar fuertes clavos, de esos con que se coge el raíl al polpin, para que las matas de cocos que tienen flojera en sus racimos se fortalezcan y los aguanten. Y de que había visto que un vecino enterraba tarros de buey al pie de sus naranjales con el fin de que salieran dulces las muy agrias, en vista de que los injertos deforman un poco el fruto...

No se habían fijado en el que iba en el «asiento del bobo», junto al chófer, pero su catadura de pronto les fue familiar.

—Y esa botella pa Bijirita, ¿a santo e qué, Lanza?

El corazón del aludido dio un vuelco. ¡Pero si le conocían! Y él que venía pensando que este fotingo podía romperse en el camino; a lo mejor Lanza lo había llamado porque esperaba la rotura y bueno era tener un machacante; que si en el accidente había heridos, a estos heridos había que conducir a curar, y que en caso de que la golpeadura fuera de marca mayor, pues hasta posible que perdieran el conocimiento, que muriesen..., con esos monederos repletos de billeticos... ¡Dios mío! Y saber que en la casa de socorro los pasarían por la piedra. ¡No! Sólo que estos placeros que llevan sus cuchillos a veces con un corcho en el punta, a fin de protegerse si caen o resbalan, pueden también hacer volar ese corcho no tan prevenido como para que no deje actuar en su momento la buena punta jamás embotada. Pero heridos, con las cabezas abiertas, sangrantes, ¿podrían valerse?

Bijirita se rehizo en seguida y viendo que Lanza se metía por estrechos boquetes entre carro y carro a punto de remellarlos a todos ellos, divisó puerto seguro súbitamente:

—Cuela por ahí, compa, pero

con cuidado... ¡Y aquí me quedo! Mi botella es chiquita, caballeros.

—¿En este descampao?

—Cierto y cabal. ¡Punto redondo! ¡Cuela!

Luego le comunicó por lo bajo a Lanza que quería ver a unos que andaban en el trapicheo de la fumadera; que necesitaba encontrarles por estos rumbos, y que otro día no lo invitase más a subir a una santa-bárbara tan repleta de pólvora.

Junto a la bodega conocida por la del Nato, una camada de casas verdes se apuntalaban entre sí. Cierta de ellas dio norte a Bijirita. Aquí venían a traer los revendedores que escurrían peligro poniéndose a buen resguardo.

—Yo soy el recomendao, compa, y necesito unos prajandís.

Después de mirarle detenidamente el que parecía currillo le dijo:

—Cogiste la guagua equivocá; de eso no hay.

—¿Y qué hay? Porque yo vengo recomendao de parte...

—Mota —emitió el otro cuando oyó el nombre invocado—. Y dile pa otra vez que te dé un papel.

—Chantillón —completó el currillo—. A ver si nos entendemos.

—Bueno, es que ustedes no me quieren explicar. Lo que tiene de do-re-mi-fa-sol... De templar la guitarra...

«Este no es más que un alcanzador» —pensaron a un tiempo los socios y para salir del atasco dijeron precio y condiciones. No sé qué alegó Bijirita de conseguirla más barata y fue abatido por recelosas miradas.

—Competencia en esto ¿eh? Briega de patanes querrás decir.

—¡Hala! —amenazó el otro— Y alma en boca y huesos al costal, que si no... ¡Apura!

Vuelto a la cúmbila, con una posible confidencia encima, oyó cómo Cufí decía:

—Lo que flota en el agua es el huevo vacío; la basura.

—Digo —respondía Bayoco— como el funerario de mi pueblo: tarde o temprano te alcanzo.

Este desatinado diálogo ladeaba una cuestión, es decir, cosumía perífrasis y circunloquio. Los buenos muchachos no ven el momento de escalar, ellos también, las cumbres que otros escalan. Bijirita interrumpió:

—Bueno ¿y qué preparan ustedes pa nochebuena? La tenemos encima y hay que festejarla.

—Yo arreglé ya la mía —contestó Bayoco—. ¡Y de arribales!

—¿Ensartaste la aguja? Eres un cairoa.

—Me puse al dao, gané unos quilos, y aunque me los deben...

—Cara... po, ¿a quién abancuchaste?

—Al tipo ese que me tiró un rentoy ayer. Le di al principio changüí y luego, con el cargao... Cuanto pague me pongo...

—¿Y tú qué pones? —dijo Birijita volviéndose hacia Guachi—. Tienes una facha de cotorra con moquillo... ¡y cojeando! Pásate un sedal por la rozadura esa... Punto redondo: desaparece el agua. ¡Y alísate pa los prajis!

—Veremos a vel —dijo Guachi—. Tal vez ponga lo más importante ¿qué les parece? Depende...

Y sin intención deliberada, porque aquello fue tomado a beneficio de inventario, todos se intrigaron por saber qué cosa podía allegar para la fiesta de navidad el pobrecito Guachi, y pensaban como la cosa más natural: «Guachi, te viene bien abril una puelta.»

La llana del albañil que empareja material se ha detenido en mitad de la obra a las seis de la tarde. ¡Ya no más! Pues no es un día cualquiera el 23 de diciembre, esa víspera de tres o cuatro días atorbellinados en que, reglamentariamente, debe uno embrigarse y de modo indubitable comer hasta el hartazgo. «¡Basta!».

Guachi venía sigilosamente, cantando bajito como se dice, y otra vez... ¡la casa de concreto con sus muchachas parlanchinas!

—Es muy grande paa ella —decía una voz muy alta—; es un siete piso... La tendrá que levantal en vilo paa besarla, ¿no?

—Será enana —interrumpió la que estaba leyendo— ¡pero muy presumida! Eso sí... ¿Y quién quita que la quiera?

—¡Ay, qué mona! —dijo otra—. ¿La quiere? ¿Te consta a ti?

Cuando decían: «¡qué mona!» era, tal vez, para decirle eso..., encubiertamente, porque para decirle graciosa o simpática no había deseo aparente. ¿Acaso no contrariaba ella la opinión general de que aquella enana tuviese un enamorado tan alto, tan buen mozo? Si uno supiera cómo se manejan las mujeres entre sí, para encarecerse o menospreciarse, los tonos que usan en la voz, en el acento, los diferentes grados de decir, pues uno sería un sabio y en ésas estamos. Guachi pensó cabalmente que para ser un sabio...

Bismark ladró; le miró desapaciblemente. Chato, orejudo, criado debajo de un escaparate, formando parte del suelo, nacido de las entrañas del mosaico, pura pamplina... Le puso todas estas tachas a Bismark porque le ladraba y se dijo que para ser un sabio...

—El 25 montería, Ana. ¡Qué rica la montería! Y los rabanitos picantes. ¿Te gusta a ti el turrón de almendra?

—¿Y el 24? ¿Qué haremos el 24 después de la cena? ¿Dónde iremos a bailar?

Siguió pegado a la sombra; pensó: «Una cuenta pa lante; otra pa trás». El calcañar le dolía un poco; la peladura con el frío le echaba chispas. «Si tuvieran —se dijo— toavía los zapatos de vaqueta abajo la cama...» Iba sorteando los círculos pálidos de luz, los faroles, el viento se helaba por minutos. Le pareció ver de pronto la casa, le pareció escuchar algo; paró la oreja; la vieja estaría fuera, en la colocación... ¡y la casa sola!

Entraría en su casa como Pedro por su casa, ¡zas, zas, zas!, pero, señor, ¿qué iba a pensar la vieja cuando viese la cosa? «Bueno —había resuelto— pa eso mi mamá es mi mamá..., y más perdona Dios y no pregunta». Las voces se precisaron:

—¡Uf! El mosquito ta telero; con frío y too, ¿eh?

—¡Y bien!

—¿Y teas fijao tú en el detalle? Que el mosquito de aquí no canta... ¡Suuung! ¡Plaf! Y te quema... Pero no canta. ¿Cómo sabrá él dónde está uno en la oscuridad? Y no canta pa cogerte al seguro... ¡Plaf!

—Esto de la oscuridad me recuerda... Aquí mismo en este barrio... Lo más gracioso.

—A ver; dime.

Guachi está indeciso; no quería que le viesen entrar en la casa, y estos hombres ¿qué hacen ahí parados en el piso mismo? Había pensado mucho en aquella plata que tenía su madre metida en el forro de la colchoneta, plata de verdad, entre el miraguano de la colchoneta, buenos pesos de plata, redondos, grandísimos, con un perfil de mujer en el medio. Un montón.

—Pues figúrate... me meto un día en el servicio del café, ese de mala muerte... «Cuidao, que hay uno» —oigo—. Ya le había dao su baño de regadera; venía muy urgente. Reculé; entonces el hombre gritó: «No más amoníaco; ni en la casa de socorro lo dan ya...»

—¡Qué pasó!

—Na; me dijo después de secarse: «¡Ñinga!... Lo que necesitas... lo busca tú en otra palte. ¡Qué láááastima! ¡Qué láááastima que Zamora beba!» Y se volvió a dormir.

Guachi se rió sin querer. ¿Se imagina usted la escena? El infeliz borracho negándose a abandonar el sitio, señoreando el sitio, «su» sitio... Y ahora les vio la cara a los conversadores, recostados a una pared, charlando placenteramente, esperando nada, de servicio rutinario por aquí, o, ¡quién sabe!, sobre una pista... Guachi pensó volverse atrás, abandonar su idea. En medio de esta dubitación se dejó ver medio cuerpo bajo la luz. Le gritaron:

—¡Hombre! Párate ahí.

—¿Buscando algo? —le increpó el otro—. ¿A afanar?

Guachi pegó un salto imperceptible, pero salto al fin.

Creyó otra cosa y su mirada rabitiesa se puso en guardia. Se dejaría registrar; no llevaba nada encima.

—¿Qué pasó? —dijo uno con tono afable, falsamente dulce—. ¿Se conversa o no se conversa?

—Usté dirá...

—Mira, tú —dijo el otro tomándole por el cuello de la camisa sucia—: te quiero preguntar... ¡Pero me dice la verdá!

Se vio perdido. ¿Cómo no iba a darse cuenta que le conocían sus trapiches? Eran los falsos placeros que hablaban del lichí, de los tarros de buey al pie de los naranjales, de los clavos enterrados. Y él era el amigo de Bijirita; tal vez para ellos el ecobo íntimo de Bijirita.

Dentro del comedor de su casa María Bidó, que tenía el día libre porque mañana 24 trabajará todo el tiempo sin detenerse, limpiando, fregando, volviendo a limpiar y a fregar, daba vueltas presa de extraña inquietud. Unos gritos la habían alarmado; un sueño la tenía sobreaviso; el remordimiento de no haberse puesto la promesa de saco la quemaba dentro. Si no fuera por la compañía de su gallito ¿qué mejor hacer de su destartalada vida que echarla al agua, como lo había soñado noche por medio?

Este gallo tenía una sola veleidad que no se había dicho: se portaba como persona mayor, se miraba en el espejo. Silencioso, altivo, de vez en cuando se miraba en el espejo. Curioso punto: jamás cantó ante el espejo a no ser el día que quisieron robarle a ella unas faneguitas de maíz para hacer rollón. Batió alas; el poderoso pecho de vainilla, abierto; las gallardetas de canela, engrifadas. Ella sentenció:

—El que pierda el tino ante el espejo, —no sé... no sé... Será que se asusta de verse tan buen mozo, el muy majo.

Algún quejido llegó de nuevo al borde de su conciencia; algún ladrido de perro airado también. Volvió la vista: su gallo se miraba en el espejo, desafiante, anunciador: ¡Coq-corocó!

—¡Válgame el cielo! ¿Qué sucede?

¿Percibió ella el daño? ¿Lo infería en su entraña de madre? Se acercó a una rendija y cogió al vuelo:

—No estoy conforme. Zapatos viejos ¿tú? ¡A ver la yerba! ¿Dónde la cargas?

—Pero si vengo a buscal el gallo de mamá, teniente. Ese bonito que tiene ella... ¡Se lo juro!

La pobre María Bidó salió a la puerta, gritando:

—¡Ababoles! Acabarás de llegar, rapaz. Mira, ¡ponte recontento!... A ver si te lo comes mañana noche con su buena botellita...

Y como volviendo de un desvanecimiento:

—Perro sin dientes..., ladra cuanto quieras; no morderás.

Lo decía por Bismark, muy abierto de patas, ojos de huido, confinado en el silencio. Lo decía por los expertos, a los cuales instintivamente odiaba. Quería, tal vez, quedarse a solas con el hijo baldonado, que ellos se fueran, y eso logró no se sabe cómo.

—¿Y qué te pasa, encantiño, en ese pie?

—Na... El zapato me aprieta; es durañón como diablo. De huírle me hice la ñáñara.

—Sea Dios testigo. Como el gallito, mi fillo. Él les manda iguales padecimientos; iguales suertes. A ver, que te haré una bizma; almidón, sebo carnero, pabilo.

Le enjugó la frente con su pañuelo:

—Magulláronte, fillo. Sentíte balar como ovella.

Y después de mirarlo amorosamente:

—¿Por qué choras? Daríate unos duriños... para que corrieras la tuna... ¿sabes?

Fue al cuarto; volvió con algunos de los gordos pesos de su colchoneta, tarareando:

Dizía la fermosinha
ay deus, val!
como estou d'amor ferida,
ay deus, val!

Su vieja mano extendida temblaba un poco. Guachi no tocó aquella plata; temblaba un poco. Ella volvió a decir:

—Fillo, ¿por quí choras?

—Quiero mis encoriocos viejos, mamá.

—No es rabia ¿eh? Bobito, no llorar.

Y poniendo el gallo entre su pecho y el pecho de su hijo le penetró tal alegría y dejadez que las monedas cayeron al suelo, desparramándose. Luego el gallo las fue signando distraídamente con su pico en una ceremonia incomprensible ■

César Leante
(1928)

De guionista radial y televisivo pasó a ser periodista del diario Revolución *y jefe del departamento de Servicios Especiales de Prensa Latina.*

Posteriormente fue Agregado Cultural de Cuba en Francia, Secretario de Relaciones Públicas de la Unión de Escritores de Cuba y Asesor de Literatura del Ministerio de Cultura. Se exilió de Cuba en 1981. Narrador afincado en un realismo que no excluye la imaginación, sino que por el contrario la proyecta a partir del dato verídico o probable, su creación comprende, entre otras, las novelas Muelle de Caballería *(1973),* Los guerrilleros negros *(1977) (publicada en España en 1982 con el título de* Capitán de cimarrones*), los tomos de cuentos* La rueda y la serpiente *(1969) y* Propiedad horizontal *(1979). Suyo es también el libro de ensayos literarios* El espacio real *(1975).*

El despertar

La vio a la mañana siguiente. Estaba acostada en la minúscula alcoba de su padre cuando él entró. Era joven y podía decirse que bonita. Tenía el pelo negro, la piel cobriza y los labios gruesos. Sonrió al ver al muchacho, pero no fue una sonrisa decidida sino un esbozo de cohibición y curiosidad lo que animó sus ojos.

Su padre se había levantado ya y con un cepillo se alisaba el pelo gris y fino. La presencia del hijo no le preocupó. Desde el espejo le señaló a la mujer.

—Mira, Zoraida —dijo—, este es mi hijo Carlos.

—¿El que trajiste de Venezuela?

—Sí.

Ella se acercó al niño cubriéndose el cuerpo con la sábana.

—Va a ser muy buen tipo —dijo cuando estuvo frente a él. —Es muy bonito.

El rostro del niño se congestionó. Le ardía como si tuviera fiebre. Miraba de soslayo a la mujer, la vista baja.

—¡Cómo no va a ser bonito si salió igualito a su padre! —rió el padre con risa cascada, satisfecho de la sobada broma. Sus pupilas chicas y cenicientas resplandecían.

—Mira, Reyes, ¡pero si se ha puesto colorado! —Ella parecía muy divertida del bochorno que descubriera en las mejillas del niño. Carlos enrojeció aún más y tuvo ganas de llorar. No obstante, interiormente se sintió complacido de ser el centro de atención de aquella mujer que inesperadamente había amanecido en el lecho de su padre y que de pronto, y a pesar de toda la miseria de que estaba revestida, confería cierto calor de hogar a su casa, de la que toda presencia acogedora estaba ausente.

El padre dejó de reir y miró la faz turbada de su hijo. Por primera vez algo semejante a la vacilación se adivinó en sus facciones. Pero se repuso enseguida, y colocando una mano en el hombro descubierto de la mujer, le sonrió al niño.

—Esta es Zoraida —comenzó a explicar—. Creo que ya te he hablado de ella. Nos conocemos desde hace mucho tiempo y ayer nos encontramos casualmente y la invité a venir... —Cambió bruscamente de tono y exclamó con golosa complacencia—: ¿Qué te parece? ¿Verdad que es una real hembra?

La atrajo hacia sí, estrechándola, y volvió a reir con su fatigada risa de viejo.

—Por favor, Reyes, mira que tu hijo no entiende de estas cosas —dijo ella pretextando el desconcierto del niño para evitar una caricia que evidentemente le desagradaba.

—Oh, sí entiende —respondió el padre sin soltarla—. Yo he criado a mis hijos de una manera distinta. Los he preparado para la vida. Carlos comprende perfectamente que es natural que tú y yo hayamos dormido juntos.

—Reyes...

—¿No es así, hijo?

El niño asintió sacudiendo la cabeza. El padre continuó con redoblado entusiasmo:

—¿Lo ves? A los doce años mi hijo tiene más conocimiento de la vida que muchos hombres. Con mis hijos yo puedo hablar de cualquier tema con entera libertad. Para eso los he educado...

Pero la mujer no parecía interesada en la disertación y miraba al niño con curiosa vivacidad. A pesar de su vulgaridad procedía con tacto, como si su instinto de mujer le hiciese comprender lo que el padre no advertía, y hubo una sombra de culpabilidad en su voz cuando preguntó:

—¿Qué tiempo hace que no ves a tu madre?

—Más de un año...

—¿Y tienes ganas de verla?

El niño miró a su padre como consultándole lo que debía contestar; fue una especie de mirada cómplice. Luego dijo con voz tenue, apagada:

—Sí.

—¡Pobrecito!

La mujer le acarició la cabeza y él se dejó hacer mansamente.

—Bueno, ve a encender la caldera para que Zoraida se dé un baño de vapor —dijo el padre.

—Pero si no tengo ganas —objetó la mujer.

—No importa. Te sentirás nueva. Un baño de vapor da la vida.

La mujer repitió que no y el padre comenzó a retozar con ella cuando Carlos salió de la alcoba, atravesó un corredor y se dirigió al último cuarto, en una de cuyas esquinas había instalada una pequeña caldera. Encendió el horno y pronto las llamas enrojecieron el quemador.

De la habitación de su padre llegaban voces y risas sofocadas. La mujer reía y repetía continuamente «no» o «estáte quieto» y de pronto Carlos oyó un sonoro chasquido.

—¡No seas bruto, Reyes! ¡Me has lastimado! —exclamó la mujer con irritación.

Le llegó la risa alta y quebrada del padre. Hubo un breve forcejeo y después se hizo el silencio. Lo último que Carlos escuchó fue un ruido que le pareció el de un cuerpo que se arroja pesadamente en la cama.

Era temprano, la mañana estaba ligeramente fría y mientras esperaba que la caldera tuviese suficiente presión de vapor, se sentó en una silla de respaldar elevado, introduciendo las manos debajo de los muslos. No era ningún ingenuo. Sabía que las relaciones sexuales existían, e incluso, por conversaciones con muchachos de más edad que él, conocía la forma en que se realizaban. Cerró los ojos, apretando muy fuertemente los párpados, para trasladarse a la alcoba de su padre, hasta que un sonido agudo, como un silbido, le hizo abrirlos sobresaltadamente, el latido de la sangre golpeándole ardorosamente en las sienes.

El vapor bullía en la caldera y se escapaba en una delgada y recta columna por la romana. Fue hasta el cuarto de su padre y se paró ante las mamparas cerradas. Quedó un momento indeciso.

—¡Papá! —llamó luego en alta voz.

Del otro lado le respondió una voz áspera y agitada:

—¿Qué? ¿Qué quieres?

—Ya está el vapor.

—Está bien; en seguida vamos para allá.

Pero pasó largo rato antes de que salieran. Ella vino envuelta en una bata de casa de su padre y la falda barría el piso. El padre estaba en mangas de camisa, despeinado. Carlos les sonrió suponiendo que eso era lo que debía hacer.

—¿Hay bastante vapor? —le preguntó el padre.

—Sí, cuarenta y cinco libras...

—Ven, Zoraida, entra en la caseta.

—Tengo miedo de quemarme.

—No seas tonta. Ni que fuera la primera vez que te das un baño de vapor.

—No, pero siempre me da miedo.

—Vamos, entra y déjate de niñerías.

Empujó a la mujer por la espalda haciéndola penetrar en la caseta.

Cerró la puerta pasándole el pestillo por dentro.

Carlos sintió un suave roce de ropas y pensó que la mujer ya se había desnudado. Luego oyó el silbido del vapor saliendo a chorros por la estrecha llave. La habitación comenzó a llenarse de humo azulado que se disolvía antes de alcanzar el techo.

—¡Uy, qué caliente está! —se quejó la mujer con un chillido semejante al que oyó lanzar en la alcoba.

—No te va a pasar nada. Frótate el cuerpo. No, así no. No sabes hacer nada. Eres una chiquilla inútil. A ver, yo te enseñaré. Así, ¿ves?

Sí, el niño veía: lo veía deslizando su mano por el cuerpo de la mujer, sobre su piel que ya había comenzado a humedecerse, recorría sus brazos y sus pechos y sus muslos...

Se apartó para vigilar el manómetro. La presión disminuía y abrió al máximo la espita del quemador. Las llamas rugieron en el horno. Ya no eran azules sino amarillas lenguas de fuego las que se introducían por los tubos de la caldera. Se quedó contemplando la hoguera.

—¡Carlos! —sonó la voz del padre dentro de la caseta.

—¿Qué, papá? —contestó y se notó la voz trémula.

—Cierra la llave de paso y tráeme las toallas.

El niño obedeció. Hizo girar la llave de la caldera que daba salida al vapor y de una cómoda extrajo dos toallas. Mojó una en el lavabo del baño, dejándola empapada en agua, y llamó a la caseta.

—Toma, papá, aquí tienes las toallas.

El padre entreabrió la puerta y al hacerlo el niño atisbó a la mujer en el interior, desnuda y sudorosa.

Regresó a su silla. El corazón le latía desbocadamente y una fatiga inmensa le doblaba las piernas. Esta vez no necesitó cerrar los ojos ni aferrarse al delirio de su imaginación: ella estaba ahí, ante él, desnuda, terriblemente real.

La puerta de la caseta se abrió y el niño se sobresaltó como si lo hubieran sorprendido cometiendo una fechoría. De pronto se encontró de pie, tembloroso, eludiendo sus miradas acusadoras. Pero ni el padre ni la mujer repararon en él. Ella estaba de nuevo envuelta en la bata de casa, tenía el pelo húmedo, pegajoso y la faz encendida. Retornaron a la alcoba.

El niño volvió a sentarse en la silla de alto respaldo, muy quieto, mientras las llamas seguían rugiendo en el horno ■

Reinaldo Arenas
(1943)

Se dio a conocer con Celestino antes del alba *(1967), única novela suya que ha sido publicada en Cuba, pues desde 1970 aproximadamente hasta 1980 en que pudo salir del país, se le silenció y sufrió persecución y cárcel en su patria. No obstante, su segunda novela,* El mundo alucinante *(1969), le fue publicada en México. Se apoya en las memorias de Fray Servando Teresa de Mier, figura histórica tratada ya por Lezama Lima en* La expresión americana. *Luego de su exilio, Reinaldo Arenas ha publicado* El central *(1982) y* Otra vez el mar *(1983).*

El hijo y la madre

La madre se paseaba del comedor a la cocina.

La madre caminaba dando salticos como un ratón mojado.

La madre estaba sentada en la sala y se balanceaba en el sillón.

La madre miraba por la ventana.

La madre tenía las manos llenas de pecas diminutas, aunque no era vieja.

La madre dijo ah.

La madre se puso de pie y caminó hasta la cocina.

La madre estaba muerta.

El hijo bajó del cuarto (el único cuarto que estaba en lo alto, semejando una pajarera gigante) con un libro en la mano. Se sentó. Pero no empezó a leer.

—En seguida estará la comida —dijo la madre, llegando desde la cocina.

Y el hijo abrió el libro.

La sala era grande y, por las persianas de la ventana que ocupaba toda la parte superior de la pared, se colaba un aire casi viento que sacudía los cristales, tirando a veces las hojas de la ventana.

—Deberías leer menos —dijo la madre, y cerró la ventana—. O no leer nada. Eso hace daño.

El hijo llevó el libro hasta el estante donde sólo había revistas, y lo tiró sobre ellas. *La madre, en ese momento, se paseaba del comedor a la cocina, sin fijar sitio.* Él la veía entrar y salir en forma vertiginosa. Entrar, salir..., hasta que la velocidad fue tanta que parecía como si estuviera fija frente a él. Entonces el hijo fue hasta el sillón que estaba frente al otro, junto a la ventana. Y se sentó.

Es posible que ya fueran las cinco; aunque podría ser más tarde; quizá las seis, o las seis menos cinco. De modo que dentro de cinco minutos llegaría *el visitante.* Y él aún no le había dicho nada a la madre. Y en ese momento estaba al llegar. Se asomó por entre las altas persianas y vio la luz del sol repercutiendo sobre las hojas del almendro que el ciclón había desgajado. Pues el caso es que esperaba a un amigo; él, que nunca había esperado a nadie por no tener dónde.

—¿Cómo es que no tienes dónde?

—Vivo con mi madre.

—A las seis estoy allí.

Y él mismo le dio la dirección y los números de los guaguas que cruzaban por allí. Y ahora el estallido de los pájaros fue colocándose entre las hojas del árbol. Oyendo ese estallido dejó de escuchar la voz de la madre que desde la cocina lo llamaba a comer. Hasta que la repetición de la llamada lo obligó a atenderla.

—La comida está servida en la mesa —dijo la madre, ya en la sala, de pie junto a él.

Y él pensó que no había necesidad de tanta palabrería; que hubiera bastado con decir ven a comer, o ya está la comida, o ya está, o ya.

La mesa estaba servida para el hijo. Y éste comía despacio. La madre también estaba sentada a la mesa pero no comía. Hablaba.

—Ya tienes toda la ropa planchada; solamente falta el pantalón carmelita. Tendré que ir a buscarlo.

El hijo pensó: en estos momentos ya está frente a la puerta; y yo aún no le he dicho nada a ella. En estos momentos llega, y como yo estoy comiendo saldrá ella a abrir. En este momento llega, en este momento toca... La madre se puso de pie y fue hasta el fregadero a lavar los platos que el hijo ya había vaciado. Bien podría haber esperado a que terminara de comer para lavar los platos, pensó el hijo; pero no lo dijo. Y la vio caminar, *dando salticos, igual que un ratón mojado.*

Pero también la comida y todavía el visitante no aparecía, de modo que el tiempo de poner en conocimiento a la madre iba disminuyendo. Fue hasta la sala y prendió la radio, pero ésta se negó a dar la hora y solamente soltaba música; una música sin voces, que tanto molestaba a la madre porque «nada decía» y que a él por eso le agradaba. Apagó la radio y se acercó hasta la puerta sin mirar a la calle. *La madre en ese momento estaba sentada en la sala y se balanceaba en el sillón,* casi cantaba. El hijo fue hasta el sillón que estaba frente a la madre, puso una mano sobre el brazo del asiento, y se sentó.

El hijo y la madre estaban de frente, sentados en dos sillones idénticos, junto a la ventana de persianas y cristales, detrás de los cuales se veían las altas hojas de la mata de almendras en la que los pájaros no cesaban de zambullirse. El sol, en ese momento muy bajo, se escurría, traspasando las persianas, y caía sobre la madre y el hijo, en forma de cenefa amarillenta que no quemaba. Desde la cocina llegaba el ruido de la gotera que se filtraba por la llave del fregadero. El hijo, presintiendo que en ese momento el visitante estaba cerca, fue recobrándose hacia una animación desconocida, y trató de hablarle a la madre. Pero en ese momento ella levantaba el cuello sin levantarse del asiento. *Y miraba por la ventana...* Vio el cuello de la madre seguirse estirando; lo vio husmear la primera persiana, y luego proseguir recto; lo vio topar el techo con la cabeza y romperlo. El cuello seguía creciendo. Entonces, una de las hojas de la ventana fue abierta con fuerza por el viento y golpeó la nariz del hijo, reduciéndosela. La madre soltó la risa.

La risa de la madre cerró la hoja de la ventana; la risa de la madre que retumbaba en la gran sala y extinguía el ruido de la gota en la cocina; que ahogaría cualquier toque dado en ese momento en la puerta; la risa, que de un golpe ahuyentaba todos los pájaros que, aterrados, desaparecían entre chillidos y desgalillamientos.

La madre dejó de reírse.

—¿Qué te pasa? —dijo.

Él miró por la ventana. Luego bajó la vista hasta los dedos de la madre, depositados sobre las rodillas. *La madre tenía las manos llenas de pecas, aunque no era vieja.*

—Nada —y vio la cenefa de sol ya disminuyendo.

Se hacía tarde. Por la calle no pasaba ningún motor. Ningún ruido. El hijo pensó que era el momento (otra vez el momento) y fue a hablar. Pero ahora la madre adquiría ademanes teatrales; se ponía de pie sobre el asiento que se tambaleaba; y su cabeza cambiaba de colores, girando. Hasta que toda la sala no fue más que un torbellino luminoso que a él le pareció desconsolador.

La madre volvió a sentarse *y dijo ah.*

Y de pronto se fue haciendo de noche, como sucede siempre en estos lugares sin estaciones. El silencio fue cediendo paso a un nuevo acompasamiento de sonidos, como un mar que de repente echase a andar; y de haber hablado, las palabras se habrían transformado en extrañísimos símbolos, porque estaba oscureciendo. Pero aún no era de noche. Y los ruidos cedieron, como si el intento del mar fuese fallido.

Quedaba junto a la ventana una especie de aureola casi dorada que se desvanecía, y recortaba, semejándolas, las siluetas de la madre y el hijo.

El hijo levantó la cabeza y miró otra vez para las persianas con un gesto de inevitable angustia.

La madre se puso de pie.

—Mamá —dijo, y la fue a sujetar; pero sintió sus manos tan sudadas, tan sudadas, que ya frente a su asiento se formaba un charco de agua, y no lo hizo para no empaparla. Y pensó, al verse las manos como manantiales, que un signo monstruoso, o tal vez maravilloso, lo diferenciaba del resto de los seres y hasta de las cosas.

La madre caminaba ya por un costado de la sala. Algunas veces parecía que iba por los aires, o que caminaba en un solo pie. *La vio al fin desaparecer por la cocina. Allí se puso a hablar sola.*

Llegaba el cuchicheo de la madre hasta la sala como un concierto que brotase de un mercado; y al oírla, el hijo sintió miedo, más miedo del que hasta ahora había sentido. Y las manos soltaron un sudor casi final que cayó en el mismo sitio donde se había formado el charco. El cuchicheo de la madre fue subiendo hasta hacerse infernal.

Entonces se oyó el primer toque en la puerta, proviniendo como de una región sin tiempo.

Terminaba la espera. Ahí estaba. El hijo se puso de pie. Los escarceos de la madre, desde la cocina, adquirían brotes lastimeros e insoportables.

Entonces oyó el segundo toque, más fuerte aún que el ruido infernal emitido por la bestia de la cocina.

—¿Quién dijo la bestia?

Sí; la bestia que ahora echaba espuma y se agrandaba al tú quedarte de pie, indeciso. La bestia plumada y grasosa (por el tizne y la manteca de las ollas) que resoplaba y crecía entre maullidos...; pero el hijo caminó hasta la puerta, y la gran bestia empezó a disminuir; saltaba tocando el techo y luego descendía, suplicante y soltando chispas por los ojos, hasta los pies del hijo. Pero éste se acercó más a la puerta y tomó el pomo.

—¿Qué pomo? Esta puerta nunca ha tenido pomo.

Tomaste el pomo y ya ibas a abrir.

Pero entonces llegó la otra llamada, y el hijo miró a la madre, pequeña, ahogándose en el charco de sudor que habían formado sus manos. Y vaciló. Y tuvo miedo de romper el pacto.

—¿Qué pacto? ¿Quién está hablando de pactos?

El pacto que hiciste con tu madre; el pacto que siempre has sostenido y que ahora te hace dudar... «Mi hijo no tiene amigos», «mi hijo no recibe a nadie en la casa», «mi hijo...» El pacto que, por otra parte, siempre estás traicionando, aunque sea con el pensamiento.

La madre volvió a emerger, enorme, al soltar el hijo el pomo de la puerta. Siguió creciendo, hasta recuperar sus proporciones bestiales. Y con un ala gigante atrajo al hijo hasta su pecho lleno de piojillos.

¡De piojillos!

Entonces sonó el cuarto toque y el hijo, despavorido, salió corriendo y se refugió en la pajarera de los altos. Entreabrió las persianas del cuarto y atisbó la puerta de la calle.

—¡Despavorido!

Allí estaba el amigo; real, tocando incansable. Tocando y esperando. Y la madre dentro, piafando como un caballo, llenando con sus alas inmensas toda la casa... El visitante no dejaba de tocar. Desde la altura, lo viste insistir tanto tiempo que pensaste llamarlo.

—¡No!

Oh, llámalo. Simplemente basta una señal. Hacer «sisss», igual que los grillos. Llama. Oh, llama; llámalo, por Dios...

El visitante insistió de nuevo. Volvió a tocar.

Aguardó.

Luego se marchó contrariado, cerró la reja de la entrada y salió a la calle.

El hijo lo vio alejarse. Luego bajó de nuevo a la sala. En la casa todo era un gran silencio. Caminó a tientas por la sala vacía; anduvo a tientas por todas las habitaciones vacías; llegó hasta la cocina vacía, y a tientas vació de un trago un litro de leche.

—Mamá... —dijo, como en otros tiempos, cuando todavía era joven y era hijo. Mamá —dijo, porque no había aprendido a decir otra cosa. Y recordó todo el día; y la espera; y la llegada del visitante. Y se paseó solo dentro de aquella casa enorme, agrandándola. Y tuvo, de un golpe, una visión de su soledad pasada y una visión plana e iluminada de sus soledades venideras. Y hasta quiso explicaciones y consejos. Pero, como siempre, nadie le respondía... Hacía mucho tiempo que la madre lo regía sin acompañarlo, disminuyéndolo, acosándolo, eliminándolo.

—Mamá —dijo, y la vio caminando por un costado del cielo a grandes zancos; siempre como apurada; siempre tratando de aprisionar el tiempo para gastarlo en labores vulgares... Pero esta vez ella tampoco le respondió. Hacía tanto tiempo que *la madre estaba muerta.*

En la oscuridad, el viejo caminó hasta una de las paredes de la sala.

—Luces —dijo, prendiendo el enchufe, como un nuevo creador automatizado ■

REPÚBLICA DOMINICANA

Sócrates Nolasco
(1884-1970)

Está considerado el decano de los cuentistas quisqueyanos y es además ensayista y crítico. Con él cobra el cuento criollo una significación netamente dominicana, que extrae muchas veces directamente de la tradición oral. Sabe pintar con firmes trazos la vida rural y los ambientes provincianos con una prosa concisa y matizada de expresiones populares que realzan la belleza y el interés de los relatos. Ha vivido largas temporadas en Cuba y Puerto Rico y suyos son, entre otros, los siguientes trabajos sobre estas islas hermanas: «Martí y los Versos Sencillos», «Una provincia folclórica: Cuba, Puerto Rico y Santo Domingo». En la narración corta sus libros más importantes son: Cuentos del Sur *(1939),* Cuentos Cimarrones *(1958) y* El Diablo ronda en los Guayacanes *(1967).*

Ma Paula se fue del mundo

Al Dr. Ramón Blanco Isusi.

Un alarido de gargantas vigorosas, seguido de uno, dos, tres disparos de fusil, le anunciaban al mundo un grave acontecimiento.

Detrás del caobal del cerro, en la planicie vecina, el gafo guardián del colmenar sopló el fotuto de poderosa voz; y respondiendo a la señal oficialmente pautada, desde el fundo de la Domingona, y más lejos, hicieron tronar otros y otros fotutos que, a mayor distancia, contestaron otros y otros más, con toques de alerta que sucesivamente pasaban de fundo a fundo, del monte al llano, dilatándose en ulular tremendo. El aviso, la señal anunciando el grave acontecimiento, llegó así a todos los conucos y horas después se acercaban a la aldea, precavidamente armados, los pobladores de las cercanas y las remotas viviendas.

Papá Sindo, el comandante del Puesto Cantonal de Petit-Trou, ya a la oración agrupó a los recién llegados bajo el ramaje de una caoba frondosa y con agria y autoritaria voz de domador de gente, habló y sus palabras fueron atentamente escuchadas.

No se trataba de una de tantas incursiones del ejército de Haití. La noticia, aunque parecía increíble, era tranquilizadora; y si el jefe maquinalmente le apretaba la empuñadura al machete de cabo que le colgaba de una banda roja, blanca y azul, era por la costumbre de arrear hombres en las peleas contra los enemigos de la República. A ese machete le debía él el grado de comandante, de que estaba orgulloso, y el prestigio de matón de súbditos del Emperador Faustino Soulouque, de que no se jactaba porque le parecía la cosa más natural del mundo.

—Compañeros... —dijo y esperó con calma a que se impusiera el silencio—. Compañeros... ¡Ma Paula se fue del mundo!

A su lado el secretario Lorenzo, Lorencito, iba leyendo para sí el discurso que le había enseñado al superior, para ver si se equivocaba. Espantados de oir lo increíble, se miraron todos y se dijeron:

—¡Se murió Ma Paula!

—En ella se ensuelva —profirió un atrevido.

—¡Cállese el deslenguao! —regañó Papá Sindo, y la voz se le rajó en la garganta. Ma Paula se fue del mundo —reiteró. Cayó con la boca echando espuma y ya al minuto estaba tiesa como si fuera de palo. Los tonto que secretiaban que iba a vivir ciento setenta y siete años en cumplimiento del pacto que ella tenía con Sataná, queden convencidos de que si ni tan siquiera el Arzobispo puede alargar la vida de naiden con oracione a Nuestro Señor Jesucristo, meno sabrán los haitiano inmunizarse con la malicia del Diablo y la de sus Papá Bocó. Con nuestros machete, nuestros fusile y sobre todo con la Cruz de nuestra bandera, podremo triunfar siempre de los enemigo. Siempre que recemo el Creo en Dios Padre defendiendo la República a tiro y a machetazo. Compañero... —agregó cambiando de tono y mirando de soslayo— aquella novilla berrenda, que era de los biene de la difunta, ordeno y mando que la beneficien para pasar el velorio. Mándenme los filete. Y últimamente —dijo empinándose— arvierto que el aguardiente se hace para beberlo, pero hay que saber beberlo. No quiero gresca. He dicho.

Papá Sindo, alto y seco, resultaba tan imponente de cerca como de lejos, y los caprichos y rebeldía de la s le añadían autoridad en vez de restarle elocuencia a sus arengas.

Tan pronto se alejó el áspero y respetado jefe empezaron los comentarios y murmuraciones: «Él era así, duro y seco, pero no malo. Tenía la lengua tan agria porque estaba del pecho y sabía que no tenía remedio. Pero, aparte de eso, la verdá es la verdá, y sin dizque ni que me dijieron, ¡se murió Ma Paula!»

Allí, puesta boca arriba sobre la barbacoa y el colchón de guajaca que le servía de cama, en medio del patio de su vivienda en donde la habían colocado, estaba más seria que cuando vivía.

Varios opinaron que en la región no estarían preservados del espíritu de la bruja, sino después del novenario. Y así y todo habría que hacerle el hoyo bien hondo y ponerle arriba piedras pesadas, por si acaso intentara salir a hacer de las suyas.

—Papá Sindo manda que no crean en brujo; pero al decir que no crean en ellos atestigua que los hay —dijo uno reflexivamente.

—De que los hay los hay. Pero si él mismo, que es cofrao de la Virgen de la Altagracia, siempre que se veía en confusión se encerraba con la vieja a consultarla, sobre política. ¡Cómo si uno se olvidara de cuando su alazano rompió el lazo y se le etravió! Mediante un cabo e vela encendío al revé, la clara de un huevo crúo en aguardiente alcanforao y una peseta pa San Antonio y real y medio pa Pedro Congo, en lo que se presina un gato la vieja hizo aparecé el caballo.

A los del vecindario les parecía que el comandante no habló de la difunta con el miramiento debido. Se acercaban al bohío en cuyo patio estaba la anciana, de cuerpo presente, con el respeto que a la muerte le rinde todo mortal. En realidad, estaba ahí, boca arriba, con las manos cruzadas sobre el pecho. No cabía duda. El hule del rostro le relumbraba con el reflejo de las cuatro velas prendidas en cada boca de cuatro botellas vacías. Así, estirada en su cómodo colchón, la bruja parecía más larga. Sólo tenía un ojo cerrado. El otro se lo cerraban y se volvía a abrir, obstinado en continuar mirando. Larga y ancha bata blanca la tapaba del cuello a los pies. La habían tocado con cofia blanca y con blanco barbiquejo le apretaron la mandíbula floja. En la comisura de los labios le asomaba un hilo de espuma, signo de tan larga vida ya que no podía interpretarse como pureza de su alma.

Lo secaron y volvía a filtrar. En el conjunto blanco sólo contrastaban la mancha negra localizada de la frente a la barbilla. Las fosas de la aplastada y ancha nariz eran dos agujeros tan prietos como la piel. Del rostro, así partido por la franja de trapo, trascendía una seriedad tétrica e imponente que acentuaban el ojo obstinado en mirar y el miedo que la hechicera inspiraba aún después de muerta. Sin faltar a la verdad no se podía negar que la vieja era fea.

Un olor fuerte emanaba del cuerpo recién bañado con un conocimiento de hojas de malagueta, de salvia, de guayuyo morado y de rompesaragüelles; olor que se mezclaba con el de la gente sudorosa que llegaba de los distintos fundos.

En derredor del cadáver seguían gimiendo y lanzando lamentos las hijas, nietas, biznietas y tataranietas de la finada. Era un deber: la vieja dejaba herencia: vacas, puercos, cabras, burros y un bohío espacioso. Nadie quería acabar de llorar primero.

Las vecinas que le temían a la bruja y nunca dejaban de echarle maldiciones, ahora que la veían difunta rezaban por el descanso de su alma; la engalanaron y la adornaban con flores de adelfa colocándole tres pétalos en los labios carnosos. Otras fregaban diminutas vasijas de higüerito cimarrón, para brindar el café y el aguardiente, bebidas imprescindibles en los velorios.

Afuera de la enramada los hombres sostenían contrarios pareceres. ¿El cadáver de una persona de más de noventa años (y a Ma Paula le suponían no menos de ciento veinte) debería ser velado con la circunspección requerida por un difunto que no había cumplido ochenta? Igual que si se tratara de un muerto recién nacido, de un trabado, ¿no podrían pasar la noche entretenidos en juegos de prenda y cantando el baquiní y echando décimas, coplas y cantos de plena?

El secretario de Papá Sindo, Lorencito, que por ser capitaleño se creía en el deber de saber de todo, decidió la cuestión:

—El cadáver de un ser que vivió cerca de un siglo y hasta más de un siglo, está sujeto a las mismas reglas que un trabado. Este es un angelito que no tuvo culpas que purgar, y aquel ya las ha purgado todas a fuerza de tropezones y padecimientos. Falta por saber qué edad tendría la interfecta —subrayó afirmando su argumento—. Yo la deduzo por lógica que no engaña. Estamos en el año de 1858 de Nuestro Señor Jesucristo. El hijo menor de Ma Paula cree tener 56 años, aproximadamente. De los tres varones, mayores que él, dos murieron peleando contra los haitianos, sus compañeros de raza, y el otro se pudrió comido de viruelas.

—¿Y qué tiene que ver lo uno con lo otro? Abrevea...

—De las siete hembras ni Dios distingue si alguna es más joven que el varón sobreviviente. A la gente prieta tarde se le ve la edad. Los nietos y demás descendientes se multiplican como marranos...

—¿Y qué significa ese lío pa si se cantan o no cantan décima en el velorio?

Lorencito era un capitaleño de asombrosa locuacidad y le gustaba lucirse y pasar por inteligente aun ante los habitantes de la más remota aldea de la República. Se enfrascó en la tarea de explicar cómo el Capitán Musundí, liberto que se distinguió peleando a favor de España, no quiso saber de los franceses cuando los dominicanos pasaron a su bandera. Negros criollos y hasta de Haití vinieron y se le agruparon y, como si él fuera un segundo cacique Enriquillo, otra vez la región del Bahoruco quedó convertida en baluarte de la libertad.

—Ma Paula —continuaba Lorencito con su inmoderada verborrea de sabelotodo— fue una de las barraganas de Musundí, de quien no le quedaron hijos.

—Se los comería al momento de parí... —le interrumpieron.

¿Y qué necesidá tenía de comé gente en un sitio en que abundan tanto la vaca, el chivo y el puerco cimarrón? —comentó otro.

—No. Es que todavía Ma Paula no era católica —continuó el orador—. Quería a Musundí y se acostaba con él por el prestigio; pero ni ella era todavía cristiana ni quería tener hijos con uno que no fuera Congo o Aradá. Sentía un orgullo de tribu superior ■

Juan Bosch
(1909)

Sin duda el más prestigioso de los narradores dominicanos actuales. Es también una muy relevante figura política de su país, pues llegó a ser Presidente de la República. Su oposición al dictador Trujillo lo obligó a vivir largos años en el exilio, haciendo de Cuba y Puerto Rico, sobre todo, sus segundas patrias. Como escritor se inicia en 1933 con el libro de cuentos Camino Real *(1933), que es acogido con entusiasmo por la crítica. A este volumen sigue una novela,* La mañosa *(1936), interesante por sus descripciones de la vida dominicana, y ya en el destierro produce relatos para revistas y publicaciones distintas que recoge en 1962 con el título de* Cuentos escritos en el exilio. Más cuentos escritos en el exilio *es de 1964,* Otros cuentos escritos en el exilio *de 1966 y* Cuentos escritos antes del exilio *corresponde a 1974. Realmente la titulación de estos libros no es nada feliz y alguna vez su autor tendrá que modificarlos. Continuando la línea criollista, Bosch aporta a la narrativa dominicana un carácter moderno, identificable en la economía de medios, en la buena descripción, en el vigor de las situaciones, en el trazado de sus personajes y en la poesía que matiza su prosa.*

Dos pesos de agua

La vieja Remigia sujeta el aparejo, alza la pequeña cara y dice:

—Déle ese rial fuerte a las Ánimas pa que llueva, Felipa.

Felipa fuma y calla. Al cabo de tanto oir lamentar la sequía, levanta los ojos y recorre el cielo con ellos. Claro, amplio y alto, el cielo se muestra sin una mancha. Es de una limpieza desesperante.

—Y no se ve ni una señal de nube —comenta.

Baja entonces la mirada. Los terrenos pardos se agrietan a la distancia. Allá, al pie de la loma, un bohío. La gente que viva en él, y en los otros y en los más remotos, estarán pensando como ella y como la vieja Remigia. ¡Nada de lluvia en una sarta bien larga de meses! Los hombres prenden fuego a los pinos de las lomas; el resplandor de los candelazos chamusca las escasas hojas de los maizales; algunas chispas vuelven como pájaros, dejando estelas luminosas, caen y florecen en incendios enormes: todo para que ascienda el humo a los cielos, para que llueva... Y nada. Nada.

—Nos vamos a acabar, Remigia —dice.

La vieja comenta:

—Pa lo que nos falta.

La sequía había empezado matando la primera cosecha; cuando se hubo hecho larga y le sacó todo el jugo a la tierra, le cayó encima a los arroyos; poco a poco, los cauces le fueron quedando anchos al agua, las piedras surgieron cubiertas de lamas y los pececillos emigraron corriente abajo. Infinidad de caños acabaron por agotarse, otros por tornarse lagunas, otros lodazales. Sedientos y desesperados, muchos hombres abandonaron los conucos, aparejaron caballos y se fueron con las familias en busca de lugares menos áridos.

La vieja Remigia se resistía a salir. Algún día caería el agua; alguna tarde se cargaría el cielo de nubes; alguna noche rompería el canto del aguacero sobre el ardido techo de yaguas.

Desde que se quedó con el nieto, después que se llevaron al hijo en una parihuela, la vieja Remigia se hizo huraña y guardadora. Pieza a pieza fue juntando sus centavos en una higüera con ceniza. Los centavos eran de cobre. Trabajaba en el conuquito, detrás de la casa; sembraba maíz y frijoles. El maíz lo usaba en engordar los pollos y los cerdos; los frijoles servían para la comida. Cada dos o tres meses reunía los pollos más gordos y se iba a venderlos. Cuando veía un cerdo mantecoso, lo mataba; ella misma detallaba la carne y de las capas extraía la grasa; con ésta y con los chicharrones se iba también al pueblo. Cerraba el bohío, le encargaba a un vecino que le cuidara lo suyo, montaba al nieto en el potro bayo y lo seguía a pie. En la noche estaba de vuelta.

Iba tejiendo su vida así, con el nieto colgado del corazón.

—Pa ti trabajo, muchacho —le decía—. No quiero que pases calores, ni que te vayas a malograr como tu taita.

El niño la miraba. Nunca se le oía hablar, y aunque apenas alzaba una vara del suelo, madrugaba con su machete bajo el brazo y el sol le salía sobre la espalda, limpiando el conuco.

La vieja Remigia tenía sus esperanzas. Veía crecer el maíz, veía florecer los frijoles; oía el gruñido de sus puercos en la pocilga cercana; contaba las gallinas al anochecer, cuando subían a los palos. Entre días descolgaba la higüera y sacaba los cobres. Había muchos, llegó también a haber monedas de plata de todos tamaños.

Con temblores en la mano, Remigia acariciaba su dinero y soñaba. Veía al muchacho en tiempo de casarse, bien montado en brioso caballo alazano, o se lo figuraba tras un mostrador, despachando botellas de ron, varas de lienzo, libras de azúcar. Sonreía, tornaba a guardar su dinero, guindaba la higüera y se acercaba al nieto, que dormía tranquilo.

Todo iba bien. Pero sin saberse cuándo ni cómo se presentó aquella sequía. Pasó un mes sin llover, pasaron dos, pasaron tres. Los hombres que cruzaban por delante de su bohío la saludaban diciendo:

—Tiempo bravo, Remigia.

Ella aprobaba en silencio. Acaso comentaba:

—Prendiendo velas a las Ánimas, pasa esto.

Pero no llovía. Se consumieron muchas velas y se consumió también el maíz en sus tallos. Se oían crujir los palos; se veían enflaquecer los caños de agua; en la pocilga empezó a endurecerse la tierra. A veces se cargaba el cielo de nubes; allá arriba se apelotonaban manchas grises; bajaban de las lomas vientos húmedos, que alzaban montones de polvo.

—Esta noche sí llueve, Remigia —aseguraban los hombres que cruzaban.

—¡Por fin! Va a ser hoy —decía una mujer.

—Ya está casi cayendo —confiaba un negro.

La vieja Remigia se acostaba y rezaba: ofrecía más velas a las Animas y esperaba. A veces le parecía sentir el roncar de la lluvia que descendía de las altas lomas. Se dormía esperanzada; pero el cielo amanecía limpio como ropa de matrimonio.

Comenzó la desesperación. La gente estaba ya transida, y la propia tierra quemaba como si despidiera llamas. Todos los arroyos cercanos habían desaparecido; toda la vegetación de las lomas había sido quemada. No se conseguía comida para los cerdos; los asnos se alejaban en busca de mayas; las reses se perdían en los recodos, lamiendo raíces de árboles; los muchachos iban a distancias de medio día a buscar latas de agua; las gallinas se perdían en los montes, en procura de insectos y semillas.

—Se acaba esto, Remigia. Se acaba —lamentaban las viejas.

Un día, con la fresca del amanecer, pasó Rosendo con la mujer, los dos hijos, la vaca, el perro y un mulo flaco cargado de trastos.

—Yo no aguanto, Remigia; a este lugar le han hecho mal de ojo.

Remigia entró en el bohío, buscó dos monedas de cobre y volvió.

—Tenga; préndale esto de velas a las Ánimas en mi nombre —recomendó.

Rosendo cogió los cobres, los miró, alzó la cabeza y se cansó de ver cielo azul.

—Cuando quiera, váyase a Tavera. Nosotros vamos a parar un rancho allá, y dende agora es suyo.

—Yo me quedo, Rosendo. Esto no puede durar.

Rosendo volvió el rostro. Su mujer y sus hijos se perdían ya en la distancia. El sol parecía incendiar las lomas remotas.

El muchacho se había puesto tan oscuro como un negro. Un día se le acercó:

—Mamá, uno de los puerquitos parece muerto.

Remigia se fue a la pocilga. Anhelantes, resecas las trompas, flacos como alambres, los cerdos gruñían y chillaban. Estaban apelotonados, y cuando Remigia los espantó vio restos de un animal. Comprendió: el muerto había alimentado a los vivos. Entonces decidió ir ella misma en busca de agua para que sus animales resistieran.

Echaba por delante el potro bayo; salía de madrugada y retornaba a medio día. Incansable, tenaz, silenciosa, Remigia se mantenía sin una queja. Ya sentía menos peso en la higüera; pero había que seguir sacrificando algo para que las Ánimas tuvieran piedad. El camino hasta el arroyo más cercano era largo; ella lo hacía a pie, para no cansar la bestia. El potro bayo tenía las ancas cortantes, el pescuezo flaco, y a veces se le oían chocar los huesos.

El éxodo continuaba. Cada día se cerraba un nuevo bohío. Ya la tierra parda se resquebrajaba; ya sólo los espinosos cambronales se sostenían verdes. En cada viaje el agua del arroyo era más escasa. A la semana había tanto lodo como agua; a las dos semanas el cauce era como un viejo camino pedregoso, donde refulgía el sol. La bestia, desesperada, buscaba donde ramonear y batía el rabo para espantar las moscas.

Remigia no había perdido la fe. Esperaba las señales de lluvia en el cielo.

—¡Ánimas del Purgatorio! —clamaba de rodillas—. ¡Ánimas del Purgatorio! ¡Nos vamos a morir achicharrados si ustedes no nos ayudan!

Días después el potro bayo amaneció tristón e incapaz de levantarse; esa misma tarde el nieto se tendió en el catre, ardiendo en fiebre. Remigia se echó afuera. Anduvo y anduvo, llamando en los distantes bohíos, levantando los espíritus.

—Vamos a hacerle un rosario a San Isidro —decía.

—Vamos a hacerle un rosario a San Isidro —repetía.

Salieron una madrugada de domingo. Ella llevaba el niño en brazos. La cabeza del muchacho, cargada de calenturas, pendía como un bulto del hombro de su abuela. Quince o veinte mujeres, hombres y niños desharrapados, curtidos por el sol, entonaban cánticos tristes, recorriendo los pelados caminos. Llevaban una imagen de la Altagracia; le encendían velas; se arrodillaban y elevaban ruegos a Dios. Un viejo flaco, barbudo, de ojos ardientes y acerados, con el pecho desnudo, iba delante golpeándose el esternón con la mano descarnada, mirando a lo alto y clamando:

¡San Isidro Labrador!
¡San Isidro Labrador!
Trae el agua y quita el sol.
¡San Isidro Labrador!

Sonaba ronca la voz del viejo. Detrás, las mujeres plañían y alzaban los brazos.

Ya se habían ido todos. Pasó Rosendo, pasó Toribio con una hija medio loca; pasó Felipe; pasaron otros y otros. Ella les dio a todos para velas. Pasaron los últimos, una gente a quienes no conocía; llevaban un viejo enfermo y no podían con su tristeza; ella les dio para velas.

Se podía tender la vista sin tropiezos y ver desde la puerta del bohío el calcinado paisaje con las lomas peladas al final; se podían ver los cauces secos de los arroyos.

Ya nadie esperaba lluvia. Antes de irse los viejos juraban que Dios había castigado el lugar y los jóvenes que tenían mal de ojo.

Remigia esperaba. Recogía escasas gotas de agua. Sabía que había que empezar de nuevo, porque ya casi nada quedaba en la higüera, y el conuco estaba pelado como un camino real. Polvo y sol; sol y polvo. La maldición de Dios, por la maldad de los hombres, se había realizado allí; pero la maldición de Dios no podía acabar con la fe de Remigia.

En su rincón del Purgatorio, las Ánimas, metidas de cintura abajo entre las llamas voraces, repasaban cuentas. Vivían consumidas por el fuego, purificándose; y, como burla sangrienta, tenían potestad para desatar la lluvia y llevar el agua a la tierra. Una de ellas, barbuda, dijo:

—¡Caramba! ¡La vieja Remigia, de Paso Hondo, ha quemado ya dos pesos de velas pidiendo agua!

Las compañeras saltaron vociferando:

—¡Dos pesos, dos pesos!

Alguna preguntó:

—¿Por qué no se le ha atendido, como es costumbre?

—¡Hay que atenderla! —rugió una de ojos impetuosos.

—¡Hay que atenderla! —gritaron las otras.

Se corrían la voz, se repetían el mandato:

—¡Hay que mandar agua a Paso Hondo! ¡Dos pesos de agua!

—¡Dos pesos de agua a Paso Hondo!

—¡Dos pesos de agua a Paso Hondo!

Todas estaban impresionadas, casi fuera de sí, porque nunca llegó una entrega de agua a tal cantidad; ni siquiera a la mitad, ni aun a la tercera parte. Servían una noche de lluvia por dos centavos de velas, y cierta vez enviaron un diluvio entero por veinte centavos.

—¡Dos pesos de agua a Paso Hondo! —rugían.

Y todas las Ánimas del Purgatorio se escandalizaban pensando en el agua que había que derramar por tanto dinero, mientras ellas ardían metidas en el fuego eterno, esperando que la suprema gracia de Dios las llamara a su lado.

Abajo, en Paso Hondo, se nubló el cielo. Muy de mañana Remigia miró hacia oriente y vio una nube negra fina, tan negra como una cinta de luto y tan fina como la rabiza de un fuete. Una hora después inmensas lomas de nubes grises se apelotonaron, empujándose, avanzando, ascendiendo. Dos horas más tarde estaba oscuro como si fuera de noche.

Llena de miedo, con el temor de que se deshiciera tanta ventura, Remigia callaba y miraba. El nieto seguía en el catre, calenturiento. Estaba flaco, igual que un sonajero de huesos. Los ojos parecían salirle de cuevas.

Arriba estalló un trueno. Remigia corrió a la puerta. Avanzando como caballería rabiosa, un frente de lluvia venía de las lomas sobre el bohío. Ella sonrió de manera inconsciente; se sujetó las mejillas, abrió desmesuradamente los ojos. ¡Ya estaba lloviendo!

Rauda, pesada, cantando broncas canciones, la lluvia llegó hasta el camino real, resonó en el techo hecho de yaguas, saltó el bohío, empezó a caer en el conuco. Sintiéndose arder, Remigia corrió a la puerta del patio y vio descender, apretados, los hilos gruesos de agua; vio la tierra adormecerse y despedir un vaho espeso. Se tiró afuera, rabiosa.

—¡Yo sabía, yo lo sabía, yo lo sabía! —gritaba a voz en cuello.

—¡Lloviendo, lloviendo! —clamaba con los brazos tendidos hacia el cielo—. ¡Yo sabía!

De pronto penetró en la casa, tomó al niño, lo apretó contra su pecho, lo alzó, lo mostró a la lluvia.

—¡Bebe, muchacho; bebe, hijo mío! ¡Mira agua, mira agua!

Y sacudía al nieto, lo estrujaba; parecía querer meterle dentro el espíritu fresco y disperso del agua.

Mientras afuera bramaba el temporal, soñaba adentro Remigia.

—Ahora —se decía—, en cuanto la tierra se ablande, siembro batata, arroz tresmesino, frijoles y maíz. Todavía me quedan unos cuartitos con qué comprar semillas. El muchacho se va a sanar. ¡Lástima que la gente se haya ido! Quisiera verle la cara a Toribio, a ver qué pensaría de este aguacero. Tantas rogaciones, y sólo me van a aprovechar a mí. Quizá vengan agora, cuando sepan que ya pasó el mal de ojo.

El nieto dormía tranquilo. En Paso Hondo, por los secos cauces de los arroyos y de los ríos, empezaba a rodar agua sucia; todavía era escasa y se estancaba en las piedras. De las lomas bajaba roja, cargada de barro; de los cielos descendía pesada y rauda. El techo de yaguas se desmigajaba con los golpes múltiples del aguacero. Remigia se adormecía y veía su conuco lleno de plantas verdes, lozanas, batidas por la brisa fresca; veía los rincones llenos de dorado maíz, de frijoles sangrientos, de batatas henchidas. El sueño le tornaba pesada la cabeza.

Y afuera seguía bramando la lluvia incansable.

Pasó una semana; pasaron diez días, quince... Zumbaba el aguacero sin una hora de tregua. Se acabaron el arroz y la manteca; se acabó la sal. Bajo el agua tomó Remigia el camino de Las Cruces para comprar comida. Salió de mañana y retornó a media noche. Los ríos, los caños de agua y hasta las lagunas se adueñaban del mundo, borraban los caminos, se metían lentamente entre los conucos.

Una tarde pasó un hombre. Montaba mulo pesado.

—¡Ey, don! —llamó Remigia.

El hombre metió la cabeza del animal por la puerta.

—Bájese pa que se caliente —invitó ella.

La montura quedó a la intemperie.

—El cielo se ta cayendo en agua —explicó él al rato—. Yo como usté dejaba este sitio tan bajito y me diba pa las lomas.

—¿Yo dirme? No, hijo. Horita pasa este tiempo.

—Vea —se extendió el visitante—, esto es una niega. Yo las he visto tremendas, con el agua llevándose animales, bohíos, matas y gente. Horita se crecen todos los caños que yo he dejado atrás, contimás que ta lloviendo duro en las cabezadas.

—Jum... Peor que esto fue la seca, don. Todo el mundo le salió huyendo, y yo la aguanté.

—La seca no mata, pero el agua ahoga, doña. Todo eso —y señaló lo que él había dejado a la puerta— ta anegado. Como tres horas tuve esta mañana sin salir de un agua que me le daba en la barriga al mulo.

El hombre hablaba con voz pausada, y sus ojos grises, atemorizados, vigilaban el incesante caer de la lluvia.

Al anochecer se fue. Mucho le rogó Remigia que no cogiera el camino con la oscuridad.

—Dispués es peor, doña. Van esos ríos y se botan...

Remigia se fue a atender al nieto, que se quejaba débilmente.

Tuvo razón el hombre. ¡Qué noche, Dios! Se oía un rugir sordo e inquietante; se oían retumbar los truenos; penetraban los reflejos de los relámpagos por las múltiples rendijas.

El agua sucia entró por los quicios y empezó a esparcirse en el suelo. Bravo era el viento en la distancia, y a ratos parecía arrancar árboles. Remigia abrió la puerta. Un relámpago lejano alumbró el sitio de Paso Hondo. ¡Agua y agua! Agua aquí, allá, más lejos, entre los troncos escasos, en los lugares pelados. Debía descender de las lomas y en el camino real formaba un río torrentoso.

—¿Será una niega? —se preguntó Remigia, dudando por vez primera.

Pero cerró la puerta y entró. Ella tenía fe; una fe inagotable, más que lo había sido la sequía, más que lo sería la lluvia. Por dentro, su bohío estaba tan mojado como por fuera. El muchacho se encogía en el catre, rehuyendo las goteras.

A media noche la despertó un golpe en una esquina de la vivienda. Se fue a levantar, pero sintió agua hasta casi las rodillas. Bramaba afuera el viento. El agua batía contra los setos del bohío. Entonces Remigia se lanzó del catre, como loca, y corrió a la puerta.

¡Qué noche, Dios; qué noche horrible! Llegaba el agua en golpes; llegaba y todo lo cundía, todo lo ahogaba. Restalló otro relámpago, y el trueno desgajó pedazos de oscuro cielo.

Remigia sintió miedo.

—¡Virgen Santísima! —clamó—. ¡Virgen Santísima, ayúdame!

Pero no era negocio de la Virgen, ni de Dios, sino de las Ánimas, que allá arriba gritaban:

—¡Ya va medio peso de agua! ¡Ya va medio peso!

Cuando sintió el bohío torcerse por los torrentes, Remigia desistió de esperar y levantó al nieto. Se lo pegó al pecho; lo apretó, febril; luchó con el agua que le impedía caminar; empujó, como pudo, la puerta y se echó afuera. A la cintura llevaba el agua; y caminaba, caminaba. No sabía adónde iba. El terrible viento le destrenzaba el cabello, los relámpagos verdeaban en la distancia. El agua crecía, crecía. Levantó más al nieto. Después tropezó y tornó a pararse. Seguía sujetando al niño y gritando:

—¡Virgen Santísima, Virgen Santísima!

Su falda flotaba. Ella rodaba, rodaba. Sintió que algo le sujetaba el cabello, que le amarraban la cabeza. Pensó:

—En cuanto esto pase siembro batata.

Veía el maíz metido bajo el agua sucia. Hincaba las uñas en el pecho del nieto.

—¡Virgen Santísima!

Seguía ululando el viento, y el trueno rompía los cielos.

Se le quedó el cabello enredado en un tronco espinoso. El agua corría hacia abajo, hacia abajo, arrastrando bohíos y troncos. Las Ánimas gritaban, enloquecidas:

—¡Todavía falta; todavía falta! ¡Son dos pesos, dos pesos de agua! ¡Son dos pesos de agua! ■

Néstor Caro (1917)

Sólida figura política de su país, fue director del diario La Nación, *Subsecretario de Estado, miembro del Comité Nacional Directivo del partido Vanguardia Revolucionaria Dominicana, vicepresidente del Partido Reformista. Entre sus obras literarias se cuentan la colección de relatos* Cielo Negro *(1950) —ampliada en una segunda edición de 1973— y* Sándalo *(1957). A juicio de Mieses Burgos, «Néstor Caro introduce en el cuento elementos poéticos» y de acuerdo con Anderson Imbert, «esquematiza situaciones de la gente humilde».*

Cielo Negro

El empujón del viento tiró las cañas a la vera del camino. La carreta, con Cielo Negro uncido al yugo, sigue por los trillos con su ruido penetrante.

Clap, clap, clap.

«Sube, Cielo Negro.» «Atrinca, Niña Linda.»

«Cierra, Bagoruno», «Arre, bueye», «Arre, carijo».

El sol mira desde muy alto. Se recrea en la espalda de Marcial el carretero, agitando su látigo de fuego. Sol y tierra negra. Hombres y cañas de azúcar. Hombres vencidos antes de ganar la esperanza.

—A este buey lo quiero porque me entiende. Cuando lo llamo, mueve las orejas y mira por debajo del yugo. No sé por qué le pusieron Cielo Negro. «Arre, Cielo Negro, arre.»

El cariño del boyero es ancho, como los brazos abiertos del cielo. No importa que sea estrecho el camino a los bateyes. Cuando la miseria le golpea la frente, entonces Marcial piensa mejor y pasa los días recordando a La Negra, la novia que dejó en el Sur, con su palabra envuelta en un pañuelo.

—Le dije que la quiero y tengo que traerla, pa que viva conmigo. Si espero la mejoría, pasarán muchas «zafras» y cuando venga no servirá ni «pa' oír los truenos de mayo». ¿No es verdad, Cielo Negro?

En el «tiro», el capataz saborea comentarios de la gallera.

Cuando la carreta de Marcial entra en el batey, aún queda un borrón de sol trepado sobre la tarde.

La bomba suena lejos. Nino, el muchacho aguador, cruza el potrero cercano.

La noche va cayendo sobre el silencio y sobre los hombres...

Como luceros encendidos con luces de brujería, los fogones le hinchan el hambre a la noche del batey. Las voces de los peones surgen apagadas y sin eco frente a la bodega, en donde la sombra del último vagón asecha la algazara de Leticia Sanetils.

—Bon nuit, carretero. ¿Comme sa va? ¿Tú tabián?

—Sí, Leticia, estoy muy bien.

—¿Cuándo venez tu negrita, carretero?

—Agora en el pago mandaré por ella. Ya no espero más.

—Sí, tráela, carretero. Se vive mejor entonces. Bon nuit, carretero.

La última palabra huida de la voz de Leticia cae sobre la primera lamentación de Nonino de Vargas.

—Ay, Marcial, he pasado todo el día maloso de una fiebre loca, y esta mañana le puse la mano a una palma verdecita.

—Uté siempre quejándose, Vale Nonino. Cuando no son la fiebre es la raquiña.

—Marcial, de por Dios, ¿qué quieres tú? Si te pasara dos o tres días entre el yerbaso del tablón aprenderías una cosa buena. ¡Desconsiderao!

—Estos blancos del dianche.

—Callaate. Si te oye un yuncú tienes que desgaritarte.

—Nonino, pronto traeré mi negrita.

—Cuanto antes, Marcial. Así la vida te será mejor. Después que uno cae en este infierno no le queda otro camino.

Cuando cantaron los ruiseñores la carreta de Macial resbalaba sobre la grama.

Clap, clap, clap.

«Sube, Cielo Negro», «Eh, Niña Linda».

«Empuja, Baroguno», «Arre, carijo».

El sábado en la tarde, cuando llegó La Negra del Sur, Marcial veía los cañaverales muy lejos y el palo más alto lo miraba pequeño.

—Llegó La Negra de Marcial. ¡Es linda como la flor del cajuil! ¿Le viste los ojos, Belarminio? Son grandes y con ojeras. Válgame Dios, qué mujer se ha echao ese hombre.

—Nonino, es que pa' los laos del Sur, la mujer sabe a canela. Uté porque no ha dío.

La casita de Marcial está pintada de cal, junto al camino que conduce al abrevadero; por la ventana asoma la cara linda de La Negra, con una rosa en la selva negra de los cabellos y una sonrisa más blanca que la leche de vaca moruna.

Aquella noche —pensaba Marcial—, en la casita dormiría el amor bajo los luceros. Los luceros vagabundos mirarían la casita con el rubor de los niños, y la chicharra echaría su grito feo en la alforja sin fondo del potrero.

—¡Marcial, Marcial, te llama míster Bauer! Que vaya en seguida —anunció un peón sudoroso.

—... Pero míster Bauer, Cielo Negro es un buey manso y cualquiera puede amarrarlo. Yo madaré a Nonino.

—No, Marcial, tiene que ir usted. Hasta luego.

La silueta del amo blanco, jamás se pareció tanto al demonio como entonces. Marcial no pudo decirle que había llegado La Negra. Su Negra del Sur.

—¿Has visto a Cielo Negro?

—Va p'arriba. Hace tiempo que lo vide.

Marcial lo sigue con el lazo, pero el pensamiento se le quedó con La Negra en la casita pintada de cal.

Los luceros de la noche lloran la suerte de Marcial.

Aquella noche querían treparse sobre el techo de la casita, en donde estaría durmiendo como un ángel el amor del Sur. El de Marcial y la negra bonita.

En la madrugada Marcial regresó con Cielo Negro. El buey volvía amarrado, pero traía la cabeza levantada porque había estado libre. ¡Libre! Sí, venía amarrado, pero sacudió los potreros con sus mugidos y vio en una cerca distante a su amigo «Cacho e Palo». La casita blanca estaba muerta de frío con el techo mojado de rocío. Marcial traía los ojos como brasas. ¡Maldita noche! ¡Maldito Cielo Negro!

—Negra linda despierta. Dame café que ya es hora de volver a la lucha. Esta gente no respeta ni los domingos. Dame café prieta linda.

El sol se esconde tras una nube gruesa, temeroso de que Marcial crea que ha podido ayudar a Cielo Negro. El rocío le besa los pies al infeliz carretero mientras suena la carreta.

«Clap, clap, clap.»

«¡Eh, Niña Linda! ¡Atrinca Bagoruno!»

«¡Atesa tú, maldito Cielo Negro!»

«¡Cierren carijo! ¡Cieeerren!»

La negra linda llora en la casita. Hubiera sido distinto, si Marcial le hubiera pedido siquiera un beso. Ya no volverá hasta muy tarde. Desde lejos llega el ruido de la carreta:

«Clap, clap, clap.»

¡Cierra, Niña Linda! ¡Atesa Bagoruno!

¡Maldito seas, Cielo Negro! ■

Virgilio Díaz Grullón (1924)

Poeta y narrador, tiene una fecunda labor en la lírica y es autor de la novela Archipiélago. *En 1958 obtuvo el Premio Nacional de Literatura por su obra* Un día cualquiera, *y el Instituto de Cultura Hispánica le otorgó una mención a su cuento «Edipo». En el relato, Díaz Grullón se inclina por los temas urbanos y estilísticamente posee una prosa fluida y una estructura aunque convencional de gran solidez. Ejerce la abogacía y a él se debe también la obra* Más allá del espejo *(1975).*

Crónica policial

Tan pronto llegué a la redacción del periódico aquella mañana lluviosa de junio, el director me llamó a su despacho y, sin levantar la vista de las pruebas de imprenta que tenía sobre el escritorio, me dijo:

—Hay un muerto en la calle de La Cruz, número 104. Ve con un fotógrafo y prepara el reportaje para la edición de esta tarde.

—Bien —respondí, y salí de inmediato a cumplir sus instrucciones, porque mi jefe es hombre de acción y no le gusta que nadie desperdicie el tiempo que paga religiosamente cada fin de mes.

Como Guillermo fue el primer fotógrafo disponible que encontré, me lo llevé y tomamos juntos un taxi que nos llevó en pocos minutos al número 104 de la calle de La Cruz.

La casa era modesta, de una sola planta, construida de madera y con una galería estrecha en el frente que rebosaba de curiosos, empujados por ese instinto que nos impulsa a acercarnos morbosamente a la tragedia.

Guillermo y yo nos abrimos paso gracias un poco a nuestra credencial de periodistas y otro a base de empellones y codazos. A través de la marejada humana, pasamos por la sala, el comedor y una pequeña terraza posterior, y desembocamos en el patio. En el centro, tirado de espaldas en el suelo, con las piernas separadas en actitud inverosímil y los brazos en cruz, estaba el muerto, rodeado por algunos agentes de la policía y dos hombres vestidos de civil que se inclinaban sobre el cuerpo yacente.

Eché una ligera ojeada sin acercarme demasiado, porque no me gusta contemplar cadáveres, y reparé que el muerto era de edad madura y corpulento, y que vestía pantalón y camisa blanca, que la lluvia de la mañana había pegado a su cuerpo y salpicado de manchas de fango rojizo.

Mientras Guillermo buscaba el ángulo más apropiado para fotografiar el cadáver y las personas que lo rodeaban adoptaban las posturas más convenientes, me dirigí a una señora entrada en años que observaba impasible la escena desde la terraza.

—¿Es usted de la casa? —le pregunté.

—Sí, señor... Por lo menos lo fui hace algún tiempo.

—¿Pariente del difunto?

—Su hermana.

—¡Ah, caramba!, lo siento mucho... Soy periodista, ¿sabe?... ¿Puede informarme algo de interés para la prensa?

Me miró con un atisbo de desconfianza en los ojos, pero se le notaba que no le disgustaría ver su nombre en las columnas de un periódico.

—¿Qué quiere saber?

—Todo. Acabo de llegar y no estoy enterado de nada... ¿Cómo se llamaba su hermano, a qué ocupación se dedicaba, cuál fue la causa de su muerte?...

Me interrumpió diciendo fríamente:

—Su nombre era Arquímedes, Arquímedes Sandoval Guerra. Era comerciante y murió asesinado.

—¿Asesinado?

—Sí, asesinado. Cobardemente asesinado por esa mujer.

—¿Qué mujer?

—La malvada con quien se casó.

—¿La esposa? ¿Y ya ha sido detenida?

—No, todavía no. No sé qué espera la policía para llevársela. La tienen en su habitación, bajo custodia.

—¿Y por qué lo mató?

—Es una historia larga... Mi pobre hermano siempre fue víctima de esa mujer. Todos nosotros le aconsejamos que no se casara con ella: él le llevaba más de veinte años. Pero siempre fue terco como una mula. La mujer le dominó desde el primer momento, y sólo veía por sus ojos. Ya en el primer mes de matrimonio comenzó a engañarlo descaradamente. Yo se lo advertí entonces, porque en aquel tiempo vivía con ellos y me daba cuenta de todo... ¿Sabe lo que hizo mi hermano?...

Como yo realmente no lo sabía, se lo confesé abiertamente y entonces ella prosiguió:

—Me echó de la casa. ¿Se da cuenta? —se golpeó el pecho—. A mí, a su propia hermana. No creyó una sola palabra de cuanto le dije y me llenó de insultos. Desde aquel día no había vuelto a poner los pies en esta casa hasta hoy..., y ya es demasiado tarde: Arquímedes murió sin abrir los ojos. Esa malvada lo asesinó antes de que él pudiera convencerse de que era yo quien tenía la razón...

Le di las gracias a la buena mujer y me separé de ella, porque alcancé a ver en aquel momento a mi amigo Mario, el ayudante del fiscal, saliendo hacia el patio desde una habitación de la casa.

—¡Hola!, Mario, ¿confesó la asesina?

—Que quién confesó qué. —Mi amigo no parecía estar de muy buen humor.

—La esposa del muerto —repuse—. ¿No estabas interrogándola hace un momento?

—Sí, en efecto, estaba haciéndole algunas preguntas. Pero, ¿de dónde sacas que ella mató a su marido?

—Pues... eso oí decir hace un momento. ¿Puedo verla?

—No hay inconveniente. Está allí, en aquella habitación.

Seguí la dirección que me indicaba con la mano, y después de tocar suavemente con los nudillos en la puerta, la abrí y entré en la habitación.

Había allí dos mujeres. La más joven, sentada en una mecedora con la frente apoyada en la mano, se dejaba consolar por una señora mayor que le acariciaba el pelo.

—Perdón. Soy periodista, ¿puedo conversar un momento con usted, señora? —expliqué mirando a la que me parecía más afligida de las dos.

Ella asintió con un movimiento de cabeza, pero la otra dijo, poniendo cara de disgusto:

—Periodista, ¿eh? De los que les gusta meterse en vidas ajenas y averiguar cosas que no les importan, ¿no? —Y volviéndose a la joven—: No le digas nada. Son todos unos enredadores y unos embusteros. ¡Sabe Dios qué mentiras va a publicar después en el periódico!...

—Pero, mamá. Déjalo que me pregunte. Yo no tengo nada que ocultar y, además, cuando sucede una desgracia como ésta, no se puede evitar la publicidad.

Y volviéndose a mí, agregó:

—Por favor, tome asiento. ¿Qué desea saber?

Me senté en un extremo de la cama, frente a ella, pensando que era preferible iniciar el interrogatorio de manera indirecta.

—Ante todo, señora: ¿Cuánto tiempo hacía que estaba casada con el señor Sandoval?

—Dos años y tres meses.

—¿Y fue usted feliz durante su matrimonio?

—Perfectamente feliz. Arquímedes fue siempre un modelo de esposo: gentil, complaciente, bondadoso... Jamás tuve motivos de queja contra él.

—Y ¿se amaban mucho ustedes?

—Eramos una pareja perfecta. Jamás tuvimos disgustos y nos queríamos profundamente. No alcanzo a imaginarme...

—¿Y a qué atribuye usted la muerte de su esposo?

—¡Ah! ¿Pero no lo sabe?... Arquímedes se suicidó.

—¿Se suicidó?... ¿Por qué motivo?

—Los negocios... Ultimamente había tenido mala suerte y estaba al borde de la quiebra. Él, que había vivido siempre, si no con lujos, por lo menos acomodadamente, no pudo resistir la perspectiva de una estrechez económica...

La joven bajó la cabeza y se enjugó de la mejilla algo que me pareció una lágrima. Me puse en pie, le expresé correctamente mis condolencias y me despedí.

En el umbral me alcanzó la madre y salió conmigo hacia la terraza. Tomándome de un brazo me llevó a un rincón y me dijo:

—No quería hablar delante de ella... En su estado, la pobrecita no debe enterarse bruscamente, sino más tarde y poco a poco... Pero es necesario que usted lo sepa: mi yerno no se suicidó...

—¡Ah! ¿No?

—No, Arquímedes no hubiera sido capaz de abandonar de esta manera a su mujer... Mi pobre yerno fue asesinado.

—¿Asesinado? ¿Y por quién?

La mujer bajó la voz y señaló con disimulo:

—La culpable está allí, mírela usted: es aquélla, vestida de negro.

Volví la cara y eché un vistazo hacia mi primera informante, que nos miraba ceñuda, desde la terraza.

—¿La hermana del difunto? —pregunté asombrado.

—Sí. Ella misma. Ya la he denunciado al fiscal. Está loca y siempre tuvo unos celos enfermizos de mi pobre hija... Estaba enamorada de su propio hermano... Incesto, ¿sabe?... Una mujer completamente anormal y peligrosa, muy peligrosa...

Qué mudo, mirando sucesivamente a ambas mujeres. Por suerte en aquel preciso instante pasó por mi lado Mario, y excusándome con la señora, me emparejé con el representante del Ministerio Público y entré en el interior de la casa en busca de la salida hacia la calle.

—Caso complicado éste, ¿verdad? —comenté.

El ayudante del fiscal se volvió hacia mí con ojos abiertos de asombro.

—¿Complicado? ¡No, hombre! Ya tenemos al culpable casi desenmascarado.

—¿No me digas? —repuse, ya algo escéptico—. ¿Y quién es?

—La suegra de la víctima. Es una mujer capaz de todo. No hice más que mirarla y me di cuenta de que era la única culpable. ¿No te has fijado en sus ojos?

No respondí. Me hice la decisión de no pronunciar una sola palabra más dentro de aquella casa.

Guillermo me esperaba afuera, con la cámara fotográfica al hombro. Al tomar el taxi que nos conduciría de regreso a la redacción, me hundí en el asiento y me eché el sombrero en la cara, mientras mi compañero me informaba:

—Parece que ya cogieron al hombre.

—¿A quién? —Tenía un miedo horrible de oír la respuesta, pero no pude evitar percibirla claramente:

—¿A quién va a ser...? Al asesino: un tío de la víctima... Naturalmente, no escribí el reportaje, y esa misma tarde renuncié del periódico ■

René del Risco Bermúdez (1937-1972)

Se puede decir que la temprana muerte de René del Risco truncó una muy prometedora carrera literaria, pues apuntaba como un seguro valor de la narrativa dominicana. Entregado a la lucha política contra la tiranía de Trujillo desde sus años de estudiante, tanto los numerosos artículos que escribe como sus cuentos constituyen un testimonio y una acusación del régimen imperante. Aunque no publicó ningún libro de narrativa, sus cuentos lo situaron dentro de la literatura quisqueyana y con ellos consiguió diversos premios nacionales. Desde muy joven escribía poesías y en este género es autor de los poemarios Viento frío *(1967) y* Del júbilo a la sangre *(1967).*

Ahora que vuelvo, Ton

Eras realmente pintoresco, Ton; con aquella gorra de los Tigres del Licey, que ya no era azul sino berrenda, y el pantalón de kaky que te ponías planchadito los sábados por la tarde para ir a juntarte con nosotros en la glorieta del parque Salvador, a ver las paradas de los Boy Scouts en la avenida y a corretear y bromear hasta que de repente la noche oscurecía el recinto y nuestros gritos se apagaban por las calles del barrio. Te recuerdo, porque hoy he aprendido a querer a los muchachos como tú y entonces me empeño en recordar esa tu voz cansona y timorata y aquella insistente cojera que te hacía brincar a cada paso y que sin embargo no te impedía correr de home a primera, cuando Juan se te acercaba y te decía al oído «vamos a sorprenderlos, Ton; toca por tercera y corre mucho». Como jugabas con los muchachos del «Aurora», compartiste con nosotros muchas veces la alegría de formar aquella rueda en el box «¡rosi, rosi, sin bom-bá - Aurora - Aurora - ra-ra-ra!» y eso que tú no podías jugar todas las entradas de un partido, porque había que esperar a que nos fuéramos por encima del «Miramar» o «La Barca» para «darle un chance a Ton que vino tempranito» y «no te apures, Ton, que ahorita entras de emergente».

¿Cómo llegaste al barrio? ¿Cuándo? ¿Quién te invitó a la pandilla? ¿Qué cuento de Pedro Animal hizo Toñín esa noche, Ton? ¿Serías capaz de recordar que en el radio en casa de Candelario todas las noches a las nueve «Mejoral, el calmante sin rival, presenta "Cárcel de Mujeres", y entonces alguien daba palmadas desde la puerta de una casa y ya era hora de irse a dormir, "se rompió la taza..."»?

Yo no sé si tú, con esa manera de mirar con un guiño que tenías cuando el sol te molestaba, podrías reconocerme ahora. Probablemente la pipa apretada entre los dientes me presta una apariencia demasiado extraña a ti, o esta gordura que empieza a redondear mi cara y las entradas cada vez más obvias en mi cabeza, han desdibujado ya lo que podría recordarse de aquel muchacho que se hacía la raya a un lado, y que algunas tardes te acompañó a ver los trainning de Kid Barquerito y de 22-22 en la cancha, en los tiempos en que «Barquero se va para La Habana a pelear con Acevedo» y Efraín, el entrenador, con el bigote de Joaquín Pardavé, «¡Arriba, arriba, así es, la izquierda, el jab ahora, eso es!» y tú después, apoyándote en tu pie siempre empinado, «can-can-can-can-can» golpeando el aire con tus puños, bajábamos por la calle Sánchez, «can-can-can» jugabas la soga contra la pared, siempre saltando por tu cojera incorregible y yo te decía que «no jodas Ton», pero tú seguías y entonces, ya en pleno barrio, yo te quitaba la gorra, dejando al descubierto el óvalo grande de tu cabeza de zepelín, aquella cabeza del «¡Ton, Melitón, cojo y cabezón!» con que el flaco Pérez acompañaba el redoblaje de los tambores de los Boy Scouts para hacerte rabiar hasta el extremo de mentarle «Tumadrehijodelagranp...», y así llegábamos corriendo, uno detrás del otro, hasta la puerta de mi casa, donde, poniéndote la gorra, decías siempre lo mismo: «¡A mí no me hables!»

Por esos tiempos el barrio no estaba tan triste, Ton, no caía esa luz desteñida y polvorienta sobre las casas ni este deprimente olor a tablas viejas se le pegaba a uno en la piel, como un tierno y resignado vaho de miseria, a través de las calles por donde minutos atrás yo he venido inútilmente echando de menos los ojos juntos y cejudos del «búho» Pujols, las latas de carbón a la puerta de la casa amarilla, el perro blanco y negro de los Pascual, la algarabía en las fiestas de cumpleaños de Pin Báez, en las que su padre tomaba cervezas con sus amigos sentado contra la pared de ladrillos, en un rincón sombrío del patio, y nosotros, yo con mi traje blanco almidonado; ahora recuerdo el bordoneo puntual y melancólico de la guitarra de Negro Alcántara, mientras alrededor del pozo corríamos y gritábamos y entre el ruido de la heladera, el diente careado de Asia salía y se escondía alternativamente en cada grito.

Era para morirse de risa, Ton, para enlodarse los zapatos, para empinarse junto al brocal y verse en el espejo negro del pozo, cara de círculos concéntricos, cabellos de helechos, salivazo en el ojo, y después «mira cómo te has puesto, cualquiera te revienta, perdiste dos botones, tigre, eso eres, un tigre, a este muchacho, Arturo, hay que quemarlo a golpes»; pero entonces éramos tan iguales, tan lo mismo, tan «fraile y convento, convento sin fraile, que vaya y que venga», Ton, que la vida era lo mismo, «un gustazo: un trancazo», para todos.

Claro que ahora no es lo mismo. Los años han pasado. Comenzaron a pasar desde aquel día en que miré las aguas verdosas de la zanja, cuando papá cerro el candado negro y mamá se quedó mirando la casa por el vidrio trasero del carro y yo les saludé a ustedes, a ti, a Fremio, a Juan, a Toñín, que estaban en la esquina, y me quedé recordando esa cara que pusieron todos, un poco de tristeza y de rencor, cuando aquella mañana (ocho y quince en la radio del carro) nos marchamos definitivamente del barrio y del pueblo.

Ustedes quedarían para siempre contra la pared grisácea de la pulpería de Ulises. La puya del trompo haciendo un hoyo en el pavimento, la gangorra lanzada al aire con violenta soltura, machacando a puyazos y cabezazos la moneda ya negra de rodar por la calle; no tendrían en lo adelante otro lugar que junto a ese muro que se iría oscureciendo con los años «a Militar se la tiró Alberto en el callejoncito del tullío» escrito con carbón allí, y los días pasando con una sorda modorra que acabaría en recuerdo, en remota y desvaída imagen de un tiempo inexplicablemente perdido para siempre.

Una mañana me dio por contarle a mis amigos de San Carlos cómo eran ustedes; les dije de Fremio, que descubrió que en el piso de los vagones, en el muelle, siempre quedaba azúcar parda cuando los barcos estaban cargando, y que se podía recoger a puñados y hasta llenar una funda y sentarnos a comerla en las escalinatas del viejo edificio de aduanas; les conté también de las zambullidas en el río y llegar hasta la goleta de tres palos, encayada en el lodo sobre uno de sus costados, y que una vez allí, con los pies en el agua, mirando el pueblo, el humo de la chimenea, las carretas que subían del puerto cargadas de mercancías, pasábamos el tiempo orinando y charlando, correteando de la popa al bauprés, hasta que en el reloj de la iglesia se hacía tarde y otra vez, braceando, ganábamos la orilla en un escandaloso chapoteo que ahora me parece estar oyendo, aunque no lo creas, Ton.

Los muchachos quedaron fascinados con nuestro mundo de manglares, de locomotoras, de ciguas, de cuevas de cangrejos, y desde entonces me hicieron relatar historias que en el curso de los días yo fui alterando poco a poco hasta llegar a atribuir a ustedes y a mí verdaderas epopeyas que yo mismo fui creyendo y repitiéndome hasta no sé qué día en que quizá comprendí que sería completamente inútil ese afán por revivir los trazos de una imagen que, como las viejas fotos, se amarilleaba y desteñía ineluctablemente.

La vida fue cambiando, Ton; entonces yo me fui inclinando un poco a los libros y me interné en un extraño mundo mezcla de la Ciencia Natural de Fesquet, versos de Bécquer, y láminas de Billiken; me gustaba el camino al colegio cada mañana bajo los árboles de la avenida Independencia y el rostro de Rita Hayworth, en la pequeña y amarillenta pantalla del «Capitolio», me hizo olvidar a Flash Gordon y a Los Tres

Chiflados. Ya para entonces papá ganaba buen dinero en su puesto de la Secretaría de Educación, y nos mudamos a una casa desde donde yo podía ver el mar y a Ivette, con sus shorts a rayas y sus trenzas doradas que marcaban el vivo ritmo de sus ojos y su cabeza; con ella me acostumbré a Nat King Cole, a Fernando Fernández, los viejos discos de las Modernaires, y aprendí a llevar el compás de sus golpes junto a la mesa de Ping-Pong; no le hablé nunca de ustedes, esa es la verdad, quizás porque nunca hubo oportunidad para ello o tal vez porque los días de Ivette pasaron tan rápidos, tan llenos de «ven-mira - esta - es - Gretchen - el - Pontiac - de-papi - dice - Albertico - me - voy - a - Canadá-» que nunca tuve la necesidad ni el tiempo para recordarlo.

¿Tú sabes lo que fue del Andrea Doria, Ton? Probablemente no lo sepas; yo lo recuerdo por unas fotos del «Miami Herald» y porque los muchachos latinos de la Universidad nos íbamos a un café de Coral Gables a cantar junto a jarrones de cerveza «Arrivederci Roma», balanceándonos en las sillas como si fuésemos en un bote salvavidas; yo estudiaba el inglés y me gustaba pronunciar el «good bay...» de la canción con ese extraño gesto de la barbilla muy peculiar en las muchachas y muchachos de aquel país. ¿Y sabes, Ton, que una vez pensé en ustedes? Fue una mañana en que íbamos a lo largo de un muelle mirando los yates y vi un grupo de muchachos despeinados y sucios que sacaban sardinas de un jarro oxidado y las clavaban a la punta de sus anzuelos, yo me quedé mirando un instante aquella pandilla y vi un vivo retrato nuestro en el muelle de Macorís, sólo que nosotros no éramos rubios ni llevábamos zapatos de tenis, ni teníamos caña de pescar, ahí se deshizo mi sueño y seguí mirando los yates en compañía de mi amigo nicaragüense, muy aficionado a los deportes marinos.

Y los años van cayendo con todo su peso sobre los recuerdos, sobre la vida vivida, y el pasado comienza a enterrarse en algún desconocido lugar, en una región del corazón y de los sueños en donde permanecerá, intacto tal vez, pero cubierto por la mugre de los días, sepultados bajo los libros leídos, la impresión de otros países, los apretones de manos, las tardes de fútbol, las borracheras, los malentendidos, el amor, las indigestiones, los trabajos. Por eso, Ton, cuando años más tarde me gradué de médico, la fiesta no fue con ustedes sino que se celebró en varios lugares, corriendo alocadamente en aquel Triumph sin muffler que tronaba sobre el pavimento, bailando hasta el cansancio en el Country Club, descorchando botellas en la terraza, mientras mamá traía platos de bocadillos y papá me llamaba «doctor» entre las risas de los muchachos; ustedes no estuvieron allí ni yo estuve en ánimos de reconstruir viejas y melancólicas imágenes de paredes derruidas, calles polvorientas, pitos de locomotoras y pies descalzos metidos en el agua lodosa del río, ahora los nombres eran Héctor, Fred, Américo, y hablaríamos del mal de Parkinson, de las alergias, de los tests de Jung y de Adler y también de ciertas obras de Thomas Mann y François Mauriac.

Todo esto deberá serte tan extraño, Ton; te será tan «había una vez y dos son tres el que no tiene azúcar no toma café» que me parece verte sentado a horcajadas sobre el muro sucio de la Avenida, perdidos los ojos vagos entre las ramas rojas de los almendros, escuchando a Juan contar las fabulosas historias de su tío marinero que había naufragado en el canal de la Mona y que en tiempos de la guerra estuvo prisionero de un submarino alemán, cerca de Curazao. Siempre asumieron tus ojos esa vaguedad triste e ingenua cuando algo te hacía ver que el mundo tenía otras dimensiones que tú, durmiendo entre sacos de carbón y naranjas podridas, no alcanzarías a conocer más que en las palabras de Juan, o en las películas de la Guagüita Bayer o en las láminas deportivas de «Carteles».

Yo no sé cuáles serían entonces tus sueños, Ton, o si no los tenías; yo no sé si las gentes como tú tienen sueños o si la cruda conciencia de sus realidades no se lo permite, pero de todos modos yo no te dejaría soñar, te desvelaría contándote todo esto para de alguna forma volver a ser uno de ustedes, aunque sea por esta tarde solamente. Ahora te diría cómo, años después, mientras hacía estudios de Psiquiatría en España, conocí a Rossina, recién llegada de Italia con un grupo de excursionistas entre los que se hallaban sus dos hermanos, Piero y Francesco, que llevaban camisetas a rayas y el cabello caído sobre la frente. Nos encontramos accidentalmente, Ton, como suelen encontrarse las gentes en ciertas novelas de Françoise Sagan; tomábamos «Valdepeñas» en un mesón, después de una corrida de toros, y Rossina, que acostumbra a hablar haciendo grandes movimientos, levantaba los brazos y enseñaba el ombligo una pulgada más arriba de su pantalón blanco. Después sólo recuerdo que alguien volcó una botella de vino sobre mi chaqueta y que Piero cambiaba sonrisitas con el pianista en un oscuro lugar que nunca volví a encontrar. Meses más tarde, Rossina volvió a Madrid y nos alojamos en un pequeño piso al final de la Ave. Generalísimo; fuimos al fútbol, a los museos, al cine-club, a las ferias, al teatro; leímos, veraneamos, tocamos guitarra, escribimos versos, y una vez terminada mi especialidad, metimos los libros, los discos, la cámara fotográfica, la guitarra y la ropa en grandes maletas, y nos hicimos al mar. «¿Cómo es Santo Domingo?», me preguntaba Rossina una semana antes, cuando decidimos casarnos, y yo me limitaba a contestarle, «algo más que las palmas y tamboras que has visto en los affiches del Consulado».

Eso pasó hace tiempo, Ton; todavía vivía papá cuando volvimos. ¿Sabes que murió papá? Debes saberlo. Lo enterramos aquí porque él siempre dijo que en este pueblo descansaría entre camaradas. Si vieras cómo se puso el viejo, tú que chanceabas con su rápido andar y sus ademanes vigorosos de «muñequito de cuerda», no lo hubieras reconocido; ralo el cabello grisáceo, desencajado el rostro, ronca la voz y la respiración, se fue gastando angustiosamente hasta morir una tarde en la penumbra de su habitación entre el fuerte olor de los medicamentos. Ahí mismo iba a morir mamá un año más tarde apenas; la vieja murió en sus cabales, con los ojos duros y brillantes, con la misma expresión que tanto nos asustaba, Ton.

Por mi parte, con Rossina no me fue tan bien como yo esperaba; nos hicimos de un bonito apartamiento en la avenida Bolívar y yo comencé a trabajar con relativo éxito en mi consultorio. Los meses pasaron a un ritmo normal para quienes llegan del extranjero y empiezan a montar el mecanismo de sus relaciones: invitaciones a la playa los domingos, cenas, a bailar los fines de semana, paseos por las montañas, tertulias con artistas y colegas, invitaciones a las galerías, llamadas telefónicas de amigos, en fin ese relajamiento a que tiene uno que someterse cuando llega graduado del exterior y casado con una extranjera. Rossina asimilaba con naturalidad el ambiente y, salvo pequeñas resistencias, se mostraba feliz e interesada por todo lo que iba formando el ovillo de nuestra vida. Pero pronto las cosas comenzaron a cambiar, entré a dar cátedra a la Universidad y a la vez mi clientela crecía, con lo que mis ocupaciones y responsabilidades fueron cada vez mayores, en tanto había nacido Francesco José, y todo eso unido, dio un giro absoluto a nuestras relaciones. Rossina empezó a lamentarse de su gordura y entre el «Metrecal» y la balanza del baño dejaba a cada instante un rosario de palabras amargadas e hirientes, la vida era demasiado cara en el país, en Italia los taxis no son así, aquí no hace más que llover y cuando no el polvo se traga a la gente, el niño va a tener el pelo demasiado duro, el servicio es detestable, un matrimonio joven no debe ser un par de aburridos, Europa hace demasiada falta, uno no puede estar pegando botones a cada rato, el maldito frasco de «Sucaryl» se rompió esta mañana, y así se fue amargando todo, amigo Ton, hasta que un día no fue posible oponer más sensatez ni más mesura y Rossina voló a Roma en «Alitalia» y yo no sé de mi hijo Francesco más que por dos cartas mensuales y unas cuantas fotos a colores que voy guardando aquí, en mi cartera, para sentir que crece junto a mí. Esa es la historia.

Lo demás no será extraño, Ton. Mañana es Día de Finados y yo he venido a estar algún momento junto a la tumba de mis padres; quise venir desde hoy porque desde hace mucho tiempo me golpeaba en la mente la ilusión de este regreso. Pensé en volver a atravesar las calles del barrio, entrar en los callejones, respirar el olor de los cerezos, de los limoncillos, de la yerba de los solares, ir a aquella ventana por donde se podía ver el río y sus lanchones; encontrarlos a ustedes junto al muro gris de la pulpería de Ulises, tirar de los cabellos al «búho» Pujols, retozar con Fremio, chancear con Toñín y con Pericles, irnos a la glorieta del parque Salvador a buscar en el viento de la tarde el sonido uniforme de los redoblantes de los Boy Scouts. Pero quizás deba admitir que ya es un poco tarde, que no podré volver sobre mis pasos para buscar tal vez una parte más pura de la vida.

Por eso hace un instante he dejado el barrio, Ton, y he venido aquí a esta mesa y me he puesto a pedir, casi sin querer, botellas de cerveza que estoy tomando sin darme cuenta, porque, cuando hace un rato, te vi entrar con esa misma cojera que no me engaña y esa velada ingenuidad en la mirada, y esa cabeza inconfundible de «Ton Melitón, cojo y cabezón», mirándome como a un extraño, sin reconocerme, sólo he tenido tiempo para comprender que tú sí que has permanecido inalterable, Ton; que tu pureza es siempre igual, la misma de aquellos días, porque sólo los muchachos como tú pueden verdaderamente permanecer incorruptibles aun por debajo de ese olvido, de esa pobreza, de esa amargura que siempre te hizo mirar las rojas ramas del almendro cuando pensabas ciertas cosas. Yo soy quien ha cambiado, Ton; por eso creo que me iré esta noche y por eso también no sé si decirte ahora quién soy y contarte todo esto, o simplemente dejar que termines de lustrarme los zapatos y marcharme para siempre ■

TEATRO
PUERTO RICO

Luis Rafael Sánchez
(1936)

Profesor de Literatura en la Universidad de Puerto Rico, ha cultivado el teatro, el cuento y la novela. Entre sus obras dramáticas sobresalen La espera *(1959),* Sol 13, interior *(1961) y* La Pasión según Antígona Pérez *(1968), todas ellas poseedoras de un singular ritmo del lenguaje y de un seguro sentido de la experimentación. Algunos de sus mejores cuentos han sido recogidos en* En cuerpo de camisa *(1966), donde Sánchez se muestra atento a las técnicas narrativas modernas. Su novela* La guaracha del Macho Camacho *(1976), se ha convertido en una de las obras clave de la narrativa puertorriqueña actual. La novela crea un mundo paródico que sirve para que el lenguaje y el humor penetren crítica e incisivamente en el cuerpo social puertorriqueño.*

La hiel nuestra de cada día

A Victoria Espinosa

ACTO ÚNICO

Mundo y cementerio de Píramo y Tisbe. Los tabiques empapelados con almanaques y estampas de santos acusan una beatitud exagerada. Algún tramo desafortunado ha sido remendado con sobrante de papel navideño. Preside la puerta al fondo un mendrugo de pan y un vaso de agua, ofrendas permanentes al santo espíritu de las aguas. Los muebles son mínimos. Un sofá sencillo de pajilla americana, una butaca, dos sillones carcomidos de polilla, pero útiles y cómodos para mecerse.

La pobreza no desmejora el aspecto visual del lugar. Por el contrario, da una última sensación de altar de aldea o devoto de rodillas. La luz y la música de arpa aumentan a la vez.

Por la primera puerta izquierda aparece Tisbe con sus sesenta y tantos, liviana como pluma, ágil, saltona de ojos, arrugada de pies a cabeza, firme en el gesto a punto de parecer dura. Su rechonchez no afea del todo su persona y algún indiscreto podría descubrir en ella una aire de niña vieja o más a tono con sus añitos, de vieja niña.

Viste camisola gris, larga, con mangas hasta los puños. Un peine mellado es amo y señor en su moño, graciosa bolita tan abajo de la cabeza que parece lobanillo en la nuca.

Tisbe camina hasta el centro de la escena. Estira los brazos hacia abajo para apartar la modorra. El esfuerzo la hace toser levementete. Se lleva las manos al pecho.

TISBE.—¡La tercera guerra va a empezar por mi pecho! *(Vuelve a toser, esta vez más fuerte. Se da pequeños golpes por la espalda, luego por el estómago, finalmente por el pecho.)* ¡Gases, gases, gases! ¡Parece que me ha soplao el pájaro malo! *(Tisbe cruza a un recoveco en el lado derecho que sirve de comedor y cocina. La escena queda vacía, pausa que llena la voz estridente de DOÑA UGOLINA).*

DOÑA UGALINA.—¡Óigame, Luján, el perro se está cagando en el zaguán y yo no estoy dispuesta a que se me revuelva el estómago por las porquerías del sato ese! ¡Ya lo sabe! Que lo más tranquila me pongo un vestío limpio y me voy al Municipio a buscar la perrera. *(Tisbe aparece en la puerta de la cocina secándose el rostro en el hombro de la camisa. La voz de DOÑA UGOLINA se oye más airada.)* ¡Este es! *(Aunque no la vemos ha enseñado el dedo usual para estas ocasiones.)* ¡Me pone un deo encima y me tiene que matar! ¡Viejo sucio! Lávese la boca para hablar con las doñas. ¡Doñas sí! Que no me acuesto con nadie. Ni tengo cortejo, ni estoy matando chivos arriba y abajo. *(Tisbe se tapa los oídos. Hace un gesto de inmenso desagrado mientras murmura.)*

TISBE.—¡Es el castigo del pájaro malo! *(Mira toda la pieza. Cruza a la puerta izquierda y llama.)* ¡Píramo! *(Se acerca a la puerta del fondo donde está el vaso de cristal. Se alza en puntillas pero no lo alcanza. Regresa hasta el centro a buscar la butaca. Al pasar por la puerta izquierda llama de nuevo.)* Píramo, levántate. Ya el sol está gateando por los adoquines. *(Llega a la puerta. Se sube a la butaca para mirar el vaso. Sonríe complacida mientras se sienta cómodamente.)* Condenao espíritu de las aguas. Cuidao que te gusta darte el palo. Eres fiestero y borrachón. Nunca conocí un espíritu tan cuquero. ¡Cómo te tragas la caña! *(Retira un poco el vaso y mira embelesada.)* No cumples. No tienes palabra. No me has sacao de pobre. ¡Hasta hambre! Yo nunca te he fallao, pero tú no me has cumplío. *(Coloca el vaso en la puerta. Se queda un momento pensativa. Luego reacciona violenta.)* ¡Píramo! Trapo de calientacamas. Levántate que la vianda no cae del techo. Tienes que ir a Bienestar Público a ver qué ha pasao con los siete cincuenta. Doña Petra se pasó toa la noche tirando chifletas. Tú como jincas la cabeza en la almohada que parece que te han achocao no tienes que oír las barbaridades que dice esa mujer. Y las ratas bailando por las vigas. Después que me hiciste pedirle el veneno a Doña Petra. *(Se acerca a la puerta y pega un puño en el tabique.)* ¡Píramo! *(Respira hondísimo enfurecida por la impotencia. Vuelve la vista hacia el vaso. Un brillo extraño le enciende el rostro. Exclama fervorosa.)* ¡Santo Espíritu de las aguas, llévate la salazón! Sácame de esta casa asquerosa, podrida de malas palabras, y llévame hasta una casita con patio y jardín. Por esas urbanizaciones que se mudó Chela, por Puerto Nuevo, por allá, por un sitio que no haya este polvo colorao. Una casita con jardín. Espigas de azucena, margaritas, duendes silvestres y lirios del valle creciendo hacia arriba, bien alto, alto, como si fuesen chiringas. ¡Dame la combinación Santo Espíritu de las aguas! O mete la mano en el candungo y saca el bolo mío. Yo te doy lo que tú quieras. ¡Ron para que te arrastres! ¡Tabaco para que te eslembes! ¡Jembras para que te revuelques! ¡Jembras que le zumban la manigueta *(en voz baja, casi secreto),* jembras que enseñan hasta el ombligo! *(Se ríe gozosa pero sin ruido, sin una sola carcajada, se ríe, gimiendo la voz de contentura, convulso el pecho de la emoción desbordada, mojados los ojos de lágrimas.)* ¡Antes que sea demasiado tarde! ¡Antes que estalle la tercera guerra!

(Se ha abrazado a sí misma, extasiada, suplicante. Comienza a murmurar una letanía que no se entiende.

De espaldas a la puerta aparece PÍRAMO. Se restrega los ojos, se estira, se contorsiona. Bosteza feamente. Luego se vuelve de frente.

PÍRAMO tiene setenta justos que molestan la vista, tal vez por el rostro hundido, como sin hueso, o el cráneo limpio de cabellos, o la manos flaquísimas o el encogimiento total del cuerpo que parece una masa amorfa de carne. PÍRAMO podría tener cualquier edad y parecería siempre un parásito indefenso. Viste camisón blanco de dormir, ahorcado al cuello, mangas llamadas de tres cuartos, ruedo más abajo de las rodillas.)

PÍRAMO.—¡La tercera guerra ya está enseñando las piernas!

(TISBE Se asusta al oir la voz. Le dice con un manoseado gesto que se calle. PÍRAMO camina hacia la cocina. TISBE llama por lo bajo.)

TISBE.—¡Píramo, ven acá! *(Por toda contestación se oye una gárgara larga. TISBE no disimula su coraje.)* Píramo, vente pa que le eches tu parrafito al Espíritu de las Aguas. *(PÍRAMO aparece en la puerta de la cocina secándose la cara con el hombro del camisón. Cruza al sillón y se mece muy fuerte. TISBE se acerca al sillón.)* Levántate y haz la oración conmigo. *(PÍRAMO baja la cabeza y se acomoda en el sillón. Con vocecita casi infantil exclama:)*

PÍRAMO.—¡Tisbetita!

TISBE.—¿Qué te duele?

PÍRAMO.—Me hice pipí en la cama.

(TISBE queda petrificada. Cruza hasta PÍRAMO y le mira fijamente.)

TISBE.—Como tú no eres el que te chavas bajo el terreno del sol, ni tienes que encaramarte a la azotea pa despercudir las sábanas, te meas todas las noches en la condená cama. ¿Por qué no aprende que la cama es pa dormir?

PÍRAMO.—No me grite que no le quepo por la boca.

TISBE.—Pues le grito sí pa que aprenda.

PÍRAMO.—Pa que aprenda ná. Usted no es maestra. Bien burra que es, que firma con una cruz. ¿Pa que aprenda qué?

TISBE.—Aguantarse las ganas. Los perros lo hacen abajo, los gatos lo hacen abajo.

PÍRAMO.—Pero los perros no tienen un riñón enfermo. Ni los gatos tampoco. Ni tienen setenta años, que es cuando uno se pone malo. Ni tienen la seguridad de que va a estallar la tercera guerra. Ni tienen que bajar esa escalera, ni tienen que hacer turno frente a un baño asqueroso que usa toa la ralea de San Juan. Si los perros tuvieran que discutir por el uso de un inodoro se les reventaba la vejiga.

TISBE.—¡Pamplinas de chalimán!

PÍRAMO.—*(Cambiando el tono.)* ¿Qué día es hoy?

TISBE.—Miércoles.

PÍRAMO.—Siempre me orino los miércoles.

TISBE.—Y los viernes la hinchazón en los pies, y los lunes las úlceras.

PÍRAMO.—Qué usted quiere. A los setenta no se puede estar dandy. A los setenta se han visto pasar muchos años. A los setenta hay que ir con tiento, despacito, despacito, despacito, porque ya la vida empieza a resbalarnos.

TISBE.—*(Sonriendo.)* Sí, Pepe.

PÍRAMO.—Yo no soy Pepe. Soy Píramo.

TISBE.—Sí, Pepe.

PÍRAMO.—Que no soy Pepe le dije. Que soy Píramo. Que no quiero ser ni Pepe ni nadie. El diablo sabrá quién es Pepe.

TISBE.—*(Persignándose.)* ¡No lo nombre!

PÍRAMO.—¿A quién?

TISBE.—Al pájaro malo.

PÍRAMO.—Pues dígame quién era Pepe.

TISBE.—Un caballo.

PÍRAMO.—¿Pepe?

TISBE.—Un caballo de rabo negro que teníamos en casa. Un caballo de pisada firme. Pacatá, pacatá, pacatá.

PÍRAMO.—*(Se golpea el pecho rítmicamente imitando las pisadas del caballo. Comienza a cantar muy alegre.)*

Bala, bala, bala,
bala caballito
llévame en tu lomo
hasta Puerto Rico

(TISBE baja y sube como si fuese montada en un caballo. PÍRAMO se tira al suelo trabajosamente usando las manos a manera de patas. TISBE aprovecha y se sube a la espalda de PÍRAMO. Ahora PÍRAMO y TISBE se ven jóvenes, radiantes, hermosos.)

¡Bala, bala, bala,
bala caballito
llévame en tu lomo
hasta Puerto Rico!

(PÍRAMO levanta el rostro para mirar a TISBE).

TISBE.—¡Pero se murió de viejo!

PÍRAMO.—Todos los viejos se mueren. Y los jóvenes y los ríos y las flores y todo lo que nace.

TISBE.—*(Afligida.)* Entonces, ¿para qué se vive?

PÍRAMO.—Para morir. Te lo he dicho muchas veces. Se vive para morir. Se trabaja para morir. Se nace para morir.

TISBE.—De una vez debíamos nacer muertos.

(PÍRAMO asiente y sonríe. TISBE sonríe también. PÍRAMO cambia su sonrisa por una risa fuerte. TISBE ríe a su manera pitando el pecho. La risa es desesperada.)

PÍRAMO.—*(Riendo.)* Si naciéramos muertos no tendríamos que pensar en la vida.

TISBE.—*(Riendo.)* Porque la vida sería entonces la muerte.

PÍRAMO.—*(Riendo.)* Y en la muerte no habría muerte.

TISBE.—*(Riendo.)* Claro, claro. Ni habría miércoles, ni lunes.

PÍRAMO.—*(Riendo.)* Ni habría tercera guerra.

TISBE.—*(Riendo.)* Ni segunda, ni primera.

PÍRAMO.—*(Riendo.)* Ni habría marinos paseándose por San Juan.

TISBE.—*(Riendo.)* Ni habrían cobradores.

PÍRAMO.—*(Riendo.)* Ni vendedores.

TISBE.—*(Riendo.)* Ni revendones.

PÍRAMO.—*(Riendo.)* Ni administradores.

TISBE.—*(Riendo.)* Ni panaderos.

PÍRAMO.—*(Riendo.)* Ni alcaldes.

TISBE.—*(Riendo.)* Ni alcaldesas.

(La voz de doña UGOLINA sube ahora para incorporarse a la histeria.)

DOÑA UGOLINA.—Voy haciendo el dos en el baño.

PÍRAMO.—*(Riendo.)* Ni el número dos, ni el número tres.

TISBE.—*(Riendo.)* Ni el número cuatro, ni el número cinco.

DOÑA UGOLINA.—Que estoy con el estómago vuelto al revés.

PÍRAMO.—*(Riendo.)* Ni estómagos, ni hígados.

TISBE.—*(Riendo.)* Ni el derecho, ni el revés.

DOÑA UGOLINA.—Desde anoche sin probar chorro.

PÍRAMO.—*(Riendo.)* Ni noches, ni días.

TISBE.—*(Riendo.)* Ni chorros, ni tazas llenas.

(PÍRAMO y TISBE ríen ahora más fuerte a punto de lágrimas).

PÍRAMO.—*(Riendo.)* Colón no tendrá el dedo arriba.

TISBE.—*(Riendo.)* Ni habrá borrachos.

PÍRAMO.—*(Riendo.)* Ni atómicos.

TISBE.—*(Riendo.)* Ni marihuanos.

PÍRAMO.—*(Riendo.)* Ni tecatos.

TISBE.—*(Riendo.)* Ni mapriolas.

PÍRAMO.—*(Riendo.)* Ni putas viejas.

TISBE.—*(Riendo.)* Ni jóvenes.

PÍRAMO.—*(Riendo.)* Ni habrá un viejito que se mea en la cama.

TISBE.—*(Riendo.)* Ni habrá una vieja regañona.

PÍRAMO.—*(Riendo.)* Ni habrá un viejito con los riñones enfermos.

TISBE.—*(Riendo.)* Ni habrá una viejita que se cansa de todo.

PÍRAMO.—*(Riendo.)* Ni habrá un viejito que abusa de su Tisbetita.

TISBE.—*(Poniéndose seria de pronto.)* Tú no abusas de mí.

PÍRAMO.—Me orino en la cama.

TISBE.—Tú no tienes la culpa.

PÍRAMO.—Sí, sí. Los perros lo hacen abajo.

TISBE.—Pero los perros no tienen un riñón enfermo. Ni tienen setenta años, que es cuando uno se pone malo. Ni tienen la seguridad de que va a estallar la tercera guerra. Ni tienen que bajar una escalera, ni tienen que hacer turno frente a un baño asqueroso que usa toda la ralea de San Juan. Si los perros tuviesen que discutir por el uso de un inodoro se les reventaba la vejiga.

PÍRAMO.—¡Pamplinas de vieja alcahueta!

(TISBE contempla a PÍRAMO. Le mira hondamente como queriendo trasponer una barrera inmensa. Los brazos le siguen el impulso del corazón y los tiende hacia el frente, anhelante, trémula, como si los años hubiesen regresado a un ayer lejanísimo.)

TISBE.—Píramo, Píramo, abrázame fuerte, fuerte, como si yo fuese niña otra vez, como si yo fuese un puñado de tierra, como si yo fuese una flor chiquita. Abrázame fuerte para saber que aún nos queda algo. Algo, Píramo, para vivir, algo que no sea esta miseria horrible, algo que no sea esta jaula de ladrillos, algo que no sea este entrecruzado de vigas, ni este tiempo asesino, ni esta maldita oscuridad que empieza a comernos el alma.

(Se lleva la mano a la boca asustada de sí misma. Entonces se refugia en los brazos de PÍRAMO. PÍRAMO abraza a TISBE. Es un abrazo débil, sin calor. PÍRAMO se separa de TISBE y va hasta el sillón.)

TISBE.—*(Mirándole mecerse.)* Ni siquiera entonces.

PÍRAMO.—¿Qué...?

TISBE.—Me abrazaste fuerte.

PÍRAMO.—Cállate.

TISBE.—Nada entonces. Nada ahora. Ni siquiera un... *(Se lleva las manos al estómago.)*

PÍRAMO.—¡No lo digas! ¿Para qué? Hay palabras que se hacen sombra de uno, que se quedan con uno aunque no se digan. Son las peores. Las que duelen siempre. Palabras que se cargan bien abajo, en la planta de los pies y acompañan a uno por siempre. No lo digas Tisbetita. Hace daño cavar sobre el dolor. Pueden florecer heridas. Si quieres decir algo, si quieres gritar algo, si quieres maldecir por algo, maldice estos cincuenta años asomados a la misma calle, viendo morir el mundo y con la muerte del mundo, la nuestra.

(PÍRAMO entra en la habitación. TISBE le ve entrar y cambia la vista. Luego entra ella. La escena vacía se llena con la voz escandalosa de DOÑA UGOLINA.)

VOZ DE DOÑA UGOLINA.—Oye, pan, dame media de agua. Calientito. No, no, no, no me lo des mongo que me enveneno cuando me quieren coger de pen. *(Ríe.)* Cuidao que te gusta jorobar la pita. ¡Claro que no! Yo todavía tengo mis cantitos buenos. No, nonines. *(Hablando más alto.)* Oye, Geño, cuando veas a Félix dile que lo estoy velando, que no me pagó el asunto y en cuanto lo coja le doy su mitin.

(DOÑA UGOLINA ríe encantada saturando la risa con comentarios.)

¡Está el marino josco!

¡Hoy se pone las botas la de arriba! Y la gente decente que se la coma una tintorera.

¡Eje! ¡Pa encima Lola!

(DOÑA UGOLINA ríe furiosa dando patadas en el suelo. Cuando va muriendo la risa aparece PÍRAMO, con pantalón y camisa. Cruza hasta la cocinita. TISBE aparece en seguida con un traje de pequeños lunares negros y amplios bolsillos. Se acerca a la puerta de la cocina.)

TISBE.—La botellita colorá es la que tiene el veneno.

PÍRAMO.—*(Desde adentro.)* A la noche...

TISBE.—A la noche se te olvida otra vez. Cualquier día una rata de esas nos va a dejar gachos.

PÍRAMO.—No ocurrirá. La tercera guerra acabará con las ratas.

(TISBE gruñe mientras regresa al centro. Mira todos los santos en la pared. Sube los brazos y exclama temblorosa:)

TISBE.—Yo te invoco Narciso del Sable para que me soples al oído el número de esta tarde, jurando prenderte doce velas, una por cada letra de tu nombre. *(Aparece PÍRAMO.)*

PÍRAMO.—¿Decías?

TISBE.—No era contigo.

PÍRAMO.—Pero hablabas.

TISBE.—Con Narciso del Sable.

PÍRAMO.—¿Te dio la combinación?

TISBE.—No.

PÍRAMO.—Ni los santos ayudan. Te lo

he dicho muchas veces. Pobres nacimos, pobres moriremos. Aquí en Sol 13 nos cogerá la bomba.

TISBE.—¿Soñaste!

PÍRAMO.—No. *(Tisbe cruza hasta PÍRAMO y le abotona la camisa.)*

TISBE.—Te he dicho mil veces que te abrigues el pecho, que un aire traidor puede acabar con cualquiera.

PÍRAMO.—Y yo te he dicho mil veces que para qué. La tercera guerra va a acabar con todo.

TISBE.—Maniático.

PÍRAMO.—¿Hay leche?

TISBE.—Un chorrito.

PÍRAMO.—Voy al cafetín de Flor a echar un fiao.

TISBE.—No, Píramo.

PÍRAMO.—Se le paga el sábado.

TISBE.—No, Píramo.

PÍRAMO.—Sí, Tisbetita, sí. Flor es un buen tercio. Llego. Buenos días, Flor.

TISBE.—Buenos días don Píramo.

PÍRAMO.—Aquí vengo a llevarme unos encarguitos hasta el sábado.

TISBE.—No, don Píramo.

PÍRAMO.—*(Asombrado.)* ¿Qué dice don Flor?

TISBE.—Que no podemos seguir aumentando la cuenta. Usted no tiene con qué pagar. Bienestar Público no le da la ayuda. Doña Fedora se ha llevado las camisas y no volverá a traerlas.

PÍRAMO.—*(Aún en el juego.)* ¿Qué dice don Flor?

TISBE.—Sí, Píramo. Me quitaron el lavao. Como las piezas regresaban amarillas. Las manos se me han puesto flojas. No tengo fuerza pa darle al cepillo. *(Cansada, casi fatigada.)* Ya no puedo trabajar.

PÍRAMO.—Y Flor no fía. Y Bienestar Público no manda la ayuda. Petra pidiendo los chavos del cuarto y el riñón, las úlceras, la hinchazón en los pies...

TISBE.—*(Triste.)* Y mi corazón y mi cansancio y mi reuma...

PÍRAMO.—*(Asustado, escondiendo el rostro en el pecho de TISBE.)* Tengo miedo, Tisbetita. ¿De qué vamos a vivir?

TISBE.—Los espíritus, Píramo. Los espíritus que no abandonan a sus ovejas. Los espíritus fenomenales como el Santo Espíritu de las Aguas y Narciso del Sable. Los espíritus que no van a dejar que dos viejecitos se mueran de hambre.
¡San Andrés, San Nicolás, San Blas, alante y atrás! ¡San Gumersindo, San Serení, Santa Ana, protectores de la mañana!
Los espíritus fenomenales que meterán la mano en el candungo y sacarán el bolo. ¡El bolo nuestro! Los espíritus nos pondrán en los pesos. Tendremos nuestra casita. Sí. De esas que dicen por Puerto Nuevo con patio y jardín. *(TISBE se ha transformado. Parece una alucinada. Camina hacia el frente desdibujando sonrisas.)*

PÍRAMO.—Es peligroso soñar, Tisbetita.

TISBE.—¿Quién sueña? Yo vivo una realidad. Mañana los espíritus protectores me traerán la dicha. Mañana o antes. Hoy. Hoy los espíritus protectores me traerán la dicha. *(Fuera de sí.)* Antes, antes de hoy. ¡Ahora! Ahora los espíritus protectores me traerán la dicha.

PÍRAMO.—*(Escondiendo los ojos para no ver.)* ¡Tisbetita!

TISBE.—*(En un grito.)* ¡Píramo! Ahí está. En el zaguán. Un perro con cuatro patas. Nada menos que con cuatro. ¡Cuatro! Es el espíritu que salva. Cuatro. Cuatro. Empieza con cuatro o termina con cuatro o lleva el cuatro en el medio.

PÍRAMO.—*(Impresionado, haciendo maromas con los dedos.)* Empieza con cuatro o termina con cuatro o lleva el cuatro en el medio.

TISBE.—*(Nerviosa.)* Empieza con cuatro o termina con cuatro o lleva el cuatro en el medio. *(PÍRAMO sigue repitiendo el acertijo de números y palabras.)* Son los espíritus que empiezan a hacer aguajes. Los espíritus que nos quieren ayudar. Y empieza con cuatro y termina con cuatro y tiene el cuatro en el medio.

PÍRAMO.—Qué dices...

TISBE.—Que empieza con cuatro y termina con cuatro y tiene el cuatro en el medio.

PÍRAMO.—¿Quién te lo sopló?

TISBE.—Qué...

PÍRAMO.—Que empieza con cuatro y termina con cuatro y lleva el cuatro en el medio.

TISBE.—Nadie... Yo no dije eso. Yo dije que empieza con cuatro y termina con cuatro y lleva el cuatro en el medio..

PÍRAMO.—Tisbetita, lo has repetido. Que empieza con cuatro y termina con cuatro y lleva el cuatro en el medio.

TISBE.—¿Eso he dicho?

PÍRAMO.—Eso, eso.

TISBE.—Entonces, la salvación, la verdad, el fin de la pobreza. Son los espíritus, Píramo, los espíritus que nos quieren ayudar. *(Desde este momento hasta la primera salida de TISBE la escena cobra la precisión de un mecanismo matemático.)* Hay que jugarlo corriendo.

PÍRAMO.—¿Con cuánto?

TISBE.—Con una peseta.

PÍRAMO.—Sí, sí. Una peseta es un veinticinco. Y un veinticinco es cinco veces cinco. Y un veinticinco es dos veces diez y un cinco. Y un veinticinco es tres veces un ocho y un uno. Y un veinticinco es tres veces siete y un cuatro. Y un veinticinco es cuatro veces un cinco más cinco.

TISBE.—A cuatro pesos cada perrita. Veinticinco perritas a cuatro pesos perrita son... son... son...*(Asustada, incrédula.)* ¡cien pesos!

PÍRAMO.—¡Tisbetita! Una peseta es muy poco. Mejor un medio peso. Un medio peso es cincuenta perritas y cincuenta perritas a cuatro pesos perrita son... son... son... ¡doscientos pesos!

TISBE.—Pues sí, con medio peso. *(TISBE corre hasta el fondo.)*

PÍRAMO.—*(Casi histérico.)* Tisbe, juega de una vez los seis reales pa ver si salimos de pobres y nos largamos de este condenao trece.

TISBE.—*(Radiante, feliz.)* Sí, sí, sí, lo que tú quieras.

PÍRAMO.—Seis reales son setenta y cinco perritas y setenta y cinco perritas a cuatro pesos perrita son trescientos pesos. *(TISBE corre hasta el fondo. Cuando va a salir se detiene. Vuelve el rostro desencajado.)*

TISBE.—Píramo, el dinero.

PÍRAMO.—Sí, sí, sí. Para la casita, para Petra, para don Flor.

TISBE.—Píramo, el dinero.

PÍRAMO.—Sí, sí. Para las deudas y para salir de pobres.

TISBE.—*(Gritando.)* ¡Píramo! No tenemos ni una perra para jugar la combinación. Y esta vez los espíritus nos dan el empujón.

PÍRAMO.—Podría ser. Creo, creo. Aunque hayas dicho lo mismo tantas veces.

TISBE.—Hoy es distinto, Píramo. Hoy me parece de otra manera. Lo sé, lo sé y lo siento. Hoy es el día para salir de pobre. El dinero, lo necesitamos, como si fuese sangre para nuestro cuerpo, como si fuese tu riñón nuevo. *(TISBE se golpea suavemente las sienes con los puños. Estira los brazos hacia el frente y se contempla las manos cerradas. Las abre de golpe. Luego las mueve rítmicamente, primero despacio, enseguida rápido.)* Una ayudita, una ayudita para el viejito, una ayudita para el viejito enfermo. *(Píramo está asombrado. TISBE le mira triunfante.)* En la arcada del municipio o por la Marina o por la Plaza de Armas. Estiras la mano, escondes el rostro o aprietas fuerte el ojo para que te crean tuerto. Así. *(TISBE se convierte en una mendiga horrible.)* Ahogas la voz... para que te crean muriendo. Y entonces la mano hacia el frente bien firme, bien firme.

PÍRAMO.—No, Tisbetita.

TISBE.—*(Aún con la mano estirada.)* Una, dos, veinte, cincuenta perritas que nos darán vida, vida Píramo, vida.

PÍRAMO.—No, no podría Tisbetita. Mendigo. Pordiosero. Arrodillar mi dolor ante los demás. No, no podría.

TISBE.—Y el premio, y el sueño.

PÍRAMO.—Nada. Nada me haría mendigar la dicha ajena.

TISBE.—Y la existencia y la casita de Puerto Nuevo.

PÍRAMO.—Nada. Nada, nada.

TISBE.—*(Desalentada.)* Entonces, la asfixia, la angustia, el asco, en fin, la hiel nuestra de cada día seguirá presidiendo nuestra agonía. *(PÍRAMO baja la cabeza. TISBE camina hacia el sillón. Murmura amargamente.)* Empieza con cuatro y termina con cuatro y lleva el cuatro en el medio. *(La voz de DOÑA UGOLINA vuele a oírse.)*

DOÑA UGOLINA.—Ya se puso Petra en la Puerta más perfumá que una madama. Tan presentá pa traficar con la desgracia de los demás.

(TISBE corre al fondo. Luego regresa hasta PÍRAMO y trata de hablarle. PÍRAMO le habla también, lo que crea una situación confusa.)

TISBE.—Vamos a hablarle a doña Ugolina...

PÍRAMO.—Sabes que no nací para pedir.

TISBE.—Contarle. Explicarle que un espíritu transformao en perro nos dio la combinación. Es nuestra vecina. No nos va a decir que no. Decirle que nos preste un poquito. Algo. Alguito. Cualquier cosa.

PÍRAMO.—Es mi naturaleza. Me asquea pensarlo. Yo, Píramo, llevándome a la boca el pan que ha sobrado a los otros. Es inconcebible. Y tú, Tisbetita, no debías...

TISBE.—Me hincaré, suplicaré, lloraré, le daré nuestro sofá a cambio.

PÍRAMO.—¡Tisbetita!

TISBE.—Eso es. El sofá. Siempre le ha echao el ojo. Ves... ves Píramo, le daremos el sofá y cuando tengamos el premio compraremos cinco, diez, cien, todos los sofás del mundo. Voy a llamarla, voy a llamarla... *(TISBE está fuera de sí. Llamando:)* Doña Ugo. Doña Lina. Suba enseguida. Venga, corra doña Ugo que tenemos un encarguito. Corra, corra, doña Ugo.

(TISBE regresa y arregla la sala disponiendo los muebles de forma que el sofá quede en lugar prominente. La pausa del movimiento se llena con la voz de DOÑA UGOLINA.)

DOÑA UGOLINA.—Voy cristiana, voy. Qué cacareo, parece que el gallo la ha pisao.

TISBE.—Mírame, Píramo. Estoy soñando pero bien despierta. Soy feliz, pero despierta. Soy ahora, otra vez, como una niña, despierta, despierta. Es como nacer otra vez, sin miedo a la vida. Porque la vida tiene sentido ahora. Sin hambre, sin dolor, dejando atrás Sol 13, atrás, atrás, donde el tiempo es tan sólo una imagen borrosa, un recuerdo.

(TISBE y PÍRAMO se abrazan. En la puerta al fondo aparece DOÑA UGOLINA, bolitera y borracha consuetudinaria, sucia de lengua, larga y flaca, ampliado el busto con dos canecas de un licor cualquiera, vestida con falda rameada y blusa a cuadros.)

DOÑA UGOLINA.—*(En la puerta.)* ¡Ejé! Viejos calientes. Todavía se empujan. *(DOÑA UGOLINA se ríe de pies a cabeza.)*

TISBE.—*(Corriendo a saludarla.)* Doña Ugo.

PÍRAMO.—(Corriendo a saludarla.) Doña Lina.

DOÑA UGOLINA.—Ni doña Ugo, ni doña Lina. Doña de la *d* a la *a*. De las pocas doñas que quedan en Sol 13. *(TISBE le hace un gesto para que baje la voz.)* ¿Por qué voy a bajar la voz? A mí no me mete los mochos nadie. Yo conozco el retrato y el negativo de tó pájaro. Y lo que veo lo digo. Sin cascaritas, sin tapujos. Como que me llamo doña Ugolina. Señora más que ninguna porque no he conocido varón. No como otras que se dicen señoras y el marido por una y el cortejo por otra. Y cuando llega el marido tiene que doblarse porque los cuernos no lo dejan entrar. Mucha zalamería, mucho besuqueo para tapar el rabo que arrastran. *(DOÑA UGOLINA se rasca la cabeza.)*

TISBE.—Bendito, doña Ugolina.

DOÑA UGOLINA.—Me va a decir que es embuste.

PÍRAMO.—*(Arreglando.)* No, no. Usted tiene la razón. Pero hay cosas que no hay que hablarlas.

DOÑA UGOLINA.—Pues yo hablo o reviento. Y lo que veo lo digo y lo malo lo digo.

PÍRAMO.—Bien, bien, doña Ugo.

DOÑA UGOLINA.—No soy doña Ugo. Soy doña Ugolina. Doña de la *d* hasta la *a*.

TISBE.—Bien, doña Ugolina, queremos un apuntao.

DOÑA UGOLINA.—*(Escandalizada.)* Ssshhh. *(DOÑA UGOLINA hace seña a la pared de enfrente. Luego saca la lengua y se la toca insinuando que la vecina es chismosa. En susurro.)* ¿Qué número?

(TISBE hace gestos con cuatro dedos espaciándolos por tres veces.)

DOÑA UGOLINA.—*(En susurro.)* Ese número tan feo no sale. Cuatro patas tiene la mesa, cuatro patas tiene el gato, cuatro patas tiene el diablo.

TISBE.—*(Persignándose.)* No lo nombre...

DOÑA UGOLINA.—¿A quién?

TISBE.—Al pájaro malo.

DOÑA UGOLINA.—Ese número tiene cara de salao.

PÍRAMO.—Pero es el que nos dio el espíritu.

DOÑA UGOLINA.—*(Estallando, cansada de bajar la voz.)* ¿Qué espíritu ni ocho cuartos? Los espíritus de ustedes no saben ná.

PÍRAMO.—Pero doña Ugolina, el cuatro, cuatro, cuatro.

DOÑA UGOLINA.—Baje la voz.

PÍRAMO.—El cuatro, cuatro, cuatro es el número que Tisbetita y yo queremos. Usted sólo tiene que apuntarlo.

DOÑA UGOLINA.—Adiós cará. Me va usted a decir ahora lo que tengo que hacer. Veinte años de bolitera que no es cáscara de coco. *(Ofendida.)* Ahora si uno no puede aconsejar a sus amistades. Para quien, porque yo para mal no aconsejo.

TISBE.—*(Arreglando.)* Pero no, doña Uguita. Si no nos molesta que nos aconseje. Puede darnos cien consejos.

PÍRAMO.—Puede darnos mil consejos.

TISBE.—*(Sonriendo.)* Lo único que como somos cabeciduros queremos jugar el cuatro, cuatro, cuatro.

DOÑA UGOLINA.—¡Ssshhh! *(DOÑA UGOLINA se busca en el seno. Luego en la falda. Se sacude por debajo de la falda.)* ¡Ay Madre Eterna! La libreta. *(Corre al fondo y habla hacia afuera en susurro.)* Moncha, Moncha. Mira a ver si en tu cuarto se me quedó aquello. ¡Aquello! Mira condená no me hagas gritar que el policía de la esquina tiene oído de tísico. ¡Eso mismo! Guárdamela. *(Se baja la chaqueta y apunta el número en la manga del sostén.)*

DOÑA UGOLINA.—¿Con cuánto?

TISBE.—Con... con...

PÍRAMO.—¿Con cuánto?

DOÑA UGOLINA.—Eso pregunto.

TISBE.—*(A punto de lágrimas.)* Mi querida doña Ugolina, resulta que no tenemos una perra en que caernos muertos y queremos jugar el trío de cuatro y pensamos que a lo mejor usted que es tan decente nos hacía el favor.

PÍRAMO.—Espera, yo sigo. Nos hacía el favor de...

TISBE.—...de, de...

PÍRAMO.—...prestarnos...

TISBE.—...un poco...

PÍRAMO.—*(Corrigiendo.)* ...un poquito...

TISBE.—*(Corrigiendo.)* ...un poquitito...

PÍRAMO.—...de dinero.

(PÍRAMO y TISBE se esconden tras de los sillones a esperar la contestación. DOÑA UGOLINA enumera.)

DOÑA UGOLINA.—Ni marido, ni cortejo, ni cheque, ni mapriola, ni nada que deje dinero.

TISBE.—Pero doña Uguita...

DOÑA UGOLINA.—Ni un chavo pa la caja el día que me lleve la pelona.

PÍRAMO.—Pero si es tan poquito.

TISBE.—Un chilín de chavos.

DOÑA UGOLINA.—Lo siento.

PÍRAMO.—Doña Ugo...

TISBE.—Doña Lina...

DOÑA UGOLINA.—Ni doña Ugo ni doña Lina. Doña Ugolina. No puedo prestar porque no tengo. Si tuviera con mil amores. Pero de dónde.

Así que me lavo las manos y hasta otra. *(DOÑA UGOLINA va a salir.)*

TISBE.—Doña Ugolina, ¿y si le diésemos el sofá a cambio? *(DOÑA UGOLINA se detiene. Regresa hasta el sofá y lo contempla. Se sienta.)*

TISBE.—Es un sofá hermoso.

DOÑA UGOLINA.—A otro perro con ese hueso. Lleno de polilla, sin pintar, la pajilla rota, cojo de un lado, feo, pasado de moda, en fin, de echar al zafacón.

PÍRAMO.—¡Tiene cuarenta años!

DOÑA UGOLINA.—Como si me dijeran cheque. Cuarenta tengo yo y estoy de pegarme un tiro.

TISBE.—Pues el sofá y la butaca.

(DOÑA UGOLINA echa una mirada ladina a la butaca.)

DOÑA UGOLINA.—Bendito sea el Crucificado. Yo que si almuerzo no como por hacer la caridad. Pero qué se le va hacer. A buena vecina y mujer caritativa nadie me gana.

(PÍRAMO y TISBE corren al sofá por última vez. Cuando van a sentarse DOÑA UGOLINA los interrumpe.)

DOÑA UGOLINA.—No, no, no. No me lo calienten mucho. *(PÍRAMO y TISBE comienzan a sacar el sofá hacia afuera. DOÑA UGOLINA arrastra la butaca. La pausa se llena con la voz de DOÑA UGOLINA.)* Con cuidao que me los estropean. Ahora saco la butaca por la puerta del zaguán y a dar ojo toda la tarde. Qué vida, qué vida ésta.

(PÍRAMO y TISBE regresan. TISBE se sienta en el sillón a mecerse. PÍRAMO se queda de pie con la cabeza baja.)

PÍRAMO.—*(Triste.)* ¿Por qué lo hicimos?

TISBE.—Los espíritus se llevarán la salazón.

PÍRAMO.—¿Por qué lo hicimos?

TISBE.—Nos iremos a Puerto Nuevo a una casita con jardín y balcón.

PÍRAMO.—¿Por qué lo hicimos?

TISBE.—*(Mirándole fijamente.)* Para no perderlo todo.

(PÍRAMO mira a TISBE. TISBE comienza a mecerse en su sillón. La luz va disminuyendo hasta dejar la escena en sombras. La música del arpa comienza a escucharse. Los sillones se mecen. Hay una pausa larga a telón abierto.

La luces comienzan a encenderse. PÍRAMO y TISBE se mecen en sus sillones.)

TISBE.—La del cuello faisán me dará unos huevos hermosos y haré un buen caldo.

PÍRAMO.—¡Tisbetita, no recojas las uvas antes de sembrarlas!

TISBE.—Es que ya me parece tan verdad que tengo ganas de tirarme al zaguán a gritarlo.

PÍRAMO.—¿Qué sacarás con eso?

TISBE.—Estrujarles en la cara mi dicha. El día que me muera voy a volver para asustarlos.

PÍRAMO.—El día que te mueras se morirán todos. La tercera guerra está al llegar.

TISBE.—Cuando acabó la primera anunciaste la segunda, cuando acabó la segunda anunciaste la tercera y todavía estamos vivitos y coleando.

PÍRAMO.—Así estaremos hasta el día que tiren la bomba. Entonces será el fin.

TISBE.—Pero eso es mañana o pasao o después. Ahora hay que vivir. Nos quedan cinco o diez años de vida.

PÍRAMO.—Menos...

TISBE.—*(Asustada.)* ¿Cómo lo sabes?

PÍRAMO.—*(Firme.)* La tercera guerra va a acabar con todo.

TISBE.—*(Furiosa.)* Cállate. Me has anticipado la agonía. Me has obligado a morir. Me has asesinado cada mañana. No me importa la tercera guerra porque hace tiempo que la veo. Cuerpos podridos por toda la caleta, cabezas y brazos por Sol, ojos por Luna y un mar de sangre azotando la bahía de San Juan.

PÍRAMO.—¡Tisbetita!

TISBE.—Espantoso. Pero no te asustarás porque ya lo has sufrido antes. Te quedarás sentado para ver cómo el mundo entero se derrumba a tus pies. *(TISBE se queda extrañamente tranquila.)* Perdonáme. A veces me ahogo. Debe ser este cuarto sin aire, esta jaula de vigas. Pero luego río. Mírarme reir. ¿Ves? Río. Soy feliz. Muy feliz. La vida puede dar tanto. Tú puedes dar tanto.

PÍRAMO.—¿Yo?

TISBE.—Tú, sí, mi viejito.

PÍRAMO.—¿Yo?

TISBE.—Tú, tú, tú. Voy a decírtelo tantas veces como días tiene el año. Tú... tú... tú.

PÍRAMO.—Yo... que ni siquiera te di un hijo.

TISBE.—*(Asombrada.)* Píramo, lo has dicho. Las palabras que se llevan en la suela de los zapatos te han llegado a la boca.

PÍRAMO.—¿Por qué callar si empezamos? Ni siquera un hijo.

TISBE.—Cállate.

PÍRAMO.—Esta jaula de vigas aprisionando tus sueños.

TISBE.—No sigas...

PÍRAMO.—Este cuartucho apestoso a caca de moscas...

TISBE.—No.

PÍRAMO.—Ha enterrado tu ilusión...

TISBE.—Por favor...

PÍRAMO.—Yo, Tisbetita, tumba y hoyo para tu voz.

TISBE.—Nos estamos aplastando.

PÍRAMO.—Más de lo que yo te he aplastado. Más de lo que yo te he triturado.

TISBE.—Píramo, dentro de un momento...

PÍRAMO.—Dentro de un momento todo será igual. Pobres o ricos, aquí o en Puerto Nuevo. ¡Igual! La gente no cambia, Tisbetita. Cambia el mundo, cambian los días, pero la gente sigue igual. ¡Cuánto cuesta quererse! ¡Qué amargo es a veces el amor!

TISBE—Tú y yo somos tú y yo. Píramo y Tisbe. Con las manos cogidas. Tú y yo. El mundo es de las demás gente. Ese no es nuestro mundo. Nuestro mundo es la fe, nuestro mundo es el pecho del otro. Lo demás no importa. Mi mundo eres tú, mi gente eres tú, mi muerte eres tú. Yo soy yo en ti, para ti, por ti, ahora, este minuto perdido y siempre, la hora eterna.

PÍRAMO.—A lo mejor tienes razón.

TISBE.—Claro que la tengo. Nos mudaremos por allá. Será distinto. Dicen que el aire es más fresco. Podrás arrancar las yerbas malas.

PÍRAMO.—*(Absorto.)* ¡Sí!

TISBE.—Cubriremos las paredes con todos los santos. Narciso del Sable, Santo Espíritu de las Aguas.

PÍRAMO.—*(Animándose.)* Borrachón, indecente, fiestero.

TISBE.—Así, Píramo, dile más...

PÍRAMO.—Trasnochador, mujeriego...

TISBE.—Insúltalo más. En vida fue un bullanguero y le encanta la poca vergüenza.

PÍRAMO.—*(Ya alegre.)* Tabaco hilao, ron y jembras.

TISBE.—Tú le imitarás y te pondrás mujeriego, pero sólo me tendrás a mí.

PÍRAMO.—Sí, sí.

TISBE.—*(Encantada.)* Píramo, ¡sé tonto!

PÍRAMO.—No sé...

TISBE.—Sí, sabes, sabes, haz una tontería.

PÍRAMO.—Ya somos viejos...

TISBE.—Y qué...

PÍRAMO.—Que me da vergüenza...

TISBE.—Somos marido y mujer.

PÍRAMO.—Hace años que no lo hago...

TISBE.—Veinte años.

PÍRAMO.—Veinte años sin hacer tonterías. Se olvida cualquiera.

TISBE.—Ven que te enseñe...

PÍRAMO.—Tisbe, recuerda, padezco del corazón.

(TISBE se acera a PÍRAMO para besarle en la boca. Cierran los ojos, pero ninguno de los dos se mueve. Entonces PÍRAMO se retira.)

PÍRAMO.—Me da vergüenza.

TISBE.—A mí también.

PÍRAMO.—No sé. Ya tú eres como otra cosa. Mi mujer, mi madre, mi hija... no sé... otra cosa...

TISBE.—Tú también. Mi marido, mi padre, mi hijo. Otra cosa, pero que es muchas juntas.

(Por el fondo aparece DOÑA UGOLINA. PÍRAMO y TISBE se levantan asustados y a la vez seguros.)

DOÑA UGOLINA.—*(A viva voz.)* Que no se sacaron ná.

(PÍRAMO y TISBE se quedan sin movimiento, sin aire.)

DOÑA UGOLINA.—Que se sacaron la chucha. Tanto aguaje pa pelarse.

(PÍRAMO regresa a su sillón.)

DOÑA UGOLINA.—El circo de todas las tardes. Los espíritus, los espíritus y los espíritus los vacilan. Como son unos espíritus tan raros. ¡Espíritus de las Sínsoras! Eso se hace como yo. Que juego lo que me dice mi difunta madre que en gloria esté. ¡Esa no falla! Pero, ¿qué muertos recientes conocen ustedes?

(TISBE regresa a su sillón.)

PÍRAMO.—*(Bajo.)* Mi prima tercera Isia.

DOÑA UGOLINA.—Que debe ser un espíritu atrasao.

TISBE.—*(Muy bajo.)*El padrino Nicanor...

DOÑA UGOLINA.—¿Ese no fue el que le dieron la puñalá en una garata?

TISBE.—Sí.

DOÑA UGOLINA.—No tiene luz pa él, va a tener pa ustedes.

TISBE.—La amiga Fela Coto.

DOÑA UGOLINA.—La del cinco. Que decían que era marimacho. El espíritu de aquélla debe estar en el limbo.

TISBE.—Más nadie, doña Ugo.

DOÑA UGOLINA.—Ni doña Ugo, ni doña Lina. Doña Ugolina. Doña de la *d* a la *a*. De las pocas doñas que quedan en Sol 13. *(Mirándolos.)* ¡Están salaos! Van a tener que darse una foetiza con poleo. Petra está furiosa porque hace meses que no pagan. Y en cuanto arregle el asunto con la de Yauco los piensa poner de patitas en la calle.

PÍRAMO.—¿Calle?

TISBE.—Calle. ¿De veras?

DOÑA UGOLINA.—¿Cuándo me ha conocido por embustera? *(Falsa.)* Para mí la verdad es como un templo.

PÍRAMO.—*(Asustado.)* Doña Uguita, si pudiésemos conseguir una ayudita, nadita, un chilín.

TISBE.—Un poquito, un chispito, un puñaíto de chavos.

PÍRAMO.—Algo para vivir los pocos días que nos quedan.

TISBE.—Piense, piense en la tercera guerra.

DOÑA UGOLINA.—¡Tercera guerra, memorias tristes! Allá los soldados.

TISBE.—Pero morir, fíjese, morir.

PÍRAMO.—Acabar, dejar de ser.

TISBE.—Sin aire, sin luz, sin tiempo.

PÍRAMO.—Morir es feo siempre.

(PÍRAMO y TISBE se ponen tristes.)

DOÑA UGOLINA.—¿Creen que soy de hierro? Aquí donde me ven tengo corazón. Todo el mundo tiene corazón y todo el mundo sufre. Cada quien a su manera. Yo sufro por dentro. *(Bajo.)* Y lloro por dentro también. Para que nadie me vea. Si supieran que sé llorar no dejarían de herirme. Es triste saber que ustedes sufren pero no puedo hacer nada. Nadie puede hacer nada. Esa es la cara fea de la vida. Pero los muertos cercanos, los muertos recientes no fallan. O si no el primero de ustedes que se vaya le sopla el bolo al otro. Por lo menos uno de los dos sale de la porquería. Me marcho. Cualquier cosa, menos dinero, ahí abajo a la orden.

(DOÑA UGOLINA sale. TISBE se levanta y va a la cocina.)

TISBE.—Ahí está el veneno, Píramo. A ver si esta noche matamos unos cuantos.

PÍRAMO.—¡Tu jardín!

TISBE.—*(Apareciendo en la puerta.)* ¡Nuestro jardín!

PÍRAMO.—¡Tu casita!

TISBE.—¡Nuestra casita!

PÍRAMO.—¡Tus flores!

TISBE.—¡Nuestras flores!

PÍRAMO.—¡Nuestras vidas! Si es que esta cadena de años se puede llamar nuestras vidas.

TISBE.—¡Píramo!

PÍRAMO.—Aquí estamos al final de nuestras vidas, sin nada, como al principio. Sin saber qué hacer, como al principio.

TISBE.—Píramo de mi locura.

PÍRAMO.—Girar, girar, girar, girar más fuerte aún y de pronto, sin siquiera darnos cuenta, dos viejos que miran el interior de Sol 13 porque allí se pudrieron sus sueños, allí se pasmaron sus años.

TISBE.—Doña Ugolina dijo...

PÍRAMO.—Nada, tonterías...

TISBE.—Que los muertos cercanos...

PÍRAMO.—¡Qué importa! Habría que esperar que uno de los dos muriera y la soledad no tiene sentido. ¡Tu casita de Puerto Nuevo!

TISBE.—Nuestra casita de Puerto Nuevo.

(PÍRAMO se queda pensativo. Habla muy despacio.)

PÍRAMO.—Y si algún muerto cercano fuese capaz...

TISBE.—No, no sueñes más.

PÍRAMO.—Y si algún muerto cercano fuese capaz...

TISBE.—*(Incorporada a la ilusión.)* Capaz de darnos el número. Tal vez ahora que tú y yo somos uno en cualquier suma...*(Píramo mira a Tisbe.)*

PÍRAMO.—Si la suma de nuestras vidas

es siempre uno, no importará nada más. Serás feliz.
TISBE.—Vuelves a soñar...
PÍRAMO.—Serás feliz, yo seré feliz. La tercera guerra será feliz.
TISBE.—La casita de Puerto Nuevo...
PÍRAMO.—Será tuya.
TISBE.—Nuestra...
PÍRAMO.—Nuestra, sí; somos uno en cualquier suma. Gira, corazón, gira y de pronto, sin siquiera darnos cuenta una viejita que mira el interior de Sol 13 porque allí retoñaron sus sueños, porque allí la vida, al final, le hizo un juego limpio.
TISBE.—Nos hizo.
PÍRAMO.—Nos hizo, sí; nos hizo. Somos uno en cualquier suma. Al abrir el balcón en Puerto Nuevo tendrás que decir, gracias, gracias vida, porque sólo entonces habrás vivido.
TISBE.—Habremos vivido.
PÍRAMO.—Sí, sí, habremos vivido. Somos uno en cualquier suma. ¡Brindemos!
TISBE.—*(Riendo.)* No hay nada con que brindar.
PÍRAMO.—*(Exaltado.)* Con agua, con aire, con alma, con cualquier cosa.

(PÍRAMO va a la cocina. TISBE se sienta en un sillón a esperar. PÍRAMO regresa con dos vasos.)

PÍRAMO.—*(Alzando el vaso.)* Por tu felicidad...
TISBE.—Por nuestra felicidad...
PÍRAMO.—Sí, sí, somos uno en cualquier suma. *(PÍRAMO apura su vaso. TISBE le mira.)* Cuidarás el jardín, las flores, sin que nazcan espinas. Bebe, bebe, bebe, bebamos, somos uno en cualquier suma.

(PÍRAMO se sienta.)

TISBE.—Píramo, qué te pasa, qué te pasa.
PÍRAMO.—No te levantes. No vengas. Para qué. Somos uno en cualquier suma. *(El sillón de PÍRAMO comienza a detenerse.)*
TISBE.—Píramo de mi locura... ¿qué es esto?
PÍRAMO.—Nada, nada. Desde allá sacaré mi ojito y mi mano bajará al candungo. Y *(tratando de reír)* sacaré tu bolo. No fallaré. Te quiero mucho para fallarte. Mucho.
TISBE.—Qué hora horrible este momento. Las vigas cayendo sobre tu recuerdo. ¡Sola! No podré. Sola. *(TISBE corre y se abraza a las rodillas de PÍRAMO.)* ¡Sola! ¡Sola! ¡Sola! Me quedaré sola.
PÍRAMO.—No... nunca... nunca. Quedaré viviendo en ti. *(Le pasa la mano por los cabellos. Es una caricia torpe.)* En ti por siempre como un cuerpo... uno... ¡Somos uno en cualquier suma! Uno... uno.

(El sillón de PÍRAMO no se mueve. TISBE sube la cabeza para mirarle. Y comienza su luto.)

TELÓN LENTÍSIMO

CUBA

Virgilio Piñera (1912-1979)

Dramaturgo, cuentista y novelista, es el iniciador de la literatura del absurdo en Cuba con su novela La carne de

René *(1952), sus* Cuentos fríos *(1956) y sus piezas de teatro* La boda *(1958),* El flaco y el gordo *(1959). Los mismos rasgos que caracterizan a sus novelas* —Pequeñas maniobras *(escrita en 1956, pero publicada en 1963),* Presiones y diamantes *(1966)— están presentes en sus relatos cortos: virtuosismo profesional y pericia técnica, que unidos a un lenguaje desenfadado e irónico otorgan a sus obras frescura, agilidad y humor. En teatro su drama* Electra Garrigó *(1948) constituyó todo un acontecimiento al trasponer un mito griego a términos criollos, populares y folclóricos. Sin embargo, su pieza más lograda quizá sea* Aire frío *(1959), de acento autobiográfico, pero donde retrata las angustias económicas de la clase media cubana. Otra obra teatral suya sumamente interesante es* Dos viejos pánicos *(1968), en la cual retoma lo fantástico, pero ahora con una fuerte dosis de alusión a la situación política cubana. Marginado, los últimos años de Piñera transcurrieron en un franco exilio interior.*

El flaco y el gordo

Personajes: Flaco, Gordo, Sirviente, Médico, Segundo Flaco.

ACTO ÚNICO

Escena I

Un cuarto en el hospital. Dos camas, dos sillas, una mesa. Al levantarse el telón, el FLACO, *en pijama y con la pierna derecha enyesada, está sentado en el borde de la cama. Se mira la pierna.*

FLACO.—¡Cuándo me quitarán este dichoso yeso! *(Pausa)* Esta gente se figura que las cosas son muy fáciles... ¡Claro, muy lindo tenerme con la pierna enyesada! Parece una columna *(Pone rígida la pierna).* ¡Y mientras el palo va y viene, yo vivo del aire! *(Pausa)* Pensar que todavía tengo que aguantar un día más. *(Pausa)* Por robarme una gallina me rompí la pata. Pensé matar el hambre vieja en este hospital, pero está visto que tengo mala suerte. *(Pausa)* A la verdad que tengo una suerte de perro: iba tirando de lo mejor con las gallinas. Bueno, me parto la pata, por poco me cogen con las manos en la masa —menos mal que a la gallina se le ocurrió esconderse— y encima de todo eso, me matan de hambre. Si sigo enflaqueciendo sacarán de aquí mi esqueleto. *(Vuelve a mirar la pierna)* ¡La única que no enflaquece eres tú...! ¡Cabrona! *(Pausa. Se levanta, va hacia la otra cama, levanta la cama, toca el colchón).* ¡Claro, puesto que a ese gordo como tiene guano, le pusieron colchón! *(Pausa).* No sé para qué rayos quiere el colchón. Con la grasa que tiene... *(Pausa)* Y se me clava; lo tengo parado aquí, en la boca del estómago... Con su finura y to *(imita al* GORDO) ¿Cómo amaneció? ¿Me hace el favor? ¿Va mejor su pierna? Mi brazo ya no me duele, pero por lo que puede suceder, iré con el masajista. *(Se sienta en una de las sillas.)* ¡Ese gordo es la misma muerte! ¡Y qué manera de comer! *(Pausa)* Se manda cada filete, que da gusto. El que tiene, tiene... *(Pausa)* Y yo, tragando la bazofia que dan aquí, y sin un salao kilo para comprar nada, *(pau-*

sa). Bueno, a quien Dios se lo dio... *(pausa)* Este gordo nació de pie.

(Entra el GORDO. *Doscientas libras, gran barriga. Unos treinta años. Brazo izquierdo enyesado. Viste pijama de seda floreado. Ríe atronadoramente.)*

FLACO.—¿Se puede saber qué pasa?

(Nuevas y más estentóreas carcajadas del GORDO, *que finalmente se desploma en la otra silla.)*

FLACO.—Se te va a romper la vena del pescuezo... Eso mismo le pasó a un tío mío. Cayó redondo, y nunca más volvió a reírse.

GORDO.—*(Parando de reír)* Es que ese mediquito cree saberlo todo... *(Pausa)* ¿Sabe usted lo que vino a decirme, a mí, que soy experto en comidas?

FLACO.—*(Haciendo un mohín de disgusto.)* ¡Ya salió eso!

GORDO.—*(Con tono burlón)* ¿Repugnancia con el dulce...?

FLACO.—Es que te pasas el santo día con la comida en la boca.

GORDO.—Tengo los billetes suficientes para adquirirla. No tengo la culpa de que mi padre me dejara una fortunita. *(Pausa)* Pues ese mediquito jura y perjura que la carne con papas lleva... tocino ¡Cielo santo! ¡Nada menos que tocino!

FLACO.—Hace rato que no como carne con papas...

GORDO.—Nadie se lo ha preguntado. Yo no he dicho que usted pase años enteros sin comer carne con papas lo cual, por otra parte, es de muy mal gusto. Lo que yo he dicho...

FLACO.—*(Lo interrumpe)* Después de todo, no creo que el tocino... Se puede sacar del plato.

GORDO.—*(Estallando)* ¡Pero, bruto! Y el gusto, el sabor... Está visto que usted no entiende media palabra de arte culinario.

FLACO.—Lo único que yo sé es que tengo hambre vieja.

GORDO.—Cualquiera diría que las autoridades de esta casa hospitalaria lo dejan sin comer. *(Pausa)* Si mis ojos no me engañan, el sirviente le trae su almuerzo a las doce y su comida a las seis. *(Pausa)* Ahora bien, si no le basta con la generosa ración que ofrece, gra-tui-ta-mente, el hospital, entonces haga como yo: pida a la carta.

FLACO.—¡Pida, pida, pida!... Pida por esa boca... *(Pausa)* Con qué se sienta la cucaracha.

GORDO.—*(Impasible)* Pues voy a pedir carne con papas para el almuerzo. ¿Qué hora es?

FLACO.—Mañana, lo mismo que hoy... Hoy, lo mismo que mañana...

GORDO.—No he preguntado ni por hoy ni por mañana. *(Pausa)* ¿Qué hora es?

FLACO.—Sopa aguada, harina y boniatos.

GORDO.—¿Qué hora es?

FLACO.—No falta mucho...

GORDO.—Eso es... No falta mucho. *(Pausa)* Veamos qué me pide el estómago hoy *(Se toca el estómago)* ¿Qué te gustaría almorzar?

FLACO.—Yo digo que no falta mucho para mi salida del hospital.

GORDO.—Exactamente, ¿cuántos días?

FLACO.—Uno. *(Pausa)* Dentro de un día me dan de alta.

GORDO.—¿Espera comer mejor en la calle?

FLACO.—Si me coloco...

GORDO.—Si me coloco, si me coloco...

(Pausa) Es malo concebir esperanzas. Viene el batacazo, ¡qué palabreja! y uno se queda como un pollo mojado...

FLACO.—*(Pensativo)* O como una gallina.

GORDO.—¡Qué más da! Gallina o pollo mojado, uno se queda ...agado. *(Se ríe)*

FLACO.—Pero no puedes quejarte: dinero, comida, masajes... Supongo que también mujeres...

GORDO.—¡Vino, comida y mujeres! Le extrañará que no diga: Vino, música y mujeres... La música no es comestible. *(Pausa)* Seguro, seguro que usted se rompió la pierna tratando de atrapar uno de esos pollitos...

FLACO.—No era un pollo, era una gallina.

GORDO.—¡Anjá! Conque le gustan las viejas... Bueno, sobre gustos no hay nada escrito. *(Pausa)* Sin ir más lejos, mi amigo Pedro se acaba de casar con una vieja de sesenta años. Sesenta contra veinticinco. *(Pausa)* El otro día la llevó al dentista. Hubo trompadas y todo.

FLACO.—No entiendo.

GORDO.—El dentista le dijo a mi amigo que cuidara mucho a su mamá. ¡Imagínese! Decirle eso a un recién casado.

FLACO.—Cada uno que se las arregle como pueda. Yo tengo que pelarla muy duro. A mí nadie me da nada.

GORDO.—*(Acercándose al* FLACO*)* ¿A qué viene esa descarga? Le estoy contando lo del dentista y me sale con otra cosa.

FLACO.—Yo sé lo que me digo... *(Pausa)* ¿Qué me espera al salir de este hospital?

GORDO.—Si no es más que eso, despreocúpese: lo que está para uno... *(Pausa)* Bueno, la conversación es muy grata pero se acerca la hora del almuerzo. Tengo que meditar el menú. *(Pausa)* ¿Quiere hacerme un favor?

FLACO.—Hace diez días que dices lo mismo. Te hago el favor, me rompo la cabeza combinando platos, y al final es tu lista la que gana.

GORDO.—Todo tiene su explicación. Si usted redacta varios menús, a la hora de sentarse a la mesa tendrá un apetito devorador...

FLACO.—*(Lo interrumpe)* Pero...

GORDO.—Por favor, ¿puedo continuar? ¿Sí? Gracias. *(Pausa)* Además, reservo sus listas para mejor ocasión. No crea, su gusto no es malo del todo. Eso sí, no le perdono lo del tocino en la carne con papas.

FLACO.—*(Se acerca al* GORDO *de manera que ponga su boca junto al oído de éste)* ¿Tiene mucha hambre hoy?

GORDO.—Devoradora.

FLACO.—*(Haciendo gesto de desaliento)* Siempre la misma cosa. Nunca está desganado. *(Pausa)* ¿Vas a pedir doble ración?

GORDO.—¿Qué se figura? Soy una persona bien nacida. Nunca repito un plato. Si el Maestro escuchara estas cosas...

FLACO.—¿Quién es el Maestro?

GORDO.—Un comilón como no hay dos. Pero un comilón de platos finos. Yo no, yo como cualquier cosa. La cuestión es llenarse. Claro, dentro de eso tengo mis limitaciones: no repito, no como pata y panza y tampoco rechazo lo bueno, si me lo ofrecen. Pero compararme con el Maestro...

FLACO.—Ya tengo un menú.

GORDO.—*(Carraspeando)* Veamos.

FLACO.—*(Meditando antes de hablar)* Sopa de pescado...

GORDO.—Hmmm.

FLACO.—¿No te gusta la sopa de pescado?

GORDO.—No he dicho esta boca es mía.

FLACO.—Bueno, sopa de pescado. Carne ripiada, plátanos maduros, ensalada de aguacate, arroz blanco, casquitos de guayaba y queso crema.

GORDO.—*(Haciendo una mueca de asco)* Es un menú tan repugnante, que si el Maestro lo escucha, se muere de susto. *(Pausa)* Así que sopa de pescado, y después carne ripiada... *(Pausa)* El hambre vuelve loco a cualquiera.

FLACO.—Pues yo me comería todo eso sin chistar.

GORDO.—Le tengo dicho y redicho que cuando redacte un menú no se inspire en sus bajos apetitos. Sea como una máquina que adivine mis pensamientos. *(Pausa)* A ver, ensaye de nuevo.

FLACO.—*(Meditando de nuevo)* Será mejor que no siga. No estoy de suerte hoy. *(Pausa)* Además, no vale la pena. Nunca me aceptas un menú.

GORDO.—¡Vamos, hombre! No se desconsuele. *(Pausa)* Le prometo que aceptaré uno de sus menús. ¡Fe y adelante!

FLACO.—Carne con papas...

GORDO.—Es una idea fija. *(Pausa)* Pero no voy a hacer cuestión. ¡Adelante! Carne con papas... ¿Qué más?

FLACO.—*(Histérico)* ¡Carne con papas, carne con papas, con papas! *(Se echa a llorar.)*

GORDO.—*(Encogiéndose de hombros)* No entiendo nada. *(Pausa)* De manera que un plato sabroso e inofensivo como es la carne con papas, provoca en usted un acceso de llanto. Francamente, no entiendo nada de nada. *(Pausa, le da palmaditas en el hombro)* ¡Vamos, ánimo! prosiga... Fe y adelante.

(El FLACO *se ha dejado caer en una silla y oculta la cara entre las manos. En el momento que el* GORDO *se acerca al* FLACO *haciendo con la boca el ruido característico de la desaprobación, entra un sirviente del hospital, llevando un lápiz en la oreja y un pedazo de papel en la mano.)*

SIRVIENTE.—*(Saludando con respeto al* GORDO) Buenos días, señor. ¿Qué comemos hoy?

GORDO.—*(Abriendo los brazos)* ¡Pues carne con papas! ¿Qué otra cosa podríamos comer? *(Pausa, mirando al* FLACO *vuelve a hacer el sonido de desaprobación)* Suspenda la carne con papas... Convertiríamos un almuerzo placentero en un acto lacrimoso. Sería la primera vez que mezclaríamos la carne con lágrimas.

SIRVIENTE.—*(Confundido)* ¿Qué pasa?

GORDO.—En realidad, no pasa nada, pero la gente se las arregla para que parezca que pasan muchas cosas.

SIRVIENTE.—Entonces, la carne con papas...

GORDO.—*(Terminante)* No va. *(Vuelve a*

mirar al FLACO*).* No se siente bien del todo.

SIRVIENTE.— Puedo traerle un poco de bicarbonato.

GORDO.—*(Con tono doctoral)* ¿Bicarbonato? ¿Para qué? Tiene un estómago de piedra. Si lo viera comer...

(El FLACO *saca la cabeza de entre los brazos y mira tristemente al* GORDO.*)*

GORDO.—Mirada de carnero degollado... *(Pausa)* A propósito, me gustaría una pierna de carnero para el almuerzo. *(El* SIRVIENTE *se dispone a anotar, pero el* GORDO *lo interrumpe)* La dejaré para la comida. *(Se pone a pensar)* A ver, a ver... ¿Qué pediré? *(Pausa larga)*¡Ya está!: arroz con pollo, frituras de seso, ensalada de pepinos, y flan. *(Al* FLACO*)*¿Alguna objeción?

FLACO.—*(Mueve negativamente la cabeza. Pausa. Al* SIRVIENTE*)* A mí me da lo mismo.

SIRVIENTE.—*(Soltando la carcajada)* Hoy tenemos yuca hervida...

GORDO.—*(Estallando)* ¡No puedo verla! *(Al* SIRVIENTE*)*Por favor, suspenda la yuca. Tráigale boniatos...

FLACO.—Pero...

GORDO.—No hay pero que valga... Usted hace cuestión de todo. ¿Qué más da boniatos que yuca?

FLACO.—Por eso mismo...

GORDO.—Por eso mismo y por lo otro, el mundo está como está. *(Al* SIRVIENTE*)* Ya oyó: ¡boniatos! *(El* SIRVIENTE *inclina la cabeza, suelta una risita burlona y se va.)*

GORDO.—*(Coge la mesa, la pone en el centro de la escena, depués coge una silla y la coloca de modo que la persona que se siente en ella quede de frente al público. Pone la otra silla a su izquierda. Al* FLACO*).* Supongo que me hará honor de sentarse a mi mesa.

FLACO.—*(Creyendo que el* GORDO *lo invita realmente a participar de su almuerzo).* ¿De verdad que me invitas? *(Pausa)* Me gustan mucho las frituras de seso.

GORDO.—No exactamente. Si le digo lo de sentarse a mi mesa es con el objeto de disfrutar del placer de su conversación durante el almuerzo. Usted comerá lo suyo y yo lo mío.

FLACO.—Prefiero comer lo mío sentado en la cama.

GORDO.—Si declina mi amable invitación, perderá la oportunidad de probar las frituras de seso.

FLACO.—Te puedes meter tus frituras por donde mejor te quepan *(Pausa)* No estoy hoy para el paso. Y no me hables porque no voy a contestarte. *(Va hacia la cama y se sienta en el borde.)*

(De nuevo entra el SIRVIENTE. *Se dirige a la mesa, pone el mantel, una servilleta, cubiertos, un salero, aceitera, vinagrera, una cerveza, un vaso, palillos de dientes.)*

SIRVIENTE.—*(Al* GORDO.*)* No hay pepinos. ¿Quiere ensalada de aguacate?

GORDO.—Aceptado. Mientras no sea yuca...

(El SIRVIENTE *se va.)*

FLACO.—Aguacate maduro...

GORDO.—Ya sabemos... Ya sabemos... Siempre con los chistes de mal gusto. *(Pausa)* Todavía está a tiempo. No concibo que un hombre civilizado prefiera comer solo en un rincón. Mi amigo, comer es tan sólo un pretexto. El verdadero placer radica en la conversación, en el cambio de ideas.

FLACO.—¿Cuántas frituras me darás si me siento a la mesa?

GORDO.—Eso se llama chantaje. Una cosa es que de propia voluntad le ofrezca amablemente una friturita, y otra cosa es que pretenda extorsionarme.

FLACO.—¿Pero nada más que una friturita?

GORDO.—Probar no es atracarse. Con una fritura basta y sobra para darse cuenta que uno está deglutiendo un alimento que recibe el nombre de sesos.

FLACO.—Claro, ancho para ti y estrecho para mí: yo pruebo una friturita y tú te metes una docena.

GORDO.—Nunca trate de encontrarle la cuadratura al mundo. Es preciso no perder de vista la realidad: yo pago las frituritas, yo me... meto ¡Dios mío, qué palabreja! las frituritas. Yo como, usted prueba. *(Pausa)* En tiempos pasados, los reyes tenían una persona encargada de probar los alimentos. Había el catador, el copero, el sumiller...

FLACO.—Bueno, si no quieres darme las frituras, entonces dame la mitad del pollo.

GORDO.—¡Basta de bromas pesadas! Usted por su lado, yo por el mío. Eso sí, no venga después con humillaciones: «Déme la fritura, aunque sea un cuarto de fritura.» Al menos, mantenga sus decisiones.

(Entra el SIRVIENTE *llevando en una bandeja una cazuela de arroz con pollo, una fuente de frituras, la ensalada de aguacates, y el flan. Además, una cestita con panes. Lo va poniendo todo en la mesa. Como obedeciendo a un impulso irresistible, el* FLACO *se acerca a la mesa.)*

GORDO.—¡Cuando lo digo! Conozco a mi gente. *(Al* FLACO) Agradable conjunto, ¿no es cierto? *(Al* SIRVIENTE) No demore el pedido del señor.

SIRVIENTE.—*(Sonriendo)* Bueno, no hay sopa.

GORDO.—¡Magnífico! No hay sopa. *(Al* FLACO) ¿Se enteró?

SIRVIENTE.—Y no hay boniatos.

GORDO.—¡Colosal! No hay boniatos. *(Al* FLACO) ¿Se enteró?

FLACO.—Entonces, traiga la yuca.

GORDO.—¿Yuca...? ¿Ha dicho yuca?

FLACO.—Yuca.

SIRVIENTE.—*(Mirando al* GORDO. *Pausa)* ¿Qué hago?

GORDO.—Sírvasela. Está en su derecho. *(Pausa)* ¡Vivir para ver!

(El SIRVIENTE *se retira. El* FLACO *vuelve a sentarse en la cama. El* GORDO *se sienta a la mesa, pero no empieza a comer. Hace ruido con los cubiertos. Pausa larga.)*

GORDO.—*(Dejando de hacer ruido) (Huele el arroz con pollo).* Como para levantar a un muerto... *(Al* FLACO) El olorcito, ¿llega hasta su cama?

(El FLACO *se echa en la cama, con la cara contra la pared, y se tapa la cabeza con la almohada.)*

GORDO.—Todos los caminos llevan a Roma... y lo olores se meten en las narices a pesar de las cabezas tapadas con almohadas. *(Pausa)* ¡Vamos, pichoncito mío, luz de mi vida! Entre amantes que se quieren de veras estas nubes de verano ayudan al fortalecimiento de un amor imperecedero.

(Entra el SIRVIENTE *con la comida del* FLACO. *Al ver al* FLACO *en la cama se queda desconcertado. Mira al* GORDO. *El* GORDO *mueve la cabeza. El* SIRVIENTE, *con la mano que le queda libre hace señas al* GORDO *preguntándole dónde pone la comida del* FLACO. *El* GORDO *le indica que la ponga en el suelo a los pies de la cama. El* SIRVIENTE *lo hace. Empieza a retirarse caminando de puntillas.)*

GORDO.—No es necesario. Estás más despierto que nosotros. Sólo que se hace el muerto para ver el entierro que le hacen... *(Pausa)* Puede retirarse.

(El SIRVIENTE *se retira.)*

GORDO.—Bueno, almorzaremos solos. *(Pausa)* Antes, y para que mi conciencia de caballero quede tranquila, dirijamos una última exhortación al Caballero de la Triste Figura... *(Se levanta y llega hasta la cama del* FLACO*).* Una vez más le invito a acompañarme en el acto sacramental del almuerzo. *(Pausa. El* FLACO *no se mueve).* Usted se lo pierde. Además, se comporta como un chiquillo malcriado. Su conducta es inexcusable. *(Vuelve a la mesa, se sienta, toma la servilleta, se la anuda al cuello, coge los cubiertos, se sirve arroz con pollo de la cazuela, llena el vaso de cerveza, se frota las manos, pero no empieza a comer. Pausa larga. Coloca la fuente de frituras un tanto hacia la izquierda, cambia de posición la cesta del pan, separa la botella del aceite de la del vinagre, en fin hace una serie de movimientos que explican su desasosiego)* ¡Listos para el abordaje! *(Pausa, mira hacia la cama).* Sin embargo, falta algo.

FLACO.—*(Se quita la almohada, se pone boca arriba).* Falto yo, pero no cuentes conmigo. Me voy a comer mi bazofia y en seguida dormiré una siesta.

GORDO.—*(Respirando fuerte)* Sin duda, es una excelente idea. Nada como la siesta después de un almuerzo copioso. *(Pausa)* ¿Sería tan amable de darme a probar de su harina? Parece prometedora de dichas eternas.

FLACO.—*(Desconfiado)* ¡Pero si usted odia la harina!

GORDO.—En efecto, pero de vez en cuando se tienen veleidades. *(Pausa)* ¡Qué diablos! Uno es mortal al fin y al cabo... Llámelo como quiera a este capricho mío. Y si se empeña, hasta puede calificarlo de capricho de embarazada.

FLACO.—Bueno, si te has encaprichado con la harina, te la daré, pero yo también tengo mi capricho con las frituras de seso.

GORDO.—Es justo. No se quedará sin probarlas. *(Corta un pedacito de fritura, lo pincha con el tenedor, se levanta y lo lleva a la cama).* Acá lo tiene. No dirá que no cumplo la palabra empeñada.

FLACO.—*(Se lleva la fritura a la boca, pero no la come).* Esto no es una fritura...

GORDO.—Y puede saberse qué es. ¿Una ballena?

FLACO.—Es nada más que un pedacito.

GORDO.—¿Y qué quiere usted? Probar no es comer. Nunca se me ocurriría comerme su harina. *(Pausa)* Pero, hombre, no problematice más y acabe por decirme si le gusta.

FLACO.—*(Resignado, come el pedacito de fritura).* Es tan chiquito que no le cojo el gusto.

GORDO.—*(Caminando de nuevo hacia la*

mesa, dice) Le aconsejo hacerse ver por un médico... *(Se sienta de nuevo a la mesa, pincha la fritura, se la mete en la boca y la deglute parsimoniosamente; hablando mientras va comiendo).* En cambio, yo si le cojo el gusto: sabe a sesos, y hasta juraría que tiene su pizca de pimienta. Aunque la receta no la prescribe.

FLACO.—*(Se sienta en la cama)* ¿Por qué me aconseja que vaya al médico?

GORDO.—*(Pinchando otra fritura, mantiene el tenedor en alto, mientras habla señala, con la mano izquierda, la fritura)* Porque, sencillamente, usted no tiene gusto, amigo mío. Su lengua no recoge los sabores...

FLACO.—*(Lo interrumpe)* Si me diera otro pedacito, podría...

GORDO.—*(Lo interrumpe)* ¿Para qué? Sería inútil. Cuando el sentido del gusto no está atrofiado, por pequeño que sea el alimento que usted ha introducido en su boca, inmediatamente es captado y degustado. *(Pausa)* Bueno, no haga una montaña de su atrofia gustativa; peor sería haberse quedado ciego. *(Pausa)* Claro, que nadie entiende nada. Se lo digo, porque el ciego cambiaría su ceguera por la atrofia del gusto, y el sordo querría ser mudo.

FLACO.—Yo le cojo el gusto a todo.

GORDO.—Pero, señor mío, usted le coge el gusto a todo sólo después de una ingestión copiosa. *(Pausa)* Sepa usted que una comida es descifrable como jeroglífico o como una notación musical. Por el olor, por la presentación, por el color, por...

FLACO.—*(Llegando hasta la mesa)* Déme una fritura.

GORDO.—¡De mil amores! *(Le indica la silla).* Pero, tome asiento. Si bien es cierto que el acto de comer una fritura no constituye una comida en sí, con todo, es una invitación al banquete. *(Pausa).* Bien, le daré esa fritura, pero con una condición.

FLACO.—Ya empezamos con las condiciones.

GORDO.—En esta vida todo es condicional. *(Pausa)* Si usted dice correctamente la receta para la confección de frituras de seso, le daré... ¡una fritura de seso!

FLACO.—*(Se sienta, carraspea, se agita en ella).* Bueno... *(Pausa)* Bueno...

GORDO.—*(Pinchando otra fritura y masticándola)* Le advierto que en dicha receta no aparece para nada la palabra bueno. *(Pausa)* Adelante.

FLACO.—*(Revolviéndose más y más en la silla).* Las frituras de seso llevan...

GORDO.—Eso, comience por los ingredientes. Después explicará el método.

FLACO.—*(Siempre revolviéndose en la silla)* Bueno...

GORDO.—*(Estallando)* ¡Por favor! No vuelva a decir esa palabra. «Bueno» no es ninguna clase de alimento. *(Pausa)* Prosiga.

FLACO.—*(Cierra la boca fuertemente) (Respiración de fuelle, hace ruido característico con la garganta.)*

GORDO.—Con esos gruñidos no pondrá las cosas en claro *(Coge otra fritura, la va comiendo).* La receta en cuestión se compone de esto y de lo otro. Dígalo entonces.

FLACO.—*(Con perplejidad)* Lleva seso...

GORDO.—*(Llevando los ojos a lo alto)* ¡Lo que hay que soportar en esta vida! *(Pausa)* Sesos... ¿Qué más?

FLACO.—Sal... *(Pausa larga)* Sal... *(Pausa larga)* Ají y cebolla.

GORDO.—Así que ají y cebolla... ¿Y por qué no también chocolate y panetela?

FLACO.—Yo creía...

GORDO.—Las falsas creencias llevan al desastre. Veo que su fritura, adoptando la forma de un cohete balístico, se aleja de la tierra a velocidades supersónicas.

FLACO.—Déme otro chance.

GORDO.—Concedido. Olvidemos el ají y la cebolla. *(Pausa)* Prosiga.

FLACO.—Manteca...

GORDO.—¿En qué proporción?

FLACO.—Un cucharón.

GORDO.—Un cucharón no explica nada. Diga si media libra, si una.

FLACO.—Una libra.

GORDO.—*(Riendo a carcajadas)* ¡Una libra! Pues comeríamos frituras de manteca. *(Hace un gesto de asco)* ¡Por favor! Mejor será que no prosigamos. Me caerá mal el almuerzo.

FLACO.—*(Implorante)* Viejo, no te pongas así... Es que me falla la memoria. *(Pausa)* Te juro que conozco esa receta. He sido cocinero en el Vedado. La señora lloró cuando me fui de su casa.

GORDO.—*(Siguiendo la mentira, al mismo tiempo que pincha otra fritura)* Perder un buen cocinero es como perder un ser querido. Comprendo el desasosiego, el dolor, y hasta diría, la angustia de esa señora del Vedado. No se encuentra así como así un buen cocinero al doblar de la esquina... *(Pausa)* Y por descontado, ya me imagino las exquisitas frituras de seso que haría en esa casa. *(Pausa)* Bah... digo lo de las frituras que están sobre el tapete, pero no dudo que platos mejores que ése, platos más elaborados ya cocinaría usted. Por ejemplo, Supreme de Poulet a la Villeroi o Crepes Suzettes... *(Pausa)* A propósito, ¿quiere darme la receta de ese pollo a la Villeroi?

FLACO.—*(Nervioso en extremo, vuelca el salero)* ¿Cómo dices?

GORDO.—*(Se santigua)* ¿Qué hace? Volcar sal en la mesa trae mala suerte. Hasta puede provocar retortijones de estómago. *(Coge un puñadito de sal y lo echa por encima de su hombro izquierdo).* He dicho «Pollo a la Villeroi».

FLACO.—*(Como si no oyera)* Las frituras de seso llevan también...

GORDO.*(Pinchando la última fritura, al mismo tiempo que hace un gesto de soberano aburrimiento)* ¡Basta! Demos esa receta al olvido. Todo esto resulta bien aburrido. *(Pausa)* Por otra parte, acabo de comerme la última fritura. No tendría sentido seguir hablando de sesos. Felizmente ya están en mi barriga. *(Se toca la barriga)* Aquí, sesos de un cerebro en mi barriga. *(Pausa)* ¿Y qué hace que no come su harina?

(El FLACO *sin contestar a la pregunta del* GORDO, *se pone automáticamente a comer la harina. Lo hace con profundo desgano.)*

GORDO.—Por su manera de llevar la cuchara a la boca, cualquiera juraría que está usted tragando un alimento en mal estado. *(Pausa)* Sin embargo, la harina es un alimento noble. A su llegada a México, Cortés...

FLACO.—*(Furioso, lo interrumpe)* No digas tanta basura. *(Pausa)* Si es tan rica como dices, ¿por qué no me das tu arroz con pollo? Come, bobo, cómete mi harina. ¡Bandido!

GORDO.—*(Limpiándose la boca con gran afectación)* Bueno, me lo temía. Ya llegamos al insulto personal. *(Pausa)* Tonto de mí, esto me ocurre por mis buenos sentimientos *(Pausa)* Cría cuervos... ¡Y yo que tenía decidido ofrecerte la molleja! *(Pausa)* Darme ese calificativo, a mí, que nunca he asaltado el bolsillo ajeno, que doy limosna a diestra y siniestra. *(Pausa)* Me siento tan conmovido que no sé si podrá «entrarle» al pollo. ¡Dios mío, que palabreja se me ha escapado! Pero en estos tiempos que corren...

FLACO.—Repugnancia con el dulce. A otro perro con ese hueso. *(Pausa)* *(Toca la cazuela)* Se está enfriando. Acaba de comerte tu arroz con pollo, pero no te olvides de darme la molleja. Y si gustas, puedes añadir el encuentro, y también los menudos...

GORDO.—*(Tomando la cazuela por debajo con ambas manos y haciendo como que la ofrece al* FLACO) Esto es: el encuentro, los menudos, los dos muslos, la pechuga y las alas. Y por supuesto: el arroz, los petitpois y los pimientos.

FLACO.—No pido tanto.

GORDO.—*(Chasqueando los dedos)* ¡Tengo una idea!

FLACO.—Usted verá... Tus ideas paran siempre en que yo tengo que apretarme la barriga.

GORDO.—A lo mejor, no; a lo mejor se come el pollo. *(Pausa)* Siga con la harina. Entretanto, voy a madurar mi plan.

(El GORDO *hace que medita. El* FLACO *hace que come la harina. El* GORDO *toma un poco de cerveza. El* FLACO, *creyendo que el* GORDO *no lo verá, intenta meter la mano en la cazuela, pero el* GORDO *lo ve y le da un manotazo.)*

GORDO.—*(Mete la mano en el bolsillo superior del saco del pijama y saca un papel, le echa un vistazo, vuelve a meter la billetera en el bolsillo, toma otro trago de cerveza, se limpia la boca con la servilleta. Todos estos movimientos serán ejecutados con gran parsimonia).* No sé si usted está enterado que en las grandes comidas es costumbre que una pequeña orquesta ejecute una música de circunstancia, en tono de sordina, para distracción de los comensales.

FLACO.—Yo no soy músico. Ni las mismas claves sé tocar.

GORDO.—Si lo dejaran hablar a uno. Esa mala costumbre que tiene la gente de interrumpir el discurso... *(Pausa)* ¿Puedo continuar? Bien. Decía... Supongo que habrá entendido. ¿Estamos? Pues mi idea es la siguiente: como la única música que pueden tolerar mis oídos es la música comestible, se me ha ocurrido que a medida que yo vaya comiendo el arroz con pollo, usted deleite mis oídos con la lectura de la receta para la confección de dicho plato. Tenga, aquí la tiene. *(Le entrega el papel al* FLACO.)

FLACO.—*(Pasando la vista por el papel).* Es más larga que una novela. Es mucha lectura para una sola molleja. Dame un poco de arroz.

GORDO.—Veremos. Todo dependerá de la ejecución. Le advierto desde ahora que tengo un oído educadísimo para la música comestible. *(Pausa)* ¿Quieres empezar, por favor?

FLACO.—Antes pon la molleja aparte.

GORDO.—Concedido. *(Pone la molleja en el plato antes ocupado por las frituras.)*

FLACO.—Y el arroz.

GORDO.—El arroz es condicional. Ejecución brillante: arroz. Ejecución discreta: molleja. Ejecución mediocre: nada. Adelante.

FLACO.—*(Respirando hondo).* «Arroz con pollo para seis raciones».

GORDO.—*(Con la boca llena)* Hermoso título. Es todo un poema. Prosiga.

FLACO.*(Leyendo)* «A. Pollo: El pollo puede comprarse vivo, tamaño dos libras y cuarto o preferi...» *(al* GORDO) No sé qué dice aquí.

GORDO.—*(Toma el papel)* Preferiblemente. *(Se lo devuelve.)*

FLACO.—«O preferi... blemente en presas y limpio. En este caso se debe comprar una libra y media de presas de un tamaño adecuado para que se incluyan seis presas en este peso».

GORDO.—*(Atacando un muslo).* Cada cual que haga como mejor le parezca, pero yo tengo por norma comprar el pollo ya matado y en presas. Es algo bien desagradable retorcer el pescuezo a un pollo. Prosiga.

FLACO.—«B. Adobo: dos granos de pimienta, una cucharadita de orégano seco, un diente mediano de ajo, tres cucharaditas...»

GORDO.—*(Lo interrumpe)* Para su buen gobierno le diré que está leyendo el epígrafe «Adobo», que es sublime, con una entonación de lo más falsa. Fíjese que este epígrafe viene a ser como el color en la orquesta. Se requiere mayor animación. Empiece de nuevo con el adobo.

FLACO.—*(Suspirando, reinicia la lectura)* «Dos granos de pimienta...»

GORDO.—¡Alto, alto casi cantando!

FLACO.—*(Cantando del todo)* Dos granos de pimienta...

GORDO.—Mejor será que lea. Mis tripas rechinarían si usted siguiera cantando.

FLACO.—Dos granos de pimienta, una cucharadita de orégano seco, un diente mediano de ajo, tres cucharaditas de sal, dos cucharaditas de aceite de oliva, una cucharadita de vinagre».

GORDO.—Hijo mío, no ha tenido suerte con el adobo. Veamos cómo se las arregla con el sofrito. Lo escucho. *(Empieza a devorar la pechuga.)*

FLACO.—«C. Sofrito: tres cucharadas de manteca, una onza de tocino, dos onzas de jamón de cocinar, una cebolla mediana.»

GORDO.—*(Lo interrumpe).* Me parece que a este pollo no le han puesto jamón de cocinar. ¡Qué le vamos a hacer! Si el ojo del amo no engorda el caballo... *(Pausa)* Sigo escuchando su interesante relato.

FLACO.—*(Leyendo)* «Un pimiento verde, fresco, un tomate, un ají dulce, una hoja de culantro, dos ramitas de culantrillo.»

GORDO.—*(Llevando las manos a la cabeza)* ¡Culantro y culantrillo! A dónde iremos a parar... Cada vez que copio esa receta, me olvido de borrar del mapa el culantro y el culantrillo.

FLACO.—*(Con timidez)* ¿Culantro es la misma cosa que cilantro?

GORDO.—¡Pues claro que es la misma cosa! Sólo que las mujeres, los niños y los ancianos dicen cilantro, y los hombres: culantro.

FLACO.—¿Y por qué?

GORDO.—Si quiere ser felice no analice... *(Pausa)* Déjelo ahí. Continúe.

FLACO.—*(Leyendo)* «Seis aceitunas, una cucharadita de alcaparras, tres cucharadas de salsa de tomate.»

GORDO.—*(Terminando de tragar un bocado)* Lectura detestable. Veo su molleja en el pico del aura... *(Pausa)* Oigamos el tercer movimiento de la Sinfonía en Pollo Mayor.

FLACO.—Si tan mal lo hago, ¿para qué seguir? Casi me estoy desmayando.

GORDO.—Hagamos un entreacto. Para reponer fuerzas, coma un poco de harina. Los indios mexicanos...

FLACO.—*(Lo interrumpe)* Prefiero acabar de un tirón. No veo las santas horas de entrarle a la molleja y al arroz.

GORDO.—*(Siempre comiendo)* Como guste. Recuerde que el arroz es condicional. Además, no se haga muchas ilusiones. *(Pausa)* ¿Quiere que le cuente la fábula de la lechera? Una lechera fue con su cántaro al mercado...

FLACO.—*(Poniendo su mano en la boca del* GORDO) No, no me la cuentes. Prefiero seguir leyendo.

GORDO.—Como guste, pero le advierto que es una fábula maravillosa, con moraleja y todo. *(Pausa)* ¡Qué le vamos a hacer! Prosiga con el tercer movimiento.

FLACO.—*(Leyendo)* «D. Método. Una lata de petit-pois.»

GORDO.—Lea bien su pentagrama. Eso no es método, eso es ingredientes.

FLACO.—Me salté de línea. Cualquiera con la debilidad que yo tengo...

GORDO.—*(Moviendo la cabeza).* No salgo de mi asombro. Así que se siente débil... *(Pausa)* Pero, hijo mío, todo el mundo se alimenta. Y hay horas para ello. Por ejemplo, como ésta del almuerzo. Mire, a esta hora yo almuerzo porque está sobreentendido que habiendo tomado mi desayuno a las 8 de la mañana, ya a las once me sienta débil. Pero usted no, usted se debilita. ¿Por qué? No logro explicármelo. A lo mejor quiere pasar por original. Allá usted. *(Pausa).* ¿Sería tan amable de proseguir la lectura?

FLACO.—*(Leyendo)* «Método: Ponga un caldero grande al fuego. Agréguele las tres cucharadas de manteca. Tan pronto la manteca esté derretida, agréguele el tocino y el jamón incluidos en C. Dórelos a fuego alto alrededor de cuatro minutos. Agregue las presas de pollo y dórelas por ambos lados.»

GORDO.—¡Hmmm! ¡Qué rico huele todo eso! ¡Siga, siga! Ese arroz con pollo va a quedar de rechupete.

FLACO.—*(Leyendo)* «Baje el fuego a moderado y agregue lo siguiente: la cebolla lavada y partida en pequeños pedazos. El pimiento verde lavado, sin semillas, y partido en cuatro. El ají dulce, lavado, sin semillas y partido en dos. El tomate, lavado y partido en cuatro. La hoja de culandro y las ramitas de culantrillo lavadas y partidas en cuatro. Las seis aceitunas. La cucharadita de alcaparras.»

GORDO.—*(Saltando en la silla)* ¡Bravo, bravo! Es tan excitante como una película pornográfica. *(Coge un poco de arroz con el tenedor. Al* FLACO*)* Abra la boca...

(El FLACO *abre la boca.)*

GORDO.—*(Metiendo el tenedor con arroz en la boca del* FLACO*)*. Se lo ha ganado. Eso es lo que se dice un pasaje bien interpretado. Ahora prosiga.

(El FLACO *sigue con la boca abierta.)*

GORDO.—*(Le cierra la boca al* FLACO*)* Lea bien, y ya veremos si le doy otro bocado.

FLACO.—*(Leyendo)* «Mientras la cebolla se amortigua, muévase todo durante diez minutos. Entretando abra la lata de petit-pois, escúrrala y mida el líquido escurrido. Complete con agua hasta medir cuatro tazas. Ponga a calentar mucho líquido.» *(El* FLACO *abre la boca.)*

GORDO.—No se haga el gracioso. Amén de que ha leído detestablemente este pasaje, no estoy aquí para darle su sopita... Mi paciencia tiene un límite. Está visto que ciertos extremos no pueden tenerse con esa clase de gente. *(Pausa)* Cierre esa boca y prosiga la lectura.

FLACO.—*(Suspira hondo, prosigue leyendo)* «Coloque las dos tazas y cuarto de arroz sobre un colador grande y rápidamente lávelo. Escúrralo bien y póngalo en el caldero. Ponga el fuego alto, deje el caldero sin tapar, no lo revuelva y deje que el arroz se seque, lo cual tardará alrededor de quince minutos.»

GORDO.—Mi tía Mariana tapaba el caldero, y mi abuelita le ponía encima dos o tres brasas.

FLACO.—Aquí no dice eso.

GORDO.—Usted es desesperante, sencillamente desesperante. Cómo rayos pretende que mi tía Mariana y mi abuelita aparezcan en una receta de cocina. Mi abuelita murió hace sus buenos treinta años, y la tía Mariana se fue de este valle de lágrimas ya va para diez años.

FLACO.—*(Confundido)* Yo creía...

GORDO.—¡Yo creía, yo creía! Siempre con las falsas creencias. Por eso el mundo está como está. Una cosa es con violín y otra con guitarra... *(Pausa)* ¿Cuándo murió su abuela?

FLACO.—Mi abuela está viva.

GORDO.—*(Alzando los brazos sobre la cabeza)* ¡El colmo de los colmos! De modo que su abuela está viva. Es lo que me faltaba, que su abuela estuviera viva...

FLACO.—*(Asombrado)* Pero, ¿por qué?

GORDO.¿Por qué, por qué? ¿Pues quién ha visto que las abuelas tengan que estar vivas? Ya ve usted; el breve intermedio que íbamos a tener hablando de nuestras respectivas abuelas... —muertas, por supuesto, se malogra porque a su abuelita se le ha metido entre ceja y ceja permanecer en el mundo de los vivos. *(Pausa)* Con estos truenos, no se me va acurrir preguntarle por la tía. Me esperaría una sorpresa bien desagradable. *(Pausa)* Será mejor que prosigamos la lectura. *(Se pasa la mano por la frente, la lleva al corazón)* ¡Estos disgustos me afectan tanto! Terminemos de una vez por todas.

FLACO.—Si te sientes mal...

GORDO.—*(Atajándole)* No es para tanto. Además, tengo un alto sentido del deber. Si las cosas se empiezan, las cosas deben terminarse. *(Pausa.)* Acabemos de una vez por todas.

FLACO.—*(Mirándolo atentamente)* Estás tan gordo. Dicen que cuando hay mucha grasa, el corazón...

GORDO.—*(Lo interrumpe)* Cuide su corazón, que yo cuidaré el mío. Por otra parte, si usted sigue con el jueguito de volar turnos, ese corazoncito que tiene en el pecho le jugará una mala pasada. *(Pausa)* Lea.

FLACO.—*(Leyendo)* «Tan pronto el arroz seque, ponga el fuego bajo, cambie de posición el arroz haciendo que el que estaba abajo quede arriba y viceversa. Esto se hace introduciendo una cuchara de cocinar por los lados del caldero y volteando el arroz.» *(Mira la cazuela)* Ya casi no queda arroz en la cazuela.

GORDO.—*(Se sirve dos o tres cucharadas que quedan en la cazuela).* Nadie se lo ha preguntado. Mire su receta, que yo miraré mi cazuela. *(Pausa)* ¿Le falta mucho a su pollo?

FLACO.—Falta poco.

GORDO.—¡Ay! Todo termina en esta vida. *(Pausa)* Su receta, mi arroz, estos bellos días hospitalarios...

FLACO.—¡Su abuela! Aquí me matan de hambre.

GORDO.—Porque usted se empeña. *(Pausa)* Además, es asunto de usted. Pero aparte de su caso —y una golondrina no hace verano—, siempre tendré presente en mi memoria los días pasados en este hospital. Comer, dormir, conversar... Es como un viaje en un trasatlántico de lujo. *(Pausa)* Y ahora terminemos de una vez por todas con la lectura de esa receta.

FLACO.—*(Leyendo)* «Tape el caldero y cueza de veinte a veinticinco minutos. Destape el caldero, y agregue los petit-pois escurridos y mézclelos con el arroz.»

GORDO.—... y mézclelos con el arroz. Es eso lo que llamo estupideces de las recetas. Se cae de su peso que los petit-pois se mezclen con el arroz. *(Pausa)* Termine, por favor.

FLACO.—*(Leyendo)* «Sirva el arroz inmediatamente en una fuente rodeado de presas de pollo y adórnelo con pimientos morrones calientes y bien escurridos.»

(A medida que el FLACO *da lectura al párrafo final, el* GORDO *se mete en la boca la última cucharada de arroz y acto seguido pincha la molleja y también se la come.)*

FLACO.—¿Pero qué haces?... ¿Y mi molleja?

GORDO.—*(Casi sin poder articular por la cantidad de comida que tiene en la boca)* La... mo... La... mo... *(Risas).* La molle... *(nuevas risas)* Ja... ja... *(lanza granos de arroz de la boca).* La molleja... ¡Ja, ja, ja, ja!

FLACO.—*(Perdiendo los estribos, se levanta e increpa al* GORDO*)* ¡Hijo de yegua! Te voy a sacar la molleja de la barriga. Ojalá te dé un cólico.

GORDO.—*(Muy serio)* Volvemos al insulto personal. *(Pausa)* Escuche, caballerito: no es mi culpa, si usted no sabe leer, como Dios manda, una receta de cocina. ¿Quiére que le diga la verdad? Parecía estar leyendo una receta de cocina china. No entendí nada de nada. Y ahora viene reclamando derechos, que si la molleja, que si el cólico. Para colmo, el insulto personal. *(Pausa)* Hemos terminado. La culpa es mía por tratar a desconocidos. *(Pausa)* Sepa que jamás volverá a sentarse a mi mesa. *(Empieza a caminar hacia la cama).* Ahora, a dormir el sueño del justo. Que no me despierten hasta las seis. *(Se echa en la cama boca arriba y cierra los ojos.)*

FLACO.—Esto me pasa por comemierda. *(Camina hacia la cama del* GORDO *y se pone a mirarlo atentamente, después va hacia su cama, se acuesta, con las manos detrás de la cabeza, suspira).* Parece un puerco cebado...

Telón

(Una vez que el telón se ha bajado, se escuchará, cantada, la siguiente cuarteta:

Aunque el mundo sea redondo
Y Juan no se llame Paco.
Es indudable que al Gordo
Siempre se lo come el Flaco.)
(tres veces)

(Inmediatamente se levanta el telón.)

Escena II

(Aparece el FLACO *—ahora convertido en* GORDO*—, sentado a la mesa chupando golosamente una tibia humana. Desparramados por el suelo, delante de la mesa, se ven los huesos de un esqueleto. El* FLACO *tiene bajo su pie derecho la calavera de dicho esqueleto. Sobre la mesa se verán los pedazos de yeso y vendajes del brazo del* GORDO.)

FLACO.—*(Con afectación, tirando al suelo la tibia)* ¡Qué banquetazo! *(Se pasa la mano por la barriga).* ¡Oh, perdonen la expresión, pero con los tiempos que corren...! *(Pausa)* Me expresaré cultamente: un banquete a lo Enrique Octavo... *(Pausa)* ¿Quiéren saber cómo lo hice? Pues el Gordo se durmió con un sueño de piedra. Imagínense, el arroz con pollo, las frituras, la molleja... Le hice un agujerito con el cuchillo y se fue desangrando. Entonces lo corté en pedazos y me lo fui comiendo poco a poco. *(Pausa)* Me supo a faisán. *(Pausa) (Se mete la mano en el bolsillo del pijama, saca la billetera, se pone a contar dinero)* Cuatro de veinte, cinco de diez, cuatro de cinco, un peso. Total: ciento cincuenta y un pesos. *(Pausa)* Bueno, esta tarde me darán el alta. *(Como hablando con el* GORDO*).* Gordo, si pudieras verme... ¿Dónde estarás en estos momentos? *(Pausa)* Pero, ¿dónde vas a estar sino en mi barriga? Aquí *(Se toca de nuevo la barriga).* Bien cuidadito... Dentro de mi barriguita no podrás romperte el bracito... *(Rompe a reir estrepitosamente.)*

(Entra el SIRVIENTE, *con la servilleta al brazo, un block para anotar, y lápiz en la oreja.)*

SIRVIENTE *(inclinándose).*—Señor, las doce pasadas. ¿Qué almorzamos hoy? *(Pausa, lo mira asombrado)* Pero... ¿Usted es el Gordo? No, usted no es el Gordo. *(Pausa)* Sin embargo, es su mismo pijama. Juraría que usted es el Gordo, pero... *(Pausa)* Señor, ¿usted es el Gordo?

FLACO.—*(Mirándose el pijama)* Bueno, yo soy ahora el Gordo.

SIRVIENTE.—¿Pero el mismo Gordo?

FLACO.—Qué más da... *(Pausa)* Como su asunto es la propina, voy a tranquilizarlo *(Saca la billetera, toma un peso y se lo da al* SIRVIENTE*)*. Para usted *(Pausa)* En cuanto al almuerzo, le diré que no tengo apetito *(Pausa)*. Además, me marcho esta tarde.

SIRVIENTE.—*(Pensativo)* Gracias, señor. *(Pausa)* Ya veo que no es usted el Gordo. Pero si usted no es el Gordo, ¿dónde se metió el Gordo?

FLACO.—¡Siempre los eternos malentendidos! ¡Y qué sé yo! ¿Soy acaso el detective de este hospital? Soy nada más que un enfermo que sufre la fractura de su pierna derecha *(Se levanta la pata del pantalón y enseña al sirviente la pierna enyesada.)*

SIRVIENTE.—*(Asombrado)*Pero, entonces... Usted es el Flaco ¿Y cómo engordó de la noche a la mañana?

FLACO.—¡Vaya usted a saber! Ayer uno estaba flaco, hoy está gordo. Misterios, amigo mío, misterios... Unos engordan con azúcar prieta, a otros les basta el aire que respiran...

SIRVIENTE.—Pero tan pronto... *(Pausa)* Además, ése es el pijama del Gordo. ¡Caramba! Le viene que ni pintado.

FLACO.—En efecto, es el pijama del Gordo. ¿Y qué tiene? Cuando desperté hoy por la mañana, vi su cama vacía, y encima de la cama estaba el pijama. Me entraron unas ganas locas de ponérmelo. Pues me lo puse.

SIRVIENTE.—Y la cartera, ¿también la dejó sobre la cama?

FLACO.—También la cartera. Si acaso volviera, le devolveré la cartera y el pijama. Aunque con estos Gordos nunca se sabe del todo... Les da por evaporarse.

SIRVIENTE.—Usted hará lo mismo, ¿no?

FLACO.—Pero diré «hasta luego». Odio las despedidas a la inglesa. Esta tarde a las cinco repartiré abrazos y sonrisas.

(En ese mismo momento entra el MÉDICO.*)*

MÉDICO.—*(Llegando donde el* FLACO*)* Veamos ese brazo.

FLACO.—*(Mostrando el brazo)* Acá lo tiene.

MÉDICO.—Ese no, el fracturado.

FLACO.—*(Mostrando el otro brazo)* Acá lo tiene.

MÉDICO.—¿Pero usted no tenía un brazo fracturado?

FLACO.—No, la pierna.

MÉDICO.—¡Cierto! La pierna. Perdone, tengo tan mala memoria. *(Pausa, examina la pierna, le da golpecitos al yeso.)* Quince días más.

FLACO.—Pero...

MÉDICO.—*(Terminante)* No hay pero que valga. He dicho quince días más. *(Pausa)* Hasta luego. *(Sale.)*

FLACO.—*(Llevando las manos a la cabeza)* Este médico es un veterinario. Me trata como si fuera un caballo. *(Pausa)* Se figura que mi vida es estar aquí en el pesebre, comiendo y durmiendo. *(Pausa)* ¡Soy un hombre de negocios! ¡La Bolsa, las acciones, los dividendos! *(Oculta la cara entre las manos.)*

SIRVIENTE.—Vamos, señor, no es para tanto. Acá en el hospital se la pasa bien. Además, usted tiene el dinero del Gordo. Y si como dice, el

Gordo se ha evaporado, entonces, qué le importan quince días más aquí, bien alimentado y mejor atendido. Porque yo, señor... estoy a sus órdenes.

FLACO.—¡Vete al diablo! *(Hablando para sí con la cara ladeada.)* Terminarán por descubrir el pastel. Y no de pollo precisamente...

SIRVIENTE.—Señor, no se angustie. La Bolsa sube y baja como los gordos y los flacos.

FLACO.—¿Te quieres callar? *(Pausa)* Tengo que buscar una salida... El pastel, el pastel...

SIRVIENTE.—*(Solícito)* ¿De qué lo quiere, señor? ¿De carne, de guayaba?

FLACO.—*(Dando un puñetazo sobre la mesa)* ¡Podrido, podrido!

SIRVIENTE.—¡Cálmese, señor! No se amargue la vida. Es tan corta... *(Pausa)* Anímese, ahora mismo le traigo unos pastelitos de carne...

(El SIRVIENTE *corre hacia la puerta, y al salir tropieza con un tipo, excesivamente flaco, que viste el pijama del hospital. Camina cojeando, pues tiene la pierna derecha enyesada.)*

NUEVO FLACO.—*(Tímido)* Me dijeron que es aquí.

SIRVIENTE.—¿Lo mandaron para este cuarto?

NUEVO FLACO.—Me mandaron.

SIRVIENTE.—Pues instálese. *(Pausa)* Ahí tiene al Gordo. Trate de darle conversación *(Sale)*.

NUEVO FLACO.—*(Acercándose al* FLACO, *que está con la cabeza entre las manos.)* Señor...

FLACO.—*(Levantando la vista hacia el* NUEVO FLACO*)* ¿Quién es usted?

NUEVO FLACO.—Me mandaron para acá. Mire, tengo la pierna enyesada. *(Se la muestra.)*

FLACO.—*(Se levanta impetuosamente.)* ¡Pero no es posible! Es un malentendido. Usted se ha equivocado de cuarto. *(Señala la cama del* GORDO.*)* Esa cama está ocupada por un enfermo, un gordo. Ha salido un momento, pero regresará, yo se lo aseguro, regresará. *(Va hacia la puerta, vuelve sus pasos, mira atentamente al* NUEVO FLACO, *vuelve hacia la puerta, gritando.)* ¡Díganle que aquí no es! ¡Díganle que se equivocó! ¡No lo quiero conmigo, no lo quiero, no lo quiero! ¡Socorro, socorro! *(Cae sobre sus rodillas)* ¡Socorro! *(Rompe en sollozos.)*

NUEVO FLACO.—*(Haciendo el gesto característico de la incomprensión)* No entiendo nada ■

REPÚBLICA DOMINICANA

Franklin Domínguez (1931)

Sin lugar a dudas el primer dramaturgo dominicano. Es autor de 39 obras, la mayoría de ellas estrenadas y editadas tanto en la República Dominicana como en el extranjero. Franklin Domínguez no es sólo autor teatral, sino además director y actor, y de ahí la sólida factura de sus piezas. Escritor de amplia cultura, es graduado en Filosofía y en Derecho, y estudió Dramaturgia en la Universidad de

Texas. Entre sus obras más conocidas podemos citar: Un amigo desconocido nos aguarda *(1957),* La niña que quería ser princesa *(1957),* El último instante *(1957),* La broma del senador *(1958),* La cena de las solteronas *(1960),* Antígona-Humor *(1961),* Se busca un hombre honesto *(1963),* Lisístrata odia la política *(1965),* Espigas maduras *(1960).*

Espigas maduras

PRIMER ACTO

(La acción tiene lugar en un rústico caserón campestre. Puerta ancha de entrada al fondo derecha. A su lado, a la derecha, la puerta que lleva a la cocina. A la izquierda, al fondo, una escalerilla que conduce a lo alto, donde se encuentran las habitaciones. Del techo pende una lámpara de gas. Todo está arreglado con sencillez y revela una vida ordinaria y monótona. No hay un solo detalle de lujo. Parece una casa de hombres solos, aunque, sin embargo, habita allí una mujer.)

(Al levantarse el telón, la escena está sola. Se escucha música de una armónica. Pronto se abre la puerta del fondo y aparecen ALEJANDRO, *el hermano mayor, y* DANILO, *que le sigue en edad. Vienen vestidos cómodamente, como regresando del trabajo en el campo.* ALEJANDRO *es quien toca la armónica, pero deja de tocar una vez que ha entrado bajo techo. Los dos hermanos desabrochan sus camisas y se limpian el sudor.*

Alrededor de las 9 de la mañana.)

ALEJANDRO *(Grita hacia la escalerilla y luego va hacia un lavamanos que se encuentra el fondo de la escena y se humedece las manos.).*— ¡Matilde! ¡Matilde! ¡Ya estamos aquí!

DANILO *(Voceando a su vez hacia la puerta de la cocina y yendo luego a tomar agua de un jarrón.).*— ¡Aprisa! ¡Perezosa! ¡Trae pronto ese café!

MATILDE *(Desde afuera).*— ¡Ya voy! ¡Ya voy!

ALEJANDRO *(Mientras se seca las manos).*— ¡A ver si esta vez no olvidas el azúcar!

MATILDE *(Bajando las escaleras.).*— ¿Cuándo lo he hecho?

ALEJANDRO.—Ayer, en la comida.

MATILDE.—¡Lo hice a propósito! No me gusta que me griten como lobos cada vez que llegan a la casa. No soy sorda.

DANILO.—Nada de discutir. Tengo hambre.

MATILDE.—¡Pues tendrán que esperar! ¡Vaya con los hermanos! Quisiera saber qué harían si algún día se me ocurriera marcharme de esta casa.

ALEJANDRO.—¿Sabes lo que haríamos? ¡Celebrarlo!

MATILDE. *(Fingidamente ofendida.).*— ¿Ah, sí? Pues comiencen desde ahora, porque no voy a atenderlos.

(Se dispone a subir las escaleras, juguetona, pero DANILO *la toma por el brazo y se lo impide.)*

DANILO.—Ah, hermanita, ¿qué culpa tengo yo de lo que diga nuestro hermano mayor?

ALEJANDRO.—Al hermano mayor se le debe obediencia y respeto. Lo ha dicho papá.

DANILO.—¿Escuchas? ¡Lo ha dicho papá! *(Cariñoso.)* Sé buena, hermanita. Vamos, prepara el desayuno y dame de comer.

MATILDE *(Riendo.)*.—¡No sé qué voy a hacer con ustedes!

DANILO.—Querernos un poco.

MATILDE *(Yendo hacia la cocina.)*.— ¡Claro que sí!

*(*ALEJANDRO *y* DANILO *ríen al quedar solos.* DANILO *se desplaza y se sienta en una silla, mientras quita el lodo a sus zapatos.)*

DANILO.—¡Al fin! ¡Ya hemos despachado ese ganado!

ALEJANDRO *(Oliendo debajo de sus brazos.)*.—¡Uf! ¡Necesito un buen baño! Mi cuerpo hiede a ganado y sudor. Debimos ir al río antes.

DANILO.—Tenía hambre.

ALEJANDRO.—Yo también.

DANILO.—Creí que nunca terminaríamos. Pero valía la pena. Ha sido un gran negocio, una buena venta.

ALEJANDRO.—Ciertamente. Nos ha ido muy bien en estos últimos años. Papá piensa que es hora de mudarnos a una casa mejor.

DANILO.—¿De veras piensas eso?

ALEJANDRO.—¡En cierto modo!... El viejo dice que hemos subido de categoría.

DANILO.—Por supuesto, ¡para él el dinero es lo que marca las categorías!

ALEJANDRO.—¿Acaso no tiene la razón? Ahora trata con los señores, cuando antes había sido un simple peón. ¿Qué le ha hecho conseguirlo? El dinero. Ha trabajado duro, pero ha logrado lo que quería. Empecinado, venciendo obstáculos, imponiéndose. Yo le he visto luchar y subir poco a poco.

DANILO *(Intencionado.)*.—Él no ha hecho todo el trabajo solo. Nosotros le hemos ayudado a subir.

ALEJANDRO.—Sí, pero él era quien tenía las aspiraciones y los sueños. Él fue quien inició toda esta empresa. Comenzó en pequeño y gestionó cuanto pudo hasta amasar un capital y hacerse propietario. Su inteligencia y astucia para los negocios lo ayudaron a subir. ¡Él se propuso conseguirlo!

DANILO.¡Pero necesitó de nosotros!

ALEJANDRO.—Claro que sí. Nos puso a trabajar en el campo, a su lado, enseñándonos los secretos de la tierra y ayudándonos a conocerla bien y a amarla.

DANILO.—Ya hemos aprendido bastante. Ahora debemos trabajar por nuestra cuenta.

ALEJANDRO.—¡Llegará el día!

DANILO.—Sí. Es lo que él dice siempre. Una promesa que siempre se pospone. Hace dos años le planteamos nuestros proyectos e ideas, le pedimos su opinión y solicitamos su ayuda. Él prometió dividir dinero y tierra y convertirnos en propietarios independientes. Pero nunca ha cumplido.

ALEJANDRO.—Ya lo hará a su debido tiempo. El sabe cuándo debe hacer las cosas.

DANILO.—¡Yo quiero que las haga ahora! ¡Estoy cansado de servirle como un peón!

ALEJANDRO.—¡Ah, no digas eso! Es un hombre trabajador, de la tierra, y quiere que nosotros lo seamos.

DANILO.—¿De qué sirve? Poseer la tierra, sin llamarla nuestra. Mirar el dinero, sin poder tocarlo. ¿De qué sirve? Yo quiero poder decir esto es mío, me pertenece. ¡Tengo derechos! Además, he trabajado lo bastante como para exigir que se me dé lo que he ganado. No es un favor que él nos hace, es una paga que nos debe, porque la hemos trabajado.

ALEJANDRO.—Trabajamos para el beneficio de todos, tratando de aumentar un capital.

DANILO.—¿Hasta dónde seguiremos aumentándolo?

ALEJANDRO.—¿No te importan las ganancias que se deducen de cada nueva operación, como la venta de ganado que hemos hecho hoy? ¿No te parece una valiosa negociación? Es un capital nuestro. No hay necesidad de hablar de paga entre nosotros.

DANILO.—También evitaremos hablar de partición.

ALEJANDRO.—Mientras estemos haciendo dinero no hay que hablar tampoco de partición.

DANILO.—¿Para qué queremos dinero? ¿Te sirve a ti de algo? ¿Lo disfrutas?

ALEJANDRO.—Antes debemos establecernos bien.

DANILO (*Levantándose.*).—¡Ya estamos establecidos! ¿Cuál es la diferencia? Seguimos trabajando igual que antes. El dinero no nos ha hecho ganar una hora de descanso, ni un momento de alegría. Un peso sigue siendo un peso, porque antes de gastarlo debemos pensar si no ayudará para una nueva transacción. En esta casa estamos viviendo sujetos a un presupuesto de inhibiciones. Deben invertirse todos los centavos porque, de otra manera, representarían una pérdida. «Noventa y nueve centavos no hacen un peso —nos diría papá—; por eso necesitamos ese centavo», y el centavo no se gasta nunca. ¡Ni se gastará nunca!

ALEJANDRO (*Sentándose.*).—¿Y qué es lo que quieres?

DANILO.—Que apreciemos la utilidad del dinero. Yo no quiero amasar oro toda la vida.

ALEJANDRO.—¡Quieres derrocharlo!

DANILO.—¡Utilizarlo! ¡Aprovecharlo! Esa es la palabra. No quiero la plata por lo que es, sino por lo que representa. No es razonable negociar para almacenar dinero. Hacemos uso del dinero sólo para hacer más dinero y mientras tanto nos hastiamos en esta pocilga, respirando un aire viciado y ahogando nuestros sueños de una vida mejor bajo una sábana fría y polvorienta.

ALEJANDRO.—Ya te he dicho que papá piensa que debemos mudarnos a una casa mejor.

DANILO (*Sentándose junto a él.*).—Le habrá costado gran trabajo decidirlo. Pero es parte del negocio y debe hacerlo. Ve en ello las ventajas que deducirá en el futuro. Quien vive en buena casa tiene derecho a exigir mejor trato. ¡Apariencias! ¡Sólo apariencias! Yo pretengo algo más. ¡Negociar, sí, pero también disfrutar! Aquí no será posible nunca. Para eso debo ser independiente, trabajar solo. Un centavo ciertamente puede producir otro centavo, pero también puede brindar un momento de felicidad, una satisfacción. La moneda tiene dos caras, pero papá sólo ve una de ellas.

ALEJANDRO.—Ha nacido para los negocios.

DANILO (*Levantándose.*).—¡Bien! ¡Que

se entierre él en sus negocios! ¡Que emplee toda su plata en negocios! ¡Pero que me entregue la mía! Yo sabré cómo usarlo. ¿Qué espera para hacerlo? Se lo hemos pedido.

ALEJANDRO.—Hablé con él tranquilamente hace unos días. Se refirió a sus planes. Creo que son acertados y que debemos ofrecerle nuestro apoyo.

DANILO.—¡Planes! ¡Planes! ¡Siempre planes! ¿Qué es lo que piensa hacer ahora?

ALEJANDRO.—¡Comprar tierras en el norte! Si lo logra, será entonces cuando nos sentiremos firmes. ¡Haremos dinero a montones!

DANILO.—Sí. Y después que compre tierras en el norte querrá comprarlas en el sur. Es el cuento de Las Mil y Una Noches que acostumbra a contarnos para entretenernos siempre.

ALEJANDRO.—Ahora va en serio. Hay posibilidades de comprarle las tierras a Eugenio. No le han resultado bien las cosas y se verá obligado a vender. Papá piensa que podrá conseguirlo.

DANILO *(Con ilusión.)*.—¡Tierras en el norte!

ALEJANDRO.—¿Te das cuenta? ¡Ha estado pensando en ellas toda su vida! No podemos negarle ese gozo al viejo. No hablemos ahora de partición.

DANILO.—Lo siento. Lo he pensado y quiero una separación. No necesitan de mi parte para comprar esas tierras. Yo puedo quedar fuera. Algún día tiene que ser y si siempre lo posponemos no será nunca. Yo voy a pedírselo ahora.

ALEJANDRO *(Levantándose después de meditarlo.)*.—Háblale, entonces. Pero, por favor, no lo hieras.

DANILO.¿Por qué he de herirlo? Si es razonable y justo sabrá comprender que lo que pido es lógico, que soy joven y debo pensar en el futuro, que es hora de actuar por mí mismo.

ALEJANDRO.—¡Estoy seguro de que no te negará tus derechos!

DANILO.—Esta es la ocasión para demostrarlo. Hemos cerrado un magnífico negocio. Si es que de veras ha pensado en nosotros puede darnos dinero ahora y repartirnos tierra y ganado. Hay suficiente para todos. Será entonces cuando podremos llamarnos hombres, porque tendríamos algo en las manos que defenderíamos y llamaríamos nuestro.

ALEJANDRO.—Pídeselo. Tienes derecho.

DANILO.—Debemos pedírselo todos. Como lo hicimos antes. Así tendrá más fuerza nuestra solicitud.

ALEJANDRO.—Bien. No quiero causar un disgusto a papá, pero es razonable lo que quieres y sé que él no va a negarse. Cuenta conmigo.

DANILO *(Sonriéndole.)*.—Eso esperaba de ti.

(Entra MATILDE *nuevamente, con una bandeja en la que trae platos preparados para el desayuno, tazas, pan y café.)*

MATILDE.—¡A la mesa! *(Los hermanos obedecen y van a ocupar asientos en la mesa,* ALEJANDRO *a la derecha,* DANILO *a la izquierda.)* Se han levantado muy temprano hoy y bien merecen una taza de café caliente.

DANILO.—Dame el azúcar, Alejandro.
(ALEJANDRO *le atiende, mientras* MATILDE *le sirve café*).
MATILDE.—Papá se ha retrasado hoy. ¿A dónde ha ido?
ALEJANDRO.—Está en el establo, atendiendo la yegua blanca.
MATILDE.—Ah, lo había olvidado.
DANILO.—Espera un buen potrillo de ella.
ALEJANDRO.—Ojalá le resulte. La ha encastado con un magnífico pura raza.
MATILDE.—No hay que preocuparse, tendrá un buen potro. ¡Tal como lo desea! La yegua blanca es de buena raza y sabrá parir bien.
ALEJANDRO.—Así lo espera él. La cuida como a una mujer primeriza.
DANILO.—Nunca le había visto poner tanto cariño en animal o gente. Se diría que la quiere más que a sus hijos.
ALEJANDRO.—¡Vamos! *(Mojando un pedazo de pan en el café.)* ¿Me das un poco de leche, Matilde?
MATILDE *(Pasándole el jarrón.)*.— ¡Ah, qué tonta soy!
ALEJANDRO *(Mientras se sirve.)*.—¿Y Joaquín?
MATILDE *(Riendo, mientras se sienta con sus hermanos.)*.—¡Arriba! ¡Durmiendo la borrachera!
DANILO.¿Todavía?
MATILDE.—Será difícil que se levante en todo el día. Hace un momento subí a su habitación y traté de despertarle, sin conseguirlo. Balbuceó algunas palabras, se volvió y siguió durmiendo profundamente.
ALEJANDRO.—No quisiera estar en su pellejo cuando se enfrente con papá.
MATILDE.—¿Crees que le pegará?
ALEJANDRO.—Por supuesto. Nos prohibió ir a esa fiesta. Joaquín le desobedeció.
DANILO.—Y nosotros no nos atrevemos a desobedecerle, ¿verdad? Nunca le damos motivo. Siempre somos respetuosos y obedientes. Joaquín, el más joven, se ha atrevido a desobedecer.
ALEJANDRO.—No debió hacerlo. No está acostumbrado a beber.
DANILO.—Ninguno de nosotros. No acostumbramos a beber nunca. Siempre debemos estar serenos y despejados para levantarnos de madrugada. Nunca podemos tener una noche de diversión porque al día siguiente debemos trabajar. ¡Y así siempre! ¡Hizo bien Joaquín!
ALEJANDRO.—¡Hizo mal! Papá tendrá razón en pegarle.
MATILDE.—¡No! ¡No debe pegarle! ¡A mamá no le gustaría!
ALEJANDRO.—Mamá murió hace cinco años, Matilde.
MATILDE.—Pero ella no lo aprobaría. No le gustaba que papá nos pegara. Y él no debe hacerlo. Nunca más.
ALEJANDRO.—Bien sabes que papá no quiere que hablemos de ella.
MATILDE *(Con intención.)*.—Sí. Bien que lo sé.
DANILO.—No veo por qué no hablar de ella. Era nuestra madre. Debemos recordarla y honrar sú memoria.
ALEJANDRO.—Hay que justificarlo. Le afectó mucho su muerte.
DANILO *(Mirando la silla vacía de la madre.)*.—¡Pobre mamá! Era tan cariñosa y dulce... Amaba lo delicado y bello y parecía amar la vida...

Siempre me he preguntado... ¿por qué se suicidó? No tenía razones para hacerlo. Parecía tan feliz junto a nosotros.

MATILDE.—Por favor, no hablemos de ella.

DANILO.—Sí. Quizás papá tenga razón. Es mejor no hablar de ella.

MATILDE.—Dice que es malo aferrarse al recuerdo y al pasado. *(Sonríe irónicamente.)* ¡Cómo si de nosotros dependiera! (*A* DANILO) ¿Otra taza de café?

DANILO.—No, gracias.

MATILDE *(Reponiéndose.)*.—Después de todo, ¿qué de malo tiene que Joaquín haya querido divertirse? A mí me hubiera gustado ir a ese baile. Ustedes también querían ir, ¿verdad? Nunca vamos a ninguna parte. Pasan todo el día en el campo y sólo vienen a la casa a las horas de comer y dormir. ¡Nunca una diversión! Y cuando podemos conversar, todos estamos cansados.

DANILO.—¡Es cierto! Hubiéramos podido ir al baile, encontrar algunas muchachas y divertirnos un rato.

ALEJANDRO.—Debíamos levantarnos temprano. Había que despachar el ganado.

DANILO.—Lo hubiéramos hecho igual. Unos cuantos bailes no nos pegarían a la cama. Somos fuertes y estamos acostumbrados a las madrugadas. Lo que sucede es que no nos atrevimos a contradecir a papá.

ALEJANDRO.—Le debemos respeto.

DANILO.—Lo sé, pero respetar no es temer.

MATILDE.—Él nos ha acostumbrado a temerle.

ALEJANDRO.—¡Vamos! Hoy es un día en que las hemos tomado con papá.

MATILDE.—Es cierto que le tememos. Yo le temo. Desde hace días quiero hablarle y no me he atrevido porque temo a su mirada y sus palabras. Temo a las respuestas que pueda darme. No me atrevo a acercarme a él y a mirarle de frente. Es un miedo que me hace temblar. Me repito a mí misma que no debo sentirlo, que él es mi padre y que a él debo consultar y pedir consejos. Pero nuevamente me atemorizo y callo.

ALEJANDRO.—¿Es tan importante?

MATILDE.—Sí.

ALEJANDRO.—¿Qué quieres decirle?

MATILDE.—Algo muy mío y muy de ustedes. *(Los mira emocionada.)* Voy a casarme.

ALEJANDRO.—¿Cómo? *(Se levanta y casi se arrodilla junto a ella, regocijado.)* ¿A casarte?

DANILO *(Levantándose a su vez, pero quedando de pie.)*.—¡Vaya con la noticia! ¿Lo tenías tan callado? Pero, ¿es que tienes novio?

MATILDE *(Tímida.)*.—Sí, tengo novio.

ALEJANDRO.—Pero, ¿cómo has podido guardar el secreto tanto tiempo?

DANILO.—¿Quién es?

(MATILDE *se emociona y ríe entre lágrimas sin pronunciar palabras.)*

ALEJANDRO *(Cariñoso.)*.—Vamos, ¿qué te ocurre, Matilde? ¿Es que vas a llorar?

DANILO.—Eres una chiquilla.

MATILDE.—No. Dejé de ser una chiquilla. Hace años que soy una mujer. ¡Una mujer!

ALEJANDRO.—Entonces, ¿por qué esas lágrimas?

MATILDE.—Porque he debido decirlo a papá antes que a nadie y no me he sentido capaz. Me ha faltado su confianza. Muchas veces he intentado hablarle, pero no me he sentido segura de que quisiera escucharme. Es como... como si me faltara la voz cuando estoy frente a él.

ALEJANDRO.—¿Por qué ese temor? El te hubiera escuchado y te habría aconsejado.

MATILDE.—Lo pienso así, pero no consigo decidirme a hacerlo. Su sola presencia me acobarda e intimida. Aparece frente a mí como un extraño, indiferente, o como un enemigo que no me quiere bien.

ALEJANDRO *(Levantándose.)*.—¿Cómo puedes pensar así? ¿Nuestro padre un extraño, un enemigo?

MATILDE.—Pienso de lo que sería capaz si...

ALEJANDRO.—¡Tonterías! *(Sentándose nuevamente.)* Vamos, ¿quién es el afortunado?

DANILO.—A ver, dinos su nombre.

MATILDE.—¡Manuel!

DANILO.—Ya sospechaba yo algo. Todas las mañanas los buenos días cuando pasábamos por su casa. Mucho rondar la nuestra por las noches.

MATILDE.—Venía a verme. Yo hablaba con él, a escondidas, en la puerta de atrás. No le permitía acercarse a mí cuando salía con ustedes. Tenía miedo de que papá lo abochornara. Anoche me esperaba en el baile..., pero yo no pude ir...

ALEJANDRO.—¿Y quiere casarse contigo?

MATILDE.—Deseaba hablar con papá, pero yo le pedí dejarme hacerlo antes.

DANILO.—¿Vas a decírselo?

MATILDE.—Prometí hacerlo hoy. Le diré que amo a Manuel y que deseamos casarnos. Tendrá que consentir.

DANILO *(Sentándose y volviendo a desayunar.)*.—Has elegido bien, Matilde. Me gusta Manuel.

MATILDE *(A* ALEJANDRO.).—¿Y a ti?

ALEJANDRO.—A mí también. Me alegrará mucho la boda.

MATILDE.—Oh, gracias. Necesito que me den fuerzas para enfrentar a papá. He rezado mucho para que Dios me ayude a decir las palabras exactas.

ALEJANDRO.—No hay que apurarse. Papá sabrá apreciar a Manuel. Le gustan los hombres que trabajan y Manuel sabe hacerlo.

MATILDE.—¡Si fuera así!

(La conversación se interrumpe al escucharse la voz del padre, SEBASTIÁN, *potente e imperiosa.* MATILDE, *entre tanto, se pone de pie.)*

SEBASTIÁN *(Desde afuera.)*.—Eh, Carlos, vigila la yegua blanca, y si vuelve a revolcarse llámame. No te despegues de su lado.

DANILO *(Despectivo)*.—¡Ya viene!

(Entra SEBASTIÁN. *Viene secándose el sudor y protestando.)*

SEBASTIÁN.—¡Maldito sol! ¡Hace un calor de los mil diablos!

MATILDE *(Yendo a su encuentro.)*.—Ah, papá, no hay que quejarse. Ya estás en casa. Ahora a desayunar y a descansar un rato.

SEBASTIÁN.—¿Descansar? ¿Cuándo se ha visto descansar en un día de sol?

MATILDE.—Vamos, voy a quitarte las

botas para que descanses los pies mientras desayunas.

SEBASTIÁN.—¡Deja! No pienso quedarme en casa. Tenemos mucho que hacer en el cañaveral. *(Se acerca a la mesa donde están sus dos hijos sentados y los mira fijamente. Los dos hombres comprenden su mirada y se ponen de pie.* SEBASTIÁN, *satisfecho, se sienta.)* ¿Dónde está ese café?

MATILDE.—Se habrá enfriado.

SEBASTIÁN.—No lo quiero entonces.

MATILDE.—Voy a preparar un poco.

SEBASTIÁN.—Sólo desayunaré. Hay que ir al cañaveral.

MATILDE.—Seré pronta.

(Se encamina a la cocina, pero la voz del padre la detiene.)

SEBASTIÁN.—Espera, ¿dónde está Joaquín?

MATILDE.—No se siente bien. Está en la cama.

SEBASTIÁN.—¿Qué tiene?

MATILDE.—Dijo que no se sentía bien.

SEBASTIÁN.—Yo sé lo que tiene. ¡Está borracho! (MATILDE *respira profundamente y cierra los ojos como si el mundo se desplomara a sus pies.)* Lo sentí regresar anoche. ¿Por qué me mientes?

MATILDE.—No lo sabía.

SEBASTIÁN.—Sí que lo sabías. Te vi llevarlo a su cama y acostarlo. ¿No sentiste el olor a alcohol? (MATILDE *calla.)* ¿Por qué mientes?

MATILDE.—No me di cuenta. Sólo vi que necesitaba ayuda y se la ofrecí. No sabía que estaba borracho.

SEBASTIÁN.—¡Yo sí! Después que lo dejaste fui a su habitación. El cuarto estaba impregnado de mal olor y vómito. Ya se cree un hombre y quiere alardear de ello.

MATILDE.—Tiene veinte años.

SEBASTIÁN.—A un hombre no lo hacen los años, sino las responsabilidades. Le prohibí ir a esa fiesta y me desobedeció.

ALEJANDRO.—Hay que excusarlo, papá. Es muy joven.

SEBASTIÁN.—Ustedes también tuvieron su edad y nunca me desobedecieron. Una locura de juventud, una irreflexión, se castiga y pasa. ¿No es verdad, Danilo? Pero una desobediencia, no. Mis órdenes son para ser cumplidas.

MATILDE.—Pero una vez que haya querido divertirse no es nada.

SEBASTIÁN *(Mirando a* DANILO.).—Al mal hay que ponerle remedio desde el principio, porque si no nos roe. *(A* MATILDE.) En cuanto a ti, no vuelvas a mentirme. No me gustan las mentiras. (MATILDE *lo mira fijamente.)* Prepara el desayuno. Tengo prisa.

MATILDE.—En seguida.

(MATILDE *sale.)*

SEBASTIAN *(A* ALEJANDRO.).—Ve y dile que baje. Quiero hablarle.

ALEJANDRO.—Déjalo dormir un poco. No debe sentirse bien todavía.

SEBASTIÁN.—¡No me importa! Es un haragán. Evita el trabajo y viene a encerrarse con sus malditos libros en la habitación. Un día de estos les prendo fuego. Son ellos los que lo han hecho rebelde e irrespetuoso. Ve y tráelo.

ALEJANDRO.—Será inútil hablarle ahora. No entenderá lo que vas a decirle.

SEBASTIÁN *(Enérgico.).*—¡Yo me encargaré de que entienda! ¡Le voy a enseñar a respetarme! Anoche escapó sin que yo lo advirtiera. ¿Por qué lo hizo? Se fue a escondidas, porque sabía que hacía mal.

ALEJANDRO.—¡Había deseado tanto ir...!

SEBASTIÁN.—Pero no debía ir. Tenía compromisos. Debe acostumbrarse a cumplirlos. En cambio, ¿qué fue lo que hizo? Emborracharse, como un cualquiera.

ALEJANDRO.—Estoy seguro de que no pensaba emborracharse. Pero como no acostumbra a beber...

SEBASTIÁN.—Basta de excusas. Ve y dile que baje.

ALEJANDRO.—No vas a lograr nada así. Apenas te escuchará.

SEBASTIÁN *(Significando sus palabras.)*.—Ve y dile que baje.

ALEJANDRO *(Dominándose.)*.—Está bien.

(ALEJANDRO *se levanta y sube las escaleras.* DANILO *ha seguido desayunando en silencio. El padre lo mira.* DANILO *deja de comer mecánicamente.)*

DANILO.—Me pone nervioso tu mirada.

SEBASTIÁN.—Entonces no tienes limpia tu conciencia. Algo me ocultas. Un hombre sincero no teme nunca a nada ni a nadie.

DANILO.—Es sólo que no me gusta que me observen mientras estoy comiendo.

SEBASTIÁN.—Es un defecto que debes corregir.

DANILO *(Violento.)*.—¡También tú debes corregir tu forma de mirarnos!

SEBASTIÁN *(Enérgico.)*.—¡Basta!

DANILO *(Conteniéndose.)*.—¡Sí, basta! Tú siempre tienes la última palabra.

SEBASTIÁN.—No me hables así.

DANILO. *(Levantándose.)*.—¡Bien! Será como tú quieras.

SEBASTIÁN.—Di lo que tienes que decir. (DANILO *calla.)* ¿Crees que no conozco a mis hijos?

DANILO.—No tengo nada que decir.

SEBASTIÁN.—¡Como siempre! ¡Hipócrita!

DANILO. *(Murmurando.)*.—¡Hipócrita!

SEBASTIÁN.—No balbucees palabras delante de mí. ¡Habla claro!

DANILO.—¡Bien! ¡Bien! ¡Bien! Tienes razón. Quiero hablarte. Pero no creo que sea este el mejor momento.

SEBASTIÁN.—Este es el momento. Si tienes algo que decir, dilo.

DANILO.—Hablaremos después. Cuando estemos más tranquilos.

SEBASTIÁN.—¡Yo no tiemblo!

DANILO.—Yo tampoco tiemblo, pero hablaremos después.

SEBASTIÁN.—Habla ahora.

DANILO.—Está bien. Después de todo la hora de comida es el único momento de hablar, es la única ocasión de reunirse y mirarnos de frente.

SEBASTIÁN.—¿Qué vas a decirme?

DANILO.—Simplemente... recordarte.

SEBASTIÁN.—¿Recordar qué?

DANILO.—Tu promesa.

SEBASTIÁN.—Ah, se trata de eso.

DANILO.—Sí. Creo que esta es una buena ocasión. Nunca estaremos en mejores condiciones económicas. Hemos prosperado y todo promete marchar cada vez mejor. Ya es hora de separarnos.

SEBASTIÁN.—¿Por qué esa prisa?

DANILO.—Nos hemos hecho hombres.

SEBASTIÁN.—¿Cuál es la diferencia?

DANILO.—Necesitamos actuar como hombres. Hemos trabajado siempre a tu lado, pero tú eres quien planea y decide los negocios. Nunca hemos intervenido. Dices que hay que hacer algo y lo hacemos. Pero nada más.

SEBASTIÁN.—¿Te molesta obedecerme?

DANILO.—No. No es eso... Es sólo que...

SEBASTIÁN.—A ver...

DANILO.—No hemos tenido verdaderas responsabilidades. Al hombre lo hacen las resposabilidades. Tú mismo lo dijiste hace un momento.

SEBASTIÁN.—Mis responsabilidades son también de ustedes. Las de ustedes son también mías.

DANILO *(Sentándose nuevamente.)*.—Sí, entiendo. Pero cuanto yo deseo es... No pretendo ofenderte, papá, pero a tu lado me siento como un autómata. ¡Obedezco!

SEBASTIÁN.—¿Quieres explicarte mejor?

DANILO.—No es necesario. Mi decisión te hablará más claramente. Quiero trabajar solo, por mi cuenta.

SEBASTIÁN.—¿No te sientes bien con tus hermanos, conmigo? ¿Por qué te empeñas en trabajar solo, cuando podemos realizar una labor conjunta, ayudándonos los unos a los otros? Esa es la única forma de prosperar. Así lo hemos conseguido.

DANILO.—Ya transigí una vez. Colaboré como se me pidió. Supe atender razones. Pero ya hemos ganado bastante. Ahora es tiempo de hacer lo que queremos. Fue nuestro convenio. Cuando hace dos años te propusimos trabajar por nuestra cuenta, nos pediste esperar. Bien, esperamos. Conseguimos lo que queríamos. Ahora, ¿qué más queremos?

SEBASTIÁN.—Debemos seguir juntos. No tenemos por qué desbandar el capital. Podemos aumentar nuestra riqueza y llegar más alto. ¿Te imaginas? Sabiendo administrar el dinero, como hasta ahora, llegaríamos a ser tan poderosos como Gabriel o Guillermo. Seríamos tan ricos como ellos. ¡Ya les enseñaría yo lo que es riqueza! Si las cosas siguen así...

DANILO.—¿Qué te importan a ti esas gentes?

SEBASTIÁN *(Levantándose.)*.—Podemos ser como ellos y superarlos.

DANILO.—¿Para qué?

SEBASTIÁN.—¿No aspiras a nada?

DANILO.—Cuanto quiero es que cumplas tu promesa ahora. Repartir lo que nos pertenece.

SEBASTIÁN.—Pero todo cuanto hay es nuestro. Nunca hemos tenido problemas. ¿Para qué repartir?

DANILO.—Porque quiero establecerme aparte. Saber que puedo disponer de algo. Ya no soy un niño. Es hora de emprender una forma de vida propia. No quiero depender de ti toda la vida.

SEBASTIÁN.—No dependes de mí. Todos somos propietarios. Es para ustedes para quienes he trabajado. No me pertenece nada. Cuando yo muera, entonces se hablará de partición.

DANILO.—Sería perverso pensar que sólo cuando tú mueras podremos sentirnos en posesión de algo. No quiero pensar en que tú debes morir para conseguirlo.

SEBASTIÁN.—Ah, claro que no. Pero

dividir nuestros bienes ahora supondría una suspensión de nuestros negocios, entorpecería muchas evoluciones que debemos realizar.

DANILO.—Sabes que no es difícil. No estamos pleiteando. Podemos resolverlo en familia y hacer una partición con la aprobación de todos.

SEBASTIÁN.—Pero ¿por qué te empecinas en una separación? Debemos estar unidos y trabajar. Todo marcha bien. La zafra de caña será la más grande que hemos tenido. ¿Has visto los surcos? Ya han comenzado a sembrarse los trozos del tallo. ¿Has visto? Dos y tres yemas cada uno. En un campo más grande. ¿Para qué volverlo patas arriba? Si quieres líos, ya los tendrás con los abogados cuando yo muera.

DANILO.—No voy a esperar a que mueras para recibir lo mío.

SEBASTIÁN.—No habrá partición.

DANILO.—Sí la habrá.

SEBASTIÁN.—¡He dicho que no!

DANILO *(Con mirada amenazadora.)*.—Entonces, recurriré a los tribunales.

SEBASTIÁN *(Tocado.)*.—¿Recurrir a los tribunales?

DANILO.—Sí. Te obligaré a entregarme lo que me pertenece legalmente.

SEBASTIÁN *(Calculador.)*.—¿Qué dices? ¿Legalmente?

DANILO.—No te gusta la idea, ¿verdad? Me creerás irrazonable e injusto, pero algún día teníamos que volver a hablar de esto. Pensaba entrar en razones contigo, pero como te niegas, me veré obligado a exigirte la parte que me corresponde por herencia de mi madre.

SEBASTIÁN *(Abatido.)*.—¡No hablemos de ella!

DANILO.—Necesariamente tenemos que hablar de ella. Legalmente le correspondía la mitad de los bienes adquiridos durante el matrimonio. Al morir, quedó todo a nuestro favor. Yo te exijo mi parte.

SEBASTIÁN.—Sobran las explicaciones. Los reuní a todos y les expliqué que lo mejor era asociarnos y continuar como antes.

DANILO.—Estuve de acuerdo. Pero ahora tengo mis motivos para dejar la sociedad.

SEBASTIÁN.—¡Es estúpido! ¿Qué ganarás con ello?

DANILO *(Levantándose y yendo hacia él.)*.—Saber que trabajo por mí mismo. Emprender algo que me haga sentir útil. No quiero ser una pieza más de una máquina que quiere abarcarlo todo.

SEBASTIÁN.—¿Me crees ambicioso? ¡Pues, sí! ¡Lo soy! Pero ¿para quién trabajo? Para ustedes. ¡Sólo para ustedes! No quiero nada para mí.

DANILO.—Lo sé. Pero así como comprendo tus afanes quiero que comprendas los míos. He pensado en casarme algún día, tener familia.

SEBASTIÁN.—Eso no impide que estemos siempre unidos. Esta es tu casa. Será también la de tu mujer y tus hijos.

DANILO.—No es así como quiero vivir.

SEBASTIÁN.—Quieres disgregar la familia.

DANILO.—No. Quiero formar la mía. Como debe ser. Esta será siempre la casa de nuestros mayores, pero la que llamamos nuestra es algo diferente... La forman nuestra mujer y nuestros hijos. Cada uno en su casa propia. Cada uno con lo que le pertenece. Es así como quiero vivir en el futuro. Saber que no dependo de nadie.

SEBASTIÁN.—Está bien. Déjame tiempo. Pensaré lo que mejor conviene para todos.

DANILO.—No quiero evasivas ahora. Quiero que reúnas a todos y les hables hoy mismo. No voy a esperar un día más.

SEBASTIÁN.—¿Te olvidas de que soy tu padre?

DANILO.—No. No lo he olvidado. Sólo quiero prevenirte. Siempre tratas de evadir la cuestión. Siempre pospones nuestras solicitudes y nunca las atiendes definitivamente. Pero esta vez tienes que decidirlo.

SEBASTIÁN.—¡He dicho que lo pensaré y basta!

DANILO.—No voy a esperar más tiempo.

SEBASTIÁN.—¿Quién crees que eres?

DANILO.—¡Un hombre!

SEBASTIÁN.—¡Ante mí no lo eres! Eres mi hijo y debes escucharme. ¡Potros salvajes! ¡Consagro mi vida a levantar una familia y hacerla digna! La saco de la pobreza y la coloco junto a las mejores. ¿Y cómo se me paga? ¡Alzando la voz! ¿Por qué crees que quiero mantener la sociedad? Porque ustedes son incapaces de desenvolverse solos.

DANILO.—¡Déjame probarlo!

SEBASTIÁN.—¿Qué vas a ganar con ello? Ustedes me necesitan y no voy a dejarlos actuar torpemente sólo porque quieren trabajar por su cuenta. ¡Imbéciles! ¡Lo hago por su bien y no quieren entenderlo! ¡Desconfían! ¡Hablan a mis espaldas! ¡Me calumnian!

DANILO.—¿Qué te hace suponer que te calumniamos? ¿Qué te hace creer que hablamos a tus espaldas?

SEBASTIÁN.—¿Suponen que no me he dado cuenta de que callan al verme entrar? Guardan silencio y disimulan. Hablan de mí a escondidas. Pero yo tengo buen oído y algún día los sorprenderé.

DANILO.—Dios nos libre, ¿verdad?

SEBASTIÁN.—¡Sí, Dios los libre! ¡Ingratos todos! ¡Ingratos!

(MATILDE *entra con otra bandeja y va hacia la mesa mientras habla.)*

MATILDE.—¡He tardado un poco!

SEBASTIÁN *(Áspero.)*.—No voy a desayunar.

MATILDE *(Mientras recoge los platos que ha traído antes.)*.—¿Qué ocurre?

DANILO.—Que he reclamado otra vez. Sólo eso.

SEBASTIÁN.—Baja la voz.

DANILO.—Iré afuera entonces. Adonde pueda gritar. *(Se acerca a la puerta y la abre.)* ¡Al campo libre!

(DANILO *sale y* SEBASTIÁN *lo sigue con la mirada.)*

SEBASTIÁN.—Estos son los hijos que Dios me ha dado. ¡Rebeldes! No debo permitirles que me hablen en ese tono.

MATILDE *(Mientras le prepara una taza de café.)*.—No acostumbran a hacerlo.

SEBASTIÁN.—¿Por qué lo hace entonces?

MATILDE.—Quizás tiene algún problema. ¿Por qué no le preguntas?

SEBASTIÁN.—¿Preguntarle?

MATILDE.—Lo noto nervioso en estos días. Algo le ocurre. Si le preguntaras tal vez pudieras ayudarlo.

SEBASTIÁN.—Nunca le pregunto nada.

MATILDE *(Pasándole la taza de café.).*— Debías preguntar alguna vez. Creo que necesita ayuda. Por eso se comporta así. Nunca antes lo había escuchado hablarte de ese modo.

SEBASTIÁN.—¡Bah! ¡Es un malcriado! ¡Ya se arrepentirá de sus palabras! ¡No lo dejaré sentarse en esta mesa hasta pedirme perdón por lo que ha dicho! ¡Así aprenderá a respetarme! *(Devuelve la taza a* MATILDE.) ¿Dónde está Joaquín?

MATILDE.—Todavía duerme.

SEBASTIÁN.—Alejandro subió a despertarlo. Debió haber bajado ya. *(Grita airado hacia la escalera.)* ¡Alejandro! ¡Alejandro!

(Aparece JOAQUÍN, *seguido de* ALEJANDRO, *pero se detienen en la escalera. Todavía se notan en* JOAQUÍN *los efectos de la borrachera.)*

JOAQUÍN.—¿Por qué gritas? Nadie es sordo en esta casa.

SEBASTIÁN.—Se dan los buenos días.

JOAQUÍN.—¡Buenos días!

SEBASTIÁN.—¿Qué tal has pasado la noche?

JOAQUÍN.—Muy mal.

MATILDE.—Le daré café amargo.

SEBASTIAN.—¡Nada de consideraciones! *(A* JOAQUÍN.) Baja aquí.

JOAQUÍN *(Acercándosele.).*—¿Qué ocurre?

SEBASTIÁN.—¿Sabes qué hora es?

JOAQUÍN.—No me importa.

SEBASTIÁN.—Debías levantarte esta madrugada como tus hermanos y hacerte arrear el ganado como lo hicieron ellos. Tenías obligación de hacerlo, pero estabas tan borracho que ni a la cama pudiste llegar solo. ¿Desde cuándo has decidido hacer caso omiso a mis órdenes?

JOAQUÍN.—¡Quería ir a ese baile!

SEBASTIÁN.—¡No sin mi permiso! Pero ya te crees muy hombre y capaz de resoluciones. ¿No sabías lo que tenías que hacer hoy?

JOAQUÍN.—Sí, lo sabía.

SEBASTIÁN.—Te olvidaste, ¿no? Te olvidaste de que debíamos estar en pie temprano.

JOAQUÍN.—No. No me olvidé.

SEBASTIÁN.—¿Entonces lo hiciste conscientemente? ¿A sabiendas de que desobedecías mis órdenes?

JOAQUÍN.—¡Déjame en paz! Nunca voy a ninguna parte. Quería divertirme y lo hice.

SEBASTIÁN *(Lo toma por la camisa y le obliga a arrodillarse.).*—¡Ya te enseñaré a obedecer!

MATILDE.—No le hagas daño, papá.

ALEJANDRO.—Es hora de volver a trabajar, papá.

SEBASTIÁN.—Ve adelante. Debo ajustarle cuentas a éste.

ALEJANDRO.—No se encuentra bien. Apenas puede sostenerse de pie. Déjalo dormir antes.

SEBASTIÁN.—¿Dormir? Voy a darle su merecido.

ALEJANDRO.—¿De qué sirve ahora? En ese estado apenas se daría cuenta.

SEBASTIÁN.—Se burla de mí y trata de envalentonarse. Si hubiera sido un simple olvido..., si se hubiera arrepentido de su acción..., si hubiera pedido perdón.

ALEJANDRO.—Dale una oportunidad. Ni siquiera te escucha. Se ha dormido a tus pies.

SEBASTIÁN *(A* MATILDE.).—¡Pásame el fuete!

MATILDE.—¡No debes pegarle!

SEBASTIÁN.—¡Pásame el fuete, he dicho!

(MATILDE *se dirige a la cocina.)*

ALEJANDRO.—Papá, perdónalo esta vez.

SEBASTIÁN.—¿Qué esperas aquí? Te he dicho que vayas adelante.

ALEJANDRO.—Está bien.

(ALEJANDRO *se domina y sale.* SEBASTIÁN *empuja con su pie el cuerpo adormecido de* JOAQUÍN.)

SEBASTIÁN.—Levántate, haragán. *(Se acerca a la puerta de la cocina.)* ¡Matilde! ¡Matilde! *(Vuelve junto a* JOAQUÍN.) ¿Dónde está ese fuete?

(MATILDE *entra con el fuete en la mano. Se detiene antes de llegar a su padre y lo mira fijamente.)*

MATILDE.—Aquí está el fuete, papá. pero no vas a pegarle.

SEBASTIÁN.—¿Qué dices? *(Violento.)* Dame acá.

MATILDE.—¡No vas a pegarle he dicho!

SEBASTIÁN.—¿Quién va a impedirlo? ¿Tú?

MATILDE.—No. Yo no puedo impedirlo. Tu fuete caería también sobre mí. Era tu modo de hacerte sentir. Lo habías olvidado. Y ahora quieres recurrir a él nuevamente. Pero no puedes hacerlo. ¡No otra vez!

SEBASTIÁN.—Sí, ¡otra vez y otra! ¿Quién va a impedirlo?

MATILDE.—La memoria de mi madre que está siempre viva en ti, porque no has podido separarla de ti.

SEBASTIÁN.—¿Por qué hay que mencionarla ahora?

MATILDE.—Ya no volverás a usar tu fuete contra nosotros. Ella nunca quiso que tú lo hicieras. No debes hacerlo.

SEBASTIÁN.—¡Yo sé cómo educar a mis hijos! ¡Dame acá ese fuete!

MATILDE *(Entregándole el fuete.).*—Tómalo, pero óyeme bien, si le pegas...

SEBASTIÁN.—¿Me amenazas?

MATILDE.—Si le pegas... todo el mundo sabrá por qué murió mi madre.

SEBASTIÁN.—¿Qué sabes tú de eso?

MATILDE.—¡Todo! ¡Todo! *(Enfrentándosele.)* ¡Lo escuché todo! ¡Lo vi todo!

(El padre la mira sorprendido y MATILDE *responde a su mirada con altivez, y un algo de triunfo mientras cae el telón para el final del primer acto.)* ■